Saint-Emilion

COLLECTION DIRIGEE PAR
BERNARD GINESTET

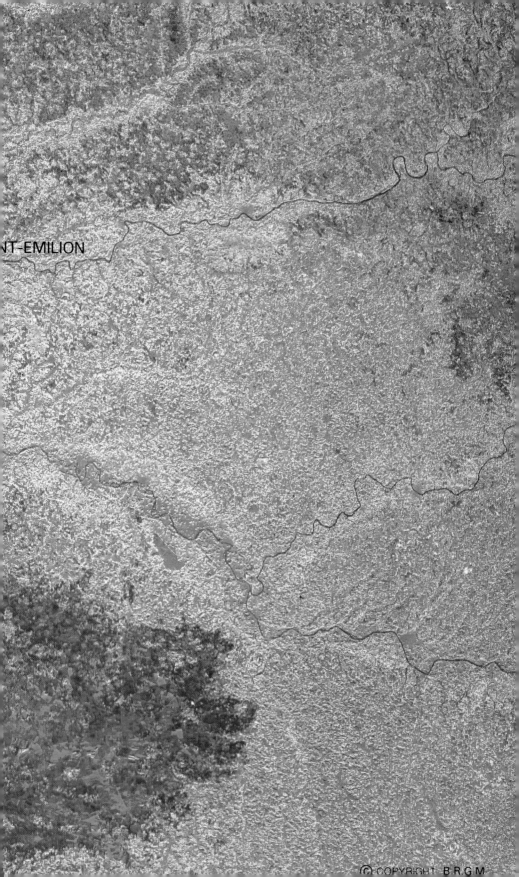

NT-EMILION

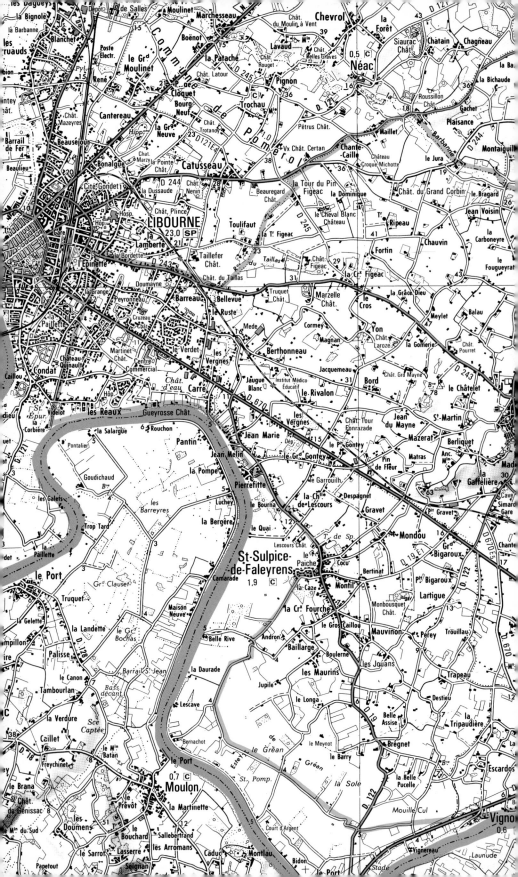

Bernard Ginestet

Saint-Emilion

LE GRAND BERNARD
DES VINS DE FRANCE

Jacques Legrand

Création et réalisation :
Jacques Legrand S.A.

Directeur éditorial :
Robert Maillard
Secrétariat de rédaction :
Christine Fourton
Enquêtes et documentation :
Jocelyne Morin
Cédric Martin

Directeur artistique :
Henri Marganne
Maquette et secrétariat d'édition :
Claire Forgeot

Photographie :
Luc Joubert, Bordeaux

Photocomposition :
Maury, Malesherbes
Photogravure :
I.D.L., Paris

I.S.B.N. : 2-09-291426-X (Nathan)
I.S.B.N. : 2-905969-21-0 (J. Legrand)
Dépôt légal : 4e trimestre 1988
Imprimé et relié par Brepols en Belgique

Préface

La première édition de ce livre, rapidement épuisée, sortit en librairie peu de temps après la révision du classement des grands crus de Saint-Emilion. Ma prise de position critique vis-à-vis de ce classement m'a valu quantité égale de remontrances plus ou moins amènes et d'applaudissements chaleureux. Je tiens à préciser que mon propos n'a jamais été de provoquer une polémique que je juge stérile, mais d'apporter au lecteur une vision indépendante de tout esprit partisan. N'ayant à défendre aucun intérêt personnel en cette affaire, je me suis attaché à faire apparaître ce que je crois être une série de faiblesses dans le système et les méthodes d'un semblable classement. Lorsque les termes « Premier Cru » ou « Grand Cru » sont homologués de façon indissociable avec l'appellation d'origine contrôlée, ils ont nécessairement fait l'objet d'une délimitation préalable, comme c'est le cas en Bourgogne et à Chablis. Pas à Saint-Emilion, où l'on a voulu faire un amalgame officiel entre des valeurs hétérogènes : le terroir dans toutes ses acceptions, y compris les « terrains vagues » et les usages sous tous leurs aspects, y compris les mauvaises habitudes de pensée. Il en résulte une confusion regrettable entre le bien collectif et la propriété privée, confusion entretenue par le mélange arbitraire de notions objectives (lois et réglements sur les A.O.C. par exemple) et d'appréciations subjectives (méthodes de gestion et d'exploitation, etc.). Pour cette raison, le principe du classement des vins de Saint-Emilion ne peut être considéré comme satisfaisant et toute révision ne fera jamais, dans ces conditions, qu'aggraver l'erreur initiale. Les rivalités locales lui donnent de surcroît des relents de basses-fosses. Mais je n'ai pas l'intention de faire du journalisme sensationnel ou du juridisme déplacé. Et prendre un parti n'est pas se rendre prisonnier d'un parti pris. J'ai tenté de proposer une hiérarchie des crus de Saint-Emilion dont chaque lecteur-dégustateur sera le juge souverain.
Je le remercie de son indulgence et de sa confiance.

B. G.

A J.-P. M.,
avec ma filiale affection.

Sommaire

Ausone, saint Emilion, Jean sans Terre, Enjalbert et les autres

Au commencement, l'Homme aima Dieu et le vin de côte. Et Saint-Emilion fut.

On ne sait pas, au juste, quand débuta le commencement. La tradition locale attribue les premières plantations de *vitis vinifera* aux légions de l'empereur Marcus Aurelius Probus. En France, dès qu'un vignoble se pique d'antiquité, Probus est appelé à la barre de l'Histoire. Les sillons rectilignes et parallèles qui furent creusés autrefois dans la roche calcaire deviennent alors des observations probatoires. A Saint-Emilion, comme à Vosne-Romanée ou à Chablis, le vigneron est atteint de gallo-romanie chronique. Cette affection est bénigne. Elle ne l'empêche heureusement pas de cultiver sa vigne selon des méthodes modernes. La perforation du rocher pour établir les plantations – technique dite "en pots de fleurs" – prouve l'ancienneté d'un vignoble sans fournir de datation. Elle était encore en usage au XVIIIe siècle.

Mais il faut reconnaître que certains vestiges d'habitat apportent plus que des présomptions. Oui, à partir du IVe siècle, il y eut de la vigne à Saint-Emilion. Et la certitude que l'une des "villas" d'Ausone s'y trouvait devient de plus en plus forte au fur et à mesure que progressent les fouilles du Palat (dérivé du latin *palatium* : palais), à côté du Château La Gaffelière et au-dessous de l'actuel Château Ausone. Non seulement les mosaïques et l'ordonnancement des pièces correspondent tout à fait à l'époque du poète mais encore le plan de ce "palais" évoque celui des maisons de Trèves, au bord de la Moselle dans le Palatinat, où Ausone vécut pendant plusieurs années avant de rentrer au bercail pour jouir d'une retraite cossue. L'époque était décadente et le poète mineur : soit.

L'exigence d'un bon vin en était plus impérieuse ; tant il est vrai que le sybaritisme s'exaspère lorsque le génie humain s'attache à gérer le quotidien ordinaire et non la grandeur de son règne. Jules César et Napoléon ont fait creuser des tranchées pour les besoins de leurs guerres, y compris enterrer leurs soldats morts, pas pour planter de la vigne. Mais le gros et débonnaire Ausone ne pouvait pas imaginer qu'un trou dans la terre servît une autre ambition que la gloire de sa table et la renommée de son cru. Les viticulteurs de Saint-Emilion revendiquent cet héritage spirituel. Ainsi soit-il.

A propos : il nous faut également parler du saint appelé Emilion. Ce personnage a supplanté Ausone dans le parrainage de la production locale au point de lui donner son nom. A quoi les choses tiennent-elles ? Car aujourd'hui, les vins qu'on appelle Saint-Emilion pourraient tout aussi bien s'appeler Ausone et le Château Ausone pourrait s'appeler Cantenat, comme son propriétaire au temps de la Révolution. Saint Emilion a-t-il existé ? Cette question ne passionne plus les foules. On semble tenir pour acquis la réalité des légendes qui attestent que saint Emilion vécut au VIIIe siècle. Il aurait été originaire de Vannes en Bretagne et serait arrivé dans la forêt de Combes (voir Saint-Laurent-des-Combes) peu de temps après le passage dévastateur de Abd-al-Rahman et son armée de Sarrasins, en 732 (le quartier de « Villemaurine » lui doit son nom). A la fin du siècle dernier deux historiens locaux croisèrent la plume avec fièvre. Emilien Piganeau publia un mémoire explosif dans le bulletin de la Société archéologique de Bordeaux où il renvoyait saint Emilion au milieu des fables populaires. L'abbé Hippolyte Caudéran lui répondit du tac au tac dans la *Revue catholique de Bordeaux,* énumérant toutes les preuves de l'existence du saint. J'avoue que les arguments avancés par les deux protagonistes me paraissent également recevables. Aussi je me garderai de conclure, et me contenterai d'admettre la probabilité de la présence d'un

ermite appelé Emilian, aussi orthographié Milion ou Melyon, dans la grotte que l'on connaît, vers la fin du VIIIe siècle, soit peu avant l'origine de l'église monolithe.

Toutefois, l'étude de Piganeau comporte une hypothèse non exempte de séduction. Pour lui, le nom de "Sentmelion", que l'on trouve plusieurs fois écrit "Semilione" aux XIIe et XIIIe siècles, viendrait du grec *Semelê ionê* qui signifie "source ou fontaine de Semelê". Fille de Cadmos et d'Harmonie, Semelê fut aimée de Zeus et enfanta Dionysos, l'homologue du Bacchus romain. Notre cépage "Sémillon" (autrefois *Semelion*) serait la trace de cette étymologie et Saint-Emilion signifierait "Fontaine au milieu des vignes". Piganeau rappelle aussi qu'une tante d'Ausone s'appelait Emilia Eonia.

Parmi les légendes qui s'attachent à la mémoire du saint Emilion, la moins crédible mais la plus fabuleuse nous est rapportée par Léo Jaubert. Le moine breton Emilian, pèlerin en Terre sainte, passa une nuit dans une étable à Cana. Il y trouva une calebasse abandonnée et reprit son chemin après l'avoir emplie d'eau et mise en bandoulière. Il eut alors la surprise de constater que l'eau s'était changée en vin du meilleur tonneau. Il revint en France, dispensant sur sa route le divin breuvage aux infirmes et aux miséreux qui s'en

---

▲ Un superbe exemple des mosaïques découvertes par les fouilles archéologiques du « Palat », près du Château La Gaffelière. On y voit un cratère de libation décoré de pampres stylisés et l'on imagine Ausone pieds nus...

◄ Les sillons creusés dans la roche sont qualifiés de « gallo-romains » par les viticulteurs. En fait, cette technique viticole a été en usage à Saint-Emilion jusqu'au XVIIIe siècle.

trouvaient guéris ou réconfortés. Il s'arrêta un soir dans une grotte proche de la Dordogne, sur un site élevé qui avait une source d'eau pure et il décida de s'y installer au lieu de rentrer dans sa Bretagne natale. La nouvelle de la gourde miraculeuse se répandit dans le pays et nombreux furent les bienfaits de l'ermite. Après sa mort, un quidam déroba la calebasse et s'enivra tant et si bien qu'il tituba. Le précieux récipient chuta et se brisa. De ses morceaux épars un flot de vin s'écoula longtemps, longtemps, longtemps... inondant le pays jusqu'à Saint-Christophe, les coteaux de Saint-Georges et même le plateau de Pomerol. Alors tous les buissons se transformèrent en pieds de vigne. Ce fut le dernier miracle de saint Emilion et sa gourde. Mais les vertus surnaturelles de l'ermitage existent encore de nos jours (voir Château Laniote au répertoire).

▲ *Le clocher de l'église de Saint-Emilion domine tout le paysage viticole.*

A partir du IXe siècle, la vie religieuse à Saint-Emilion s'organisa et se développa sur les fondations établies par les moines bénédictins dès le début du VIIe siècle. La fameuse et imposante église monolithe, sans doute la plus grande du genre, fut creusée pendant quelque deux cents ans. Parallèlement, un village fortifié s'érigeait. Les pouvoirs temporel et spirituel eurent dès lors à coexister. La première trace écrite de ces dispositions réglementaires remonte à 1199, lorsque Jean sans Terre, le cinquième fils de Henri II et d'Aliénor d'Aquitaine, alors tout récent roi d'Angleterre, prit une charte où il spécifiait : « Nous avons concédé et confirmons à nos chers féaux et bourgeois de Saint-Emilion le droit d'avoir une commune avec tous les privilèges et libres coutumes qui appartiennent à la commune. » Ce document constitue l'acte de baptême de la jurade de Saint-Emilion dont la juridiction s'étendait sur neuf paroisses. On ne pouvait pas demander à un roi surnommé Jean sans Terre d'être géologue ! L'actuelle délimitation du terroir d'appellation Saint-Emilion découle pourtant directement de la 17 bonne volonté du souverain d'Angleterre, duc d'Aquitaine. Je reviendrai sur cet aspect des choses un peu plus loin. Il faut quand même souligner qu'au début du XIIIᵉ siècle, alors que le Médoc viticole se réduisait à quelques maigres arpents de vignes souffreteuses, les coteaux de Saint-Emilion étaient couverts de vignes prospères dont le vin était déjà réputé outre-Manche, tandis que les plateaux et les plaines produisaient les céréales pour le pain. Pendant deux siècles au moins, le pays bordelais allait connaître un bel apogée économique où les vins tenaient une place de choix. Ceux du Libournais s'y distinguaient particulièrement, Saint-Emilion étant alors le vin des rois. Après Jean sans Terre, son fils Henri III dut veiller à protéger les cargaisons à destination de Londres en condamnant les tentatives des riverains de l'aval pour faire obstacle au passage des navires, ainsi que l'atteste un acte daté de 1230. L'on voit aussi, en 1289, le prieur des frères prêcheurs de Saint-Emilion, Pierre-Raymond Bernard, être l'exécuteur testamentaire de Pierre de Narbonne... et se faire réprimander par Eléonore de Castille et Edouard Iᵉʳ d'Angleterre. Quatre ans plus tard, Guillelmus de Sancto Emiliano, premier jurat de la ville, prête serment de fidélité à Philippe le Bel. C'était pour les besoins de la politique, le commerce restant bien compris du côté britannique. Les Anglais ont toujours su se montrer ambidextres, la main droite ignorant ce que faisait la gauche. En 1302, Edouard Iᵉʳ passa une convention avec les expéditeurs de vin d'Aquitaine. Cette "charte marchande" fut sans aucun doute le premier traité commercial de l'histoire des vins de Bordeaux. Il concernait environ 100 000 tonneaux de vins en provenance de la province. Libourne, c'est-à-dire, en substance, Saint-Emilion et Fronsac, y intervenaient pour plus de dix pour cent : production considérable, à l'époque, sur un territoire restreint. Un dernier coup d'œil sur cette faste période : en 1312, Edouard II d'Angleterre confirma aux Jurats et aux cent Pairs de la ville de Saint-Emilion le droit d'élire leur maire. Il savait ce qu'il faisait car sa consommation personnelle était assurée jusqu'à la fin de ses jours. Les Saint-Emilionnais surent remercier leur souverain ; et, afin que nul n'en ignore, ils s'en vantèrent même : « Sachent tous ceux qui liront ces présentes lettres patentes, que nous Jurats et cent Pairs et toute la communauté de la ville de Saint-Emilion, reconnaissons et déclarons, pour certaines causes légitimes, devoir à l'excellent Prince et Seigneur notre Seigneur Edouard, par la grâce de Dieu Roi d'Angleterre, Seigneur

d'Irlande et très illustre Duc d'Aquitaine, cinquante tonneaux de vin clair et pur, légalement remplis, apportés et conduits à nos propres frais, en Angleterre, au port de la cité de Londres, avant la prochaine fête de Pâques. Pour les cinquante tonneaux en question (...) nous gageons nos personnes, la ville de Saint-Emilion et son patrimoine, nos biens mobiliers et immobiliers (...). En témoignage de quoi nous demandons l'apposition du grand sceau de la commune. Daté de Saint-Emilion, le 24ᵉ jour du mois d'octobre de l'année du Seigneur 1312. » Pour ce qui est des pots-de-vin, les édiles de Saint-Emilion ne dosaient pas leur gratitude au compte-gouttes ! Quant à Edouard, premier du nom, quel affairiste ! C'est peut-être lui l'inventeur de la "pourriture noble" ! Mais c'est une autre histoire, qui se racontera en Sauternais le moment venu.

A cette époque-là, les vins de Saint-Emilion étaient à la fois rouges et blancs. Peut-être même produisait-on plus de blanc que de rouge. Il arrivait aussi que l'on mélangeât les couleurs car une proportion de raisins blancs dans une cuve de rouges contribue au bon départ de la fermentation. Je me range avec ceux qui supposent que le terme de "vin clairet", correspondant au *claret* anglais, n'a pas d'autre origine que cette combinaison des cépages. En tout cas, à partir du XIIIe siècle, les vins de "Saint-Milion" ou "Saint-Mélion" sont cités parmi les plus célèbres de France. Ils figurent dans le répertoire du trouvère Henri d'Andeli, lorsque, à la demande de Philippe-Auguste, celui-ci composa la *Bataille des vins* où l'on voit un moine anglais comparer les meilleurs crus. Les Anglo-Saxons, déjà, soignaient la réputation de leurs papilles, comme aujourd'hui les Michael Broadbent, Nicholas Faith, Hugh Johnson, Edmund Penning-Rowsell et autres Cyril Ray, sans compter ceux d'outre-Atlantique, tous prélats manqués mais évangélistes du bon goût, c'est-à-dire le leur, dont l'archétype contemporain est le pape du vin Alexis Lichine.

Dès le Moyen Age, le vignoble de Saint-Emilion se partagea entre les bourgeois et le clergé. A partir du IXe siècle, les congrégations religieuses furent nombreuses. On sait qu'elles étaient grandes consommatrices de vin et qu'elles tiraient une partie appréciable de leurs revenus en vendant leurs "excédents" de production. La colline de Saint-Emilion, ses côtes escarpées, offraient des sites favorables à la sédentarisation monacale et à la viticulture. Libation et méditation équivalaient contemplation mystique. Il reste de ce pieux passé quantité de monuments plus ou moins abîmés par l'âge dont la plupart ont été réhabilités dans la dignité bachique. Cloîtres ou cryptes, chapelles ou collégiales ont, depuis quelques générations, fait l'objet d'une louable et rentable conversion. Antiquaires et brocanteurs ont su fournir le "mobilier d'origine" afin que nul ne puisse douter du témoignage de l'Histoire. Mais, bien sûr, tous les viticulteurs du cru ne peuvent pas prétendre se loger chez

◄ *La chapelle du cloître des Cordeliers.*

Autrefois cité fortifiée, Saint-Emilion conserve des vestiges de remparts.   ▶

l'ancien père prieur des Jacobins ou le précédent frère portier de l'Oratoire. Pour pallier la déficience des lieux saints, pourtant nombreux et cependant insuffisants par rapport à la nouvelle demande, c'est par la grâce de l'étiquette que les vignerons disciples de Saint-Emilion attestent leur bonne foi. L'amateur collectionneur de ces vignettes aurait de quoi mettre une image pieuse à chaque page du missel de communion solennelle de sa grand-mère. Mis à part les patronages directs d'une importante délégation des saints du paradis (y compris le paradis lui-même) on trouve un surprenant florilège de vocables plus catholiques les uns que les autres. Au hasard de la mémoire, je cite : l'Angélus, la Grâce-Dieu et ses dérivés, Magdelaine et ses déclinaisons telles que la Chapelle-Madeleine ou Curé-Bon-La-Madeleine, Le Prieuré, La Croix de quelque chose, Les Couvents et Palais Cardinal, etc.

L'aimable terroir de Saint-Emilion a été baptisé "la colline aux mille crus". Cette vision poétique est une vue de l'esprit qui tient davantage du mirage que du miracle. Car en fait, les 5 200 hectares de l'appellation ne sont pas tous juchés au sommet des côtes ni sur celui de la qualité vineuse. L'aire d'A.O.C. Saint-Emilion se décompose en trois secteurs principaux. Le plus classique, celui qu'on pourrait appeler le vrai Saint-Emilion, couvre environ 2 000 hectares. Il est constitué par le plateau calcaire, culminant à 100 mètres d'altitude, et par ses pentes aux expositions variées. C'est principalement le terroir paroissial, le "finage" dirait-on à Chablis. Entre la ville de Saint-Emilion et l'appellation Pomerol se trouve un plateau sablo-graveleux sur sous-sol argileux. La délimitation objective de ce terroir est incertaine (il contient quelque 1 000 hectares). La frontière entre Pomerol et Saint-Emilion a des bases plus administratives que géologiques. Les meilleurs terrains viticoles sont constitués par des graves profondes (environ sept mètres d'épaisseur) où les Châteaux Figeac et Cheval Blanc se taillent la part du lion. Tous les crus classés qui ne campent pas sur le haut plateau calcaire et les côtes se retrouvent dans ce voisinage. Les 2 000 hectares restants sont répartis sur la plaine de la Dordogne. L'A.O.C. descend jusqu'à Libourne depuis le récent rattachement des "Sables Saint-Emilion" à l'appellation Saint-Emilion, annexion étonnante et simpliste. Vers l'est, le bas vignoble va rejoindre les limites communales de Castillon-la-Bataille dont les vins des côtes sont très estimables et parfois supérieurs à des saint-émilions sans altitude. Il est impossible de situer le vin de Saint-Emilion dans une même unité. Celle qui sert de ciment à l'appellation est totalement artificielle et regroupe des terroirs qui n'ont en commun que les variétés des cépages qui y croissent. C'est pourquoi la référence

à la "juridiction de Saint-Emilion" comme principe de délimitation viticole est une aberration. Autrement dit, de toutes les appellations bordelaises à prétention restrictive, Saint-Emilion est indéniablement la plus hétérogène. L'entier Médoc, au sens géographique, et tous les terroirs communaux qu'il contient (Margaux, Saint-Julien, Pauillac, Saint-Estèphe, Moulis, Listrac) présentent bien davantage d'unité agrologique que la prétendue "colline aux mille crus".

Le professeur Henri Enjalbert, qui a publié, peu de temps avant sa mort, un monumental traité des vins du Libournais, s'est lui-même enfoncé dans le dédale géologique du Saint-Emilionnais. On peut regretter l'absence d'une synthèse objective. A ma demande, mon ami Pierre Laville, ingénieur au B.R.G.M. (Bureau de Recherches Géologiques et Minières) est venu arpenter le terrain. Il a bien voulu assurer la compilation des études antérieures et la présentation scientifique de l'appellation. Tout en saluant l'imposant travail d'Enjalbert, je suis heureux que ce livre puisse contribuer à une meilleure connaissance de la matrice viticole du pays, notamment par la publication originale de la première carte synthétique de la géologie de Saint-Emilion assortie des commentaires pertinents de Pierre Laville.

Description simplifiée du terroir de Saint-Emilion

Le vignoble de Saint-Emilion prolonge vers le sud-est celui de Pomerol. Il est réparti sur un môle de sédiments subhorizontaux d'âge tertiaire et découpé par l'Isle, la Dordogne et la Barbanne. Outre les fonds de vallées récentes, les alluvions de ces rivières tapissent les bas versants occidentaux et méridionaux du promontoire. Vers l'est, ce dernier est interrompu par l'érosion du plateau calcaire au niveau de la route de Saint-Genès-de-Castillon à Sainte-Colombe.

Le plateau de Saint-Emilion est armé d'une couche calcaire et s'allonge de l'ouest nord-ouest à l'est sud-est pour culminer à la cote 100 mètres à la butte Mondot. A son pied vers l'ouest et le sud, à peine marqué par les ressauts des terrasses alluviales, un glacis régulier et un coteau raide lui font suite. Vers le nord et l'est, le plateau passe directement aux fonds de vallon par un coteau accentué. Le long de la Dordogne, le glacis passe à un palus large et digité.

Un tel dispositif géomorphologique favorise la diversité des expositions qui sont une des caractéristiques du terroir. Un autre facteur de diversité réside dans la lithologie des formations sédimentaires et superficielles qui les masquent partiellement. Une revue de ces différents terrains doit être faite en détail pour saisir

la variété des couples terrain-exposition au sein d'un macroclimat homogène et typé. Parmi les formations sédimentaires, du glacis de Saint-Sulpice-de-Faleyrens au sommet de la butte Mondot, quatre termes sont identifiables. Ils comportent plusieurs faciès qui évoluent latéralement.

▲ *Les terroirs de l'appellation Saint-Emilion sont extrêmement variés. Ici, les graves de*
Figeac, qui ressemblent fort aux croupes médoquines.

1. Le terme le plus ancien et le plus bas dans le paysage est un niveau de calcaire molassique qui détermine un léger ressaut du glacis près de Belle Assise au-dessus du Palus de la Sole. D'âge oligocène inférieur, ce niveau fait partie de l'ensemble de dépôts marins et continentaux. Du nord au sud, des dépôts sont de plus en plus marins et, sur 40 mètres d'épaisseur, les intercalations détritiques grossières (sables, galets) y sont plus accentuées au nord. En revanche, au sud, les apports argileux sont bien marqués et donnent avec les carbonates tout un cortège de calcaire argileux, de marnes ou d'argile noduleuse. Vers le sommet, les teneurs en carbonates augmentent et déterminent la base des coteaux entre les cotes 25 et 50 mètres. Au quaternaire, ces alternances de cohésion détermineront en partie les niveaux d'érosion et l'étagement des alluvions de l'Isle et de la Dordogne.

2. Le terme sous-jacent est constitué de calcaires épais et lités en gros bancs. Ce sont les calcaires marins à astéries qui forment les coteaux et le plateau de Saint-Emilion. A leur base, à la cote 50 mètres, un niveau argileux riche en huîtres fait la limite avec la formation détritique. Ce niveau est aussi une limite phréatique, émergence de petites sources. Age oligocène moyen, ce calcaire est composé de deux assises nettement séparées par un niveau argileux à l'est du ruisseau de Fontgaband. Avec 30 à 40 mètres d'épaisseur, ce plateau calcaire poreux et fracturé en grand est la pièce maîtresse du terroir de Saint-Emilion. Extrêmement entamée par l'érosion et karstifiée, sa surface irrégulière présente des expositions variées à l'échelle de la parcelle et des îlots de formations superficielles. Les termes sédimentaires sommitaux sont cantonnés dans des buttes à Mondot, Grand Jacques et Destieu.

3. Le terme inférieur détritique rappelle par son faciès celui de la formation de Castillon. Peu épais, il n'apparaît que sous un faciès d'altération dispersé autour des buttes. Rapporté à l'oligocène supérieur, il constitue une formation relativement fréquentée à l'est du plateau.

4. Le terme supérieur, qui termine les dépôts marins, correspond au calcaire aquitanien, meuliérisé à la fin du tertiaire. Très peu épaisses (5 mètres environ), ces reliques silicifiées témoignent de l'amplitude de l'érosion quaternaire le long de la vallée de la Dordogne.

Les principales formations superficielles qui masquent la pile de sédiments tertiaires sont les alluvions quaternaires. En conservant les subdivisions retenues dans la région des Graves et celle du Médoc, quatre terrasses sont distinguées le long de l'Isle et de la Dordogne. Comme pour les terrains sédimentaires, ces alluvions sont présentées des plus anciennes aux plus récentes.

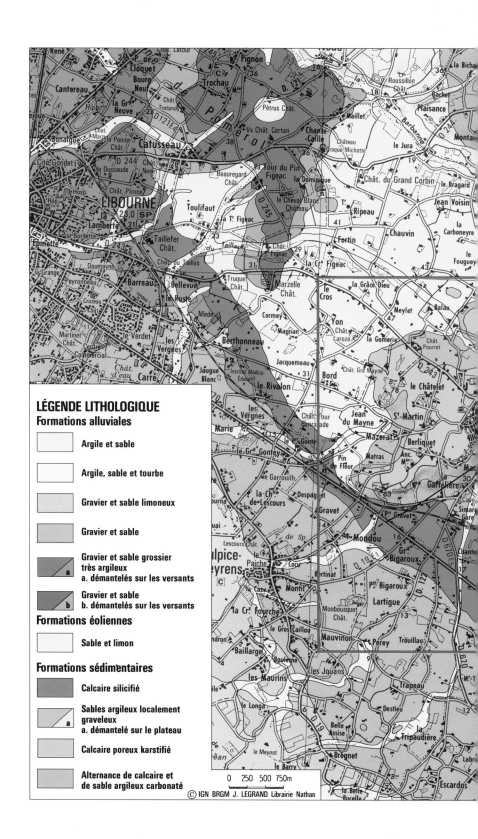

LÉGENDE LITHOLOGIQUE

Formations alluviales

Argile et sable

Argile, sable et tourbe

Gravier et sable limoneux

Gravier et sable

Gravier et sable grossier
très argileux
a. démantelés sur les versants

Gravier et sable
b. démantelés sur les versants

Formations éoliennes

Sable et limon

Formations sédimentaires

Calcaire silicifié

Sables argileux localement
graveleux
a. démantelé sur le plateau

Calcaire poreux karstifié

Alternance de calcaire et
de sable argileux carbonaté

0   250 500 750m

© IGN BRGM J. LEGRAND Librairie Nathan

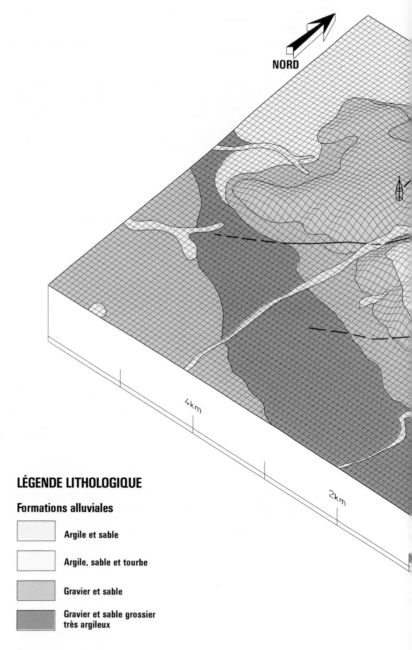

NORD

LÉGENDE LITHOLOGIQUE

Formations alluviales

Argile et sable

Argile, sable et tourbe

Gravier et sable

Gravier et sable grossier
très argileux

© IGN BRGM J. LEGRAND Librairie Nathan

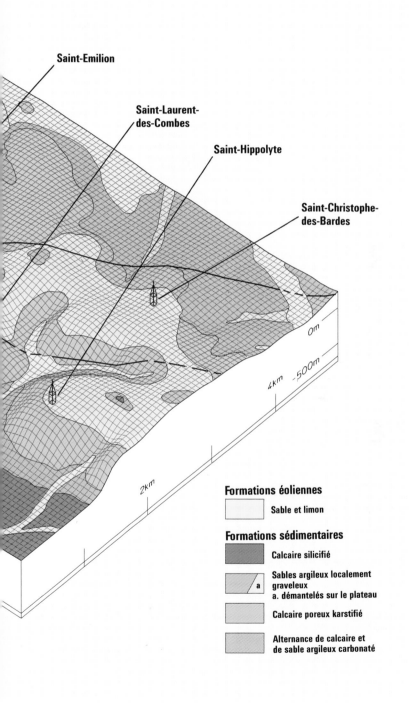

Saint-Emilion

Saint-Laurent-
des-Combes

Saint-Hippolyte

Saint-Christophe-
des-Bardes

0m

4km -500m

2km

Formations éoliennes

Sable et limon

Formations sédimentaires

Calcaire silicifié

Sables argileux localement
graveleux
a. démantelés sur le plateau

Calcaire poreux karstifié

Alternance de calcaire et
de sable argileux carbonaté

La terrasse la plus ancienne connue sur l'appellation forme une butte discrète où s'épanouissent les vignobles de Cheval Blanc et de Figeac. Elle prolonge vers le sud les vignobles de Pomerol et correspond stratigraphiquement à la moyenne terrasse des Graves qui porte la plupart des grands crus. Essentiellement graveleuses, de matrice sableuse pauvre en argile et bien drainées, ces alluvions favorisent un enracinement profond. La terrasse suivante est bien développée dans l'appellation où elle nappe la partie haute du glacis au sud de Saint-Emilion ainsi que le versant occidental de la butte de Figeac. Constituées de sables et graves grossières, ces alluvions se distinguent des précédentes par une matrice argileuse abondante et une humidité constante bien que modérée. Elles constituent une basse terrasse entre les cotes 15 et 20 mètres.

Les alluvions les mieux représentées correspondent à la très basse terrasse qui, au-dessus des sables et molasse de Castillon, forme le bas glacis du sud de l'appellation entre les cotes 5 et 15 mètres. Très graveleuses, ces alluvions sont de matrice sableuse pauvre en argile. Elles portent une nappe phréatique qui limite l'enracinement en profondeur au niveau du substrat. Les alluvions graveleuses les plus basses et les plus récentes sont ennoyées sous les alluvions modernes sablo-argileuses voire tourbeuses qui tapissent la vallée de la Dordogne actuelle et tous les fonds de vallon. Cependant, sous la cote 5 mètres d'Andron à Mouille-Cul, elles forment une suite d'îlots de matrice sablo-limoneuse qui émergent à peine du palus.

Ces différentes terrasses sont étagées et se lient les unes aux autres par des formations de versant issues de leur démantèlement. Particulièrement délicates à distinguer de leurs alluvions mères, ces formations adoucissent les ressauts des terrasses ou du substrat. C'est autour de la butte de Figeac que ces formations de versant sont les mieux identifiées.

Les formations de versant issues des coteaux sont difficiles à séparer des roches qui en forment le pied. Cependant, il n'est pas douteux qu'elles occultent le contact de la basse terrasse avec son substrat rocheux sur le haut glacis.

A l'ouest du plateau de Saint-Emilion, les formations sableuses éoliennes forment un voile continu sur la basse terrasse ou son substrat. Résultant d'une période aride entre les périodes Mindel (basse terrasse) et Riss (très basse terrasse), elles sont exclusivement localisées aux terrasses basses et moyennes plus anciennes.

Les sols qui vont se développer dans les formations superficielles et dans les roches alluviales, sédimentaires ou éoliennes, seront donc extrêmement diversifiés et hormis les palus et les fonds de vallons argileux, peu sont impropres au vignoble. Toutefois, une hiérarchie se dégage à travers la qualité des vins obtenus et il est troublant de constater que les vins issus de la moyenne terrasse, du haut glacis et surtout des coteaux et du plateau, c'est-à-dire sur des zones où la distribution de l'eau est équilibrée ou restreinte par la lithologie du sous-sol sont d'un type affirmé et d'une qualité supérieure à ceux des vignes du bas glacis où la disponibilité en eau est excessive.

C'est donc le modelé du paysage et la circulation phréatique déterminée par la lithologie qui semblent diriger en grand la répartition du potentiel viticole de l'appellation. La qualité des sols, puis les niches climatiques qui découlent aussi de la lithologie et du modelé, interviendraient secondairement. Refuser cette influence du terroir reviendrait à nier la spécificité des vins de Saint-Emilion et affirmer que les différents vins de Bordeaux se distinguent par les seules techniques agronomiques et œnologiques, ce qui condamne toute référence à leurs différents lieux d'origine.

En 1934, dans leur étude sur l'aire de production des vins de Saint-Emilion, cette prééminence du terroir n'avait pas échappé à Robert et André Villepigue qui affirmaient après inventaire des cépages et des méthodes de vinification : « Il semble donc que pour déterminer l'aire de production des vins de Saint-Emilion, l'agronome-expert devra s'en tenir aux seules notions orographiques et géologiques du sol et du sous-sol. » Et d'ajouter : « Les documents géologiques sur la région de Saint-Emilion ne sont guère nombreux, du moins ceux qui ont quelque valeur technique. »

En 1986, cette affirmation reste d'actualité car les cartes géologiques détaillées, fiables et accessibles au public manquent encore. La compilation critique des cartes de Henri Enjalbert présentée ici et harmonisée par le B.R.G.M. est un palliatif satisfaisant en première approche mais la cartographie détaillée devra être menée rapidement sur le Libournais pour aider les viticulteurs au niveau de leurs parcelles... *(et les experts au niveau de leurs conclusions ! N.D.L.R.)*

Où Saint-Emilion cherche sa carte d'identité

Pierre Laville a eu diablement raison de faire référence à Robert Villepigue. Il y a plus d'un demi-siècle, cet homme avait perçu avec une étonnante lucidité scientifique les solutions possibles pour le classement raisonné des terroirs de Saint-Emilion. Son travail reste d'actualité. Les sols n'ont pas changé. Seules les techniques ont évolué. Lorsque Henri Enjalbert a entrepris son importante étude, il s'est mis en tête d'écrire une thèse de géographie et d'histoire sur le vignoble libournais. Peut-être par modestie ou pudeur, peut-être parce que ce n'était pas directement son problème, il s'est gardé de porter des jugements de valeur définitifs sur les crus. Pourtant, son travail prolongeait en droite ligne le mémoire de Villepigue. Avec tout le respect admiratif que je dois au regretté professeur, je dirai, de façon "lapidaire", que si Villepigue a classé les cailloux de Saint-Emilion, Enjalbert les a cassés en petits morceaux. C'est pourquoi je crois utile de publier une partie importante des conclusions de Robert Villepigue (voir page 36). Cette collection établie, il est à la fois assez facile et très intéressant de retrouver sur le terrain chacun de ses groupements.

L'avoir fait, c'est avoir fait la classification des crus de Saint-Emilion.

Première classe. Les groupes 1, 2, 3 donneront les crus les plus fins ; ils comprendront la côte de la Madeleine, le Tertre-Daugay, les côtes de Pourret, de la Carte, de Mazerat, la côte Pavie, les côtes de Villemaurine et du Cadet. Ces trois premiers groupes pourront constituer avec les récupérations que nous ferons dans les groupes suivants, l'ensemble de la première classe de Saint-Emilion.

Seconde classe. La seconde classe commence avec les groupes 4, 5, 6, 7, 8, 9 suivants : le groupe 4 comprend les combes siliceuses de terres un peu plus fertiles que les trois premiers, qui creuseront le sous-sol des trois précédents groupes. C'est la longue poche sableuse dont l'axe est la route de Libourne depuis les Grandes Murailles. Elle se termine de façon insensible dans les sables tertiaires. Elle contient la poche de Mazerat, la poche des anciens

jardins de Saint-Emilion, celle de la descente de Saint-Emilion vers la gare. Les groupes 5, 6, 7, 8, 9 comprennent en somme tout ce qui est côte calcaire, dans les communes de Saint-Christophe-des-Bardes, Saint-Etienne-de-Lisse, Saint-Hippolyte, et Saint-Laurent-des-Combes, en remarquant une fois encore que les sables à argiles rouges ne commencent pas juste à la limite de Saint-Emilion, non plus que le calcaire de Castillon (sannoisien).

▲ *Affiche touristique du début du siècle vantant le site pittoresque et les vins de Saint-Emilion.*   35

Classification des différents terrains de Saint-Emilion				
A. Sous-sol noble ou de qualité	I.	Calcaire à astéries ou à ostréa sur couche d'argile sannoisienne	Argilo-calcaire	1
			Silico-calcaire	2
			Argilo-siliceux	3
			Siliceux de Combes	4
	II.	Calcaire à astéries sur couche calcaire du sannoisien	Argilo-calcaire	5
			Silico-calcaire	6
			Argilo-siliceux	7
			Siliceux de poche	8
			Pigmentation ferrugineuse	9
	III.	Graves alluvionnaires de l'Isle avec couche aliotique.	Graves	10
			Sables	11
B. Sous-sol roturier	I.	Sables et argiles tertiaires parfois aliotiques (crasse de fer)	Argilo-siliceux	12
			Siliceux	13
	II.	Alluvions quaternaires sableuses	Argilo-sableux	14
			Sables	15
			Graves	16
	III.	Alluvions quaternaires argileuses.	Terres franches dites de « palus »	17

Le groupe 10, comme nous l'avons déjà dit, comprend cette partie de la commune de Saint-Emilion qui, géologiquement parlant, fait plutôt partie du terroir de Pomerol. Il ne comprend exactement que deux crus. Ses vins ont toujours mérité d'être classés dans les tout premiers de Saint-Emilion et, à notre avis, le groupe 10 forme avec les groupes 1, 2, 3 la totalité des Premiers Crus de Saint-Emilion.

Le groupe 11, sol sableux sur sous-sol de graves glaciaires ne comprendrait que ceux des crus voisins du groupe 10 qui par leur sous-sol s'apparentent à Pomerol mais dont les qualités du sol sont cependant moindres. C'est par un abus du terme "graves" que Féret les a petit à petit introduits dans le groupe précédent. Quoique affublés du titre "Graves de Saint-Emilion", ce ne sont que de très bons "Sables tertiaires de Saint-Emilion", donc dans la deuxième classe.

Les groupes 12, 13 comprennent une grande partie du vignoble étampant actuellement Saint-Emilion. Nous avons dit que les sables qui les composent sont en général des éboulis des pentes rocheuses ou des produits de décomposition du sous-sol de molasse (3 sur la coupe nord-sud de Saint-Emilion) et datant du sannoisien inférieur. Ce sont le plus souvent des sables grossiers, micacés, parfois silico-calcaires. Horizon intéressant pour l'agriculture parce que sa composition est très variée. Il serait fastidieux de faire une liste des crus qui composent ces deux classes. Ce serait copier quinze ou vingt pages de la dernière édition de Féret.

En résumé, la seconde classe ou seconds crus de Saint-Emilion serait formée de deux vins assez différents par leur origine géologique mais d'égale valeur commerciale. D'abord les vins de la côte calcaire des groupes 4, 5, 6, 7, 8, 9. Ensuite les vins de sables des groupes 12, 13.

La **troisième classe** formerait les troisièmes crus de Saint-Emilion et comprendrait en majorité les vignobles qui ne devraient pas avoir droit de cité dans "la plus haute expression des vins de côtes", mais à qui la prescription acquisitive ou des arrêts de justice inéluctables nous forcent à faire une place dans notre description. Les citer tous est l'affaire de Féret et non la nôtre. On pourrait ainsi formuler que la troisième classe de Saint-Emilion comprend les groupes 14, 15, 16, à condition que leur situation orographique soit au-dessus de l'altitude 10 mètres et rejeter le groupe 17 et ceux des groupes 14 et 15 dont l'altitude est inférieure à 10 mètres. Mais nous avons vu dans les précédents chapitres que cette bande sableuse située entre les "Palus de Saint-Emilion" et les éboulis tertiaires d'au-dessus de la cote 10, étaient maintenant les crus les plus nombreux de Saint-Emilion et qu'ils se développent tous les jours...

Conclusion générale. J'espère avoir ainsi objectivement et selon une méthode uniquement scientifique classé les crus de Saint-Emilion. (...) C'est évidemment une entreprise qui ne peut attirer que des inimitiés, que de remanier des groupes humains où chacun s'était donné le premier rang, que de refaire une armée en révisant tous les grades. »

Au cours des cent dernières années, le vignoble de Saint-Emilion est passé de 3 500 à 5 200 hectares en production. Pour donner une idée de cette dimension on peut dire qu'elle représente toute la surface viticole de la Bourgogne en Côte d'Or. La commune de Saint-Emilion a satellisé les sept "paroisses" de l'ancienne juridiction, plus le secteur est de Libourne. J'insiste sur ce point pour faire

---

Dans les côtes, on ne vendange pratiquement pas à la machine. Ici, la troupe du Château Magdelaine. ►

A Saint-Emilion, les échalas de la vigne sont conduits légèrement plus haut qu'en Médoc ou dans les Graves... mais les vendangeurs doivent quand même se baisser. ►► 37

Démographie des viticulteurs pour 4.800 ha d'A.O.C. Saint-Émilion

de 36 à 45 ha **3** viticulteurs pour 126 ha

de 31 à 35 ha **4** viticulteurs pour 135 ha

de 26 à 30 ha **9** viticulteurs pour 245 ha

de 21 à 25 ha **12** viticulteurs pour 200 ha

de 16 à 20 ha **22** viticulteurs pour 400 ha

de 11 à 15 ha **69** viticulteurs pour 910 ha

de 6 à 10 ha **221** viticulteurs pour 1.540 ha

de 0 à 5 ha **583** viticulteurs pour 1.220 ha

Commune	Superficie en vignes	Viticulteurs indépendants	Viticulteurs coopérateurs	Volumes déclarés	Rendements moyens/ha
Saint-Emilion	2 261	311	65	16 510	56,4
St-Christophe-des-Bardes	536	64	17	25 615	55,9
St-Hippolyte	272	17	23	8 958	59,7
Saint-Etienne-de-Lisse	515	54	29	18 859	54,6
Saint-Laurent-des-Combes	226	32	15	9 963	57,9
Saint-Pey-d'Armens	290	25	35	9 720	61,1
Saint-Sulpice-de-Faleyrens	592	80	57	24 311	61
Vignonet	274	38	35	10 043	59,4
Libourne	220	79	1	11 153	55,7
Total	5 188	700	277	280 563	58,11

Source : Syndicat de Saint-Emilion, récolte 1982.

comprendre que l'appellation ne saurait aucunement être qualifiée de communale. Au-dehors de son périmètre, l'élargissement du nom s'est poursuivi. Ce sont les appellations "satellites" : Lussac Saint-Emilion, Montagne Saint-Emilion, Saint-Georges Saint-Emilion, Parsac Saint-Emilion (cette dernière en voie de disparition), comparables à Lalande de Pomerol par rapport à Pomerol. On y trouve de bons crus dont l'identité ne doit pas être mélangée avec celle des saint-émilions, bien que maints restaurateurs ne s'encombrent pas à faire les nuances réglementaires et convenables. Il est également curieux de noter que ce phénomène de satellisation s'observe au niveau des crus. Figeac en est le plus bel exemple. Près d'une quinzaine de crus prétendent être membres de sa famille ; mais aussi à Gaffelière, Grâce-Dieu, etc. La physionomie statistique du vignoble et des viticulteurs peut se résumer par le tableau ci-dessus.

Il n'y a pas de correspondance entre les volumes déclarés dans chaque commune et les rendements moyens par hectare parce que les viticulteurs ne déclarent que dans une seule mairie même si leur propriété est répartie sur plusieurs communes. Par ailleurs, la production des coopérateurs est comptabilisée à Saint-Emilion. Elle représente plus de 50 000 hectolitres.

Le vignoble est extrêmement morcelé et la taille moyenne de l'exploitation ressort à environ cinq hectares. Mais ce ratio ne donne 41

pas une image précise de l'atomisation de la production. En fait, on dénombre :
- 216 viticulteurs pour un hectare et moins.
- 263 viticulteurs de un à trois hectares.
- 154 viticulteurs de quatre à cinq hectares.

C'est à ce dernier niveau que peut se situer le seuil économique d'une famille vigneronne. Il est bien évident que plus de la moitié des déclarants de récolte en A.O.C. Saint-Emilion ont d'autres ressources que le seul fruit de leurs vignes. Certains sont employés dans des exploitations plus importantes, ou bien ils font un travail principal étranger à la viticulture. La cave coopérative de l'Union des producteurs a fort heureusement regroupé beaucoup de ces micro-productions. Sur les quelque trois cents coopérateurs, seulement sept exploitent plus de dix hectares. Mais ceci explique aussi la profusion d'étiquettes individuelles recouvrant des petits volumes qui s'écoulent de façon plus ou moins confidentielle à travers des "réseaux commerciaux" insaisissables. La colline aux mille crus, c'est aussi la bouteille à l'encre. Cave coopérative mise à part, la production de Saint-Emilion gagne en représentation à partir de cinq hectares par exploitation. Toutefois, la propriété demeure restreinte et donne une vision assez bourguignonne du vignoble bordelais. Le tableau page 40 illustre cet état (source statistique : Syndicat de Saint-Emilion).

Le rendement de base par hectare de vignes en production est fixé légalement à 42 hectolitres. Le rendement maximum autorisé est de 66 hectolitres par hectare. En pratique, le rendement moyen de l'appellation s'établit à mi-chemin entre ces deux indications (58 hectolitres pour la récolte 1982), les coopérateurs dépassant le plus souvent 60 hectolitres. La production globale de Saint-Emilion représente environ 290 000 hectolitres, soit 8,25 % de la production girondine en A.O.C. rouge. Mais il faut préciser que, de manière tout à fait originale par rapport aux autres appellations bordelaises, Saint-Emilion se divise en quatre étages de qualité dûment réglementés :

- L'appellation *Saint-Emilion* concerne principalement les vignobles de plaine. Le degré alcoolique minimum est, théoriquement, de 11 degrés. La mise en bouteilles au château n'est pas obligatoire. Un agréage intervient environ six mois après la récolte.

Les raisins sont versés dans un conquet pour l'égrappage. ▶

– L'appellation *Saint-Emilion Grand Cru* obéit à des directives plus
strictes. Le degré théorique est de 11,5 degrés. La mise en bouteilles
au château est obligatoire après dix-huit mois de vieillissement
minimum et un contrôle de la qualité par une commission de
dégustation placée sous l'autorité de l'I.N.A.O. Un viticulteur peut
demander le droit à l'appellation "Grand Cru" pour tout ou partie
de sa récolte. Ainsi, il lui est loisible de vendre en vrac les cuves
qu'il estime les moins réussies et garder pour son propre "cachet 43

du château", c'est-à-dire l'étiquette de son cru, la fraction de sa récolte qu'il destine à sa clientèle directe. Cette pratique est fréquente. Dans notre répertoire, nous avons fait la distinction en indiquant, le cas échéant, la production d'un cru en nombre de tonneaux et la quantité moyenne de bouteilles "mises au château". Bien entendu, ces chiffres sont susceptibles de variations selon la qualité du millésime, l'état des stocks et la situation du marché.

– Les appellations *Saint-Emilion Grand Cru classé* et *Saint-Emilion Premier Grand Cru classé* sont soumises aux mêmes règles que l'appellation Saint-Emilion Grand Cru. En outre, les crus qui peuvent y prétendre doivent avoir fait l'objet d'un classement officiel

homologué par l'I.N.A.O. après décret du ministre de l'Agriculture. Le premier classement eut lieu en 1958. Deux différences essentielles le distinguent de la classification des grands crus du Médoc, établie par la chambre de commerce de Bordeaux en 1855 et toujours en vigueur aujourd'hui. Premièrement, à Saint-Emilion, le titre de "cru classé" est lié à l'Appellation d'origine contrôlée de façon indissociable tandis qu'en Médoc il s'agit de deux notions séparées. Deuxièmement, le classement des crus de Saint-Emilion

▲ *Après les presses, le marc de raisin forme des gros gâteaux compacts. La distillation dans les crus ne se pratique plus.*

doit être révisé tous les dix ans. Ainsi, à la demande du Syndicat de défense de l'appellation Saint-Emilion, l'I.N.A.O. a effectué une mise à jour du classement en 1969. Les Premiers Grands Crus classés sont restés les mêmes, au nombre de douze. Les Grands Crus classés sont passés de soixante-trois à soixante et onze. Une troisième révision aurait dû intervenir à la fin de la précédente décennie. Plusieurs pesanteurs naturelles ont retardé cette formalité. La première publication des propositions de l'I.N.A.O. fut faite en février 1985. Elle déclencha un superbe tohu-bohu. Dans le journal *Sud-Ouest* de l'époque, le chroniqueur Jean-Pierre Deroudille résumait ainsi la situation : « La Commission de classement de l'appellation Saint-Emilion grand cru a eu la main lourde. A l'époque de la rigueur, cela est peut-être normal, mais les déceptions ont néanmoins été nombreuses autour des murailles de la cité médiévale. » Jugez plutôt : le Château Beau-Séjour Bécot, Premier Grand Cru classé, se trouvait rétrogradé au rang des Grands Crus classés ; les Châteaux Cadet-Bon, Côte-Baleau, Coutet, Grandes-Murailles, Jean Faure et La Couspaude étaient purement et simplement éjectés du club des Grands Crus classés. Une seule promotion, celle du Château Berliquet, Grand Cru classé après une éclipse de notoriété pendant une génération. Pour les victimes, c'était un rude coup. Sans juger ici sur le fond, je dirai que la publication de cette révision par l'I.N.A.O. et le Syndicat de défense de l'appellation Saint-Emilion, avant le décret ministériel, était pour le moins intempestive, sinon irrégulière. Elle constitue à elle seule un vice de forme susceptible de donner raison aux plaignants qui demandent l'annulation du nouveau classement. Une valse-hésitation s'ensuivit et le décret ne fut signé qu'au mois de mai 1986. Quant au fond de l'affaire, j'en décris quelques aspects à propos du Château Beau-Séjour Bécot, dans la monographie qui lui est consacrée au répertoire des crus. Je n'ai certes pas la prétention de juger les juges. Le dossier a été traité au niveau du Tribunal administratif en un premier temps. Il est en ce moment soumis au Conseil d'Etat. Ma conviction intime est que cette révision n'a pas été protégée dans son déroulement par toutes les précautions utiles et réglementaires que les textes de loi ont prévues. La lenteur de la procédure, loin de représenter une garantie de sérieux, témoigne de nombre d'incertitudes. Et, finalement, au lieu d'ajouter de la crédibilité à l'image de Saint-Emilion, la prétendue sévérité des révisionnistes entache de doute le crédit moral de toute la grande famille des viticulteurs du terroir.

C'est pourquoi, en mon âme et conscience, comme on dit la main sur le cœur, je pense bien informer le lecteur en publiant le

classement des grands crus de Saint-Emilion de 1969, ce millésime

1ers Grands Crus classés

1ers Grands Crus classés

A
Ausone
Cheval Blanc

B
Beauséjour
Beau-Séjour Bécot [1]
Bélair
Canon
Figeac
Fourtet
La Gaffelière
Magdelaine
Pavie
Trotte Vieille

Grands Crus Classés

Balestard la Tonnelle
Bellevue
Bergat
Berliquet [2]
Cadet-Bon
Cadet-Piola
Canon-la-Gaffelière
Cap de Mourlin
Chauvin
Clos des Jacobins
Corbin
Corbin-Michotte
Côte Baleau [1]
Coutet [1]
Couvent des Jacobins
Croque Michotte
Curé Bon La Madeleine
Dassault
Faurie de Souchard
Fonplégade
Fonroque
Franc-Mayne
Grand Barrail Lamarzelle Figeac
Grand Corbin
Grand Corbin-Despagne
Grandes Murailles [1]
Grand Mayne
Grand-Pontet
Guadet-Saint-Julien

Haut Corbin
Haut-Sarpe
Jean Faure [1]
La Carte de Beau-Séjour
La Chapelle Madeleine [3]
La Clotte
La Clusière
La Couspaude [1]
La Dominique
La Madeleine
La Marzelle
L'Angélus
Laniote
Larcis Ducasse
Larmande
Laroze
L'Arrosée
La Serre
La Tour du Pin Figeac
La Tour du Pin Figeac (Moueix)
La Tour Figeac
Le Châtelet
Le Couvent [4]
Le Prieuré
L'Oratoire
Matras
Mauvezin
Moulin du Cadet
Pavie Decesse
Pavie Macquin
Pavillon Cadet
Petit-Faurie-de-Soutard
Ripeau
Saint-Georges Côte Pavie
Saint Martin
Sansonnet
Soutard
Tertre Daugay
Trimoulet
Trois Moulins
Troplong Mondot
Villemaurine
Yon Figeac

1. Ces crus ont été déclassés en 1986
2. Ce cru a été reclassé en 1986
3. Ce cru a été absorbé par Ausone
4. Ce cru ne revendique plus l'A.O.C.
   Grand Cru classé depuis 1982

me paraissant meilleur et plus fiable que le 1986 dont la "fermentation" a été inutilement tumultueuse, avec acidité, verdeur et grosses lies bourbeuses. En Bordelais, les vignerons disent volontiers d'une année inégale qu'elle est "jalouse". Le classement de Saint-Emilion 1986 aurait-il, lui aussi, un nez de jalousie ? Toutefois, j'ai introduit le Château Berliquet parmi les Grands Crus classés car il est juste que le mérite de ce cru soit reconnu. Pour ce qui est de la hiérarchie proposée dans le répertoire et exprimée par un nombre de verres pleins, je précise qu'elle résulte d'un arbitrage personnel qui n'engage que moi, établi à partir des critères objectifs (situation, encépagement, méthodes culturales et œnologiques, notoriété, etc.) et subjectifs : la dégustation. Comme toute œuvre humaine, celle-ci est imparfaite. Son principal mérite sera d'exister. Mais l'amateur de terroirs historiques pourra utilement consulter le palmarès de l'exposition universelle de Paris, en 1867, qui cite 37 crus comme les plus illustres de Saint-Emilion (Voir page 309).

Les Premiers Grands Crus classés se subdivisent en deux classes. La classe A, qui comporte les Châteaux Ausone et Cheval Blanc, est pratiquement assimilée aux premiers crus du Médoc, sur lesquels leurs prix de vente tendent à s'aligner. La classe B est comparable aux grands seconds médocains, mais les volumes mis en marché sont bien inférieurs à cause de la dimension relativement restreinte des vignobles. Les Grands Crus classés représentent un niveau de qualité qui regrouperait en Médoc les crus bourgeois supérieurs de premier choix et les crus classés intermédiaires. Tous les Premiers de Saint-Emilion se situent à l'intérieur des limites de la commune mère. Il en est de même pour les autres crus classés, à deux exceptions près : Haut-Sarpe, qui dépend de Saint-Christophe-des-Bardes, et Larcis-Ducasse, sis à Saint-Laurent-des-Combes.

La répartition en volumes et en valeurs des quatre appellations peut être visualisée par le graphique ci-dessous.

Comme dans les autres A.O.C. bordelaises, la mise en bouteilles d'origine tend à augmenter chaque année, au bénéfice principal de l'appellation Saint-Emilion Grand Cru qui constitue une intéressante recherche de valorisation du produit. Elle implique des investissements en locaux, matériels et stocks, mais la plus-value qui en résulte est payante. Elle entraîne aussi la création ou le développement de

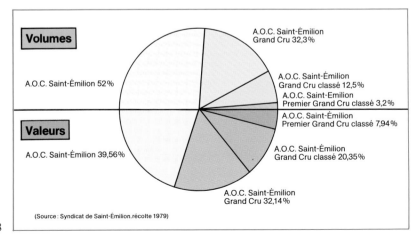

Volumes

A.O.C. Saint-Émilion Grand Cru 32,3%

A.O.C. Saint-Émilion 52%

A.O.C. Saint-Émilion Grand Cru classé 12,5%

A.O.C. Saint-Emilion Premier Grand Cru classé 3,2%

A.O.C. Saint-Émilion Premier Grand Cru classé 7,94%

Valeurs

A.O.C. Saint-Émilion 39,56%

A.O.C. Saint-Émilion Grand Cru classé 20,35%

A.O.C. Saint-Émilion Grand Cru 32,14%

(Source : Syndicat de Saint-Émilion.récolte 1979)

nouveaux circuits commerciaux tels que la vente directe. Les viticulteurs qui ne peuvent ou ne veulent pas assurer eux-mêmes cette évolution ont la faculté de s'adresser à la cave coopérative "l'Union des producteurs de Saint-Emilion", remarquablement gérée et qui fait preuve d'un beau dynamisme porté par une conscience de qualité. La contrepartie de cette politique est le nivellement par le bas de l'appellation simple "Saint-Emilion". Il apparaît toutefois judicieux d'entretenir un esprit sélectif. *A priori* victime d'une délimitation excessivement large, voire laxiste, Saint-Emilion s'est donné un règlement intérieur permettant d'établir une échelle de valeurs. A cet égard, le décret du 7 octobre 1954, définissant les quatre appellations, a constitué un grand pas en avant dont les effets se font aujourd'hui sentir de façon positive. Pour être idéale à mes yeux, l'appellation Saint-Emilion Grand Cru ne devrait pas seulement reposer sur le contrôle organoleptique (la dégustation) et la mise en bouteilles au château, mais sur la sélection des sols. Car enfin, et malgré les modernistes de l'I.N.A.O., nos vins d'A.O.C. sont avant tout des vins de terroirs et non des vins de technologie. Le meilleur agronome et le meilleur œnologue du monde ne feront jamais du vin de graves sur un banc de sable ni du vin de côte à six mètres d'altitude !

Ainsi que nous l'avons vu plus haut, la déclaration d'un vin en Saint-Emilion Grand Cru dépend de la volonté du propriétaire. La plupart du temps, le viticulteur qui en fait la demande est agréé car il connaît et respecte les règles du jeu. Mais cela explique une certaine mouvance dans la liste des Grands Crus. Nous la publions ci-après, car elle pourra servir de guide au lecteur sans représenter un état fixé une fois pour toutes. Les règles actuelles tendent vers une plus grande sévérité sans toutefois sauter le pas vers l'exemplarité. Pour pouvoir prétendre au vocable "Grand Cru classé", un propriétaire devra garantir que son vin est vinifié et élevé dans un chai séparé. Mais en quoi consiste cette "séparation" ? La loi dit qu'un simple rideau suffit. Toute la question est alors de savoir ce qui se passe en coulisses. Dans le même temps, un vignoble planté au plus près de la Dordogne pourra être facilement reconnu "Grand Cru" du moment qu'il satisfait à un niveau minimal de qualité et à l'exigence d'une mise en bouteilles sur les lieux de production. En conclusion, l'appellation Saint-Emilion Grand Cru semble chercher encore sa véritable identité. A mi-chemin entre la notion de "vin supérieur" et celle de "cru classé", elle offre une garantie réelle sur l'origine et l'authenticité du cru sans jamais chercher à définir un type de vin caractérisé par le terroir.

A.O.C. Saint Emilion Grand Cru

Badette
Saint-Christophe-des-Bardes
Bagnols
Saint-Etienne-de-Lisse
Barbeyron
Saint-Magne-de-Castillon
Barde-Haut
Saint-Christophe-des-Bardes
Bardoulet
Saint-Etienne-de-Lisse
Barry
Saint-Sulpice-de-Faleyrens
Béard
Saint-Laurent-des-Combes
Beau-Mayne
Saint-Emilion
Bellefont-Belcier
Saint-Laurent-des-Combes
Bellefont-Belcier-Guillier
Saint-Laurent-des-Combes
Bellegrave
Vignonet
Bellile-Mondotte
Saint-Laurent-des-Combes
Bigaroux
Saint-Sulpice-de-Faleyrens
Bonnet
Saint-Pey-d'Armens
Bouquey
Saint-Hippolyte
Brun
Saint-Christophe-des-Bardes
Cadet-Peychez
Saint-Emilion
Cadet-Pontet
Saint-Emilion
Calvaire
Saint-Etienne-de-Lisse
Cantenac
Saint-Emilion
Canterane
Saint-Etienne-de-Lisse
Capet-Guillier
Saint-Hippolyte
Carboneyre
Vignonet
Cardinal-Villemaurine
Saint-Emilion
Carteau Côtes Daugay
Saint-Emilion
Carteau-Matras
Saint-Emilion
Cauze
Saint-Christophe-des-Bardes
Champion
Saint-Christophe-des-Bardes
Chante-Alouette
Saint-Emilion

Chante-Alouette
Saint-Magne-de-Castillon
Chantecaille
Saint-Emilion
Cheval Noir
Saint-Emilion
Cormeil-Figeac
Saint-Emilion
Côte de la Mouleyre
Saint-Etienne-de-Lisse
Côtes Bernateau
Saint-Etienne-de-Lisse
Côtes Puyblanquet
Saint-Etienne-de-Lisse
Coudert-Pelletan
Saint-Christophe-des-Bardes
Couvent des Jacobins
Saint-Emilion
Couvent des Templiers
Saint-Emilion
Croix de Bertinat
Saint-Sulpice-de-Faleyrens
Cros-Figeac
Saint-Emilion
Faleyrens
Saint-Sulpice-de-Faleyrens
Ferrand
Saint-Hippolyte
Fleur de Lisse
Saint-Etienne-de-Lisse
Flouquet
Saint-Sulpice-de-Faleyrens
Fombrauge
Saint-Christophe-des-Bardes
Fonrazade
Saint-Emilion
Fougueyrat
Saint-Emilion
Fourney
Saint-Pey-d'Armens
Franc Bigaroux
Saint-Sulpice-de-Faleyrens
Franc Grâce Dieu
Saint-Emilion
Franc Patarabet
Saint-Emilion
Franc Pipeau
Saint-Hippolyte
Franc-Pourret
Saint-Emilion
Gaillard
Saint-Hippolyte
Gaubert
Saint-Christophe-des-Bardes
Grand Bert
Saint-Philippe-d'Aiguilhe
Grand Faurie
Saint-Emilion

Grand Mirande
Saint-Emilion
Grands Champs
Saint-Magne-de-Castillon
Gravet
Saint-Sulpice-de-Faleyrens
Gueyrot
Saint-Emilion
Guillemin la Gaffelière
Saint-Emilion
Guinot
Saint-Etienne-de-Lisse
Haut-Brisson
Vignonet
Haut Lavallade
Saint-Christophe-des-Bardes
Haut-Peyroutas
Vignonet
Haut-Plantet
Saint-Emilion
Haut-Pontet
Saint-Emilion
Haut Renaissance
Saint-Sulpice-de-Faleyrens
Haut-Rocher
Saint-Etienne-de-Lisse
Haut-Segottes
Saint-Emilion
Jacques Blanc
Saint-Etienne-de-Lisse
Jean Voisin
Saint-Emilion
Labarde (Clos)
Saint-Laurent-des-Combes
La Barde
Saint-Laurent-des-Combes
La Bouygue
Saint-Emilion
La Chapelle-Lescours
Saint-Sulpice-de-Faleyrens
La Commanderie
Saint-Emilion
La Croix Chantecaille
Saint-Emilion
La Fagnouse
Saint-Etienne-de-Lisse
La Fleur
Saint-Emilion
La Fleur Cravignac
Saint-Emilion
La Fleur Pipeau
Saint-Laurent-des-Combes
La Fleur Pourret
Saint-Emilion
La Gomerie
Saint-Emilion
La Grâce Dieu
Saint-Emilion

La Grâce Dieu des Prieurs
Saint-Emilion
La Grâce Dieu les Menuts
Saint-Emilion
Lagrange de Lescure
Saint-Sulpice-de-Faleyrens
La Grave Figeac
Saint-Emilion
La Mélissière
Saint-Hippolyte
La Mondotte
Saint-Laurent-des-Combes
Lapelletrie
Saint-Christophe-des-Bardes
Lapeyre
Saint-Etienne-de-Lisse
Laplagnotte Bellevue
Saint-Christophe-des-Bardes
La Pointe Bouquey
Saint-Pey-d'Armens
Laroque
Saint-Christophe-des-Bardes
La Rose Côte Rol
Saint-Emilion
La Rose-Pourret
Saint-Emilion
La Rose-Trimoulet
Saint-Emilion
La Sablière
Saint-Emilion
Lassègue
Saint-Hippolyte
Lavallade
Saint-Christophe-des-Bardes
Le Jura
Saint-Emilion
Lescours
Saint-Sulpice-de-Faleyrens
Lespinasse
Saint-Pey-d'Armens
L'Hermitage
Saint-Emilion
Magnan la Gaffelière
Saint-Emilion
Malineau
Saint-Emilion
Marquis de Mons
Saint-Hippolyte
Mayne-Figeac
Saint-Emilion
Mazerat
Saint-Emilion
Menuts (Clos des)
Saint-Emilion
Millaud-Montlabert
Saint-Emilion
Milon
Saint-Christophe-des-Bardes

Monbousquet
Saint-Sulpice-de-Faleyrens
Mondotte-Bellisle
Saint-Laurent-des-Combes
Montlabert
Saint-Emilion
Moulin Bellegrave
Vignonet
Moulin du Jura
Montagne
Moulin Saint-Georges
Saint-Emilion
Naude La Croix Fourney
Branne
Palais-Cardinal-la-Fuie
Saint-Sulpice-de-Faleyrens
Panet
Saint-Christophe-des-Bardes
Pasquette
Saint-Emilion
Patris
Saint-Emilion
Petit-Gravet
Saint-Emilion
Petit-Mangot
Saint-Etienne-de-Lisse
Peyreau
Saint-Emilion
Peyrelongue
Saint-Emilion
Pindefleurs
Saint-Emilion
Pipeau
Saint-Laurent-des-Combes
Pontet-Clauzure
Saint-Emilion
Pressac
Saint-Etienne-de-Lisse
Puyblanquet
Saint-Etienne-de-Lisse
Puy-Blanquet
Saint-Etienne-de-Lisse
Puy-Razac
Saint-Emilion
Quentin
Saint-Christophe-des-Bardes
Reynaud
Saint-Pey-d'Armens
Rochebelle
Saint-Laurent-des-Combes
Rocher
Saint-Etienne-de-Lisse
Rol
Saint-Emilion
Rol de Fombrauge
Saint-Christophe-des-Bardes
Roquefort
Saint-Emilion

Rozier
Saint-Laurent-des-Combes
Saint-Christophe
Saint-Christophe-des-Bardes
Saint-Hubert
Saint-Emilion
Saint-Martial
Saint-Sulpice-de-Faleyrens
Saint-Pey
Saint-Pey-d'Armens
Saint-Pey "branche aînée"
Saint-Pey-d'Armens
Sarpe (Clos de)
Saint-Christophe-des-Bardes
Tour Baladoz
Saint-Laurent-des-Combes
Tour Berthonneau
Saint-Emilion
Tour des Combes
Saint-Laurent-des-Combes
Tour de Seme
Saint-Hippolyte
Tour Saint-Pierre
Saint-Emilion
Touzinat
Saint-Pey-d'Armens
Trapaud
Saint-Etienne-de-Lisse
Trimoulet (Clos)
Saint-Emilion
Truquet
Saint-Emilion
Unions de Producteurs (voir
les crus au Répertoire)
Saint-Emilion
Val d'Or
Vignonet
Vieux Château Chauvin
Saint-Emilion
Vieux Fortin
Saint-Emilion
Vieux Grand Faurie
Saint-Christophe-des-Bardes
Vieux Moulin du Cadet
Saint-Emilion
Vieux Rivallon
Saint-Emilion
Vieux Sarpe
Saint-Christophe-des-Bardes

Vins de Sainct-Milyon,
plaisants pour faire bonne chère

Par comparaison avec les autres régions viticoles du Bordelais, Saint-Emilion s'est toujours distingué, depuis plus d'un siècle, par l'innovation. Les exemples sont nombreux. Ainsi, le Syndicat viticole de Saint-Emilion fut le premier du genre en France, constitué en 1884, l'année même de la loi sur la liberté d'association. Comme la coopérative viticole des années 30, ce syndicalisme fut un "enfant de la misère". Il naquit en pleine crise phylloxérique alors que le vignoble était dévasté. Il regroupait au sein d'une vaste corporation les viticulteurs, les tonneliers, les bordiers, les maîtres de chai, etc. Il créa une société de secours mutuel qui devint, en 1905, la première Caisse locale du Crédit agricole dans le département. Il institua également un bureau de placement et un centre d'approvisionnement en matières premières, sorte de coopérative d'achat. Il défendit son territoire et l'usage du nom de Saint-Emilion bien avant la grande loi des A.O.C. Maints procès retentissants furent conduits à l'encontre des fraudeurs et des usurpateurs.

En 1932 fut constituée la première cave coopérative de Gironde, qui demeure à l'avant-garde des techniques viti-vinicoles et qui vient notamment de se doter d'un équipement informatique époustouflant. Elle contrôle aujourd'hui une importante fraction du marché et son rôle est désormais essentiel pour la régulation des cours.

En 1948, le 13 septembre, sonnez trompettes ! résonnez bombardes !... la Jurade de Saint-Emilion prenait rang dans l'Histoire de la France profondément bachique comme la première confrérie vineuse du Bordelais. Elle phagocytait un passé médiéval et les pouvoirs territoriaux de l'Ancien Régime pour s'arroger le droit culturel de porter la toge rouge avec camail de soie blanche et de

vanter haut et fort les mérites du cru. A l'époque, il fallait un certain culot au vigneron pour s'habiller d'une robe ! L'entreprise aurait pu tourner en farce grotesque. Elle fut gagnée haut la main grâce à trois hommes : l'abbé Bergey, curé de Saint-Emilion, Jean Capdemourlin et Daniel Querre, pères spirituels de la Jurade. Leur solennité communicative en imposa aux détracteurs et aux moqueurs qui les attendaient à la sortie de l'église pour les railler. Après la grand-messe, ils se rendirent à l'hôtel de ville afin de prêter serment devant le maire. Ensuite, les vingt-deux jurats cramoisis grimpèrent au sommet de la Tour du roi et l'organe puissant du procureur syndic Daniel Querre succéda au son des trompettes pour la proclamation du ban des vendanges : « Que les ciseaux courent dans les mains agiles, que les bastes s'alignent, que les cuves grondent, que le moût ruisselle, que les chansons montent vers le soleil (...) pour que le vin sacré emplisse les futailles, pour qu'il porte en lui la vie bouillonnante et féconde ! »

Deux ans plus tard, la Jurade créait un sceau de qualité, communément appelé "label", qui s'obtenait après dégustation.

Cette initiative devait déboucher sur les agréages de chaque récolte, tels qu'ils sont aujourd'hui pratiqués dans toutes les A.O.C. bordelaises. La première "labellisation" officielle intervint en 1954. Elle provoqua une belle panique chez les petits viticulteurs qui affluèrent alors en masse à la cave coopérative. Beaucoup prirent conscience que produire du raisin c'était une chose, en faire du bon vin c'était autre chose. Dans la même foulée, l'appellation Saint-Emilion se voyait redéfinie dans ses formes selon les critères évoqués plus haut. De beaux exemples d'autocensure furent donnés lorsque l'assemblée générale du Syndicat de défense de l'appellation décida que les entières récoltes de 1963 et 1965 et 95 % de 1968 ne sauraient revendiquer le nom de Saint-Emilion. En 1972, toujours à la pointe du progrès, le syndicat proposa la mise en bouteilles obligatoire pour les trois A.O.C. supérieures. Cette mesure est appliquée depuis la récolte 1973.

Les Saint-Émilionnais tiennent à ces particularismes. Ils témoignent d'une grande solidarité professionnelle, laquelle n'exclut pas les petits conflits internes. Ils se montrent viscéralement attachés à leur clocher et à leur "terroir ancestral". C'est vrai que plusieurs familles du pays sont solidement enracinées depuis quatre siècles ou davantage. Cela explique la profusion des étiquettes "gothiques"

▲ *Comme partout dans la France viticole, les vignerons et les ouvriers de chai aiment la bonne chère et le produit de leur travail... souvent récompensé par des médailles d'honneur.*

◄ *Entre les deux guerres mondiales, la guerre de l'A.O.C. Saint-Emilion eut lieu, ainsi qu'en témoignent ces affiches « politiques ».*

ou des références à l'histoire ancienne, souvent utilisées par ceux qui n'ont aucune justification pour y prétendre. Cela explique aussi l'emphase paysanne que l'on rencontre dans les parlers locaux et qui encombre parfois la littérature publicitaire d'adjectifs exubérants. Même la digne Jurade, actuellement sous la sage férule de Thierry Manoncourt, le propriétaire de Figeac, n'échappe pas à cette verve : « En faisant revivre les majestueux épisodes d'un glorieux passé, en exaltant les traditions séculaires qui ont permis de faire retentir jusqu'aux extrêmes confins du monde le renom de la Cité, la Jurade moderne veut maintenir et affirmer avec éclat la prestigieuse noblesse du vin honorifique de Saint-Emilion. » Après une semblable tirade, si vous ne vous sentez pas docteur *honoris causa* de Saint-Emilion lorsque vous avalez une gorgée du cru, c'est que vous demeurez barbare jusqu'aux extrêmes confins de votre mentalité.

« Le Saint-Emilion est la plus haute expression des vins de côtes. » Avec mon impertinente pertinence j'ajouterai : « Oui, pourvu que ce ne soit pas au bas de la côte ! » Dans le bel ouvrage *Terroirs et Vins de France* (Itinéraires œnologiques et géologiques, publié sous la direction de Charles Pomerol. Editions du B.R.G.M., 1984) on

▲ *Une photographie historique : à l'hôtel de ville de Bordeaux, la première réunion des jurats de Saint-Émilion et des commandeurs du Bontemps de Médoc.*

Après la grand-messe, lors des chapitres importants, les jurats défilent dans les rues. ▶

peut lire : « Les communes, au nombre de huit, groupées autour de l'appellation Saint-Emilion rassemblent environ 5 000 hectares et produisent un vin rouge, caractéristique d'un terroir chargé d'histoire. » Venant d'un ouvrage qualifié de scientifique, cet amalgame d'affirmations semble ne souffrir aucune contradiction. Et pourtant ! Les huit communes en question ne sont pas « groupées autour de l'appellation Saint-Emilion ». Elles sont incluses dans l'appellation. Elles « produisent un vin rouge » ? Non ! Mille fois

non ! Elles produisent mille vins rouges. De toutes les appellations bordelaises, Saint-Emilion est celle qui offre la plus grande diversité de types de vins ; au moins autant que les Côtes de Bourg, ce qui n'est pas peu dire. Ici, la simplification est abusive parce que fallacieuse. Et comment est-il, ce vin rouge ? Ce vin rouge est « caractéristique d'un terroir chargé d'histoire. » Belle façon, pour un géologue, d'éluder la question ! La nature du sol s'effacerait-elle sous les empreintes de ceux qui l'ont foulé ? En 1602, le cardinal de Sourdis, archevêque de Bordeaux, dégustant un Saint-Emilion, s'est exclamé : « Je te salue, ô roi des vins. » C'est pourquoi le Saint-Emilion se caractérise par un goût de cardinal, gothique flamboyant ! Soyons sérieux autant que put l'être Voltaire. La meilleure définition des vins de Saint-Emilion, on la trouve chez Pierre Danche, dans son *Blason des bons vins de France,* écrit au début du XVIᵉ siècle : « Vins de Sainct-Milyon, plaisants pour faire bonne chère. » Je dois cette exquise citation à l'érudition du Bourguignon Raymond Dumay qui décrit ainsi la dégustation d'un Ausone, pris comme archétype du fameux "vin de côtes" : « En silence, nous faisons tourner la liqueur rouge dans nos grands verres. Elle se creusait au centre, montait à ras bord. Une rose charnue et souple semblait éclore entre nos doigts. Elle avait plus qu'un parfum, un fumet un peu sauvage qui plaît fort aux gens civilisés. Devant cette bouteille ténébreuse nous eûmes un instant de recueillement qui dépassait le plaisir de boire. Une phrase liturgique de Mauriac me revenait à la mémoire : *Le Soleil est réellement dans chaque grain de chaque grappe.* » C'est beau, n'est-ce pas ?

Et puis aussi, voici un court extrait d'un petit livre que j'aime parce qu'il dit beaucoup de choses en peu de mots. C'est un ouvrage assez rare, intitulé *Vins de Bordeaux, Vins de Châteaux*, publié en 1950 aux éditions I.A.C. de Lyon. Sa citation me semble d'autant plus opportune qu'il reçut, l'année de sa parution, le grand prix littéraire de la Jurade de Saint-Emilion. L'auteur s'adresse à une égérie chimérique, version moderne et bordelaise de Pygmalion :

« Le Saint-Emilion, Balbine, est un vin de côtes, et comme tel, haut en couleur, chaud, corsé et généreux. Son léger goût d'amertume ravive l'appétit, même après des viandes riches que sa puissance rend d'heureuse digestion. Voici la tête de sa récolte, son grand premier cru. Le Château Ausone, le plus ancien, mais de la maison du rhéteur et du consul on ne retrouve rien (*c'est chose faite, aujourd'hui, à La Gaffelière. N.D.L.R.*), si ce n'est la grande réputation

---

◄ *Le musée Guadet, à Saint-Emilion, présente quelques beaux objets d'art, en particulier cette tapisserie d'Aubusson montrant le soutirage d'une barrique à l'aide d'un tuyau de cuivre coudé.*

que mérita sa récolte et qu'on maintient en ce lieu aussi bien qu'au Clos Fourtet, dont les grilles s'ouvrent sur la place de l'Eglise, au milieu du bourg, ainsi que le Clos du Couvent, qu'au Château Canon, ardent comme l'artilleur de la chanson, qu'aux Châteaux Bélair, Balestard, Beauséjour et Pavie, qu'aux Clos la Magdelaine et de l'Angélus, mais je ne puis vous les énumérer, Balbine. Je souhaite simplement attirer votre attention sur la différence qu'il faut établir entre ceux-là et ceux que l'on nomme Graves Saint-Emilion. Leur finesse, leur bouquet les rendent moins autoritaires, mais le Château Cheval Blanc s'impose cependant à mon souvenir et ne le cède en rien à l'Ausone, aussi bien que toute la série des Figeac, Château Figeac en tête, et que leurs voisins, dont la Dominique. » Voilà qui est bien vu, bien senti et bien dit ; en tout cas pour ce qui concerne la plus haute expression des vins de Saint-Emilion, qu'ils soient de côtes ou de graves. Et les autres ? Ce sont d'aimables compagnons de table, frères puînés ou bien cousins germains, parfois simples amis de la famille ou pièces rapportées. Il faut de tout pour faire un monde. Le microcosme de Saint-Emilion est une galaxie où toutes les étoiles ne sont pas de première grandeur mais où la règle d'or est la solidarité. En vérité, je vous le dis, ce vin-là a comme un goût de fraternité. Sincèrement vôtre...

*

De tous les villages viticoles du Bordelais, Saint-Emilion est le plus pittoresque. La petite cité, accrochée à flanc de coteau, offre au visiteur la vision de ses toitures roses aux plans variés qui, selon l'heure de la journée, reçoivent ou refusent le soleil comme un puzzle cinétique. Depuis la haute terrasse, près du clocher et de l'Hostellerie Plaisance, le regard se satisfait de contempler les vieilles maisons imbriquées les unes aux autres dans un désordre logique imposé par la morphologie du site. Le matériau de construction vient des entrailles. Au fil des siècles, il a été extrait du sous-sol, excavé pierre après pierre et créant un labyrinthe de galeries dont on ne connaît pas aujourd'hui tous les méandres. Pendant longtemps, les ouvriers carriers ont grandement contribué à la prospérité de la commune. Non seulement Saint-Emilion s'est édifiée par ses propres moyens, mais la majeure partie de Libourne et des villages alentour ainsi que près de la moitié du Bordeaux

du XVIIIe siècle ont été construites grâce au rocher saint-émilionnais (dont le Grand Théâtre de Victor Louis). Plusieurs de ces carrières ont été reconverties en caves de vieillissement. Elles offrent une température fraîche et constante, agent de bonne conservation du vin en barriques, outre une hygrométrie élevée réduisant la *consume,* c'est-à-dire l'évaporation (un excès d'humidité dans l'atmosphère pourrait, en revanche, faire diminuer le degré du vin). Souvent, la vigne est plantée au-dessus même des caves, quelque huit, dix, quinze mètres plus haut. Il est alors étonnant de voir les radicelles de la vigne se frayer un passage à travers l'épaisseur de la roche et pendre au plafond. On peut dire qu'à Saint-Emilion,

ces vignes-là sont "immeubles par destination", incluses et soudées à la matrice calcaire pour les siècles des siècles et qu'on ne parviendra jamais à les arracher tout à fait.

Merveille souterraine et chef-d'œuvre de labeur patient, l'église monolithe mérite grandement une visite. Quand on parle de "travail de bénédictin", on ne veut pas seulement signifier la persévérance d'un copiste ou d'un enlumineur de livre d'heures. Pendant environ trois siècles, quittant le calame pour le pic, les moines ont creusé ce monument de l'envers, sorte de défi au monde extérieur, cathédrale des profondeurs.

A Saint-Emilion, les époques se côtoient ou se superposent dans une rare unité d'ensemble. Même certains anachronismes contemporains s'intègrent avec naturel. Il faut déambuler dans ces ruelles piétonnes, au risque de se tordre le pied sur les pavés érodés, pour

▲ *Vue depuis le haut du clocher de Saint-Emilion, la place où se trouve l'entrée de l'église monolithe, creusée par les bénédictins.*

◀ *Cette carte postale de 1905 montre une partie de l'église monolithe, la plus importante du genre.*   63

découvrir l'humanisme communautaire des villages d'autrefois,
lorsque la voiture n'isolait pas le passant de son environnement
immédiat. On grimpera au haut de la tour du Roi pour admirer
un horizon lointain et calme. On s'arrêtera à la Collégiale, où règne
la maîtrise sans grandiloquence de l'architecture classique.
On visitera le cloître des Cordeliers au romantisme lamartinien,
où, aujourd'hui, s'élabore un vin mousseux par la méthode
champenoise qui pourra se consommer sur place, surtout à la belle
saison, accompagné de ces macarons, spécialité de Saint-Emilion.
64 Prenez une demi-livre d'amandes pilées et autant de sucre en

poudre. Il vous faudra également un verre de vin blanc doux (du Loupiac, par exemple), quatre blancs d'œufs, deux grosses cuillerées, l'une de beurre et l'autre de sucre glace. Vous malaxerez les amandes et le sucre en poudre avec le vin blanc et une bonne pincée de vanille en poudre. Vous ajouterez les blancs d'œufs bien battus en neige. Dans une casserole, vous ferez légèrement réduire

▲ La configuration des côtes rend souvent nécessaire la présence de murs en pierres afin de maintenir la terre. Ces terrasses contribuent à la typicité du paysage.

à tout petit feu sans arrêter de battre. Quand la préparation sera sèche et homogène, vous la retirerez du feu et continuerez de battre afin de la faire tiédir. Alors, la pâte et vous vous reposerez un moment, chacun de son côté, jusqu'à ce que la première soit refroidie. Pour terminer, vous poserez des petits tas de la valeur d'une louchette sur une plaque à four bien graissée. Vous saupoudrerez avec le sucre glace et attendrez environ un quart d'heure la cuisson à 180 degrés sans que le sucre ne se caramélise. Vous aurez alors réussi une exquise friandise, les macarons de Saint-Emilion.

La gastronomie du pays est avenante. On trouvera plusieurs auberges de bon accueil, la plupart axées sur la cuisine régionale, avec, ici ou là, des créations originales à tendance moderne. Pour ce qui me concerne, les vins de Saint-Emilion ne peuvent rêver de meilleur accompagnement solide que les bonnes cochonnailles et les viandes rôties ou grillées, surtout grillées. Un excès de préciosité du plat nuit à la subtilité du vin. La plus délectable façon d'apprécier un noble flacon du cru est une belle entrecôte grillée aux braises de cabernet ou un gigot landais rôti au feu de chêne, assortis d'une cuisinée de cèpes à la bordelaise, persillés mais pas trop aillés (juste une pointe d'accent...). Sur le fromage, qu'on choisira par préférence de pâte tendre (ni chèvre ni roquefort), on montera d'un

▲ *Les macarons de Saint-Emilion sont une exquise et traditionnelle friandise.*

Saint-Emilion abrite plusieurs métiers d'art et une grande exposition annuelle réunit leurs œuvres et celles d'autres artisans de la région. Ici, le potier Guy Jeanguyot devant son tour. ▶

cran sur l'échelle des âges millésimés. Le vin de Saint-Emilion a cette particularité qu'il peut se boire relativement jeune et qu'il sait toutefois fort bien vieillir. Je parle ici du vin de côtes, celui des « graves » demandant, comme en Médoc, un peu plus d'élevage en fûts et d'attente en bouteilles.

La lamproie est, sans aucun doute, la gloire de Saint-Emilion. Ce petit monstre préhistorique appartient à la classe des agnathes (sans mâchoires). Son aspect est peu ragoûtant mais sa matelote au vin rouge 67 peut être délicieuse. « Les lamproies sont vermiformes ; leur peau est nue et gluante ; leur bouche ronde, faite pour sucer, est dépourvue de mâchoires, mais porte plusieurs rangées de dents cornées ; sur les côtés de leur cou se trouvent sept paires d'orifices branchiaux ; leur squelette est entièrement cartilagineux. Ce sont des vertébrés très inférieurs à tous les autres... » *(Grand Larousse encyclopédique)*. Cette description raccourcie est bien peu appétissante. Les lamproies se fixent par leur ventouse buccale aux animaux aquatiques dont elles sucent le sang. Ce sont les vampires des rivières. On les pêche à la nasse dans la Dordogne et on les accommode dans un court-bouillon au vin rouge après en avoir récupéré le sang pour le lier à la sauce. Je ne conseille pas à l'amateur néophyte de se lancer dans cette préparation qui exige des manipulations à la Dracula. C'est pourquoi je n'en transcrirai pas la recette. Mais il faut savoir que le cordon dorsal de l'animal doit être absolument retiré car il est toxique. Le roi Henri Ier mourut, dit la chronique, d'une « indigestion de lamproie ». Au demeurant, la lamproie est un mets de roi. Il faut du vin jeune qu'on fait préalablement bouillir et flamber. Il faut des blancs de poireaux, gros et doux, un peu de cognac et une « tombée » de cacao. Elle se sert avec des croûtons et c'est un des rares poissons qui aillent vraiment bien avec un grand cru rouge. Probablement parce que la lamproie n'est pas un poisson mais un « vertébré aquatique ». On la surnomme *suce-caillou, flûte sept-trous* et *sept-œil.* Elle impressionne souvent les femmes, sans doute à cause de la malédiction biblique du serpent. En tout état de cause, il faut la déguster au restaurant ou l'acheter déjà cuisinée, en conserve. Les meilleures viennent de chez Garde à Libourne.

Après le repas, le promeneur ira faire un tour sur le haut plateau nord de Saint-Emilion, sillonnant les petites routes rurales, closes de murs des deux côtés, le long des vignobles de Canon et Clos Fourtet, Beauséjour, etc. Il se sentira frustré car, depuis son automobile, il ne verra pas le paysage. A pied ou à bicyclette, ce sera déjà un peu mieux. Ce quartier de Saint-Emilion possède une typicité originale. Les murs furent construits pour dissuader les maraudeurs, interdire l'accès des vignes aux animaux et empêcher les voleurs de raisins. Bien calculée, la hauteur des murailles ne permet pas à un individu de taille moyenne de voir ce qu'il y a de l'autre côté, tandis qu'autrefois les vignerons, sur leurs charrettes, avaient droit à l'entier panorama viticole du pays.

*

Le panorama de l'appellation Saint-Emilion est à trois dimensions : largeur de la basse vallée de la Dordogne ; hauteur des côtes sur assise rocheuse, profondeur des graves de Figeac. Elles ne doivent pas se

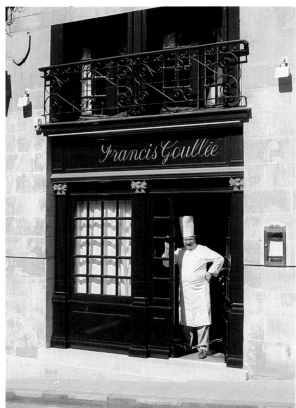

▲ *A Saint-Emilion, la restauration est sympathique et active. De gauche à droite et de haut en bas : le Logis de la Cadène (tél. 57 24 71 40), Francis Goullé (tél. 57 24 70 49), l'Hostellerie Plaisance (tél. 57 24 72 32), Chez Dominique (tél. 57 24 71 00).*

A la Maison du vin de Saint-Emilion, le visiteur peut trouver un vaste choix des crus de l'appellation. ▶

mélanger, chacune donnant sa note, la plus juste possible, sans jamais se fondre dans un chœur véritable. La polyphonie de Saint-Emilion est celle des hommes. Pas celle des vins. Et ce serait donner au consommateur une image fausse de la réalité que de lui déclarer tout de go que tous les crus sont égaux, en mérite comme en valeur objective. Au contraire, je pense que chaque amateur « poétique » du vocable Saint-Emilion devrait arriver à discerner les strates, mêmes grossières, qui composent la qualité normale – j'aimerais dire : normative – de chacun d'eux. Mais l'amateur est ô combien excusable de son ignorance si l'on considère la démesure de l'appellation et la conséquence des intérêts économiques à ne jamais remettre en jeu !... sauf pour un simulacre de pendule mise à l'heure. La révision du classement fait l'effet d'un coucou suisse prétentieux ou fatigué... qui « débouche » sur une impasse. Flop.

Mais les grands vins de Saint-Emilion restent grands. Je me souviens du sage Rabindranâth Tagore qui a dit à peu près ceci : « Sur les plages des mondes infinis les enfants jouent. Et toi, tu restes là, plein de sourires. » Comme l'amour, le saint-émilion est une passion pour qui le déguste et une aventure pour qui le fait. Cette proposition est parfois réversible.

Répertoire des crus

Le classement officiel des crus de Saint-Emilion est soumis à des règles particulières qui dépendent de l'I.N.A.O. Les termes de « Grand Cru », « Grand Cru classé » et « Premier Grand Cru classé », tels qu'ils figurent dans ce répertoire, correspondent à une situation de compromis avant et après la révision de 1985.

 Le nombre de verres colorés figurant en regard du nom d'un cru indique un arbitrage du rapport moyen « qualité-prix ». Cette appréciation, qui se veut objective, est naturellement sujette à des fluctuations. Elle a une valeur indicative sans prétendre constituer un classement formel.

 Ce symbole indique un vin hors classe.

Certains crus utilisent une ou plusieurs étiquettes secondaires pour marquer les deuxièmes choix de leurs récoltes (par exemple les produits des jeunes plantiers). Les « deuxièmes marques », qui figurent dans ce répertoire, sont suivies d'une flèche renvoyant au cru principal.
Ce symbole indique sans équivoque la condition de dépendance de ces marques.
Ce symbole signale que le cru est vinifié à la coopérative de l'Union de Producteurs de Saint-Emilion.

Andron de Lescours (Château)

Commune : Saint-Sulpice-de-Faleyrens. **Propriétaire** : Jean Charvet. Œnologue conseil : C.B.C. Libourne. **Superficie du vignoble** : 5 ha. **Age moyen du vignoble** : 20 ans. **Encépagement** : 15 % cabernet-sauvignon. 65 % merlot. 20 % cabernet-franc. **Production** : 20 000 bouteilles en M.D.C. **Vente par correspondance** : Andron, 33330 Saint-Sulpice-de-Faleyrens. **Vente au château** : tél. 57 74 42 78. *Des méthodes traditionnelles pour une bonne « bouteille du dimanche ».*

Arcie (Château d')

→ Union de Producteurs

Grand Cru

Armens (Château d') → Bonnet

Arnaud de Jacquemeau (Château)

Commune : Saint-Emilion. **Propriétaire** : Denis Dupuy. **Superficie du vignoble** : 4 ha. **Age moyen du vignoble** : 45 ans. **Encépagement** : 25 % cabernet-sauvignon. 55 % merlot. 5 % cabernet-franc. 15 % malbec. **Production** : 8 000 bouteilles en M.D.C. **Visite des chais** : Denis Dupuy. Tél. 57 24 73 09. **Vente au château et par correspondance** : Denis Dupuy, Jacquemeau, 33330 Saint-Emilion. *Situation en pied de coteau du côté ouest de Saint-Emilion. Terrains sablonneux sur argile. Héritage ancestral.*

Arthus (Château d')

Commune : Vignonet. **Propriétaire** : Consorts Fournier. Administrateur : Eric Fournier. Maître de chai : Paul Cazenave. Œnologue conseil : Gilles Pauquet. **Superficie du vignoble** : 4 ha 50 a. **Age moyen du vignoble** : 30 à 35 ans. **Encépagement** : majorité de merlot. **Production** : 8 000 bouteilles en M.D.C. **Vente par correspondance** : en France. S.E.V. Fournier, B.P. 28, 33330 Saint-Emilion. Tél. 57 24 70 79. **Vente par le négoce** : Schröder & Schÿler.

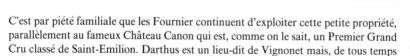

C'est par piété familiale que les Fournier continuent d'exploiter cette petite propriété, parallèlement au fameux Château Canon qui est, comme on le sait, un Premier Grand Cru classé de Saint-Emilion. Darthus est un lieu-dit de Vignonet mais, de tous temps

Vendanges sur la côte d'Ausone.

à jamais, la marque du cru s'est écrite avec une apostrophe. Eric Fournier juge son « petit vin » comme bien fait et pas cher. « Honnêteté avant tout » est le slogan de présentation. Toute prétention à le faire passer pour ce qu'il n'est pas est donc exclue. Cette attitude est assez rare pour être saluée.

Ausone (Château)

1er Grand Cru classé

Commune : Saint-Emilion. **Propriétaires :** Mme Dubois-Challon & Héritiers Vauthier. Maître de chai : Marcel Lanau. Œnologue conseil : C.B.C. Libourne. **Superficie du vignoble :** 7 ha 16 a 12 ca. **Age moyen du vignoble :** 50 ans. **Encépagement :** 50 % merlot. 50 % cabernet-franc. **Production :** 30 000 bouteilles en M.D.C. **Visite des chais :** tél. 57 24 70 94 ou 57 24 70 26. **Vente au château et par correspondance :** en France. Château Ausone. 33330 Saint-Emilion. **Vente par le négoce :** Bordeaux et Libourne.

« L'an mil sept cent quatre-vingt-trois et le dix-sept d'octobre est né et a été baptisé Pierre Cantenat, fils légitime de Jean Cantenat, marchand tonnelier, et de Jeanne Chatonnet, habitants du lieu de la Madeleine et dans l'endroit même que l'on nomme encore château d'Ausone. Parrain : Pierre Barat, oncle ; marraine : Rose Malescot, tante bretonne. Présents : Michel et Elie Lacoste, qui n'ont su signer, de ce par nous interpellés. Vidal, curé ». A la fin du XVIIIe siècle, la notion de cru était sensiblement différente de ce qu'elle est aujourd'hui. Le terme de « château » n'a commencé de proliférer qu'après la classification des vins de Médoc et de Sauternes, c'est-à-dire dans la seconde moitié du XIXe siècle. Ausone est une exception. C'est le seul « château » de Saint-Emilion antérieur au Second Empire. Mais cette désignation s'appliquait essentiellement à la maison d'habitation, construite en 1781 par Jean Cantenat, ci-dessus mentionné. Le vin, quant à lui, portait le nom du lieu-dit dont il était issu, associé à celui du viticulteur. Ainsi, le château Ausone de l'époque était étampé : Cantenat à la Madeleine. Quoiqu'il en soit, il y a deux siècles que le château Ausone contemple la côte de Saint-Emilion. Avec Beauséjour, Berliquet, Camfourtet (Clos Fourtet aujourd'hui) et Canon c'est le plus authentique des crus historiques du « Haut Saint-Emilion ». Les destinées respectives des crus d'Ausone et de Bélair se sont rejointes depuis 1916, lorsque Jean Dubois-Challon acheta la propriété de la famille de Marignan (voir Bélair au répertoire). Mais il est à peu

Mme Dubois-Challon (à gauche) surveille elle-même la qualité du raisin.

près certain qu'ils se confondirent souvent au fil des siècles précédents. Les chroniqueurs donnent leur préférence tantôt à l'un, tantôt à l'autre. Au XIXᵉ siècle, Bélair est le plus souvent cité en tête de la « première classe » de Saint-Emilion. En 1850, Charles Cocks place Ausone au onzième rang. En 1868 il est quatrième, derrière Bélair, Troplong-Mondot et Canon. En 1886 il est second et, depuis le début du siècle, Cocks et Féret le mettent toujours en tête de la liste. Pendant plusieurs générations la production d'Ausone fut minime (de l'ordre de 8 à 10 tonneaux) tandis que la qualité et la réputation du cru étaient diversement appréciées.

Le domaine est en copropriété entre les deux branches familiales descendantes collatérales des Cantenat et des Laffargue. Le château est habité par Mᵐᵉ Jean Dubois-Challon, dont l'exquise amabilité contribue au charme des lieux. Mais on peut aussi rencontrer les héritiers Vauthier, particulièrement Alain, fils de Marcel et arrière-petit-fils d'Edouard Dubois-Challon. Chacune des deux branches administre elle-même sa part. C'est ainsi que Pascal Delbeck est le seul régisseur de Mᵐᵉ Dubois-Challon tandis que les Vauthier s'occupent eux-mêmes de leurs affaires. Le vignoble est d'un seul tenant autour du château. Son terroir est typique : argilo-calcaire sur sous-sol de molasses du Fronsadais avec présence de sables éoliens en bas de côte. La pente fait un drainage naturel et provoque une érosion difficile à combattre là où elle est la plus raide. Culture et vinification (en cuves de bois) sont traditionnelles. Le vieillissement en barriques intervient dans des caves splendides dont l'origine remonte à la fin du XVIᵉ siècle, lorsque la jurade de Saint-Emilion décida de restaurer les murs de la cité en extrayant des pierres « du rocher sous lequel est le cimetière de la Magdelaine ». Les vins d'Ausone se caractérisent par leur structure mince et élégante. Ils peuvent atteindre une extrême finesse et surprennent parfois par leur ardeur en alcool qui ferait penser à quelque Corton de bonne facture. Avec des tanins discrets mais pénétrants ils illustrent parfaitement le « vin de côte » aux effluves odorants et à la saveur « solaire ». Ils se distinguent parfaitement de leurs rivaux de Cheval-Blanc qui sont exemplaires des « vins de graves ». On peut également s'étonner de leur bonne tenue en bouteilles

76

alors qu'ils ne sont pas pourvus d'une chair abondante, comme ces octogénaires fluets qui ont toujours bon pied, bon œil. La raison en est sans doute pour partie une excellente résistance à l'oxydation et un taux d'acidité volatile suffisant pour donner du nerf et de la vivacité, sans toutefois imposer sa présence de manière désagréable. On peut dire que le vin d'Ausone a du « montant ». Normal : pour un vin de côte ! On peut aussi prétendre que « l'endroit même que l'on nomme encore château d'Ausone » correspond bien à l'ancienne villa du célèbre poète gallo-romain. Aucun historien n'a véritablement tranché le débat à ce jour. A défaut de preuves certaines, la tradition orale est forte. Mais il n'est pas besoin de considérations archéologiques pour affirmer que le vin d'Ausone est un grand parmi les grands.

Austerlitz (Château)

Commune : Libourne. *Propriétaire :* Gérard Audigay. Œnologue conseil : Gilles Pauquet. *Superficie du vignoble :* 6 ha. *Age moyen du vignoble :* 40 ans. *Encépagement :* 25 % cabernet-sauvignon. 50 % merlot. 25 % cabernet-franc. *Production :* 23 tonneaux. 1 000 bouteilles en M.D.C. *Vente au château et par correspondance :* en France. Gérard Audigay, 170, avenue de l'Epinette, 33500 Libourne. Tél. 57 51 32 30. *Vente par le négoce. Gérard Audigay n'étant pas le Napoléon des vignes, il ne connaîtra jamais Waterloo.*

Aux Plantes (Clos)

Commune : Saint-Emilion. *Propriétaire :* Gustave Venat. Administrateur, chef de culture et maître de chai : Marie-Hélène Venat. Œnologue conseil : Michel Rolland. *Superficie du vignoble :* 77 ha 42 ca. *Age moyen du vignoble :* 10 ans. *Encépagement :* 10 % cabernet-sauvignon. 80 % merlot. 10 % cabernet-franc. *Production :* 2 700 bouteilles en M.D.C. *Vente au château et par correspondance :* en France. Clos aux Plantes, 33330 Saint-Emilion. Tél. 57 24 78 43. *Vente par le négoce. La première récolte fut levée en 1978. Pour les vendanges, cela se passe en famille donc c'est la fête. Il reste quelques bouteilles pour la vente directe.*

Badette (Château)

Grand Cru

Commune : Saint-Christophe-des-Bardes. *Propriétaire :* William Arraud. Œnologue conseil : M. Chaine. *Superficie du vignoble :* 8 ha 60 a. *Age moyen du vignoble :* 35 ans. *Encépagement :* 10 % cabernet-sauvignon. 90 % merlot. *Production :* 60 000 bouteilles en M.D.C. *Vente au château et par correspondance :* en France et à l'étranger. Château Badette, 33330 Saint-Christophe-des-Bardes. Tél. 57 74 42 13. *Vente par le négoce :* 3/4 de la production vendus au négociant.

Au cours de la Seconde Guerre mondiale, Daniel Arraud sauva la vie de son ami fait prisonnier. Quelques années plus tard, en 1949, au cours d'une promenade à Saint-Emilion, William son fils, alors jeune apprenti en mécanique, exprima le souhait de travailler la vigne comme son père. Mais que faire ? Daniel Arraud était un simple ouvrier vigneron sans argent devant lui. Mis au courant, l'ami, un propriétaire à Pomerol, fit aussitôt l'avance de l'argent nécessaire à l'acquisition de Badette. Aujourd'hui, après le décès de son père, William Arraud se retrouve seul à la tête de la propriété. Et il tait le nom de l'ami. Mais il accueillera à bras ouverts le visiteur qui frappe à sa porte.

Badon (Clos)

Commune : Saint-Emilion. *Propriétaire :* G.F.A. Badon Guérin. Administrateur, régisseur, chef de culture, directeur et maître de chai : Philippe Dugos. Œnologue conseil : M. Plomby. *Superficie du vignoble :* 8 ha. *Age moyen du vignoble :* 25 ans. *Encépagement :* 20 % cabernet-sauvignon. 40 % merlot. 40 % cabernet-franc. *Production :* 35 000 bouteilles en M.D.C. *Visite des chais :* sur rendez-vous. Philippe Dugos. Tél. 57 24 71 03. *Vente au château et par correspondance :* en France. Clos Badon, 33330 Saint-Emilion. *Vente par le négoce.*

Au pied de la Côte de Pavie, le Clos Badon est l'héritage de Philippe Dugos qui fait équipe « de A à Z » (selon ses propres termes) avec son épouse. Il est un adepte de la vendange à la machine qui intervient rapidement, au jour le plus juste de la maturité moyenne, et ce, au meilleur coût possible. Il développe le vieillissement en barriques pour lesquelles il a calculé un amortissement sur huit ans. Et puis d'ailleurs, il ne se plaint de rien car il manque davantage de vin que de clients !

Badon Fleurus (Château)

Commune : Saint-Emilion. *Propriétaire :* S.C.A. du Château Fouquet. Administrateur, régisseur, chef de culture et maître de chai : Claude Mazière. *Superficie du vignoble :* 5 ha. *Age moyen du vignoble :* 20-30 ans. *Encépagement :* 70 % merlot. 30 % cabernet-franc. *Production :* 30 000 bouteilles en M.D.C. *Vente par le négoce :* S.A.R.L. Mazière et Cie. Tél. 57 24 70 42. *Badon Fleurus apparaît comme une marque de repli parmi les nombreuses productions de Claude Mazière. Elle fut créée en 1964.*

Badon la Garelle (Château) ⚱
→ *Peyrelongue*

Bagnols (Château) ⚱ → *Viramon*

Baillarge (Château)

Commune : Saint-Sulpice-de-Faleyrens. *Propriétaire :* Michel Codognotto. Œnologue conseil : C.B.C. Libourne. *Superficie du vignoble :* 2 ha 50 a. *Age moyen du vignoble :* 12 ans. *Encépagement :* 80 % merlot. 20 % cabernet-franc. *Production :* 13 tonneaux. *Vente par le négoce :* en vrac. Tél. 57 24 77 91. *Il paraît que Michel Codognotto a l'intention de « faire de la bouteille ». Bravo !*

vente
en vrac

Balestard la Tonnelle (Château)

Grand Cru classé

Commune : Saint-Emilion. *Propriétaire :* G.F.A. Capdemourlin. Administrateur et régisseur : Jacques Capdemourlin. Chef de culture : Paul Jenck. Maître de chai : Jean-Claude Bounias. Œnologue conseil : C.B.C. Libourne. *Superficie du vignoble :* 10 ha 60 a. *Age moyen du vignoble :* 28 ans. *Encépagement :* 10 % cabernet-sauvignon. 65 % merlot. 20 % cabernet-franc. 5 % malbec. *Production :* 60 000 bouteilles en M.D.C. *Visite des chais :* sur rendez-vous. Jacques Capdemourlin. Tél. 57 74 62 06. *Vente au château et par correspondance :* en France. Jacques Capdemourlin, Château Roudier, Montagne, 33570 Lussac. *Vente par le négoce :* négoce traditionnel. Place de Bordeaux. Exportation : U.S.A. en exclusivité, Belgique, Suisse, Allemagne, Hollande.

« Le vin est une forme de l'expression humaine. On ne le fabrique pas, on l'élabore. » A chacune de ses formulations, Jacques Capdemourlin transpire l'esthétisme comme un réséda son odeur tenace. En 1963, après son service national, ce garçon était tiraillé entre une inclination naturelle vers l'architecture et les Beaux-Arts et une fidélité passionnelle à l'égard de la terre vigneronne attachée aux semelles familiales depuis cinq siècles. Il opta pour écouter davantage la seconde voix tout en se réservant secrètement le droit de laisser parler la première de temps en temps. C'est ainsi qu'il est devenu viticulteur à part entière, doublé d'un vinificateur averti et que l'architecte qui sommeillait révèle son talent dans les aménagements de la maison et des chais. Dans ces deux comportements, son souci majeur est de « faire ressortir l'origine et son authenticité ».

L'origine du nom de Balestard vient d'un brave chanoine de Saint-Emilion qui avait un penchant pour la dive bouteille de son cru. Il n'était pas le seul. Au XVe siècle, le grand poète François Villon regrettait que le nectar de Balestard ne fut pas à la portée de sa bourse :

« Vierge Marie, gente déesse,
Garde-moi place en Paradis ;
Oncque n'aurai joie ni liesse
Ici-bas, puisqu'il n'est permis
De boire ce divin nectar,
Qui porte nom de Balestard,

Qu'à gens fortunés en ce monde.
Or, suis miséreux et pauvret.
Si donc au ciel, ce vin abonde,
Viens, doulce Mort, point ne m'effraye
Porte-moi parmi les élus
Qui, là-haut, savourent ce cru. »

François Villon pouvait-il se douter que, quatre cents ans après sa mort, ce vœu de son testament ornerait l'étiquette du Château Balestard la Tonnelle ? Parmi les 79

Ancien moulin de Balestard. De l'époque de Villon, peut-être ?

gens qui ont eu la fortune de savourer le cru on compte des avis autorisés. Lors des dégustations du Grand Jury, rapportées par Jacques Luxey, quatorze dégustateurs réputés placèrent le Balestard à la troisième place d'une impressionnante rangée des meilleurs vins de Saint-Emilion dans le millésime 1975. Citons également l'avis d'Alexis Lichine lorsqu'il écrit : « Parmi les 72 Grands Crus, on en trouve deux excellents qui pourraient prochainement mériter une promotion : Château Villemaurine et Château Balestard la Tonnelle. » L'amateur appréciant les vins qui ont une belle solidité tannique et une structure puissante se doit, un jour ou l'autre, de déboucher un Balestard.

Barail du Blanc

→ Union de Producteurs

Barberousse (Château)

Commune : Saint-Emilion. **Propriétaire :** Jean Puyol. Œnologue conseil : Michel Rolland. **Superficie du vignoble :** 7 ha. **Age moyen du vignoble :** 25 ans. **Encépagement :** 30 % cabernet-sauvignon. 40 % merlot. 30 % cabernet-franc. **Production :** 58 000 bouteilles en M.D.C. **Vente au château et par correspondance :** tél. 57 24 74 24. **Vente par le négoce :** Maison Lebègue.

Barberousse (Domaine de)

Commune : Saint-Emilion. **Propriétaire :** Robert Chaubet. **Superficie du vignoble :** 59 a. **Age moyen du vignoble :** 22 ans. **Encépagement :** 20 % cabernet-sauvignon. 80 % merlot. **Production :** 4 à 5 tonneaux. **Visite des chais :** de 9 h à 18 h. Robert Chaubet. Tél. 57 24 71 52. **Vente au château et par correspondance :** en France et à l'étranger. Inspecteur départemental de l'Education nationale, à la retraite, Robert Chaubet a repris le flambeau paternel et la devise de Barberousse : « loyal-sain-bon ».

Barbeyron (Château)

Grand Cru

Commune : Saint-Laurent-des-Combes. **Propriétaire :** G.A.E.C. vignobles Bassilieaux. Administrateur et maître de chai : Jean-Claude Bassilieaux. Régisseur et chef de culture : Dominique Bassilieaux. Œnologue conseil : M. Hébrard. **Superficie du vignoble :** 7 ha. **Age moyen du vignoble :** 35 ans. **Encépagement :** 75 % merlot. 25 % cabernet-franc. **Production :** 45 000 bouteilles en M.D.C. **Visite des chais :** sur rendez-vous. G.A.E.C. vignobles Bassilieaux, 33350 Saint-Magne-de-Castillon. Tél. 57 40 06 71. **Vente au château et par correspondance :** en France et à l'étranger (Suisse, Belgique, R.F.A., Grande-Bretagne).

En tenue de travail, la voix rauque, coiffé d'une casquette de marin, Jean-Claude Bassilieaux est un homme de terrain et d'action. Président du Syndicat des Côtes de Castillon, il défend le vignoble avec amour et honneur. La propriété est exploitée en famille. Avant de commencer le travail de la vigne, M. Bassilieaux était pépiniériste. Marié à l'âge de vingt et un ans, il prit en main l'exploitation de son beau-père. A Saint-Magne, lieu d'habitation des Bassilieaux, il est possible d'apprécier un modeste mais néanmoins fort attractif musée de la tonnellerie, les outils provenant du grand-père. Le vin, vieillissant bien, garde toute sa puissance.

Barde-Haut (Château)

Grand Cru

Commune : Saint-Christophe-des-Bardes. *Propriétaire :* J.-C. Gasparoux. Œnologue conseil : Gilles Pauquet. *Superficie du vignoble :* 15 ha 50 a. *Age moyen du vignoble :* 25 ans. *Encépagement :* 75 % merlot. 25 % cabernet-franc. *Production :* 70 tonneaux. 40 000 bouteilles en M.D.C. *Visite des chais :* J.C. Gasparoux. *Tél. 57 24 78 21. Vente au château et par correspondance. Les bâtiments, campés à flanc de côte, ont l'air d'une grande bastide moderne. Le vin est bien coloré, puissant, avec une bonne note boisée.*

Barrail des Graves (Château)

Commune : Saint-Sulpice-de-Faleyrens. *Propriétaire :* G.A.E.C. Descrambe. Administrateur et gérant : Gérard Descrambe. Régisseur et chef de culture : Philippe Fort. Œnologue conseil : Michel Rolland. *Superficie du vignoble :* 5 ha 50 a. *Age moyen du vignoble :* 15 ans. *Encépagement :* 20 % cabernet-sauvignon. 60 % merlot. 15 % cabernet-franc. 5 % malbec. *Production :* 30 000 bouteilles en M.D.C. *Visite des chais :* tél. 57 74 94 77. *Vente au château et par correspondance :* en France. Renaissance, Saint-Sulpice-de-Faleyrens, 33330 Saint-Emilion.

Gérard Descrambe à côté d'une étiquette dessinée par Reiser.

« Oh ! fils de gueuse, comme il est catholique ! » Cette exclamation de Sancho Pança vidant pieusement une bouteille pourrait assortir la collection personnelle de Gérard Descrambe. Si, à Mouton, Philippe de Rothschild a fait dessiner les frontispices de ses étiquettes par les plus grands artistes contemporains, Gérard Descrambe a obtenu de quelques célèbres humoristes des illustrations rabelaisiennes et joliment troussées. « Je ne connais de sérieux ici-bas que la culture de la vigne », disait Voltaire. Ce que l'histoire de la littérature ne dit pas, c'est que le « vieillard de Ferney » clignait de l'œil en récitant son apophtegme préféré. Gérard Descrambe fait le plus sérieusement du monde son métier de vigneron mais en consacre joyeusement le fruit à Bacchus, à l'exemple de Ronsard :

> « Que cette fête ne se fasse
> Sans t'y trouver, père joyeux,
> C'est de ton nom la dédicace
> Et le jour où l'on rit le mieux. »

Les vins de Gérard Descrambe sont écologiques et théologiques. Ils traitent avec bonheur et bonne humeur la phtysie rampante et l'hypocondrie dégringolante.

Barry (Château du)

Grand Cru

Commune : Saint-Sulpice-de-Faleyrens. **Propriétaire :** Noël Mouty. **Superficie du vignoble :** 8 ha. **Age moyen du vignoble :** 40 ans. **Encépagement :** 10 % cabernet-sauvignon. 80 % merlot. 10 % cabernet-franc. **Production :** 45 000 bouteilles en M.D.C. **Visite des chais :** Noël Mouty. **Tél.** 57 84 52 80. **Vente au château et par correspondance :** en France et à l'étranger. Noël Mouty, Château du Barry, Saint-Sulpice-de-Faleyrens, 33330 Saint-Emilion. **Vente par le négoce.** *Propriété familiale depuis 1911, ce cru n'a jamais démérité.*

Basque (Château du)

→ Union de Producteurs

Grand Cru

Béard (Château)

Grand Cru

Commune : Saint-Laurent-des-Combes. **Propriétaires :** Héritiers Goudichaud. Œnologue conseil : M. Chaine. **Superficie du vignoble :** 8 ha. **Age moyen du vignoble :** 30 ans. **Encépagement :** 65 % merlot. 35 % cabernet-franc. **Vente au château et par correspondance :** en France et à l'étranger. Belgique, Danemark. Château Béard. **Tél.** 57 24 72 96. **Vente par le négoce :** place de Bordeaux.

Château Béard est une belle demeure datée de 1858 et située au centre de Saint-Laurent-des-Combes. Le 1er janvier 1983, Mme Corinne Dubos et sa sœur Véronique Goudichaud héritent de la propriété après le décès de leur père qui, 83 lui-même, la détenait de son père. Ainsi, Corinne Dubos, jeune propriétaire à l'allure dynamique, conduit l'exploitation. « J'aime diriger » dit-elle avec un sourire « cool ». Avant de s'occuper de la vigne, elle vendait le vin de Saint-Emilion au Cercle des amis vignerons. Cette expérience lui a permis de mieux connaître la clientèle aussi bien française qu'étrangère. La vigne n'est pas désherbée. Les vendanges sont faites à la main dans une ambiance amicale. Peu à peu, le chai recevra des barriques en remplacement des vieux foudres. Le vin sent parfois la violette.

Béard La Chapelle (Château)

Grand Cru

Commune : Saint-Laurent-des-Combes. *Propriétaires :* Richard Moureau et Isabelle Desveaux. Régisseur, chef de culture et directeur : Richard Moureau. Œnologue conseil : C.B.C. Libourne. *Superficie du vignoble :* 15 ha 47 a. *Age moyen du vignoble :* 30 ans. *Encépagement :* 5 % cabernet-sauvignon. 80 % merlot. 15 % cabernet-franc. *Production :* 86 000 bouteilles en M.D.C. *Visite des chais :* sur rendez-vous. Richard Moureau. Tél. 56 52 21 46. *Vente au château et par correspondance :* en France et à l'étranger. Richard Moureau, 11, rue de Marseille, 33000 Bordeaux. *Vente par le négoce :* exclusivité sur la Belgique et le Danemark. Bordeaux Tradition.

Exposée au sud, le long de la route des coteaux qui mène à Saint-Laurent-des-Combes, Béard La Chapelle est une propriété familiale depuis de nombreuses générations. Des vestiges de cimetière ont été retrouvés sur le domaine, d'où le nom de chapelle, le lieu-dit s'appellant Béard, ce qui ne justifie peut-être pas tout à fait l'annexion de l'église monolithe de Saint-Emilion pour l'illustration de l'étiquette. En 1980, M. Armand Moureau, se préparant à la retraite, posa la question de confiance à son fils. C'est ainsi qu'à l'âge de trente-huit ans, Richard Moureau fit un retour à la terre. Souple et rond, bien équilibré, le vin exhale des parfums de fruits rouges.

Beau-Mayne (Château)
→ Couvent des Jacobins

Beaurang (Château)

Commune : Saint-Emilion. *Propriétaire :* Claude Puyol. Œnologue conseil : M. Chaine. *Superficie du vignoble :* 8 ha 30 a. *Age moyen du vignoble :* 30 ans. *Encépagement :* 20% cabernet-sauvignon. 60 % merlot. 20 % cabernet-franc. *Production :* 40 tonneaux. 20 000 bouteilles en M.D.C. *Visite des chais :* sur rendez-vous. Tél. 57 24 73 31. *Vente au château et par correspondance :* en France. *Vente par le négoce :* bordelais. Père, mère, fils et belle-fille exploitent ce vignoble sans aide extérieure. Machinerie et cuverie modernes sont là pour simplifier le travail.

Beauséjour (Château)

1er Grand Cru classé

Commune : Saint-Emilion. **Propriétaires :** Héritiers Duffau-Lagarrosse. Régisseur : Jean-Michel Dubos. Maître de chai : Bernard Oizeau. Œnologue conseil : Michel Rolland. **Superficie du vignoble :** 6 ha 80 a. **Age moyen du vignoble :** 30 ans. **Encépagement :** 25 % cabernet-sauvignon. 50% merlot. 25 % cabernet-franc. **Production :** 35 000 bouteilles en M.D.C. **Visite des chais :** sur rendez-vous. Tél. 57 24 71 62. **Vente au château et par correspondance :** en France. **Vente par le négoce (bureau de courtage en Belgique).**

Les peuples heureux n'ont pas d'histoire. Les propriétaires tranquilles non plus. Dans ce Beauséjour-là (l'autre étant plus tourmenté) tout n'est que paix et propreté,

Beauséjour Duffau-Lagarrosse : le triomphe de la continuité.

discrétion, calme et pérennité. « Nous n'aimons pas la publicité tapageuse » chuchotent les héritiers Duffau-Lagarrosse, comme un air appris par cœur depuis longtemps et psalmodié *a cappella*. Cette profession de foi ne les empêche pas de faire imprimer des dépliants en quadrichromie sur papier couché avec photos de bouteilles debout sur fond de vieilles pierres et de rosiers... et d'écrire, par exemple : « Ainsi les Héritiers sont parvenus à conserver à leur vignoble sa très ancienne renommée parmi les crus les plus estimés de Saint-Emilion. » Pourquoi donc, à l'instant même, est-ce que je pense à Mauriac ?

Il y a plus de 150 ans que la propriété est dans la famille. Ce fut Toussaint Troquart qui fit la souche de l'arbre généalogique. Depuis 1847, l'arbre est droit comme un if et les Héritiers (ces derniers semblent tenir à la majuscule) se sont constitués en société civile afin de mieux souder entre eux une solidarité à l'épreuve du temps. Permanence et maintenance sont les mamelles de Beauséjour (Duffau-Lagarrosse). Le visiteur trouvera toujours le meilleur accueil et il sera admis à déguster les dernières cuvées à toute heure de la journée. M. Jean-Michel Dubos, le régisseur, sera un guide sûr et discret. On aura l'impression frissonnante d'entrer au sein d'une secte secrète, ce sentiment étant encore légèrement dramatisé par les cryptes de pierre taillée qui tiennent lieu de caves à bouteilles. Mais, une fois introduit dans le Saint des saints, on pourra déguster le plus traditionnel, le plus artisanal et le plus « ancestral » des vins du Haut Saint-Emilion. Dès lors, on éprouvera le désir de se montrer respectueux.

Beau-Séjour Bécot (Château)

1er Grand Cru classé

Commune : Saint-Emilion. **Propriétaires :** Bécot et Fils. Administrateur : Michel Bécot. Régisseur et chef de culture : Dominique Bécot. Maître de chai : Gérard Bécot. Œnologue conseil : Michel Rolland. *Superficie du vignoble :* 15 ha. *Age moyen du vignoble :* 30-40 ans. *Encépagement :* 70 % merlot. 30 % cabernet-franc. *Production :* 70 000 bouteilles en M.D.C. *Visite des chais :* tous les jours, sur rendez-vous. Tél. 57 74 46 87 ou 57 24 61 60. *Vente au château. Vente par le négoce :* place de Bordeaux.

Si l'on feuillette en le parcourant d'un œil critique le volumineux dossier de Beau-Séjour Bécot, une confusion entre deux mots saute à la vue. Elle ressemble à une coquille typographique, et sa banalité prêterait à sourire si sa conséquence n'était, pour Michel Bécot et ses enfants, une calamité. Car, lors de la dernière révision du classement des crus de Saint-Emilion, le Château Beau-Séjour Bécot, qui, par ordre alphabétique, tenait la tête des Premiers Grands Crus classés, juste derrière les super-grands Ausone et Cheval-Blanc, s'est vu rétrogradé ignominieusement dans la cohorte des simples « Crus classés » ; un peu comme si un colonel se retrouvait adjudant. De quoi s'agit-il ? Constance ou consistance, telle est la question. Le règlement du classement, publié par le *Journal officiel* du 13 janvier 1984, stipule dans son article 6 : « La commission établit son jugement à partir de tous les facteurs qui peuvent être pris en compte pour justifier ou infirmer le classement et parmi lesquels on peut citer, en particulier :

– **Consistance** de l'exploitation aussi bien en dimensions qu'en caractéristiques qualitatives ;

– Commercialisation, présentation, notoriété, importance des actions promotionnelles et prix de vente, **constance** et niveau de qualité des vins appréciés entre autres par la dégustation des échantillons. »

Or, le 14 février 1985, le Syndicat viticole et agricole de Saint-Emilion adressait à 300 journalistes du monde entier la « Liste provisoire des châteaux du classement des crus de Saint-Emilion ». Cette publication anticipait sur l'homologation officielle du nouveau classement. Elle était pour le moins précipitée, car l'avis de la commission devait rester confidentiel jusqu'à la signature des ministres de l'Agriculture et de la Consommation. Mais elle était accompagnée d'une lettre explicative qui spécifiait : « Cette dernière révision s'est appuyée sur un règlement extrêmement précis, c'est une charte de référence. Les critères principaux sont :
– **Constance** de l'exploitation, aussi bien en dimensions qu'en caractéristiques qualitatives ;
– Commercialisation, présentation (...) **constance** et niveau de qualité des vins appréciés, entre autres par dégustation des échantillons. »

Dans la mesure où le Syndicat viticole de Saint-Emilion reprend à son compte tous les termes du règlement officiel, l'emploi du mot « constance » au lieu de « consistance » apparaît comme un fâcheux lapsus. Car la consistance d'une exploitation veut signifier sa réalité en même temps que sa cohésion et son importance mais pas nécessairement l'immuabilité de son territoire. Quant à la consistance de la qualité du vin, il est bien clair qu'à cet égard, il importe d'être constant ! Je connais maints grands crus classés du Médoc qui ont pratiqué de la chirurgie lourde sur leur état parcellaire et qui, nonobstant d'importants changements de surfaces, tant en dimensions qu'en natures de sols, ont amélioré la « consistance qualitative » de leurs productions. Comme je l'écrivais dans mon livre consacré à l'appellation Margaux : « S'il fallait redistribuer les cartes pour refaire les « mains » de 1855, lors du fameux classement, le cadastre viticole risquerait d'imploser. Les multiples échanges, mutations et acquisitions doivent être regardés comme de constantes améliorations au fil des générations. » Lorsque Michel Bécot acheta le château Beau-Séjour au docteur Fagouet, en 1969, il accepta de céder trois hectares aux frères Boüard pour conforter le château l'Angélus. Mais il possédait déjà, par filiation familiale, quatre bons hectares à La Carte, sur le plateau de Saint-Martin, qui compensaient largement, en surface comme en qualités agrologiques, le terroir de Mazerat. En 1979, il acheta quatre hectares et demi jouxtant sa propriété sur le plateau des Trois Moulins. Cela jasa dans le pays car le prix en était fort élevé. Mais Michel Bécot avait conscience de donner une belle consistance à son patrimoine par un apport de terrains de grande qualité, historiquement reconnus comme faisant partie de la « première classe ». A l'époque, nulle autorité ne broncha et le château Beau-Séjour Bécot continua de se voir délivrer, autant que de besoin, ses certificats d'agrément en Premier Grand Cru classé. Il apparaît que le déclassement de Beau-Séjour Bécot est une sanction *a posteriori* à l'encontre d'un viticulteur honnête, gérant son cru en bon père de famille. Il apparaît aussi qu'aucune étude géologique des terrains incriminés n'a été entreprise. L'I.N.A.O. se justifie en remarquant que « les terroirs englobés appartenaient originellement à deux crus ne figurant pas dans la liste officielle des Premiers Grands Crus classés ».
Et Louis Orizet, inspecteur général honoraire de l'I.N.A.O., vient spontanément défendre Michel Bécot en lui écrivant : « Votre aventure illustre les dangers d'inclure des critères subjectifs dans la charte des A.O.C. Ce fut, entre autres, l'une des raisons de ma démission anticipée de l'I.N.A.O. Comment peut-on à la fois disqualifier des crus d'une notoriété ancestrale comme le vôtre et admettre dans le cénacle une cohorte de VDQS qui sont des vins de technologie et non des vins de terroirs. »

Beau-Séjour Bécot : une belle citadelle qui abrite l'un des meilleurs vins du pays.

Il faut préciser qu'aucun texte ne réglemente l'extension d'un cru. Le professeur de droit, Dominique Denis, va même loin dans la permissivité : « Rien n'empêche juridiquement un château de s'étendre voire de se déplacer dans les limites de l'A.O.C. générique sans perdre le droit à sa qualification de Saint-Emilion Grand Cru, Grand Cru classé ou Premier Grand Cru classé, s'il continue à répondre aux conditions qualitatives exigées par le décret de contrôle. (...) Il semble inconcevable de stopper toute évolution foncière favorable à la production rationnelle du vin de qualité par un remembrement mesuré de certaines parcelles. » Bien sûr, si le propriétaire d'un Premier Grand Cru classé de Saint-Emilion se mettait à produire du vin dans la plaine, du côté de Vignonet par exemple, on pourrait trouver à y redire. Mais annexer un petit territoire de moins de cinq hectares attenant au vignoble originel et d'une nature géologique irréprochable est un acte intelligent qui apporte à l'exploitation une bonne dimension économique. J'ai déjà eu l'occasion d'écrire qu'avant d'être grand par sa réputation un cru doit être grand par sa superficie. Il est ainsi loisible

au viticulteur de répartir judicieusement ses cépages, de faire un plan de replantation à rotation lente pour maintenir un âge optimal de la vigne, d'amortir dans de bonnes conditions les investissements d'installations et d'équipements, et d'avoir à sa disposition un choix de cuvées pour une politique de sélection. Comme j'aurais aimé connaître l'opinion du professeur Enjalbert, lui qui écrivait : « Le législateur sera donc contraint de rechercher dans la délimitation des terroirs les fondements de la garantie et de préciser en termes d'agrologie la définition d'un terroir viticole de qualité. » Dans mon livre sur Chablis j'appelle cette doctrine la « géoviticulture ». Nous possédons aujourd'hui des moyens d'investigations extrêmement sophistiqués. Aucun censeur ne peut prétendre faire et défaire les réputations de nos crus à partir d'allégations superficielles et à travers des « on-dit ».

Mais, au bout du compte, il y a la dégustation du produit. Le « contrôle organoleptique » de la qualité, tel qu'il a été mis en œuvre par le Syndicat de Saint-Emilion et l'I.N.A.O., n'a pas présenté toutes les garanties de sérieuse efficacité 89 auxquelles on devait s'attendre. Après sa « déchéance », sportivement, Michel Bécot a proposé une dégustation à l'aveugle des douze Premiers Grands Crus classés portant sur différents millésimes. Bien entendu, personne n'a relevé le défi. Et l'on savait que, plusieurs fois, son cru était arrivé en tête ou dans les tout premiers lors de compétitions semblables. Pour les avoir goûtés avec attention et impartialité, je trouve que les dix derniers millésimes de Beau-Séjour Bécot sont tout à fait à la hauteur de sa réputation. Ce jugement est partagé par nombre d'experts éclairés parmi lesquels je citerai le professeur Emile Peynaud, Alexis Lichine, Hugh Johnson, etc. Dans leurs ouvrages qui font autorité, les deux derniers saluent la manière dont Michel Bécot et ses fils ont restauré la « réputation ternie » de Beau-Séjour depuis le jour où ils ont succédé à l'ineffable docteur Fagouet.

Voilà pour ce qui est du fond de l'affaire. Pour ce qui est de la forme, il me semble que le Syndicat ne s'est pas montré dans son beau rôle. Si les Bécot avaient commis une faute lourde, voire une énorme bévue, le conseil d'administration aurait eu le droit et le devoir de les sanctionner d'une façon appropriée et autant que possible sans publicité car le linge sale se lave en famille. Mais c'est une curieuse manière de s'acheter une bonne conduite et une image sans tache que de contribuer à descendre en torche l'un de ses adhérents les plus illustres (et Michel Bécot fut président dudit Syndicat de 1976 à 1979!). Ceci d'autant plus que ledit Syndicat n'a pas donné l'exemple de la plus grande rigueur. Le Conseil, réuni le 12 octobre 1985 (on était alors en pleine tempête) soulignait « qu'en tant que représentant et défenseur des intérêts de la profession, le Syndicat a le devoir de veiller à la loyauté et à la régularité de la procédure de classement dont il a pris l'initiative ». Or, le 2 mai précédent, le même Conseil se déclarait « incompétent » sur la réclamation de M. Bécot. Et, comme on l'a vu plus haut, le 14 février, il avait publié le nouveau classement comme une chose acquise. Mais le législateur avait bien précisé que « l'utilisation des mentions Grand Cru classé ou Premier Grand Cru classé est réservée aux exploitations viticoles ayant fait l'objet d'un classement officiel homologué par arrêté conjoint du ministre de l'Agriculture et du secrétaire d'Etat chargé de la Consommation, **après avis du syndicat intéressé** sur proposition de l'I.N.A.O. ». C'est lors des réunions des 6 et 7 juin (soit près de quatre mois après la publication de la liste de classement !) que le Comité national de l'I.N.A.O. s'est aperçu « qu'une pièce essentielle de procédure manquait au dossier : **l'avis formel du syndicat intéressé** prévu à l'article 7, premier alinéa du décret du 11 janvier 1984 ». Il fallut attendre le mois d'octobre pour que « l'avis formel » fût émis favorablement par le Conseil syndical. J'y relève « que les éléments retenus par celle-ci (la Commission) et la manière dont s'est déroulée la procédure garantissent la promotion de crus de qualité ». Quid des déclassés ? Cette formulation perverse tendrait-elle à signifier que la garantie est unilatéralement placée du côté des promus ? Implicitement, je vois dans cette rédaction un aveu et le Syndicat de Saint-Emilion, qui a par ailleurs d'éminents mérites à son actif s'est, à mon sens, rendu coupable **d'inconsistance**.

Si j'étais le ministre de l'Agriculture, je dirais que le classement de Saint-Emilion est irrégulier, dans l'esprit et à la lettre... de A à Z. En outre, j'inviterais le Crédit Agricole à prendre en charge les intérêts payés par la famille Bécot sur ses stocks invendus depuis un an. Et j'épinglerais la croix du Mérite Agricole au revers de Michel Bécot pour tâcher de lui faire oublier sa descente aux enfers et pour l'encourager à continuer d'offrir aux amateurs du monde entier l'un des douze meilleurs vins du prestigieux terroir de Saint-Emilion. Ce qui est tout à fait remarquable dans cette triste histoire, c'est que Michel Bécot garde un moral de guerrier et un sourire d'archange.

Beau Vallon (Château du) ⚱ → Brun

Bélair (Château)

1er Grand Cru classé

Commune : Saint-Emilion. **Propriétaire** : Mme Helyett Dubois-Challon. Régisseur et chef de culture : Pascal Delbeck. Maître de chai : Marcel Laneau. Œnologue conseil : C.B.C. Libourne. *Superficie du vignoble :* 13 ha. *Age moyen du vignoble :* 35 ans. *Encépagement :* 60 % merlot. 40 % cabernet-franc. *Production :* 60 000 bouteilles en M.D.C. *Visite des chais :* tél. 57 24 70 94. *Vente au château et par correspondance. Vente par le négoce :* place de Bordeaux.

« Château Bélair est le Château Lafite de la côte de Saint-Emilion ». Ainsi, en 1867, A. Danflou (le Grand Alfred de l'époque) affirmait-il la supériorité de Bélair, autrefois connu sous le nom de cru de Canolle. J'ai toujours aimé l'aventure des mots lorsqu'ils passent d'une langue à l'autre. On sait, par exemple que le « tennis » est la prononciation anglaise de l'impératif « tenez » quand les dandies engageaient la balle au jeu de paume. Ou que, plus fort encore, la place de Londres « Elephant & Castle » tient son nom d'une auberge, aujourd'hui disparue, dont l'enseigne était « A l'Infante de Castille ». Pour Bélair, le sens de la déformation s'inverse car le très vénérable cru de Canolle, à l'accent bien de chez nous, tire son nom du sénéchal Robert Knolles, gouverneur de la Guyenne (l'Aquitaine, version anglaise), aux ordres de la couronne britannique pendant la guerre de Cent Ans. C'est lui qui reçut l'épée de Bertrand Du Guesclin à la bataille d'Auray, en 1364. Après la bataille de Castillon, les Canolle décidèrent de rester dans leur province d'adoption et s'intégrèrent à la noblesse bordelaise dont ils partagèrent le sort funeste sous la Terreur ; plusieurs

Jusqu'au début de ce siècle, Bélair était cité en tête des Saint-Emilion.

d'entre eux émigrèrent. Bélair fut saisi et vendu mais la famille le récupéra sous l'Empire tandis que, de père en fils, les Goudichau restaient régisseurs de la propriété. Puis, la fille du marquis Victor de Canolle, Léontine, épousa le baron de Marignan, apportant Bélair en dot. L'étampe du cru devint alors « Bélair de Marignan ». En 1850, Charles Cocks place Bélair en tête des « Premiers Crus » de Saint-Emilion. Pendant plus d'un demi-siècle, les éditions successives du *Bordeaux et ses vins* maintiendront ce rang. En 1916 la famille de Seissan de Marignan vend le domaine à Edouard Dubois-Challon qui entendait assurer surtout la promotion de son Château Ausone. Bélair obéit alors à l'ordre alphabétique et c'est probablement par la volonté délibérée du propriétaire que Cocks et Féret écrivent dans leur 9e édition (1922) : « Nous avions autrefois mis Château Bélair en tête des crus de Saint-Emilion. La prime tout à fait exceptionnelle, constante, obtenue par Château Ausone et qui résulte des prix indiqués plus haut, nous a conduit à mettre ce cru en tête ; mais nous n'en estimons pas moins le cru de Château Bélair, qui n'a en rien démérité. » En plaçant Ausone au-dessus de Bélair, Dubois-Challon assurait son pied dans l'escalade de « la côte ».

Durant des siècles, le sous-sol du plateau de Bélair fut un important chantier d'extraction de pierres. Les anciens châtelains avaient fait marquer certains piliers de soutènement afin de baliser le labyrinthe. On raconte qu'ils pouvaient directement accéder à l'église monolithe par un parcours souterrain. Aujourd'hui, Bélair offre des caves splendides, de telle sorte que le vin repose sous les vignes mêmes qui l'ont produit. Quant à la qualité, on peut dire que Bélair a connu une éclipse de notoriété au cours des décennies précédentes. Toutefois, les soins actuels de Pascal Delbeck tendent à lui redonner sa réputation d'antan. Le style est bien représentatif d'un « vin de côte » : fin, plutôt léger, assez nerveux avec une finale en pétale de rose.

Bel-Air La Gravière (Château)

Commune : Libourne. **Propriétaires :** M. et Mme René Lemoine. Œnologue conseil : Gilles Pauquet. **Superficie du vignoble :** 81 a. **Age moyen du vignoble :** 20 ans. **Encépagement :** 20 % cabernet-sauvignon. 80 % merlot. **Production :** 3 tonneaux. Tél : 57 51 48 55.

C'est en 1957 que Robert Guillot, père de Mme René Lemoine, acheta cette propriété dont l'histoire peut se retracer jusque vers le milieu du XVIIIe siècle. A cette époque, une faïencerie royale était établie sur le site. Il reste du domaine une micro-production à l'usage exclusivement familial ou amical.

Bel-Air Ouÿ (Château)

→ *Union de Producteurs*

Grand Cru

Belle Assise Coureau (Château)

Commune : Saint-Sulpice-de-Faleyrens. **Propriétaire :** Yvan Brun. Œnologue conseil : laboratoire de Grézillac. **Superficie du vignoble :** 13 ha 20 a. **Age moyen du vignoble :** 15 à 30 ans. **Encépagement :** 30 % cabernet-sauvignon. 60 % merlot. 10 % cabernet-franc. **Production :** 60 000 bouteilles en M.D.C. **Visite des chais :** tous les jours de 8 h à 19 h. Yvan Brun. Tél. 57 24 61 62. **Vente au château et par correspondance :** en France et à l'étranger. *Belle Assise Coureau est une jolie propriété d'un seul tenant qui doit son nom à une veine calcaire peu profonde, insolite dans le terrain de plaine.*

Bellefont-Belcier (Château)

Grand Cru

Commune : Saint-Laurent-des-Combes. **Propriétaire :** S.C.I. du Château Bellefont-Belcier. Administrateur et maître de chai : Jean Labusquière. Chef de culture : M. Nachit. Œnologue conseil : M. Chaine. **Superficie du vignoble :** 13 ha. **Age moyen du vignoble :** 25 ans. **Encépagement :** 10 % cabernet-sauvignon. 70 % merlot. 20 % cabernet-franc. **Production :** 60 000 bouteilles en M.D.C. **Visite des chais :** sur rendez-vous. Jean Labusquière. Tél. 57 24 72 16. **Vente au château et par correspondance :** en France et à l'étranger. **Vente par le négoce :** Bordeaux et Libourne.

La querelle des anciens et des modernes a été tranchée. A Bellefont-Belcier, on vendange à la machine. Dans le même esprit de « nouvelle œnologie », le vin ne verra jamais l'ombre d'une futaille. Le résultat se traduit par une évolution considérable du caractère du cru relativement à son ancien style, très classique, qui lui avait cependant valu une bonne réputation. La propriété se distingue par une charmante demeure bourgeoise et par un insolite cuvier circulaire. Le visiteur pourra également admirer des platanes tricentenaires. Et l'amateur pourra apprécier des vins qui se boiront dans toute la jeune fraîcheur de leur fruit.

Bellegrave (Château)

Commune : Vignonet. **Propriétaire :** G.F.A. des Héritiers Dangin. Administrateur : G.A.E.C. du Château Bellegrave. Directeur : Xavier Dangin. Œnologue conseil : laboratoire de Grézillac. **Superficie du vignoble :** 12 ha 50 a. **Age moyen du vignoble :** 25 ans. **Encépagement :** 30 % cabernet-sauvignon. 55 % merlot. 15 % cabernet-franc. **Production :** 40 000 bouteilles en M.D.C. **Visite des chais :** Xavier Dangin. Tél. 57 84 53 01. **Vente au château et par correspondance. Vente par le négoce.** *Ce cru peut être à juste titre considéré comme l'un des meilleurs de la commune.*

Bellegrave-Jaumard (Château)

Commune : Vignonet. *Propriétaire :* André Boisseau. Fermière, chef de culture et maître de chai : Gilberte Gintrac. Œnologue conseil : M. Hébrard. *Superficie du vignoble :* 1 ha 59 a. *Age moyen du vignoble :* 30 ans. *Encépagement :* 75 % merlot. 25 % cabernet-franc. *Production :* 1 200 bouteilles en M.D.C. *Vente par correspondance :* tél. 57 84 67 25. *Vente par le négoce :* bordelais. *Mme Gilberte Gintrac est une personne bien vaillante qui cultive et vinifie selon les plus pures traditions.*

Belle Rose (Clos)

Commune : Libourne. *Propriétaires :* Jean-Pierre et François Faurie. *Superficie du vignoble :* 78 a 39 ca. *Encépagement :* 10 % cabernet-sauvignon. 70 % merlot. 20 % cabernet-franc. *Production :* 2 000 bouteilles en M.D.C. *Vente au château et par correspondance :* en France. François et Jean-Pierre Faurie, 13, boulevard de Garderose, 33500 Libourne. Tél. 57 74 07 03. *Vente par le négoce :* exclusivité en Belgique de la Maison Rodrigues à Zele.

C'est un bijou enchâssé dans la ville, à l'intérieur de l'équerre urbaine formée par l'avenue François-Mauriac et la rue Pierre-et-Marie-Curie à Libourne. Son propriétaire, M. Jean-Pierre Faurie, est photograveur de son état, spécialisé dans l'étiquette. Son étiquette à lui est d'une modeste distinction. Elle recouvre le plus souvent des flacons remarquables qui méritent la découverte mais qui ne sont pas à verser dans toutes les bouches. Ceux qui aiment les plaisirs faciles des vinifications modernes risquent fort d'être déçus. Les rares privilégiés qui auront la chance de pouvoir acheter une ou deux caisses et la sagesse d'attendre quelques années avant d'ouvrir une bouteille... ceux-là seront récompensés au centuple, si tant est que ce genre d'intérêts bonifiés puisse jamais se quantifier par une actualisation permanente.

Bellevue (Château)

Grand Cru classé

Commune : Saint-Emilion. *Propriétaire :* S.C. du Château Bellevue. Administrateur : René de Coninck. Œnologue conseil : Michel Rolland. *Superficie du vignoble :* 6 ha. *Age moyen du vignoble :* 25 ans. *Encépagement :* 70 % merlot. 30 % cabernet-franc. *Production :* 36 000 bouteilles en M.D.C. *Visite des chais :* tél. 57 51 06 07. *Vente au château et par correspondance. Vente par le négoce :* Libournais.

La famille de Coninck est anciennement et très étroitement liée à l'économie viti-vinicole du Libournais. M. René de Coninck préside la société civile propriétaire de ces six hectares de vieilles terres à vignes. Si l'on en croit une plaque gravée

94

sur un mur de la mairie de Saint-Emilion, Bellevue faisait autrefois partie des Premiers Crus classés de la commune, position confirmée par les éditions de *Bordeaux et ses vins* du XIXᵉ siècle, y compris Charles Cocks qui, en 1850, lui accorde la quinzième place. « Un classement ? Pourquoi faire ? - murmure René de Coninck - c'est bon pour payer des impôts mais ça ne fait pas un vin meilleur. D'ailleurs, le classement... il est fait par le client. C'est pour lui que je travaille car c'est lui qui achète mon vin. » Ce langage est teinté de bon sens et respire le pragmatisme. A l'identique, le vin de Bellevue possède une belle couleur et un bouquet subtil.

Bellevue Figeac (Château)

Grand Cru

Commune : Saint-Emilion. *Propriétaire :* Jacques de Coninck. Tél. 57 51 98 02. *Superficie du vignoble :* 5 ha 54 a 34 ca. *Age moyen du vignoble :* 22 ans. *Encépagement :* 25 % cabernet-sauvignon. 75 % merlot. *Production :* 33 tonneaux. *Vente par le négoce :* négoce parisien. *Il semble que ce vignoble soit invité à produire des rendements généreux !*

Belle-Vue Puyblanquet (Château)

Commune : Saint-Etienne-de-Lisse. *Propriétaire :* Eliane Garnier. Chef de culture et maître de chai : Christian Garnier. Œnologue conseil : M. Chaine. *Superficie du vignoble :* 4 ha 50 a. *Age moyen du vignoble :* 15 ans. *Encépagement :* 80 % merlot. 20 % cabernet-franc. *Production :* 30 000 bouteilles en M.D.C. *Visite des chais :* tél. 57 40 35 18. *Vente au château et par correspondance. Vente par le négoce. Il est chauffeur-routier. Elle est propriétaire. Ils sont sympathiques. Leur vin est cordial.*

Bellile-Mondotte (Château)

Grand Cru

Commune : Saint-Laurent-des-Combes. *Propriétaire :* G.F.A. Héritiers Escure. Gérant : Pierre Escure. Œnologue conseil : M. Pauquet. *Superficie du vignoble :* 4 ha 50 a. *Age moyen du vignoble :* 25 ans. *Encépagement :* 20 % cabernet-sauvignon. 60 % merlot. 20 % cabernet-franc. *Production :* 26 000 bouteilles en M.D.C. *Vente par correspondance :* en France et à l'étranger. G.F.A. Héritiers Escure, 54, rue Jean-Jaurès, 33500 Libourne. Tél. 57 51 07 59. *Vente par le négoce :* négoce libournais et bordelais. *Bon cru du genre petit bourgeois classique qui produit des vins coulants et agréables.*

Belregard-Figeac (Château)
→ La Pignonne

Benitey (Château)

→ *Union de Producteurs*

Bergat (Château)

Grand Cru classé

Commune : Saint-Emilion. **Propriétaire** : Mme Clausse-Bertin. Fermier : Philippe Castéja. **Superficie du vignoble** : 3 ha. **Age moyen du vignoble** : 20 ans. **Encépagement** : 15 % cabernet-sauvignon. 60 % merlot. 25 % cabernet-franc. **Production** : 12 tonneaux. **Vente par le négoce** : Ets Borie-Manoux, 85, cours Balguerie-Stuttenberg, 33082 Bordeaux.

« La situation du Château Bergat est des plus pittoresques et, du haut de sa coquette terrasse, la vue va se perdre dans l'immensité bleue des horizons de la vallée de la Dordogne, après s'être complaisamment arrêtée sur les vignobles distingués qui l'environnent, tels que Château Ausone et Château Pavie. » Après ce couplet du début du siècle, très inspiré par la ligne bleue des Vosges, la *Revue vinicole* précise : « C'est l'un des meilleurs parmi les meilleurs. » Mais, de tous les hommages adressés à Bergat, le plus émouvant est sans doute le suivant, composé par un ami devenu aveugle qui versifia cet acrostiche :

« **B**ergat, quand je gravis le flanc de ton côteau,
« **E**n dépit de ma nuit je revois ton château.
« **R**êve et réalité ! Là, ta grappe vermeille
« **G**arde en mon souvenir sa couleur sans pareille!
« **A**ussi, je veux chanter ce Saint-Emilion,
« **T**on cru, l'un des meilleurs dont se grisa Villon.

Philippe Castéja, fermier de Mme Clausse-Bertin (dont la famille est propriétaire à Bergat depuis plus de cent ans), devrait s'employer à mieux faire connaître ce cru classé qui, malgré sa petite production, mériterait d'être connu d'un grand nombre d'amateurs.

Berliquet (Château)

Grand Cru classé

Commune : Saint-Emilion. **Propriétaires** : vicomte et vicomtesse Patrick de Lesquen. Administrateur : Patrick de Lesquen. Maître de chai : Pierre Chaumet. Œnologue conseil : M. Callède (Coutras). **Superficie du vignoble** : 8 ha 73 a. **Age moyen du vignoble** : 25 ans. **Encépagement** : 10 % cabernet-sauvignon. 75 % merlot. 15 % cabernet-franc. **Production** : 45 000 bouteilles en M.D.C. **Visite des chais**. **Vente par le négoce** : cave coopérative.

« L'environnement du domaine est l'un des plus séduisants de Saint-Emilion. Le
château est du meilleur style discret, du XVIIIe siècle. Il a en sous-sol d'immenses

Après une génération dans la pénombre, Berliquet est un brillant cru classé.

carrières que l'on peut en partie visiter. Les chais sont à deux niveaux, l'un en surface et l'autre en souterrain. Les jardins et le parc ont le charme des vieilles résidences. En les parcourant, on découvre de tout côté d'immenses horizons, le plateau dominant la courbe de Mazerat et la plaine de la Dordogne. Les chênes verts et le vieux moulin à vent disent chacun à leur manière que la tonalité du climat est méditerranéenne à Berliquet (qui) porte magnifiquement le quart de millénaire de son vignoble et de son château. » Cette citation est extraite de l'étude particulière faite par le professeur Enjalbert. Son mémoire sur le Château Berliquet fut une pièce de poids au dossier de classement du cru lors de la récente révision.

Lorsque, en 1953, le vicomte Patrick de Lesquen décida d'adhérer à la cave coopérative de Saint-Emilion cela fermenta quelque peu dans les cuviers alentour, même en dehors des jours ouvrables. L'aristocratie du bouchon saint-émilionnais tordit le nez et le bouche à oreille libournais et chartronnais propagea la grimace. Comment ? Berliquet dans l'anonyme troupeau de la viticulture dite de base ? Incroyable mais vrai. Mais attendons la fin. Quinze années mornes passèrent. Et puis, petit à petit, Berliquet replanta, Berliquet s'équipa en moyens de vinification, Berliquet aménagea des chais de vieillissement, bref, Berliquet se mit au goût des plus grands crus. Sous la conduite éclairée de Jacques-Antoine Baugier, directeur de la cave coopérative, le château Berliquet se dotait d'une exploitation rationnelle. En 1978, soit après vingt-cinq ans d'exil, la vendange du cru prenait le chemin de « son » cuvier et le vicomte de Lesquen commença de bichonner sa demande de classement. Il restait cependant solidaire de la cave coopérative où il est administrateur et qui se chargerait de la commercialisation après la mise en bouteilles au château. Le jury du nouveau classement approuva l'aventure au point que Berliquet fut le seul élu tandis que sept têtes couronnées tombaient. Je ne porte pas ici de jugement sur les laissés pour compte. Mais j'estime que la réhabilitation de Berliquet est justice. Quand un vicomte banquier et un directeur de coopérative décident de se brancher intelligemment, les amateurs de Berliquet sont contents.

Bertinat Lartigue (Château)

Commune : Saint-Sulpice-de-Faleyrens. *Propriétaire :* Richard Dubois. Chef de culture : Claude Dal-Piccol. Œnologues : Richard Dubois et Danielle Cugerone. *Superficie du vignoble :* 8 ha. *Age moyen du vignoble :* 30 ans. *Encépagement :* 4 % cabernet-sauvignon. 86 % merlot. 10 % cabernet-franc. *Production :* 15 000 bouteilles en M.D.C. *Visite des chais :* du lundi au vendredi de 8 h à 12 h et de 14 h à 19 h 30. Le samedi, tél. 57 24 72 75. *Vente au château et par correspondance :* en France. *Vente par le négoce :* 20 % vente en gros mais avec mise au château par le négoce, pour le Japon et les Etats-Unis. Quantité variable vendue en bouteilles.

Richard Dubois et son épouse sont tous les deux des œnologues accomplis. C'est dire que la connaissance scientifique est venue se combiner avec l'expérience acquise à travers les générations précédentes. La propriété familiale fête cette année son centenaire. Pour les années à venir, la politique des Dubois est orientée vers une sélection rigoureuse des cuvées avec la création d'une étiquette « Grand Cru » et le développement des ventes en bouteilles. Les derniers millésimes produits leur donnent raison.

Bézineau (Château)

Commune : Saint-Emilion. *Propriétaire :* Marguerite Faure. Œnologue conseil : Gilles Pauquet. *Superficie du vignoble :* 8 ha 20 a. *Age moyen du vignoble :* 30 ans. *Encépagement :* 5 % cabernet-sauvignon. 70 % merlot. 25 % cabernet-franc. *Production :* 30 tonneaux. 3 000 bouteilles en M.D.C. *Vente au château et par correspondance :* Château Bézineau, 33330 Saint-Emilion. Tél. 57 24 72 50. *Vente par le négoce :* vente en vrac, rendu à la mise. *La famille Faure est à Bézineau depuis plus de cent cinquante ans. La réserve du château vieillit en barriques.*

Bigaroux (Château)

Grand Cru

Commune : Saint-Sulpice-de-Faleyrens. *Propriétaire :* Bernard Dizier. *Superficie du vignoble :* 23 ha. *Age moyen du vignoble :* 20 ans. *Encépagement :* 18 % cabernet-sauvignon. 60 % merlot. 18 % cabernet-franc. 4 % malbec. *Production :* 100 000 bouteilles en M.D.C. *Visite des chais :* Bernard Dizier. Tél. 57 24 71 97. *Vente au château et par correspondance :* en France. *Un vignoble relativement important dont 90% de la production sont achetés directement par des distributeurs étrangers.*

Billeron-Bouquey (Château) 🛡 → Pailhas

Billerond (Château) 🏚

→ Union de Producteurs

Bois de Plince (Château) 🍷🍷🍷🍷🍷

Commune : Libourne. **Propriétaire :** Jean-Claude Veyssière.
Œnologue conseil : Gilles Pauquet. **Superficie du vignoble :**
2 ha 51 a. **Age moyen du vignoble :** 30 ans. **Encépagement :**
15 % cabernet-sauvignon. 70 % merlot. 15 % cabernet-
franc. **Production :** 8 400 bouteilles en M.D.C. **Vente au**
château : tél. 57 51 33 10. **Vente par le négoce :** exportation.
Culture et vinification s'opèrent de la manière la plus
traditionnelle. Le résultat est recommandable.

Boisredon Grand Corbin (Ch.) 🍷🍷🍷🍷🍷

Commune : Saint-Emilion. **Propriétaire :** Marcel Tartarin.
Exploitant, chef de culture et maître de chai : Michel
Lavandier. Œnologue conseil : laboratoire de Grézillac.
Superficie du vignoble : 2 ha 30 a. **Age moyen du vignoble :**
40 ans. **Encépagement :** 70 % merlot. 30 % cabernet-franc.
Production : 10 000 bouteilles en M.D.C. **Visite des chais.**
Vente au château et par correspondance : tél. 57 24 71 14.

Bonnet (Château) 🍷🍷🍷🍷🍷

Grand Cru

Commune : Saint-Pey-d'Armens. **Propriétaire :** G.A.E.C. du
Château Bonnet. Administrateur : Roger Bonnet. Maître
de chai : Patrick Bonnet. Œnologue conseil : M. Callède.
Superficie du vignoble : 23 ha. **Age moyen du vignoble :**
26 ans. **Encépagement :** 11 % cabernet-sauvignon.
60 % merlot. 27 % cabernet-franc. 2 % malbec. **Produc-**
tion : 140 000 bouteilles en M.D.C. **Visite des chais :** tél.
57 47 15 23. **Vente au château et par correspondance :** en
France et à l'étranger. **Vente par le négoce :** Maison Bordeaux
Tradition.

Les premières vignes familiales furent acquises par Pierre Bonnet et son fils Francis
entre 1827 et 1864. Aujourd'hui, c'est la cinquième génération qui est à l'œuvre.
La plus grande partie du vignoble est située sur la commune de Saint-Pey-d'Armens,
aux lisières ouest et nord-ouest du village, sur des sols sablo-argileux avec « crasse

de fer » en sous-sol. Environ quatre hectares se trouvent à Vignonet et autant sur la commune de Saint-Etienne-de-Lisse, en pied de coteau. Grâce à un renouvellement du parc de futailles par quart annuel, on décèlera toujours une bonne note boisée aux accents vanillés avec une amertume finale de bon aloi.

Bouquey (Château)

Grand Cru

Commune : Saint-Hippolyte. **Propriétaire :** S.C.E. Château Bouquey. Gérante : Martine Pizzato. Chef de culture : Yannick Arnaud. Œnologue conseil : laboratoire de Grézillac. **Superficie du vignoble :** 5 ha 60 a. **Age moyen du vignoble :** 17 à 25 ans. **Encépagement :** 10 % cabernet-sauvignon. 65 % merlot. 25 % cabernet-franc. **Production :** 36 000 bouteilles en M.D.C. **Visite des chais :** Mme Pizzato. Tél. 56 20 01 30. **Vente par correspondance :** en France et à l'étranger. **Vente par le négoce :** Etats-Unis, Suisse, Irlande, Belgique, Angleterre. *Un bon « petit » Grand Cru qui ne déparera jamais un petit coin dans une grande cave.*

Boutisse (Château)

Grand Cru

Commune : Saint-Christophe-des-Bardes. **Propriétaire :** Jean-François Carrille. Maître de chai : J.-P. Regrenil. Œnologue conseil : Michel Rolland. **Superficie du vignoble :** 15 ha. **Age moyen du vignoble :** 25 à 28 ans. **Encépagement :** 25 % cabernet-sauvignon. 68 % merlot. 5 % cabernet-franc. 2 % malbec. **Production :** 100 000 bouteilles en M.D.C. **Visite des chais :** sur rendez-vous. Jean-François Carrille, tél. 57 24 74 46. **Vente au château et par correspondance :** en France et à l'étranger. Maison d'Aliénor, place du Marcadien, 33330 Saint-Emilion. **Vente par le négoce :** Ets Vins de Crus.

Avec ses quinze hectares d'un seul tenant, Boutisse est un excellent modèle de propriété familiale. Depuis 1975, elle est entre les mains attentives de Jean-François Carrille qui a fait un effort constant de reconstitution du vignoble. Le regretté professeur Enjalbert a donné une description complète de la géologie particulière du terroir, culminant à 99 mètres sur une butte de calcaires aquitaniens avec présence de galets de quartz et plate-forme inférieure de calcaires à astéries. Ces formations constituent sans aucun doute d'excellents terrains viticoles. Plusieurs sources se trouvent à proximité de la maison. Selon de vieux actes notariaux, elles étaient autrefois assorties du droit de rouissage pour le chanvre et le lin. Par ailleurs, deux fours à pain, en cours de restauration, attestent l'ancienneté et l'importance de l'habitat. Le Château Boutisse offre toutes les caractéristiques des « vins de côtes », avec leur couleur légère et vite tuilée, leurs arômes délicats tendant vers la groseille et leur structure peu tannique aux accents de « roche brûlée ».

Bragard (Château) 🍷 → Haut-Cadet

Brieux-Chauvin (Château) ♟
→ *Millaud-Montlabert*

Brisson (Château) ♟ → *Grand Destieu*

Brun (Château)   🍷🍷🍷🍷🍷

Commune : Saint-Christophe-des-Bardes. *Propriétaire :*
G.F.A. du Château Brun. Administrateur : Marc Brun.
Œnologue conseil : M. Chaine. *Superficie du vignoble :* 7 ha.
Age moyen du vignoble : 15 ans. *Encépagement :* 20 % caber-
net-sauvignon. 80 % merlot. *Production :* 27 000 bouteilles
en M.D.C. *Visite des chais :* Tél. 57 24 77 06. *Vente au
château et par correspondance :* en France et à l'étranger.
Vente par le négoce : deux négociants bordelais.

La mise en bouteilles au château était rare jusqu'en 1973. Maintenant, elle est
systématique. Il faut s'en réjouir, étant donné la bonne qualité de cette honorable
marque. Les Brun ont la certitude d'avoir été présents sur le terroir en 1600, mais
ils estiment que leurs origines saint-émilionnaises se perdent dans la nuit du Haut
Moyen Age. Avec Michel Decazes, propriétaire à Saint-Sulpice-de-Faleyrens, ils sont
les derniers descendants directs de l'illustre famille Decazes (voir Château du Cauze).
Les vins sont chargés en couleur, gras et solides avec une belle mâche.

Burlis (Château)   🍷🍷🍷🍷🍷

Commune : Vignonet. *Propriétaire :* Christian Corbière.
Superficie du vignoble : 3 ha 30 a. *Encépagement :*
15 % cabernet-sauvignon. 75 % merlot. 10 % cabernet-
franc. *Production :* 7 000 bouteilles en M.D.C. *Visite des
chais :* dimanche après-midi. Tél. 57 74 90 58. *Vente au
château et par correspondance :* en France. Christian
Corbière, Micauleau, Vignonet, 33330 Saint-Emilion. *C'est
généralement une bonne affaire pour l'amateur avec un
rapport prix/qualité très convenable.*

Cadet-Bon (Château)   🍷🍷🍷🍷🍷

Grand Cru classé

Commune : Saint-Emilion. *Propriétaire :* François Gratadour. Chef de culture : Paul Couderc. Œnologue conseil :
M. Chaine. *Superficie du vignoble :* 4 ha 17 a. *Encépagement :* 60 % merlot. 40 % cabernet-franc. *Production :*
12 000 bouteilles en M.D.C. *Visite des chais. Vente au
château et par correspondance :* tél. 57 24 71 29.

Avant de devenir un « Château », la marque du cru s'appelait « Le Cadet-Bon ». Le petit vignoble se caractérisait dans le paysage du nord de Saint-Emilion par le charmant moulin qui orne toujours l'étiquette. Il a appartenu à la famille Dubuch jusqu'en 1931, année de sa vente aux Gratadour. Auparavant, on le désignait par le nom de Cadet-Pinaud-Bon. Aujourd'hui, François Gratadour dirige l'exploitation avec bonheur, se félicitant de la facilité de la culture et de la bonne maturation sur ce plateau argilo-calcaire exposé plein sud. Les vins y trouvent une robe bien étoffée, un nez intense aux accents de fruits rouges et un corps musclé.

Cadet-Gratadour (Château) 🍷 → Cadet-Bon

Cadet-Peychez (Château)   🍷🍷🍷🍷🍷

Grand Cru

Commune : Saint-Emilion. *Propriétaire :* G.F.A. Jabiol-Sciard. Administrateur : François Sciard. Œnologue conseil : C.B.C. Libourne. *Superficie du vignoble :* 1 ha 10 a. *Age moyen du vignoble :* 20 ans. *Encépagement :* 70 % merlot. 30 % cabernet-franc. *Production :* 5 000 bouteilles en M.D.C. *Vente au château et par correspondance :* Mme Sciard, B.P. 24, 33330 Saint-Emilion. *Vente par le négoce :* Suisse, Belgique, Angleterre. *On peut encore y voir un antique pressoir en bois. Excellent rapport qualité/prix.*

Cadet-Piola (Château)   🍷🍷🍷🍷🍷

Grand Cru classé

Commune : Saint-Emilion. *Propriétaire :* G.F.A. Jabiol. Fermier : Alain Jabiol. Œnologue conseil : C.B.C. Libourne. *Superficie du vignoble :* 7 ha. *Age moyen du vignoble :* 20 ans. *Encépagement :* 28 % cabernet-sauvignon. 51 % merlot. 18 % cabernet-franc. 3 % malbec. *Production :* 36 000 bouteilles en M.D.C. *Visite des chais :* l'après-midi, de 14 h 30 à 17 h 30 sauf samedi et dimanche. *Vente au château et par correspondance :* en France. Jabiol, B.P. 24, 33330 Saint-Emilion. Tél. 57 24 70 67 ou 57 74 47 69. *Vente par le négoce :* local et étranger (Belgique, Suisse, Allemagne, Pays-Bas, Angleterre, Etats-Unis).

Le précédent propriétaire, Robert Villepigue, fut associé au Château Figeac. Lorsqu'il offrait ses crus à sa clientèle, il établissait les différences de prix à partir de la dégustation. C'est ainsi que, plusieurs fois, il vendait le Cadet-Piola plus cher que le Figeac. Robert Villepigue, fondateur de la cave coopérative de Saint-Emilion, fut une figure locale haute en couleur. La famille Jabiol fut fermière de l'exploitation à partir de 1952 et acheta le domaine dix ans plus tard. Il ne se trouve pas de bâtisse d'habitation car, au XIXe, M. Piola, maire de Libourne, préféra construire son château sur les palus de Condat tandis qu'il accordait tous ses soins à son vignoble de Cadet (le château Meynard est abandonné depuis longtemps). Ce citoyen Piola passe pour avoir été le premier à supprimer le travail de la vigne à la bêche au profit des façons de labours par traction animale. Grand précurseur de la viticulture moderne, il importa en Saint-Emilion la taille Guyot, alors déjà connue en Médoc. Sur la même

Trois générations de Jabiol devant l'entrée de la propriété familiale.

lancée il répandit la plantation du cabernet-sauvignon. De son temps, le cru s'appelait tout simplement « Le Cadet », correspondant au cadastre le plus anciennement connu. Il ne devint « Cadet-Piola » qu'après sa mort. Ce lieu-dit jouit d'un microclimat particulièrement tempéré lui permettant d'échapper aux gelées d'hiver comme de printemps. A telle enseigne qu'en 1956, après le terrible gel qui décima la majeure partie du Saint-Emilionnais, le Cadet-Piola fut un des très rares crus à pouvoir lever une récolte décente. Le sol est argilo-calcaire, typique du plateau et le sous-sol rocheux est à très faible profondeur (20 à 30 centimètres). Comme en quelques autres endroits du pays, on peut y discerner des sillons parallèles taillés dans le roc par les viticulteurs du Moyen Age, voire de l'époque gallo-romaine. Sous la vigne se trouvent les caves de vieillissement, comparables à celles de Clos Fourtet. Ces éléments de typicité du terroir se retrouvent dans le vin, vif, plutôt ardent, solaire, avec une sève un peu sauvage, mais non sans race.

Cadet-Pontet (Château)

Grand Cru

Commune : Saint-Emilion. **Propriétaire :** Michel Mérias. Œnologue conseil : M. Rolland. **Superficie du vignoble :** 8 ha. **Age moyen du vignoble :** 40 ans. **Encépagement :** 10 % cabernet-sauvignon. 60 % merlot. 30 % cabernet-franc. **Production :** 4 800 bouteilles en M.D.C. **Visite des chais :** sur rendez-vous. Michel Mérias. Tél. 57 24 72 66. **Vente au château et par correspondance :** en France et à l'étranger (Belgique, Suisse).

Michel Mérias se souvient. Tous les jeudis et samedis, il aidait son père à la vigne. Parfois même, les autres jours, après l'école. On travaillait avec des chevaux. A Cadet-Pontet il y en avait trois. On partait pour toute la journée, avec son repas   103 du midi et la nourriture pour l'animal. A la nuit, on rentrait sans avoir eu besoin de regarder une montre. C'était une bonne fatigue physique. Le tracteur est plus éprouvant. Mais le vin est toujours aussi bon.

Caillou d'Arthus (Château)

Grand Cru

Commune : Vignonet. *Propriétaire :* Jean-Paul Salvert. Fermier : Jean-Denis Salvert. Œnologue conseil : C.B.C. Libourne. *Superficie du vignoble :* 2 ha 10 a. *Age moyen du vignoble :* 30 ans. *Encépagement :* 70 % cabernet-sauvignon. 30 % merlot. *Production :* 9 600 bouteilles en M.D.C. *Visite des chais :* sur rendez-vous. Jean-Paul Salvert. Tél. 57 84 63 29. *Vente au château et par correspondance :* en France et à l'étranger. *Le fils de Jean-Paul, Jean-Denis Salvert, fermier de l'exploitation, développe une politique de qualité.*

Calvaire (Château du)

Commune : Saint-Etienne-de-Lisse. *Propriétaire :* Roland Dumas (G.F.A. en cours de formation). *Superficie du vignoble :* 9 ha 70 a. *Age moyen du vignoble :* 30 ans. *Encépagement :* 65 % merlot. 35 % cabernet-franc. *Production :* 60 000 bouteilles en M.D.C. *Vente par le négoce :* Roland Dumas, négociant à Saint-Gervais. 33240 Saint-André-de-Cubzac. Tél. 57 43 90 01.

Coup sur coup, Roland Dumas vient d'étendre son fief viticole en achetant à la S.A.F.E.R. le domaine du Calvaire à Saint-Etienne-de-Lisse pour un prix voisin de 8 000 000 de francs et les 5 ha 40 du Château Le Roc à Saint-Sulpice-de-Faleyrens. Ces acquisitions vont sans doute être confortées par le Château Quercy, soit une quinzaine d'hectares sur la commune de Vignonet. Si on lui demande pourquoi cette incursion consistante en terre saint-émilionnaise, il répond que premièrement il ne trouvait pas d'approvisionnements satisfaisants en régularité et que, deuxièmement, il prépare sa « retraite ». Un « petit boulot » pépère en somme ! Mais pour lui, le labeur n'a jamais été un calvaire...

Cancet (Château)

Grand Cru

Commune : Saint-Sulpice-de-Faleyrens. *Propriétaire :* M. Jacques de La Tour du Fayet. *Superficie du vignoble :* 9 ha. *Age moyen du vignoble :* 15 ans. *Encépagement :* 15 % cabernet-sauvignon. 70 % merlot. 15 % cabernet-franc. *Production :* 40 000 bouteilles en M.D.C. *Vente au château et par correspondance :* en France. Tél. 57 24 72 08. *Une bonne marque pour des vins agréables et gentiment constitués.*

Candale (Château de)

Grand Cru

Commune : Saint-Laurent-des-Combes. *Propriétaire :* Jean Dugos. *Superficie du vignoble :* 4 ha 10 a. *Age moyen du vignoble :* 15 à 35 ans. *Encépagement :* 10 % cabernet-sauvignon. 50 % merlot. 40 % cabernet-franc. *Production :* 25 000 bouteilles en M.D.C. *Visite des chais :* tous les jours. M. Dugos. Tél. 57 24 72 97. *Vente au château et par correspondance :* en France et à l'étranger.

Au Moyen Age, les maisons de Foix, de Grailly et de Candale étaient parmi les plus puissantes du Sud-Ouest. Le terrible duc d'Epernon, premier du nom, épousa Marguerite de Foix Candale, dernière héritière de la dynastie après que les Anglais eurent vendangé l'Aquitaine. L'actuel vignoble de Candale est un témoin de ce temps-là car la vigne croît sur l'ancienne châtellenie des comtes de Candale. On trouve dans les règes des fragments de terres cuites, des mosaïques et autres vestiges. On voit aussi l'entrée d'un mystérieux souterrain, voûté plein cintre. L'origine réelle de l'habitat en ce lieu est vraisemblablement très ancienne et doit remonter à l'âge gallo-romain. Le vin de Jean Dugos est « ancestral ».

Canon (Château)

1er Grand Cru classé

Commune : Saint-Emilion. *Propriétaire :* Société Fournier. Administrateur : Eric Fournier. Maître de chai : Paul Cazenave. Œnologue conseil : Gilles Pauquet. *Superficie du vignoble :* 18 ha. *Age moyen du vignoble :* 35 ans. *Encépagement :* 3 % cabernet-sauvignon. 55 % merlot. 40 % cabernet-franc. 2 % malbec. *Production :* 80 000 bouteilles en M.D.C. *Visite des chais :* tél. 57 24 70 79. *Vente au château et par correspondance. Vente par le négoce :* bordelais.

En 1856, le congrès de Paris supprima officiellement « la Course » et les corsaires ainsi mis au chômage technique posèrent leurs sacs à terre sous peine de devenir des pirates. Mais un siècle plus tôt, les héritiers spirituels de Jean Bart, Duguay-Trouin ou Forbin se comptaient par la centaine. Jacques Kanon était l'un de ces valeureux mousquetaires des mers. Après avoir commandé le *Prince de Soubise*, un petit bâtiment de 200 tonneaux et 16 canons, il fut nommé lieutenant de frégate à bord de *La Valeur*. Son second était Benjamin-Nicolas, fils de Pierre Bart. L'année 1758 lui fut favorable car il captura un corsaire anglais et, escortant un convoi de blé au Canada, il arriva à Québec avec une autre prise qui fut vendue pour plus de 69 000 livres. De retour au pays, il réfléchit au sens profond de son existence et souhaita trouver un havre de paix en même temps que le remploi de ses capitaux. C'était un marin qui aimait le bon vin. Il possédait une maison à Blaye et connaissait bien l'estuaire et ses deux rivières. Remontant le cours de la Dordogne, il débarqua à Condate, explora la cité de Saint-Emilion et jeta son dévolu sur la propriété du sieur Jean Biés, ancien Garde-Corps du Roi, établi dans la paroisse de Saint-Martin. La description du vignoble, telle qu'elle figure à l'acte notarié d'avril 1860, n'est pas assez précise pour nous en donner une idée exacte. Toutefois, le « mobilier »

Le cuvier du Château Canon respecte la tradition du bois.

du cuvier est relativement important : « Un pressoir, une mée à fouler la vendange, une grande cuve de dix tonneaux, quatre autres cuves écoulant de cinq à dix tonneaux, trois douillats de charge ou tirevins et autres menus ustensiles ». La production devait donc se situer autour de 40 tonneaux par an et la superficie des vignes avoisinait vingt hectares, compte tenu des rendements de l'époque. Dans le contexte rural, le cru de Jacques Kanon était assez conséquent. Le prix fut de 40 400 livres dont la moitié au comptant en louis d'or et l'autre moitié par billets à ordre payables sur trois ans et productifs d'intérêts à 5 % l'an. La propriété s'appelait alors « Bourdieu de Saint-Martin » et elle dépendait de la paroisse de Saint-Martin de Mazerat. Il semble qu'à partir du moment où il posséda des vaisseaux vinaires, Jacques Kanon délaissa quelque peu la mer. En 1861, il enregistra à Bordeaux un petit navire, le *Colibri*, mais l'histoire ne nous a pas rapporté de hauts faits d'armes maritimes le concernant à cette époque. Selon toute probabilité, le corsaire mit en valeur son domaine en modernisant les méthodes culturales et son tempérament de gagneur le mit aux prises avec son voisin Berliquet dans une course à la qualité. Puis, il reprit la mer et cingla vers l'île de Saint-Domingue, alors en pleine prospérité, pour s'intéresser aux plantations de canne à sucre, de tabac et de café. Il ramena à Saint-Emilion un serviteur noir qui impressionna les ouailles de Saint-Martin. Décidément, l'air du large était le plus fort. Alors qu'il venait d'achever, en 1867, la construction du château actuel, il repartit à Saint-Domingue et, trois ans plus tard, il décida de vendre son cru de Saint-Emilion pour acheter un domaine colonial à Gérémie. L'acquéreur se présenta en la personne de Raymond Fontémoing, opulent bourgeois et négociant de Libourne, qui paya le prix de 80 000 livres. Le domaine

Et la dégustation reste le meilleur contrôle de la qualité.

resta dans la famille Fontémoing jusqu'en 1857. C'est à ce moment, lors de sa vente au comte de Bonneval, qu'il prit le nom de Château Canon. Après deux changements de mains à la fin du siècle, Canon fut acheté par Gabriel Supan, en 1919, pour sa fille Henriette, épouse de André Fournier ; Mme Fournier fut une « grande dame » de Saint-Emilion, avec une stature et une personnalité comparables à celle de Mme Loubat à Pétrus, Pomerol. Aujourd'hui c'est son petit-fils Eric qui a plus particulièrement la charge de l'administration. Tout en restant résolument traditionaliste, il a su donner au vieux cru de Canon une nouvelle jeunesse et ses efforts pour maintenir une politique de qualité sont indéniables. A ce niveau, la compétition avec ses pairs est serrée. Canon n'est pas toujours le meilleur mais il demeure l'un des tout meilleurs. Les trois dernières années apparaissent fort réussies.

Canon-la-Gaffelière (Château)

Grand Cru classé

Commune : Saint-Emilion. *Propriétaire :* S.C. Vignobles des comtes de Neipperg. Administrateur, régisseur et œnologue conseil : comte Stéphan de Neipperg. Chef de culture : Paul Pétrou. Maître de chai : Patrick Erésué. *Superficie du vignoble :* 19 ha 50 a. *Age moyen du vignoble :* 30 ans. *Encépagement :* 5 % cabernet-sauvignon. 60 % merlot. 35 % cabernet-franc. *Production :* 120 000 bouteilles en M.D.C. *Visite des chais :* sur rendez-vous. Comte Stephan de Neipperg. Tél. 57 24 71 33. *Vente au château et par correspondance. Vente par le négoce :* bordelais.

Le comte Stephan de Neipperg.

Jusqu'à la fin du siècle dernier, il s'appelait Canon Boitard, du nom de ses propriétaires antérieurs. Le vignoble s'étend en pied de côte au sud du Château la Gaffelière et sa désignation cadastrale lui donne le droit d'utiliser ce lieu-dit. Après plusieurs lustres sans gloire, Canon-la-Gaffelière fut acheté et restauré par Pierre Meyrat, viticulteur averti qui fut aussi maire de Saint-Emilion. De 1953, date de l'acquisition, à 1969, date de son décès, Pierre Meyrat ne négligea aucun effort pour améliorer la réputation du cru. C'est donc une propriété en bonne condition que le comte Joseph-Hubert de Neipperg acheta en 1971. Mais la tradition familiale de ces grands terriens autrichiens, viticulteurs depuis plus de cinq siècles, se voulait d'une exigence perfectionniste. Joseph-Hubert de Neipperg, et aujourd'hui son fils Stephan, ont parachevé l'œuvre de Meyrat en dotant Canon-la-Gaffelière de moyens de culture, d'équipements vinicoles et d'un esprit directeur dignes d'admiration.

Quand Stephan de Neipperg parle du vignoble, il dit : « la vigne noble » et l'on sent tout le respect de ce jeune homme de vingt-huit ans pour l'aspect matriciel de la civilisation du vin dont il a hérité. Il aime aussi décliner sa généalogie, non point pour étaler ses quartiers de noblesse qui remontent au début du XIIe siècle ni pour revendiquer une position sociale du plus haut niveau mais pour étayer sa personnalité propre sur une filiation de qualité. Aujourd'hui, on dit dans le pays qu'il est devenu le plus Saint-Emilionnais des Saint-Emilionnais. Depuis 1982, il s'est définitivement installé à Canon-la-Gaffelière, renonçant, malgré son brillant bagage universitaire, aux séductions de la carrière diplomatique et aux clinquants attraits du Gotha européen. Mais il rappellera, avec un clin d'œil, que son aïeul Adam Albrecht, comte Von Neipperg, fut l'amant puis le deuxième époux de Marie-Louise de Habsbourg-Lorraine, impératrice des Français. Stephan de Neipperg, quant à lui, a épousé d'amour Canon-la-Gaffelière. Les produits de leurs œuvres sont élégants et distingués. La classe parle.

Canon-Pourret (Château) ⚱ → *Franc-Pourret*

Cantemerle (Château)

Commune : Saint-Emilion. **Propriétaire :** Jean de Wilde. Fermier : Franck Grelot. **Superficie du vignoble :** 40 a 30 ca. **Age moyen du vignoble :** 6 ans. **Encépagement :** 100 % merlot. **Production :** 3 tonneaux. 1 800 bouteilles en M.D.C. **Vente au château et par correspondance :** tél. 57 49 21 33. *Pas de confusion possible entre le Cantemerle de Saint-Emilion et celui qui est cru classé dans le Haut-Médoc. Le premier contient 40 ares, le second 53 hectares.*

*étiquette
non
communiquée*

Cantenac (Château)

Grand Cru

Commune : Saint-Emilion. *Propriétaires :* Héritiers Brunot. Administrateur et œnologue conseil : Jean-Baptiste Brunot. *Superficie du vignoble :* 14 ha. *Age moyen du vignoble :* 30 ans. *Encépagement :* 10 % cabernet-sauvignon. 75 % merlot. 15 % cabernet-franc. *Production :* 50 000 bouteilles en M.D.C. *Visite des chais :* du lundi au vendredi de 8 h à 12 h et de 14 h à 18 h, le samedi de 9 h à 12 h. *Vente au château et par correspondance :* tél. 57 51 35 22 en France. *Mais oui, nous sommes toujours à Saint-Emilion, du côté sud-ouest, sur la plaine sablo-graveleuse. Les vins sont souples.*

Cantenac (Clos)

Commune : Saint-Emilion. *Propriétaire :* Mme Linette Villatte. Administrateurs : Linette et Jacques Villatte. Œnologue conseil : C.B.C. Libourne. *Superficie du vignoble :* 2 ha 50 a. *Age moyen du vignoble :* 30 ans. *Encépagement :* 75 % merlot. 25 % cabernet-franc. *Production :* 12 000 bouteilles en M.D.C. *Vente au château et par correspondance :* tél. 57 51 35 52.

Canterane (Château)

Grand Cru

Commune : Saint-Etienne-de-Lisse. *Propriétaire :* M. Trabut-Cussac. Œnologue conseil : C.B.C. Libourne. *Superficie du vignoble :* 10 ha. *Age moyen du vignoble :* 35 ans. *Encépagement :* 10 % cabernet-sauvignon. 75 % merlot. 15 % cabernet-franc. *Production :* 60 tonneaux. 40 000 bouteilles en M.D.C. *Vente par correspondance :* tél. 57 40 18 14. *Depuis trois siècles dans la même famille. En patois, le nom signifie « chante grenouille ». Buveurs d'eau, s'abstenir !*

Cap de Mourlin (Château)

Grand Cru classé

Commune : Saint-Emilion. *Propriétaire :* Jacques Capdemourlin. Régisseur : Paul Jenck. Maître de chai : Bernard Oizeau. Œnologue conseil : Michel Rolland. *Superficie du vignoble :* 14 ha. *Age moyen du vignoble :* 30 ans. *Encépagement :* 12 % cabernet-sauvignon. 60 % merlot. 25 % cabernet-franc. 3 % malbec. *Production :* 72 000 bouteilles en M.D.C. *Visite des chais. Vente au château et par correspondance :* tél. 57 74 62 06. *Vente par le négoce.*

La famille Capdemourlin est présente sur le terroir de Saint-Emilion depuis cinq siècles. La propriété dont le nom s'écrit en trois mots s'est appelée « Artuzan » (ou Artugon ?) il y a très longtemps. Au milieu du XVIIe siècle, c'était déjà un cru réputé. Les frères Jean et Roger Capdemourlin avaient divisé leurs intérêts et exploitèrent séparément leurs parts pendant plusieurs années. Jean Capdemourlin fut une figure marquante du Syndicat de Saint-Emilion et de la Jurade. Depuis le millésime 1983, les deux vendanges ont été fort heureusement regroupées par Jacques Capdemourlin et l'unité retrouvée se traduit par une consolidation de la qualité. Vieilles vignes, cuves ciment et barriques nobles concourent à faire un vin digne d'être rencontré.

Capet (Château)

Grand Cru

Commune : Saint-Hippolyte. **Récoltant :** S.C. Château Le Couvent. **Superficie du vignoble :** 10 ha environ. **Age moyen du vignoble :** 25 ans. **Encépagement :** 5 % cabernet-sauvignon. 83 % merlot. 12 % cabernet-franc. **Vente par correspondance :** en France et à l'étranger. Tél. 57 74 62 21. **Vente par le négoce.** *Ce cru, dont l'origine remonte au XVIIe siècle, est distribué en exclusivité par la société de négoce Alexis Lichine & Cie (voir Château Le Couvent).*

Capet-Guillier (Château)

Grand Cru

Commune : Saint-Hippolyte. **Propriétaire :** S.C.I. Capet-Guillier. Administrateurs : Mme Galinou et M. Bouzerand. Chef de culture : M. Soulier. Œnologue conseil : M. Chaine. **Superficie du vignoble :** 15 ha. **Age moyen du vignoble :** 30 ans. **Encépagement :** 10 % cabernet-sauvignon. 60 % merlot. 30 % cabernet-franc. **Production :** 90 000 bouteilles en M.D.C. **Vente au château et par correspondance :** tél. 57 24 70 21. **Vente par le négoce.**

Le domaine de Capet-Guillier, qui faisait partie de la « Maison noble et seigneurie de Capet », appartenait à la comtesse de Guerchy, née d'Harcourt, et à son frère le marquis de Beuvron ; il fut acquis en 1763 par la famille Taillade, déjà propriétaire de Château Lassègue. A la fin du XVIIIe siècle, les Taillade possédaient alors, dans la commune de Saint-Hippolyte, toute la ligne des coteaux. Au partage, qui eut lieu le 4 Frimaire de l'an XII entre les quatre enfants, le domaine actuel de Capet-Guillier fut séparé de celui de Lassègue et échut au fils aîné, ancêtre des familles Charmolüe (actuelle propriétaire du Château Montrose à Saint-Estèphe) et Guillier. Depuis deux cents ans, le domaine de Capet-Guillier est dans la même famille qui, attachée au renom de son cru, a toujours réussi à faire d'excellents vins. Après M. Guillier, sénateur, qui en fut le propriétaire pendant cinquante ans, après ses enfants, deux de ses petits-enfants ont à cœur de maintenir les traditions tout en suivant les progrès de la technique. J'ai connu un négociant chartronnais de la génération de mon grand-père qui recommandait à son courtier en Saint-Emilion : « Cher ami, si vous tenez un échantillon de Capet-Guillier, ne manquez surtout pas de penser à moi. Vous savez que je vends toujours bien les vins que j'aime. »

Capet-Pailhas (Château)
→ Union de Producteurs

Cardinal (Château) ⚱ → Chante l'Alouette

Cardinal-Villemaurine (Château) ♟♟♟♙♙

Grand Cru

Commune : Saint-Emilion. *Propriétaires :* Jean-Marie et Jean-François Carrille. Œnologue conseil : Michel Rolland. *Superficie du vignoble :* 10 ha. *Age moyen du vignoble :* 30 ans. *Encépagement :* 20 % cabernet-sauvignon. 70 % merlot. 10 % cabernet-franc. *Production :* 60 000 bouteilles en M.D.C. *Visite des chais :* sur rendez-vous. Tél. 57 24 74 46 ou 57 24 73 35. *Vente au château et par correspondance. Vente par le négoce :* Ets. de Rivoyre & Diprovin.

C'est une bien curieuse association que celle de ces deux noms ! Le « Cardinal » rappelle Gaillard de Lamothe, neveu du pape Clément V, qui construisit le Palais Cardinal dont on peut encore observer les ruines près de la propriété. « Villemaurine » évoque le camp des Maures établi en ce lieu avant la bataille de Poitiers.

Jean-Marie et Jean-François Carrille ont pris en main l'exploitation familiale depuis la récolte 1983. Ils sont partisans des macérations longues. Après la mise en bouteilles, les vins sont stockés dans de belles caves creusées dans la roche.

Carteau Côtes Daugay (Château) ♟♟♙♙♙

Grand Cru

Commune : Saint-Emilion. *Propriétaire :* Jacques Bertrand. Œnologue conseil : Michel Rolland. *Superficie du vignoble :* 12 ha 30 a. *Age moyen du vignoble :* 25 ans. *Encépagement :* 10 % cabernet-sauvignon. 65 % merlot. 25 % cabernet-franc. *Production :* 60 000 bouteilles en M.D.C. *Visite des chais :* sur rendez-vous. Tél. 57 24 73 94. *Vente au château et par correspondance :* en France. *Vente par le négoce.*

Ce vignoble est situé sur le versant sud-ouest de Tertre Daugay. En 1985, il a fêté son centenaire au sein de la famille Bertrand. Outre sa constante dévotion à son cru, Jacques Bertrand est le secrétaire du syndicat viticole de Saint-Emilion. A ce titre, il se passionne pour la défense de l'appellation. Ses vins sont du genre costaud et atteignent leur plénitude au terme de dix à vingt ans de vieillissement.

Carteau-Matras (Château)

Commune : Saint-Emilion. **Propriétaire** : Claude Bion. Chef de culture : Jean-Marie Bion. Œnologue conseil : C.B.C. Cazenave-Mahé. **Superficie du vignoble** : 15 ha. **Age moyen du vignoble** : 25 ans. **Encépagement** : 10 % cabernet-sauvignon. 70 % merlot. 20 % cabernet-franc. **Production** : 75 tonneaux. 60 000 bouteilles en M.D.C. **Visite des chais** : les jours ouvrables. Tél. 57 24 72 35. **Vente au château et par correspondance** : en France. **Vente par le négoce**. Un vin de bonne race dont le cru est depuis environ deux siècles dans la même famille.

Cauze (Château du)

Commune : Saint-Christophe-des-Bardes. **Propriétaire** : famille Laporte-Bayard. Administrateur, chef de culture et maître de chai : Bruno Laporte. Œnologue conseil : C.B.C. Libourne. **Superficie du vignoble** : 20 ha. **Age moyen du vignoble** : 30 ans. **Encépagement** : 10 % cabernet-sauvignon. 90 % merlot. **Production** : 120 000 bouteilles en M.D.C. **Visite des chais. Vente au château et par correspondance** : tél. 57 74 62 47. **Vente par le négoce** : Sichel ; Mark & Spencer.

L'*Histoire de Libourne* publiée au siècle dernier par Raymond Guinodie nous renseigne avec précision sur l'origine de ce château qui peut être retracée à partir du XVIIe siècle. C'était alors une maison noble appartenant au jurat François Decazes. Son descendant, Pierre Elisée Decazes fut un brillant diplomate dont Louis XVIII fit un baron. A sa retraite, en 1834, il se fixa au Château du Cauze et brigua avec succès la mairie de Saint-Christophe-des-Bardes. En 1851 il améliora les bâtiments et construisit une tour ronde pour mieux surveiller ses terres. Il possédait alors le cinquième de la superficie communale. Peu de temps avant sa mort il vendit le domaine à un riche notable de Roubaix, Hector Wibaux. Trois autres propriétaires se succédèrent jusqu'à la société civile actuelle administrée avec bonheur par Bruno Laporte, lui-même issu d'une excellente famille de viticulteurs en Saint-Emilionnais. Le Château du Cauze se présente comme un vin honnête à la qualité régulière. On peut s'étonner de ne pas trouver le moindre cabernet-franc dans l'encépagement du vignoble. Une telle étrangeté rend le vin atypique de Saint-Emilion.

Cauzin (Château) → *La Fleur Cauzin*

Cazenave (Château)

→ *Union de Producteurs*

Champion (Château)

Grand Cru

Commune : Saint-Christophe-des-Bardes. *Propriétaire :* Jean Bourrigaud. *Superficie du vignoble :* 10 ha. *Age moyen du vignoble :* 20 ans. *Encépagement :* 10 % cabernet-sauvignon. 80 % merlot. 10 % cabernet-franc. *Production :* 30 000 bouteilles en M.D.C. *Visite des chais :* sur rendez-vous. Tous les jours. Tél. 57 74 43 98. *Vente au château et par correspondance :* en France et à l'étranger. *Tradition familiale de bon accueil depuis le XVIIIe siècle. Une propriété bien tenue produisant des vins cordiaux.*

Chante-Alouette (Château)

Grand Cru

Commune : Saint-Emilion. *Propriétaire :* Mme Jeanine Barbary. Fermier, chef de culture et œnologue conseil : Alain Berjal. *Superficie du vignoble :* 5 ha. *Age moyen du vignoble :* 25 ans. *Encépagement :* 30 % cabernet-sauvignon. 70 % merlot. *Production :* 24 000 bouteilles en M.D.C. *Visite des chais :* tél. 57 74 60 06 ou 57 75 42 55. *Vente au château et par correspondance :* en France. *Le rêve de M. Barbary se réalisa le jour où sa fille épousa un Saint-Emilionnais en la personne d'Alain Berjal.*

Chante Alouette Cormeil

Grand Cru

Commune : Saint-Emilion. *Propriétaire :* Yves Delol. Œnologue conseil : Gilles Pauquet. *Superficie du vignoble :* 8 ha. *Age moyen du vignoble :* 20 ans. *Encépagement :* 20 % cabernet-sauvignon. 60 % merlot. 20 % cabernet-franc. *Production :* 42 000 bouteilles en M.D.C. *Visite des chais :* sur rendez-vous. Tél. 57 51 02 63. *Vente au château et par correspondance :* en France et à l'étranger. *Sol sablonneux sur un sous-sol d'alios. Dans la famille depuis plus d'un siècle mais agrandi au fil des générations.*

Chante l'Alouette (Clos)

Grand Cru

Commune : Saint-Emilion. *Propriétaire :* François Ouzoulias. Régisseur et maître de chai : Pierre Ouzoulias. Œnologue conseil : Michel Rolland. *Superficie du vignoble :* 3 ha. *Age moyen du vignoble :* 25 ans. *Encépagement :* 90 % merlot. 10 % cabernet-franc. *Production :* 14 tonneaux. 10 000 bouteilles en M.D.C. *Visite des chais :* tél. 57 51 07 55. *Vente par correspondance :* en France. *Vente par le négoce :* Ets Ouzoulias S.A.

Chauvin (Château)

Grand Cru classé

Commune : Saint-Emilion. **Propriétaires :** Béatrice Raynaud et Marie-France Février. Administrateur : Henri Ondet. Œnologue conseil : Michel Rolland. **Superficie du vignoble :** 13 ha. **Age moyen du vignoble :** 20 ans. **Encépagement :** 10 % cabernet-sauvignon. 60 % merlot. 30 % cabernet-franc. **Production :** 70 000 bouteilles en M.D.C. **Visite des chais :** sur rendez-vous. Tél. 57 51 33 76. **Vente au château et par correspondance :** en France. **Vente par le négoce :** bordelais.

Ce vignoble de bonne taille est situé au cœur du « glacis sableux », à mi-chemin entre le Cheval Blanc et la butte de Rol. C'est une propriété d'un seul tenant qui, pendant le Second Empire, appartenait à la famille Fourcaud-Laussac dont les descendants règnent toujours à Cheval Blanc. A cette époque, ils réalisèrent le drainage du sol des deux domaines, travaux considérables qui, même avec les moyens mécaniques et techniques actuels, seraient aujourd'hui une entreprise de très longue haleine. En 1891, Victor Ondet put acheter une première parcelle. Quinze années plus tard, elle se trouvait agrandie à sept hectares. Ses deux enfants, Georges et Georgette en héritèrent en 1911. Henri, fils de Georges finit par devenir seul propriétaire en 1934 et porta la superficie à treize hectares par achats successifs. C'est donc la quatrième génération qui est à pied d'œuvre aujourd'hui, représentée par Mmes Raynaud et Février. Le Château Chauvin est une bonne marque bénéficiant d'une honorable notoriété et d'une distribution bien répartie. On trouve souvent son étiquette sur les cartes des vins des restaurants de bon standing. Ce sera toujours un achat judicieux pour un rapport prix-qualité qui ne trompe personne. Il vaudra mieux choisir les millésimes un peu évolués mais pas trop vieux.

Cheval Blanc (Château)

1er Grand Cru classé

Commune : Saint-Emilion. **Propriétaire :** S.C. du Château Cheval Blanc. Administrateur : Jacques Hébrard. Chef de culture : Pierre Perdigal. Maître de chai : Gaston Vaissière. Œnologue conseil : Gilles Pauquet. **Superficie du vignoble :** 36 ha. **Age moyen du vignoble :** 34 ans. **Encépagement :** 33 % merlot. 66 % cabernet-franc. 1 % malbec. **Production :** 140 000 bouteilles en M.D.C. **Visite des chais :** de 9 h à 11 h 30 et de 15 h à 17 h 30. Tél. 57 24 70 70. **Vente par le négoce.**

« A Cheval Blanc, les graves sont proprement günziennes » conclut le professeur Enjalbert. Des graves günziennes, il s'en trouve un peu partout en pays bordelais, notamment sur la rive gauche de la Garonne et de l'estuaire de la Gironde. Mais ce qui paraît le plus remarquable à l'homme de science est la présence de débris meuliérisés sur « le secteur méridional des vignobles de Cheval Blanc de Chauvin à Bourrue. Ces cailloux de meulières à cassures anguleuses sont mélangés à une matrice argilo-sableuse et reposent sur la molasse. » Et il ajoute plus loin : « La qualité était au rendez-vous ». Déjà, sur la carte du géographe Belleyme, transcrite

Jacques Hébrard est l'actuel chancelier de l'Académie du vin de Bordeaux.

en 1764, ce terroir était couvert d'un vignoble important. Mais c'est un territoire quasi abandonné que le président Ducasse acheta en 1832 à Félicité de Carle-Trajet, veuve depuis sept ans et aux prises avec les pires difficultés financières (voir Figeac au répertoire). Le nouveau propriétaire partait d'un acquis foncier en état déplorable, doté d'une maison et d'une grange délabrées et voué pour l'essentiel à la culture en joualles. J'ai déjà eu l'occasion, notamment dans mon livre sur les Côtes de Bourg, d'expliquer le rôle fâcheux joué par les conseillers agronomes de l'époque romantique lorsqu'ils préconisèrent l'élargissement des rangs de vigne pour permettre des cultures fourragères, céréalières ou maraîchères intermédiaires. Le profit immédiat, grâce aux rendements accrus, allécha plus d'un viticulteur mais sa ruine était dès lors rendue fatale par la surproduction d'un vin de piètre qualité. Ducasse prit le temps de réfléchir et de bien mesurer son paysage. Lorsque, en 1834, il fit tracer les plans

115

Cheval Blanc : des bâtiments relativement modestes pour une aussi prestigieuse étiquette.

du château actuel, il savait qu'il achèterait d'autres terres pour parfaire le domaine. Henri Enjalbert suppose que c'est lui qui est à l'origine des importants travaux de drainage préalables à l'établissement du vignoble « contemporain ». Mais c'est en 1852 que Jean Laussac-Fourcaud épousa la fille du président Ducasse, prenant du même coup en mains l'administration du domaine. La préparation des terrains viticoles par un drainage « moderne » était alors à ses balbutiements. Il est probable que le beau-père incita son gendre à entreprendre de tels travaux et en finança

l'exécution. A ma connaissance, ce furent les tout premiers du génie rural girondin, en même temps que ceux du château Lagrange à Saint-Julien, exécutés par l'audacieux régisseur Galos pour le compte de Charles Tanneguy, comte Duchâtel. D'ailleurs, en 1868, soit seize années plus tard, Cocks et Féret saluent l'événement : « Dans cette nature de terrain, M. Laussac-Fourcaud a eu l'heureuse idée d'adopter la culture et la taille du Médoc (...). Depuis quinze ans que M. Laussac-Fourcaud possède ce domaine, il n'a cessé d'y apporter des améliorations considérables. De 117 grands travaux de drainage ont mis toutes les vignes à l'abri de l'humidité. » En 1870, la propriété de Cheval Blanc comprend 42 hectares. Cette superficie ne changera plus. Mais l'ascension de la réputation du cru est prodigieuse. La première médaille d'or obtenue à l'Exposition de Paris, en 1878, vient consacrer la jeune et brillante notoriété de Cheval Blanc. En 1893, Albert, devenu Fourcaud-Laussac à l'état civil comme bonnet blanc et blanc bonnet, prend la succession de son père. Il sélectionne rigoureusement ses plants de vigne après la crise phylloxérique et, l'un des premiers à Saint-Emilion, il adopte une politique promotionnelle tournée vers l'extérieur. Cheval Blanc prend alors la tête des « premiers grands crus des graves Saint-Emilion » selon Cocks et Féret qui ne manquent pas de rappeler que ces vins « rappellent un peu les médocs ».

CHEVAL-BLANC

Après le décès d'Albert Fourcaud-Laussac, ses cinq enfants constituent entre eux une société civile familiale, administrée par Jacques. J'ai souvent rencontré ce hobereau libournais au col bien empesé et aux bottines soigneusement lacées. C'était un homme sobre de paroles qui écoutait toujours son interlocuteur avec l'air d'apprendre quelque chose de nouveau. Mais son idée personnelle était faite parce que ruminée de longue date et, le plus courtoisement du monde, il savait se montrer d'une intransigeance inflexible. Aujourd'hui, les trois branches de la famille qui restent intéressées sont les Fourcaud-Laussac, Lanauze et Carenne. L'administrateur est Jacques Hébrard, homme de belle stature au geste large et au verbe parfois laborieux qui est le chancelier de l'Académie du vin de Bordeaux. Il incarne avec flegme l'excellence du cru et l'importance acquise par sa prestigieuse étiquette. Cheval Blanc est un grand vin pour grand connaisseur. La grandeur est ici à plusieurs dimensions car elle implique celle du compte en banque de l'amateur. L'apparentement du cru aux meilleurs médocs peut souvent se vérifier. Je confesse que j'ai quelquefois confondu, en dégustation à l'aveugle, Cheval Blanc et Château Margaux... et que, si l'on goûte « horizontalement » les dix Premiers bordelais, on pourra éprouver de la difficulté à situer « Cheval » sur sa terre d'origine. Tous les derniers millésimes me paraissent dignes d'éloges. Bien que je ne me sois pas fixé la mission de tomber dans ce genre de particularisme (que je laisse sans aucun dédain aux journalistes « spécialisés ») je tiens à mentionner le Cheval Blanc 1982 qui me semble être l'une des meilleures bouteilles de bordeaux dans ce millésime. Et j'ai plaisir à saluer le talent du jeune œnologue Gilles Pauquet qui fait équipe avec le maître de chai Gaston Vaissière pour élaborer ce prince parmi les seigneurs.

Cheval Brun (Château)   ♟ ♟ ♟ ♟ ♟

Commune : Saint-Emilion. *Propriétaire :* Pierre Ternoy. Administrateur : Monique Ternoy. Œnologue conseil : C.B.C. Libourne. *Superficie du vignoble :* 5 ha. *Age moyen du vignoble :* 40 ans. *Encépagement :* 70 % merlot. 30 % cabernet-franc. *Production :* 20 tonneaux. 5 000 bouteilles en M.D.C. *Vente au château et par correspondance :* tél. 57 51 46 10. *On peut préférer le blanc mais il faut beaucoup plus d'argent. Il y a aussi le noir mais aucun d'entre eux n'est marron.*

Cheval Noir

Commune : Saint-Emilion. *Propriétaire* : Mähler-Besse.
Superficie du vignoble : 4 ha 50 a. *Age moyen du vignoble* :
10 ans. *Encépagement* : 25 % cabernet-sauvignon.
50 % merlot. 25 % cabernet-franc. *Production* : 25 tonneaux. *Visite des chais* : tél. 56 52 16 75. *Vente par correspondance. Vente par le négoce* : Mähler-Besse S.A., 49, rue
Camille Godard, 33000 Bordeaux.

Une fois n'est pas coutume. La marque commerciale du « Cheval Noir » figure
dans ce répertoire car elle est bel et bien originaire d'un terroir de Saint-Emilion
qui a appartenu aux frères Uzac. Ces derniers la vendirent, avec le petit vignoble,
à la bonne et vieille maison Mähler-Besse de Bordeaux qui en fit son cheval de bataille
pour ses meilleures cuvées de Saint-Emilion, le vin du cru constituant toujours le
« pied de cuve ». C'est aujourd'hui le produit numéro un des ventes de
Mähler-Besse. On le trouve à peu près partout en Europe et une stratégie commerciale
pleine de dynamisme est en gestation pour la pénétration des marchés anglo-saxons.

Mon avis personnel est que le rapport qualité-prix de ce vin se situe dans un excellent
standard, souvent bien supérieur à des « authentiques petits crus » mis en
bouteilles... quand il pleut.

Clos des Jacobins (Château)

Grand Cru classé

Commune : Saint-Emilion. *Propriétaires* : Domaines Cordier. Administrateur : Jean Cordier. Régisseur : P. Frédéric.
Directeur et œnologue : Georges Pauli. *Superficie du
vignoble* : 7 ha 50 a. *Age moyen du vignoble* : 30 ans.
Encépagement : 5 % cabernet-sauvignon. 85 % merlot.
10 % cabernet-franc. *Production* : 55 000 bouteilles en
M.D.C. *Visite des chais* : tél. 56 31 44 44. *Vente par
correspondance* : en France et à l'étranger. Ets Cordier,
10, quai de Paludate, 33800 Bordeaux. *Vente par le négoce* :
Ets Cordier.

Il fait probablement une suite chronologique aux possessions conventuelles de cet
ordre religieux dont le « Couvent des Jacobins » nous donne un autre exemple à
Saint-Emilion. Eparpillées à la Révolution et vendues par la Nation, les terres des
congrégations arrivèrent souvent dans les patrimoines des notables locaux. Le Clos

des Jacobins a appartenu aux familles Cordes et Vauthier avant d'entrer dans le giron des domaines Cordier. Son site s'étend sur le plateau des calcaires tertiaires à astéries, sur le revers de la côte de Saint-Emilion, recouvert d'une couche mince de graves fines et de sables éoliens. Comme les vignobles Cordier du Médoc ou de Sauternes (Gruaud Larose, Talbot, Meyney, Lafaurie-Peyraguey) le Clos des Jacobins est tenu de façon spectaculairement irréprochable. On le croirait sorti, clé du chai en main, d'un catalogue de la « Manufacture générale des vignobles de luxe ». Ce modèle-là n'est pas grand mais il fait dans le genre « joli bijou pour quelqu'un qui a déjà tout ». Le vin tient la promesse de l'aspect, avec une élégance distinguée et une touche florale au parfum d'églantine.

Clos Haut Cabanne (Château)

Commune : Saint-Emilion. **Propriétaire :** Juliette Amblard. Œnologues conseils : MM. Legendre et Pauquet. **Superficie du vignoble :** 1 ha 05 a 37 ca. **Age moyen du vignoble :** 25 à 30 ans. **Encépagement :** « Il y a un mélange de chaque cépage » (sic !). **Production :** 4 tonneaux. **Vente par le négoce :** en vrac.

Le terme de « Clos » est ici bien exact car les terres, la maison et la vigne forment un charmant petit enclos, au nord de Saint-Emilion en allant vers Pomerol. Juliette Amblard exploite son héritage avec ferveur et reste très attachée à ses vieilles vignes qui font « du meilleur ». Sa mère, qui approche les 90 ans, taille encore elle-même malgré son grand âge « parce que c'est mieux fait ». C'est dommage que Juliette Amblard ne se décide pas à faire de la bouteille.

Clos Jean Voisin (Château)

Commune : Saint-Emilion. **Propriétaire :** G.F.A. Sautarel. Administrateurs : Jacques et André Sautarel. Œnologue conseil : Gilles Pauquet. **Superficie du vignoble :** 3 ha 17 a. **Age moyen du vignoble :** 20 ans. **Encépagement :** 15 % cabernet-sauvignon. 70 % merlot. 15 % cabernet-franc. **Production :** 12 tonneaux. 5 000 bouteilles en M.D.C. **Vente au château et par correspondance :** Château Tournefeuille, Néac, 33500 Libourne. Tél. 57 51 18 61. **Vente par le négoce.**

Clos Saint-Emilion Magnan (Ch.)

Commune : Saint-Emilion. **Propriétaire :** Simone Philippe. Chef de culture et maître de chai : Marc Philippe. Œnologue conseil : Mlle Cazenave. **Superficie du vignoble :** 7 ha 30 a. **Age moyen du vignoble :** 30 ans. **Encépagement :** 30 % cabernet-sauvignon. 40 % merlot. 30 % cabernet-franc. **Production :** 36 000 bouteilles en M.D.C. **Vente par le négoce :** Maison Lebègue. Tél. 57 51 48 92.

Comte des Cordes (Ch) 🏺 → Fonrazade

Corbin (Château)

Grand Cru classé

Commune : Saint-Emilion. **Propriétaire :** Société Civile des Domaines Giraud. Administrateur : Mᵐᵉ J. Blanchard. Directeur : Philippe Giraud. Maître de chai : Emmanuel Giraud. **Superficie du vignoble :** 13 ha 38 a. **Age moyen du vignoble :** 25 ans. **Encépagement :** 30 % cabernet-sauvignon. 65 % merlot. 5 % cabernet-franc. **Production :** 90 000 bouteilles en M.D.C. **Vente par le négoce :** exclusivement. Tél. 57 24 70 62.

Henri Enjalbert fait remarquer que Edouard Féret, dans son édition de 1868, attribue le qualificatif de « château » à Cheval Blanc, Bélair, Mondot, Figeac et Corbin. Il ajoute : « Pour Corbin, le mot "château" surprend. En 1868, le domaine s'inscrit seulement dans les seconds crus, la résidence est quelconque, la production à peine moyenne : vingt tonneaux y compris ceux de Jean Faure. Mais les Chaperon, propriétaires, avaient soin de leurs vins. Edouard Féret ne l'ignorait pas. » La crise phylloxérique toucha le vignoble de Corbin qui fut reconstitué sur plants français traités au sulfure de carbone. Les résultats furent ruineux et, à nouveau replanté sur porte-greffes américains, le domaine fusionna avec celui de Jean Faure. Le *Bordeaux et ses Vins* de 1922 le range parmi les premiers crus des graves de Saint-Emilion. Il fut ensuite pris en mains par Joseph Giraud qui géra cette vieille marque en bon père de famille et dont les héritiers assurent aujourd'hui la conduite.

Corbin mérite bien d'être appelé « château ».

Corbin Michotte (Château)

Grand Cru classé

Commune : Saint-Emilion. **Propriétaire :** Jean-Noël Boidron. **Superficie du vignoble :** 7 ha 60 a. **Age moyen du vignoble :** 35 ans. **Encépagement :** 5 % cabernet-sauvignon. 65 % merlot. 30 % cabernet-franc. **Production :** 33 000 bouteilles en M.D.C. **Visite des chais :** sur rendez-vous. Tél. 59 96 28 57. **Vente par correspondance :** en France. **Vente par le négoce :** bordelais.

Château Corbin Michotte culmine à une altitude de 30 à 45 mètres. Flanqué sur des croupes gravelo-sableuses, son vignoble est homogène. Il se situe en limite des appellations Saint-Emilion et Pomerol. Ces terrains sont très maigres et filtrants. Enseignant l'œnologie à l'université de Bordeaux, et déjà propriétaire du Château Calon à Montagne, Jean-Noël Boidron acquit Corbin Michotte en 1959. Il met ainsi en pratique le rôle de l'œnologue qui est de savoir exprimer les terroirs, c'est-à-dire les essences intrinsèques de la terre sur laquelle pousse la vigne, essences qui sont la spécificité de chaque cru. A Corbin Michotte, la vigne est effeuillée trente jours avant les vendanges pour un meilleur ensoleillement du raisin qui est bien sûr récolté à la main. Le travail est exécuté très rapidement sur deux jours par une importante troupe de vendangeurs. Avant d'aller en cuve, la vendange est triée, toujours à la main. Le vieillissement se fait pour moitié en cuves, pour l'autre en fûts neufs. Corbin Michotte est un cru à la qualité régulière qui se recommande par ses réussites en années humides et qui, dans les grands millésimes, peut atteindre un étonnant degré de concentration.

Cormeil-Figeac (Château)

Grand Cru

Commune : Saint-Emilion. **Propriétaire :** G.F.A. Cormeil-Figeac. Administrateur-gérant : Claude Moreaud. Régisseur : Richard Moreaud. Œnologue conseil : C.B.C. Libourne. **Superficie du vignoble :** 10 ha. **Age moyen du vignoble :** 23 ans. **Encépagement :** 65 % merlot. 35 % cabernet-franc. **Production :** 48 000 bouteilles en M.D.C. **Visite des chais :** Richard Moreaud. Tél. 57 24 70 53. **Vente au château et par correspondance :** en France. **Vente par le négoce :** à l'exportation.

Cormeil-Figeac se trouve à l'intérieur des anciennes limites du grand domaine de Figeac. En 1850, Charles Cocks le recense dans sa liste des cent crus de Saint-Emilion. Jusqu'au début de ce siècle il figurait parmi les marques de « graves » les plus réputées. Lorsque René Moreaud l'achète, en 1980, la propriété est dans un pitoyable état de délabrement. C'est lui qui a reconstitué le vignoble pour le transmettre en parfaite condition à son fils Robert, lequel a continué l'œuvre perfectionniste du père, notamment en réalisant des travaux considérables de drainage des sols. La troisième génération, Claude et Richard Moreaud est maintenant à la vigne et au chai, animée du même souci de bien faire. Ils tiennent essentiellement à s'appeler « vignerons » et non « exploitants-viticulteurs-gestionnaires » marquant ainsi une forte nuance entre ce qui est pour eux la vraie tradition et ce qu'ils estiment être devenu un métier seulement motivé par le profit. « C'est ainsi que, réfractaires à la modernisation lorsque celle-ci porte atteinte à la qualité, nous conduisons notre ouvrage », disent-ils en chœur. Certes, les Moreaud cultivent cette attitude avec un certain bonheur. Ils citent volontiers les poètes pour illustrer les vertus de leurs vins. « Un soir l'âme du vin chantait dans les bouteilles », impriment-ils sur leur publicité « branchée » dans Gault et Millau. Baudelaire était souvent un critique averti et parfois un observateur féroce, car il écrivait aussi : « Pour le commerçant, l'honnêteté est une spéculation de lucre. » Il y a là un procès d'intention que je ne ferai pas. Des preuves de sincérité ? Il y en a. Les rendements à l'hectare ne sont que de 32 hectolitres en moyenne. Les millésimes 1972, 1973, 1977 et 1984 n'ont pas été jugés dignes d'être mis en bouteilles au château. En revanche, les récentes années réussies atteignent une richesse et une plénitude extraordinaires. « Nos vins sont peu appréciés des dégustateurs pressés », reprend le chœur des Moreaud qui connaissent leur chanson par cœur. On peut l'affirmer : Cormeil-Figeac et les Moreaud, c'est une affaire de cœur. Une bonne affaire, d'ailleurs.

Côte Baleau (Château)

Grand Cru classé

Commune : Saint-Emilion. **Propriétaire :** S.C.E. des Grandes Murailles. Fermiers : M. et Mme Reiffers. Chef de culture et maître de chai : Jean Brun. Œnologue conseil : Michel Rolland. **Superficie du vignoble :** 17 ha. **Age moyen du vignoble :** 30 ans. **Encépagement :** 20 % cabernet-sauvignon. 70 % merlot. 10 % cabernet-franc. **Production :** 100 000 bouteilles en M.D.C. **Vente au château et par correspondance :** tél. 57 24 71 09. **Vente par le négoce.**

C'est l'une des victimes du nouveau classement de l'I.N.A.O. Le Château Côte Baleau a en effet perdu son titre de Grand Cru classé. Peut-être que ce cru aurait bénéficié à préserver son identité par des moyens de vinification et de vieillissement tout à fait distincts au lieu de se regrouper avec les autres exploitations de M. et Mme Reiffers : les Grandes Murailles et le Clos Saint-Martin. Avec 17 beaux hectares en production, il est certain que le Château Côte Baleau mériterait et justifierait des équipements autonomes. Mais, ici aussi, il me semble que la Commission du nouveau classement a eu la dent dure et la main lourde. Que les amateurs traditionnels de cette étiquette se rassurent, la qualité du vin de Côte Baleau, classé ou non classé, reste la même.

Côte de la Mouleyre (Château)

Grand Cru

Commune : Saint-Etienne-de-Lisse. **Propriétaires :** Emile et Pierre Roques. Administrateur, régisseur, chef de culture, directeur et maître de chai : Pierre Roques. Œnologue conseil : Michel Rolland. **Superficie du vignoble :** 5 ha 60 a. **Age moyen du vignoble :** 45 ans. **Encépagement :** 20 % cabernet-sauvignon. 70 % merlot. 10 % cabernet-franc. **Production :** 36 000 bouteilles en M.D.C. **Visite des chais :** sur rendez-vous. Pierre Roques. Tél. 57 40 16 48. **Vente au château et par correspondance :** en France et à l'étranger.

Emile et Pierre Roques ont « débarqué » en Bordelais en décembre 1963. Ils arrivaient de leur Algérie natale et déchirée, avec, pour bagage principal, leur connaissance du métier de viticulteur, précédemment exercé dans l'un des meilleurs terroirs d'Afrique du Nord, le Mascara, qu'on appelait alors « le Saint-Emilion algérien ». Est-ce à cause de cette assimilation ? Toujours est-il qu'après avoir cherché un point d'ancrage ils ont jeté leur dévolu sur la Côte de la Mouleyre et ses presque six hectares de vigne noble. Ils avaient préalablement effectué un périple de 28 000 kilomètres, ce qui, si mes données scolaires sont exactes, représente 28 fois la traversée de la France en ligne droite. « Il a fallu quasiment tout réapprendre » disent-ils avec modestie. Mais la Côte de la Mouleyre et eux étaient faits pour s'entendre. Ils ont pris en main les vieilles vignes et les ont mises en confiance de produire du bon vin. « Les vendanges manuelles... ça, j'y tiens » déclare Emile Roques avec une sorte de passion. Et il ajoute : « Pour un vignoble de qualité, la machine, c'est du massacre. C'est du travail cochonné ! » Le travail, ils savent ce que c'est, les Roques. Et ce qu'ils font, c'est même du beau travail. Et bon.

Côte de Tauzinat (Château)

→ Union de Producteurs

Côtes Bernateau (Château)

Grand Cru

Commune : Saint-Etienne-de-Lisse. **Propriétaire :** Régis Lavau. **Superficie du vignoble :** 16 ha. **Age moyen du vignoble :** 25 ans. **Encépagement :** 10 % cabernet-sauvignon. 65 % merlot. 20 % cabernet-franc. 5 % petit-verdot. **Production :** 80 000 bouteilles en M.D.C. **Visite des chais :** sur rendez-vous. Tél. 57 40 18 19. **Vente au château et par correspondance :** en France.

« La terre est amoureuse, elle colle aux pieds. » C'est l'une des professions de foi de Régis Lavau. Quant à moi, j'ai envie d'établir une vérité pour parler de lui en renversant sa proposition : « Les pieds sont amoureux, ils collent à la terre. » Je veux dire par là que l'amour est partagé entre l'homme et sa terre et que leur enfant est un vin robuste ayant promis de se montrer aimable.

Côtes du Gros Caillou (Château)

Commune : Saint-Sulpice-de-Faleyrens. **Propriétaire :** Jean Tourenne. **Œnologue conseil :** M. Chaine. **Superficie du vignoble :** 6 ha. **Age moyen du vignoble :** 15 à 30 ans. **Encépagement :** 20 % cabernet-sauvignon. 80 % merlot. **Production :** 30 tonneaux. **Vente au château et par correspondance :** Tél. 57 24 75 17. **Vente par le négoce :** vente d'une partie en vrac. *Le millésime 1982 a obtenu une médaille d'or au concours général de Paris.*

Coudert (Château)

Grand Cru

Commune : Saint-Christophe-des-Bardes. *Propriétaire :* Jean-Claude Carles. Œnologue conseil : Michel Rolland. *Superficie du vignoble :* 5 ha. *Age moyen du vignoble :* 20 ans. *Encépagement :* 10 % cabernet-sauvignon. 70 % merlot. 20 % cabernet-franc. *Production :* 30 000 bouteilles en M.D.C. *Visite des chais :* sur rendez-vous. Jean-Claude Carles. Tél. 57 24 78 92. *Vente au château et par correspondance :* en France et à l'étranger. *Vente par le négoce :* libournais.

Coudert-Pelletan (Château)

Grand Cru

Commune : Saint-Christophe-des-Bardes. *Propriétaire :* Jean Lavau. Administrateur : G.A.E.C. Jean Lavau & Fils. *Superficie du vignoble :* 6 ha 15 a. *Age moyen du vignoble :* 24 ans. *Encépagement :* 20 % cabernet-sauvignon. 60 % merlot. 20 % cabernet-franc. *Production :* 40 000 bouteilles en M.D.C. *Visite des chais :* Mrs Lavau. tél. 57 24 77 30. *Vente au château et par correspondance :* en France et à l'étranger. *Vente par le négoce.*

Avant la Révolution, on trouve plusieurs ancêtres des Lavau qui furent jurats de Saint-Emilion. C'était une famille de tonneliers et maîtres de chai. Les deux fils de Jean Lavau, Philippe et Christophe se sont spécialisés, l'un pour la culture et la vinification, l'autre pour la gestion et la commercialisation. Ils semblent très attachés au patrimoine et à la tradition familiale. Leurs vins sont bien appréciés des sociétés de négoce mais également de leur clientèle particulière.

Coutet (Château)

Grand Cru classé

Commune : Saint-Emilion. *Propriétaire :* S.C.I. Château Coutet. Directeur : Jean David-Beaulieu. Œnologues conseils : Michel & Danielle Rolland. *Superficie du vignoble :* 11 ha. *Age moyen du vignoble :* 40 ans. *Encépagement :* 5 % cabernet-sauvignon. 45 % merlot. 45 % cabernet-franc. 5 % malbec. *Production :* 45 tonneaux. *Visite des chais :* sur rendez-vous. Tél. 57 24 72 27. *Vente au château et par correspondance :* en France. *Vente par le négoce :* étranger.

Le jeune et brillant avocat Jean David épousa, en 1808, Marie-Caroline Lavau dont la famille était depuis longtemps installée en pays libournais. Il fit une belle carrière, devenant député sous Louis-Philippe et maire de Libourne. Depuis cette époque, le Château Coutet est resté un bien de la famille David-Beaulieu. La chartreuse à mansardes qui constitue l'habitation de maître possède un cachet romantique 125 empreint de nostalgie. Le vignoble étend ses onze hectares de terrains argilo-calcaires à l'ouest de Saint-Emilion, sur le premier coteau que l'on trouve en venant de Libourne. Son voisinage comprend une pléiade de crus classés. La vigne est maintenue à un âge avancé avec une conduite traditionnelle. L'essentiel de la production s'expédie à l'exportation, aussi cette bonne marque est-elle plutôt difficile à trouver sur le marché français.

Couvent des Jacobins

Grand Cru classé

Commune : Saint-Emilion. *Propriétaires :* MM. Joinaud-Borde. Administrateur : M. Borde. Maître de chai : M. Oizeau. Œnologue conseil : M. Cassignard. *Superficie du vignoble :* 9 ha 30 a. *Age moyen du vignoble :* 40 ans. *Encépagement :* 5 % cabernet-sauvignon. 65 % merlot. 30 % cabernet-franc. *Production :* 45 000 bouteilles en M.D.C. *Visite des chais :* sur rendez-vous. Tél. 57 24 70 66. *Vente par le négoce :* négoce de la place.

Au cœur de la vieille cité, le Couvent des Jacobins offre ses pierres vénérables à l'admiration du visiteur. Telles qu'elles ont été restaurées par la famille Joinaud-Borde, propriétaire depuis 1902, elles font une heureuse alliance entre le passé et le présent. L'origine du couvent remonte au XIIIᵉ siècle. L'ordre des frères prêcheurs jacobins s'y installa au XIVᵉ et l'on sait que le duc de Lancaster, lieutenant général de « Guienne », confirma la donation en 1389. Il ne faut pas confondre ces religieux avec le « club des Jacobins », société politique qui se constitua sous la Révolution. Les frères jacobins avaient été ainsi nommés lorsque Philippe-Auguste confia aux disciples de saint Dominique l'hospice de la rue Saint-Jacques qui accueillait les pèlerins de Compostelle. Ce surnom essaima dans toute la France, au fur et à mesure que les couvents dominicains s'établissaient en province. Il est très vraisemblable que le Couvent des Jacobins de Saint-Emilion fut, pendant plusieurs siècles, un centre d'éducation religieuse en même temps qu'un relais de Compostelle. Pour assurer la subsistance de la communauté, les religieux cultivaient la vigne sur des terrasses aménagées au pied des remparts de la ville. Lorsque la couronne d'Angleterre les prit sous sa gouverne, elle eut à cœur (de lion) de garantir des débouchés à la production de ses protégés. Selon certaine tradition les vins des Jacobins étaient servis aux festins royaux après avoir été chargés à bord des nefs anglaises spécialement affrétées. A la Révolution, les biens des Jacobins furent confisqués et les terres furent dispersées au feu des enchères. Aujourd'hui, le Couvent des Jacobins représente un vignoble situé en bas de côte sur le versant sud et se divisant en trois parcelles. Il produit des vins élégants et distingués qui préfèrent généralement la souplesse à la tanicité.

Couvent des Jacobins

Grand Cru

Commune : Saint-Emilion. *Propriétaire :* Gabrielle Semelin. Administrateur, chef de culture et maître de chai : Alain Borde. *Superficie du vignoble :* 36 a. *Age moyen du vignoble :* 80 ans. *Encépagement :* 100 % merlot. *Production :* 1 200 bouteilles en M.D.C. Tél. 57 24 71 23.

Croix de Mazerat (Château) ♙ → *Beauséjour*

Croix Figeac (Château)

Commune : Saint-Emilion. **Propriétaire :** Jean Guimberteau.
Superficie du vignoble : 4 ha. **Age moyen du vignoble :** 24 ans.
Encépagement : 70 % merlot. 30 % cabernet-franc. **Production :** 20 tonneaux. **Vente au château :** tél. 57 24 60 12. **Vente par le négoce.**

Croque Michotte (Château)

Grand Cru classé

Commune : Saint-Emilion. **Propriétaire :** Mme Hélène Rigal-Geoffrion. Régisseur : Jean Brun. **Superficie du vignoble :** 15 ha. **Age moyen du vignoble :** 30 à 40 ans. **Encépagement :** 5 % cabernet-sauvignon. 75 % merlot. 20 % cabernet-franc. **Production :** 80 000 bouteilles en M.D.C. **Visite des chais. Vente au château et par correspondance :** tél. 57 51 13 64.

Lorsque, en 1852, le petit domaine de Croque Michotte changea de mains, il était en piteux état et moins d'un demi-hectare se trouvait planté de vignes. Il faut dire que Croque Michotte fut l'une des métairies du fief de Corbin, voué à la culture céréalière. Ce n'est que dans la deuxième moitié du XIXe siècle que, à l'instar de Cheval Blanc et La Dominique, ce quartier se couvrit de vignoble. Le nom de Croque Michotte, qui a une charmante connotation de contes pour enfants, tiendrait

Malgré son nom médiéval, Croque Michotte possède un cuvier d'avant-garde.

son origine du petit four à pain attaché à l'ancienne métairie. Reconstitué dans les règles de l'art par son propriétaire d'alors, un certain Dubois, le vignoble de Croque Michotte résista de façon exceptionnelle au phylloxéra. A l'époque, on l'appelait Michotte tout court. Samuel Geoffrion s'en rendit propriétaire en 1906 et c'est sa fille, Mme Hélène Rigal-Geoffrion qui règne aujourd'hui sur les quinze hectares de belles vignes, placées sous la conduite de Jean Brun, l'un des meilleurs régisseurs de Saint-Emilion. Une cuverie en inox et d'autres aménagements sont venus moderniser l'exploitation. Croque Michotte est un excellent vin que j'ai souvent goûté et qui ne m'a jamais déçu. N'est-ce pas, Pierre Castéja ?

Cros-Figeac (Château)

Grand Cru

Commune : Saint-Emilion. *Propriétaire :* Christian Cassagne. *Superficie du vignoble :* 5 ha. *Age moyen du vignoble :* 20 ans. *Encépagement :* 15 % cabernet-sauvignon. 70 % merlot. 15 % cabernet-franc. *Production :* 35 000 bouteilles en M.D.C. *Vente au château et par correspondance :* tél. 57 24 76 32. En France et à l'étranger. *Une étiquette tout à fait charmante pour un vin de sable avec lequel on peut construire un château vite consommé.*

Cruzeau (Château)

Commune : Libourne. *Propriétaires :* MM. Jean, Lucien, Georges Luquot. *Superficie du vignoble :* 5 ha. *Age moyen du vignoble :* 20 ans. *Encépagement :* 10 % cabernet-sauvignon. 70 % merlot. 20 % cabernet-franc. *Production :* 24 000 bouteilles en M.D.C. *Visite des chais :* tél. 57 51 18 95. *Vente au château et par correspondance :* en France. *Vente par le négoce :* Maison A. Luquot Fils.

La chronique locale nous rapporte que les seigneurs de Cruzeau et de Chantenac cultivaient la vigne en 1788. C'est à cette époque que le château fut construit. Il est situé entre Libourne et Saint-Emilion, au sud de Pomerol. Le vignoble, d'un seul tenant, est planté sur un sol sablo-graveleux avec un sous-sol riche en « crasse de fer ». Les vins sont bien caractéristiques du terroir, avec une belle couleur, un corps assez généreux et des tanins n'excluant pas la finesse.

Curé Bon La Madeleine (Ch.)

Grand Cru classé

Commune : Saint-Emilion. *Propriétaire :* Maurice Landé. *Superficie du vignoble :* 5 ha. *Age moyen du vignoble :* 25 ans. *Encépagement :* 5 % cabernet-sauvignon. 90 % merlot. 5 % malbec. *Production :* 24 000 bouteilles en M.D.C. *Visite des chais :* du mardi au vendredi (le matin). Tél. 57 24 70 95. *Vente au château et par correspondance :* en France et à l'étranger. *Vente par le négoce.*

Il était une fois un curé qui s'appelait Bon et qui habitait à la Madeleine...

Pierre Bon était maire de Saint-Emilion en 1323. Depuis cette époque, le vignoble a été transmis par filiation ou alliance. Je crois bien que c'est un record en terme d'ancienneté. Au siècle dernier, le curé Bon a bel et bien existé. C'est même lui qui donna au cru sa réputation « contemporaine ». A son décès, son neveu Camille Lapelleterie en hérita. C'était en 1874. Depuis lors, la famille Landé-Lapelleterie continue avec dévotion l'œuvre du saint homme. Enchâssé entre Ausone, Bel-Air et Canon, le Curé Bon La Madeleine est hautement typique des vins du « Haut Saint-Emilion ». Tous les auteurs autorisés s'accordent à saluer sa fermeté et sa souplesse. Race et finesse sont au rendez-vous de la qualité. Je dirai même plus : ce cru se situe au niveau des plus grands. Seule, sa petite taille empêche que tout le monde le sache. Qu'on se le dise !

Dassault (Château)

Grand Cru classé

Commune : Saint-Emilion. *Propriétaire :* Château Dassault S.A.R.L. Administrateur : M. Massing. Régisseur-intendant : A. Vergriette. Chef de culture et maître gérant : Claude Barge. Œnologue conseil : Michel Rolland. *Superficie du vignoble :* 24 ha. *Age moyen du vignoble :* 20 ans. *Encépagement :* 10 % cabernet-sauvignon. 65 % merlot. 25 % cabernet-franc. *Production :* 115 000 bouteilles en M.D.C. *Visite des chais :* sur rendez-vous. Tél. 57 24 71 30. *Vente par correspondance :* en France. *Vente par le négoce :* Michel Querre (Libourne), SEAGRAM (Etats-Unis), SEVES (Benelux).

Réhabilité par Marcel Dassault, ce cru tient aujourd'hui une place très honorable.

Au tout début des années 50, Marcel Dassault décida la mise en chantier d'une nouvelle usine de montage d'avions. Il s'était préalablement assuré une importante maîtrise foncière à proximité de l'aéroport de Bordeaux-Mérignac. Les terrains n'étaient pratiquement pas bâtis mais ils se trouvaient dans la zone viticole des Graves. Autrefois, une grande partie des vignobles diocésains ceinturait la ville de Bordeaux, au Bouscat, à Caudéran, Mérignac, Pessac et Talence. La préparation des sols pour les futurs hangars d'aéronautique ne posait guère de problème. En revanche, il fallut arracher une pièce de vignes. Marcel Dassault en fut affecté au point de vouloir réparer cette honte. C'est ainsi qu'il acheta le Château Couprie, un petit cru de Saint-Emilion qui était tombé dans une déshérence à peu près totale. Et, pendant que sa nouvelle usine assemblait les Mirages, l'industriel mit en œuvre un plan de réhabilitation de sa propriété, rebaptisée Château Dassault afin que nul n'en ignore. Il y consacra le temps et l'argent qu'il fallait. En 1969, après l'entière restauration du vignoble, la rénovation des bâtiments d'exploitation et du château et quelques démarches haut placées, le Château Dassault fut admis au rang des crus classés. Pour la vérité de l'histoire, je mentionnerai que mon père, Pierre Ginestet, se fit l'avocat de l'avionneur contre certains esprits chagrins – d'autres diraient jaloux – qui s'opposaient au classement. « Quand un homme de cette qualité s'intéresse de cette façon à la vigne et au vin, c'est un bienfait pour tout le monde. » Depuis lors, il ne fait aucun doute que le Château Dassault tient parfaitement sa place au milieu de ses pairs. Au cours de plusieurs dégustations à l'aveugle, il a prouvé qu'il pouvait rivaliser avec les plus grands crus. En général, il montre un bouquet très concentré, inspiré du pruneau et une structure riche d'un belle maturité.

Despagnet (Château)

→ *Union de Producteurs*

Destieux (Château)

Grand Cru

Commune : Saint-Hippolyte. *Propriétaires :* Mme F. Dauriac, MM. C. et C. Dauriac. Œnologue conseil : Michel Rolland. *Superficie du vignoble :* 8 ha. *Encépagement :* 10 % cabernet-sauvignon. 65 % merlot. 25 % cabernet-franc. *Production :* 40 à 45 000 bouteilles en M.D.C. *Visite des chais :* tous les jours sur rendez-vous. Tél. 57 24 77 44 ou 57 40 25 05. *Vente au château et par correspondance :* en France. *Vente par le négoce.*

Le vignoble culmine sur le coteau de Saint-Emilion et son exposition au midi lui apporte un ensoleillement maximal. Les sols sont des formations argilo-calcaires compactes, gages de qualité mais particulièrement difficiles à travailler. Les frères Dauriac exercent l'un la profession de chef de clinique en hématologie et l'autre celle de biologiste. Ils vouent cependant un culte filial à la propriété de famille et se passionnent avec une haute compétence scientifique pour la vinification, recherchant un type de vin aussi tannique et puissant qu'il est possible. Je dirai que les méthodes vinicoles en usage au Château Destieux sont à la pointe de la connaissance œnologique.

Destieux Berger (Château)

→ Union de Producteurs

Grand Cru

Divin Pasteur (Clos)

Commune : Libourne. *Propriétaire :* Yvonne Delage. Chef de culture : Pierre Delage. Œnologue conseil : Michel Rolland. *Superficie du vignoble :* 2 ha. *Age moyen du vignoble :* 15 ans. *Encépagement :* 65 % merlot. 35 % cabernet-franc. *Vente par le négoce :* en vrac.

vente en vrac

Doumayne (Château)

Commune : Libourne. *Propriétaire :* Francis Robin. Régisseur : J.-L. Robin. Chef de culture et maître de chai : D. Robin. Œnologue conseil : Michel Rolland. *Superficie du vignoble :* 1 ha 50 a. *Age moyen du vignoble :* 30 ans. *Encépagement :* 70 % merlot. 30 % cabernet-franc. *Production :* 8 000 bouteilles en M.D.C. *Visite des chais :* tél. 57 51 03 65. *Vente au château et par correspondance :* en France et à l'étranger. *Vente par le négoce :* exportation. *Les Robin sont propriétaires en Libournais depuis 1750.*

Doumayne (Clos)

Commune : Libourne. *Propriétaire :* Roland Bel. Œnologue conseil : M. Chaine. *Superficie du vignoble :* 1 ha 50 a. *Age moyen du vignoble :* 40 ans. *Encépagement :* 50 % merlot. 50 % cabernet-franc. *Production :* 9 000 bouteilles en M.D.C. *Vente au château et par correspondance :* en France. Tél. 57 51 00 88. *L'amateur d'un vrai-bon-petit cru ne saurait être déçu.*

Fagouet Jean-Voisin (Ch.) ♟ → Jean Voisin

Faleyrens (Château)

Commune : Saint-Sulpice-de-Faleyrens. *Propriétaire :* Jeanine Brisson. Œnologue-conseil : C.Œ. de Grézillac. *Superficie du vignoble :* 4 ha. *Encépagement :* 15% cabernet-sauvignon, 40 % merlot, 45 % cabernet-franc. *Production :* 13 tonneaux, 12 000 bouteilles en M.D.C. *Vente au château et par correspondance :* Mme Jeanine Brisson, Mondou, Saint-Sulpice-de-Faleyrens, 33330 Saint-Emilion. Tél. 57 74 45 10. *Vente par le négoce.*

Faleyrens (Château de)

Commune : Saint-Sulpice-de-Faleyrens. *Propriétaires :* Simon Père et Fils. Administrateur, chef de culture et maître de chai : Claude Simon. Œnologue conseil : Michel Rolland. *Superficie du vignoble :* 3 ha 85 a. *Age moyen du vignoble :* 30 ans. *Encépagement :* 40 % cabernet-sauvignon. 60 % merlot. *Production :* 17 tonneaux. 10 000 bouteilles en M.D.C. *Vente au château et par correspondance :* Tél. 57 24 74 28. *Vente par le négoce. Culture, vendanges et vinification sont rationalisées au maximum pour une production économique.*

Faurie (Domaine de)

Commune : Saint-Emilion. *Propriétaire :* Bernard Oizeau. Œnologue conseil : Michel Rolland. *Superficie du vignoble :* 20 a. *Age moyen du vignoble :* 35 ans. *Encépagement :* 60 % merlot. 40 % cabernet-franc. *Production :* 18 000 bouteilles en M.D.C. *Vente par le négoce :* M. Maurice Lalande (Clos du Roy, Barsac). Tél. 57 24 60 76. *Propriétaire depuis 1967, Bernard Oizeau a exercé ses talents de maître de chai dans plusieurs grands crus de Saint-Emilion.*

Faurie de Souchard (Château)

Grand Cru classé

Commune : Saint-Emilion. **Propriétaire** : G.F.A. Jabiol-Sciard. Administrateur : Françoise Sciard. Œnologue conseil : C.B.C. Libourne. **Superficie du vignoble** : 11 ha. **Age moyen du vignoble** : 27 ans. **Encépagement** : 9 % cabernet-sauvignon. 65 % merlot. 26 % cabernet-franc. **Production** : 50 000 bouteilles en M.D.C. **Visite des chais** : tél. 57 24 72 55. **Vente au château et par correspondance.**

Faurie, qui fut à l'origine un patronyme, est un très ancien lieu-dit de Saint-Emilion. Les Anglais doivent bien s'en souvenir puisqu'une bataille, moins définitive il est vrai que celle de Castillon, y fut livrée pendant la guerre de Cent Ans. Par la suite, la terre de Faurie appartint aux Courbret et, au xviiie siècle, à la famille de Souchard. En 1933, par goût des belles et bonnes choses, Faurie de Souchard fut acheté par M. et Mme Maurice Jabiol. Leur fille, Françoise Sciard, a pris la propriété en fermage depuis le début de l'année 1983. Le vignoble est d'un seul tenant sur le coteau nord de la commune. La proportion de merlots apporte une souplesse onctueuse à ce Grand Cru classé qui tient une place très honorable parmi ses pairs.

Ferrand (Château de)

Grand Cru

Commune : Saint-Hippolyte. **Propriétaire** : Baron Bich. Directeur : Jean-Pierre Palatin. **Superficie du vignoble** : 28 ha. **Age moyen du vignoble** : 25 ans. **Encépagement** : 18 % cabernet-sauvignon. 68 % merlot. 14 % cabernet-franc. **Production** : 150 000 bouteilles en M.D.C. **Visite des chais** : tél. 57 74 47 11. **Vente au château et par correspondance. Vente par le négoce** : négoce bordelais.

Au cours des derniers lustres, deux grands industriels ont mis le pied en terre saint-émilionnaise. Le premier fut Marcel Dassault dont le cru porte désormais le nom. Le second est le baron Bich, qui acheta le Château de Ferrand en 1978 et dont le tortil orne désormais l'étiquette. C'est une fort belle propriété d'un seul tenant, établie sur un plateau argilo-calcaire et flanquée d'une charmante demeure de villégiature où l'on distingue les styles des xvie et xviie siècles. Le style du vin, quant à lui, tend vers la robustesse du corps et la richesse des tanins.

Figeac (Château)

1er Grand Cru classé

Commune : Saint-Emilion. **Propriétaire** : Thierry Manoncourt. Régisseur : Clément Brochard. **Superficie du vignoble** : 40 ha. **Age moyen du vignoble** : 35 ans. **Encépagement** : 35 % cabernet-sauvignon. 30 % merlot. 35 % cabernet-franc. **Production** : 125 tonneaux. **Visite des chais** : les jours ouvrables. Tél. 57 24 72 26. **Vente par le négoce.**

La « croupe » graveleuse de Figeac est un élément caractéristique du cru.

Pour résumer la situation de façon lapidaire : Figeac pourrait être une appellation d'origine contrôlée à part entière. Cette image me semble juste. Elle aide à mieux comprendre la différence fondamentale qui distingue les côtes, les graves et ... le reste. Si, par l'aventure de la fixation des habitats humains, Figeac s'était érigée en village, mieux, en paroisse, une juridiction autonome aurait été créée et le sort des Manoncourt en eût été changé. Quitte à mordre sur le terroir de Pomerol, simplement délimité par une frontière artificielle d'asphalte bitumineux, large de quelque six mètres et non reconnue par le professeur Enjalbert lui-même, le territoire viticole de l'appellation contiendrait une cinquantaine d'exploitations (il y en a environ trente à Saint-Julien). Cheval Blanc et Figeac en seraient les premiers crus (peut-être aussi La Dominique). Alors, au lieu de parler des vins de Saint-Emilion, à leur propos on dirait : « Moi, je préfère les figeacs aux saint-émilions. » Ou bien le contraire. La distinction une fois faite, la prédilection est une simple affaire de goût. Pour tenter de clarifier la topographie, Cocks et Féret avaient, dès le deuxième tiers du

134 siècle dernier, établi deux hiérarchies : celle du Haut Saint-Emilion, où figuraient

les crus de côte et de plateau, et celle des Graves de Saint-Emilion qu'ils n'ont jamais voulu assimiler aux précédents. C'était clairvoyant ; en tout cas bien plus subtil que la liste de Lecoutre de Beauvais, publiée en 1841 et reprise par Charles Cocks en 1850, qui hiérarchisait « horizontalement » tous les crus de la commune de Saint-Emilion, qu'ils fussent du haut ou du bas. Lors de la deuxième édition du *Bordeaux et ses Vins, classés par ordre de mérite* (1868) les rédacteurs énumèrent les premiers crus qui se comptent par la vingtaine, de Bélair à Balleau. Suit alors une mention spéciale : « Les crus ci-après ont un cachet particulier ; ils tiennent des vins de Saint-Emilion et de ceux de Pomerol et rappellent beaucoup le Médoc. Les crus Château Figeac et Cheval Blanc vendent comme tous les premiers crus de ces deux communes. »

A partir du début de ce siècle le rapprochement avec les crus médocains se fait moins péremptoire (sans doute que ces derniers avaient protesté avec quelques hoquets distingués auprès de l'honorable éditeur) : « Ils tiennent des Saint-Emilion et des Pomerol une sève, une finesse, un bouquet très développés. Ils rappellent un   135 peu les Médoc. » C'est à cette époque que Cheval Blanc s'emballa en tête de la bande pour une échappée qui dure encore.

Et pourtant, lorsque Thierry Manoncourt croise les jambes, doctement assis sur son fauteuil en velours cramoisi, et qu'il lève l'index d'un geste solennel, l'histoire se rétablit dans sa véritable dignité : « Cheval Blanc n'était rien d'autre que la métairie de Figeac ! » Hue donc, à l'écurie ! Et que chacun reste à sa place ! Au début du XIXᵉ siècle, le domaine de Figeac représentait environ 200 hectares. Henri Enjalbert le décrit : « En 1807-1810, Château Figeac avait tous les avantages d'un « Grand » du Médoc : vaste domaine sur un terroir privilégié de belles graves, beau château et grand parc, tradition viticole presque séculaire. » On sait que, par la suite, son propriétaire, André de Carle-Trajet, spécula sur d'autres cultures que la vigne telles que le trèfle ou la garance. En 1825, à sa mort, il laissait à son épouse, Félicité de Gères, une situation financière difficile que la jeune veuve ne fit qu'aggraver jusqu'à la déconfiture. Pendant dix ans, elle vendit des terres pour subsister. C'est ainsi que Cheval Blanc trouva sa personnalité et que de multiples parcelles furent disséminées. La seconde moitié du siècle vit se succéder sept propriétaires. En 1892, Henri de Chevremont se laissa convaincre par son gendre, André Villepigue, sur les conseils d'Albert Macquin, pour offrir Figeac à sa fille. Thierry Manoncourt est son arrière-petit-fils.

Les vignes de Figeac partagent par moitié avec celles de Cheval Blanc la quasi-totalité des 60 hectares de graves günziennes qui font la réputation de ces crus. Le modèle agronomique de l'exploitation reste calqué sur celui d'un grand cru médocain. Les cabernets (sauvignon ou franc) y règnent à 70 %. On se croirait à Saint-Julien. Le vin y puise une remarquable individualité. Il est toujours très puissant, riche, voire opulent avec une sève généreuse. Depuis 1947, Thierry Manoncourt et son épouse Marie-France (née Duboys de Labarre) ont apporté à Figeac la minutie de leurs soins qu'on pourrait aussi appeler dévotion. La constance de qualité se vérifie jusque dans les petits millésimes qui témoignent de l'exigence du patron. Mais on n'attendait pas moins du Premier Jurat de Saint-Emilion.

Fleur Cardinale (Château)

Grand Cru

Commune : Saint-Etienne-de-Lisse. **Propriétaire :** G.F.A. Château Fleur Cardinale. Administrateur : Mᵐᵉ Claude Asséo. Maître de chai : Alain Asséo. Œnologue conseil : Michel Rolland. **Superficie du vignoble :** 9 ha 30 a. **Age moyen du vignoble :** 30 ans. **Encépagement :** 15 % cabernet-sauvignon. 70 % merlot. 15 % cabernet-franc. **Production :** 45 tonneaux. **Visite des chais :** tél. 57 40 14 05. **Vente au château et par correspondance :** en France. **Vente par le négoce :** bordelais.

« Mes plus grandes satisfactions sont les appels téléphoniques ou les lettres que je reçois de mes clients », déclare Claude Asséo avec une modestie qui n'est pas feinte. « Nous nous sommes définitivement installés en mars 1983 après avoir vendu notre entreprise parisienne de textiles et notre maison. Nous voulions changer de vie. A cinquante ans passés, cela n'était pas évident. Je me suis attaché à faire le meilleur vin possible avec l'aide d'un œnologue réputé. » Les résultats obtenus par ces citadins fraîchement importés ont été reconnus et salués par nombre de fines gueules, et Robert Parker, aux Etats-Unis, parmi les plus grandes. La Fleur Cardinale est effectivement une valeur sympathique pour des amateurs éclairés.

Flouquet (Château)

Grand Cru

Commune : Saint-Emilion. *Propriétaires :* Bernard et fils. *Superficie du vignoble :* 20 ha. *Age moyen du vignoble :* 25 ans. *Encépagement :* 10 % cabernet-sauvignon. 60 % merlot. 30 % cabernet-franc. *Production :* 100 tonneaux. 70 000 bouteilles en M.D.C. *Vente au château et par correspondance :* en France. Tél. 57 24 72 48. *Vente par le négoce.* De père en fils depuis cinq générations, en pied de coteau du côté sud de Saint-Emilion.

Flouquet Madeleine (Château)

Grand Cru

Commune : Saint-Emilion. *Propriétaires :* M. et Mᵐᵉ Jean Penchaud. *Superficie du vignoble :* 1 ha. *Age moyen du vignoble :* 50 ans. *Encépagement :* 60 % merlot. 40 % cabernet-franc. *Production :* 6 000 bouteilles en M.D.C. *Visite des chais :* les week-ends. Tél. 57 24 73 61. *Vente au château et par correspondance :* en France.

Cinq parcelles différentes pour un hectare ! Peu importe les localisations, les formations géologiques et les expositions puisque je vous dis qu'elles sont excellentes et que le père de Jean Penchaud, qui était fine gueule, avait acheté l'une d'elles uniquement pour sa consommation personnelle. Il faut aussi savoir que Jean Penchaud est tonnelier de son état et qu'il ne voulait pas, durant toute sa vie, fabriquer des barriques chez Demptos sans en remplir trois ou quatre pour le plaisir unique d'être responsable du contenant et du contenu ! Depuis 1983, le vœu est exaucé. Pour lui, c'est une grande satisfaction. Pour ses futurs clients, ce sera une révélation. Et les vignes n'ont que cinquante ans !...

Fombrauge (Château)

Grand Cru

Commune : Saint-Christophe-des-Bardes. *Propriétaire :* Bordeaux Château Invest. Président : Flemming Kaarberg. Conseiller : Charles Bygodt. Directeur technique : Stéphane Savigneux. Maître de chai : Ugo Arguti. Œnologue conseil : C.B.C. M. Chaine. *Superficie du vignoble :* 50 ha. *Age moyen du vignoble :* 25 ans. *Encépagement :* 10 % cabernet-sauvignon. 60 % merlot. 30 % cabernet-franc. *Production :* 300 000 bouteilles en M.D.C. *Visite des chais :* tél. 57 24 77 12. *Vente au château et par correspondance. Vente par le négoce.*

Fombrauge : une belle unité viticole où flotte désormais le pavillon danois.

C'est une vaste propriété de 75 hectares qui se répartit en deux quartiers. L'un se trouve sur la commune de Saint-Christophe-des-Bardes et l'autre est à cheval sur Saint-Etienne-de-Lisse et Saint-Hippolyte. D'une superficie équivalente, ils contiennent actuellement 25 hectares de vigne chacun. Cette importance, rare dans l'appellation Saint-Emilion, constitue un facteur de qualité *a priori* car elle donne au viticulteur une large palette de sols et d'expositions qui, alliée à la variété de l'encépagement, fournit des caractéristiques complémentaires. Tout l'art consistera à bien doser chaque élément et à sélectionner les différentes cuvées avec rigueur. C'est bien dans cet esprit que Charles Bygodt gère son exploitation. Au décès de son père, en 1973, cet homme d'affaires avisé prit en mains la propriété comme il l'aurait fait de n'importe quel commerce ou industrie. Mais il découvrit rapidement la valeur réelle du produit, c'est-à-dire sa noblesse. Ce fut une révélation qui lui dicta une politique de haute qualité. « Cela finit toujours par payer », aime-t-il à dire en ajoutant que, si le bénéfice est un encouragement, la véritable récompense se trouve dans la satisfaction du consommateur.

Le Château Fombrauge jouit aujourd'hui d'une très bonne réputation. Il est souvent servi lors de repas officiels et prestigieux, retrouvant ainsi sa notoriété du siècle précédent. Anecdote : en 1978, M. Bygodt reçut une lettre d'une vieille maison de négoce de Nimègue, aux Pays-Bas, accompagnée d'une étiquette de Château Fombrauge 1893. La relation fut aussitôt établie, pour le plus vif contentement de l'importateur et de l'expéditeur. Effectivement, Fombrauge est l'une des plus anciennes marques de cru du Saint-Emilionnais. C'est aussi un berceau de l'humanité laborieuse, puisque l'université de Bordeaux y a récemment découvert un site paléolithique. Je vous recommande chaudement une trompe de mammouth rôtie sur des vieux ceps de *vitis vinefera* et arrosée d'un Fombrauge millésimé 11985 av. J.-C. Le 18 mars 1987, la propriété de Fombrauge a été rachetée par un groupe danois, animé par la société Hans Just, de Copenhague. Le prix payé serait supérieur à 60 000 000 F.

Fonplégade (Château)

Commune : Saint-Emilion. **Propriétaires :** Héritiers Armand Moueix. Administrateur et maître de chai : Armand Moueix. Œnologue conseil : Bernard Crébassa. **Superficie du vignoble :** 18 ha. **Age moyen du vignoble :** 25 ans. **Encépagement :** 5 % cabernet-sauvignon. 60 % merlot. 35 % cabernet-franc. **Production :** 90 000 bouteilles en M.D.C. **Visite des chais :** sur rendez-vous. Tél. 57 51 50 63. **Vente par correspondance :** en France. **Vente par le négoce :** S.A. Moueix et Fils.

Quand Jean-Marie Moueix, père d'Armand, acheta Fonplégade, en 1953, Mlle Rochefort lui transmit un vignoble lamentable, des chais et cuvier minables et un château hantable. La demoiselle avait hérité de son père adoptif Paul Boisard, décédé sans descendance directe. Celui-ci avait une solide réputation de viticulteur averti. Il lutta brillamment contre le phylloxéra à la fin du siècle dernier et fut l'un des champions du cabernet-sauvignon en Saint-Emilionnais. Mais après lui, la belle propriété de Fonplégade, qui passait pour un modèle agronomique de l'époque, dépérit petit à petit jusqu'au sauvetage de Moueix. Auparavant, Fonplégade ne manquait pas de lettres de noblesse puisque le domaine fut entre les mains aristocrates du duc de Morny et de sa sœur, la comtesse de Galard. Quant à Mlle Rochefort, sa principale vertu fut d'avoir été la pupille de l'abbé Bergey, ce pourquoi Armand Moueix détient une partie de la bibliothèque du saint homme. En 1962, le tenace Corrézien acheta

Fonplégade : une fontaine qui, chaque année, se remplit de... bon vin !

des terres du Tertre Daugay, complétant ainsi par l'annexion d'enclaves le travail de remembrement effectué par Boisard. Les autochtones prétendent que Fonplégade signifie « fontaine repliée » parce que « les sources se trouvent vers le haut de la côte ». Je trouve l'explication absurde. Si le préfixe « fon » ne veut pas dire autre chose que fontaine (au pluriel d'ailleurs puisqu'il y en a quatre) le suffixe « plégade » vient du gascon *plear* ou *plenhar*, devenu *plegar* dans sa forme gutturale pour exprimer le verbe remplir. *Que s'a plegat la pança* ne signifie pas : il s'est plié le ventre mais il s'est rempli la panse. Fonplégade se traduit tout simplement par fontaine remplie. Cela coule de source. J'espère avoir contribué, par cette modeste leçon, à confirmer l'authenticité gasconne du site et je poursuivrai en disant qu'aujourd'hui les vins de Fonplégade sont des saint-émilions bien faits et délicieux. Ils se tiennent sans aucun doute dans le peloton de tête des Grands Crus classés : ceux qui s'échappent, une année ou l'autre, pour rejoindre les Premiers.

Fonrazade (Château)

Grand Cru

Commune : Saint-Emilion. **Propriétaire** : Guy Balotte. Œnologue conseil : laboratoire de Grézillac. **Superficie du vignoble** : 13 ha. **Age moyen du vignoble** : 25 ans. **Encépagement** : 20 % cabernet-sauvignon. 80 % merlot. **Production** : 70 000 bouteilles en M.D.C. **Visite des chais** : tél. 57 24 71 58. **Vente au château et par correspondance** : en France et à l'étranger. **Vente par le négoce.**

Après avoir appartenu au comte des Cordes pendant plusieurs lustres, Fonrazade est arrivé dans le giron de Guy Balotte au moment où le général de Gaulle reprenait en mains les destinées de la France. Depuis 1958, il a modernisé, amélioré, rationalisé son exploitation qui se présente dans un état impeccable, y compris la salle de réception capable de recevoir 150 personnes. Le vignoble est contigu au Château L'Angélus et s'expose au midi.

Fonroque (Château)

Grand Cru classé

Commune : Saint-Emilion. **Propriétaire** : G.F.A. Château Fonroque. Administrateur : Jean-Jacques Moueix. Régisseur : Michel Gillet. Maître de chai : Jean Veyssière. Œnologue conseil : Jean-Claude Berrouet. **Superficie du vignoble** : 18 ha. **Age moyen du vignoble** : 30 ans. **Encépagement** : 5 % cabernet-sauvignon. 75 % merlot. 20 % cabernet-franc. **Production** : 100 000 bouteilles en M.D.C. **Vente par le négoce** : Ets Jean-Pierre Moueix. Tél. 57 51 78 96.

C'est au début des années 30 que Jean Moueix vint rejoindre son frère Antoine, déjà installé dans le Libournais. Il acheta Fonroque à M. Laporte qui l'avait lui-même acquis du comte de Malet Roquefort, grand-père de l'actuel propriétaire de La Gaffelière. Jean-Antoine Moueix succéda à son père et, après lui, c'est Jean-Jacques Moueix et sa sœur Mme Curat qui sont associés à parts égales au sein du G.F.A.
140   Le Château Fonroque se trace dans l'histoire de Saint-Emilion à partir du

XVIIIᵉ siècle. Une pierre du chai porte l'inscription 1756. Le vignoble se répartit sur plateau calcaire et côte argilo-calcaire avec un appoint en pied de côte à sables limoneux. Il s'agit d'une belle unité de production parfaitement conduite. Les vins montrent une structure tannique généreusement couverte et dotée d'une bonne puissance aromatique. En vieillissant, les grandes années peuvent atteindre une plénitude et une classe tout à fait remarquables.

Fontenelle (Château)

Commune : Saint-Etienne-de-Lisse. *Propriétaires :* Bigarette Frères (Edgar et Hubert). Œnologue conseil : M. Hébrard. *Superficie du vignoble :* 1 ha 65 a. *Age moyen du vignoble :* 25 ans. *Encépagement :* 15 % cabernet-sauvignon. 50 % merlot. 20 % cabernet-franc. 15 % malbec. *Production :* 8 400 bouteilles en M.D.C. *Vente au château et par correspondance :* en France et à l'étranger. Tél. 57 40 08 86. *La Fontenelle est une petite source (miraculeuse) qui fait très gentiment du vin.*

Fortin (Château) 🍷
→ *La Grâce Dieu des Prieurs*

Fougueyrat (Château)

Grand Cru

Commune : Saint-Emilion. *Propriétaire :* Daniel Nicoux. Œnologue conseil : M. Rolland. *Superficie du vignoble :* 5 ha 18 a. *Age moyen du vignoble :* 35 ans. *Encépagement :* 80 % merlot. 20 % cabernet-franc. *Production :* 30 000 bouteilles en M.D.C. *Vente au château et par correspondance :* en France. Tél. 57 24 70 64. *Des méthodes conservatrices et un vieux truc : une cuillerée à soupe de sel par barrique au moment du collage aux blancs d'œufs.*

Fourney (Château)

Grand Cru

Commune : Saint-Pey-d'Armens. *Propriétaire :* Jean-Pierre Rollet. Chef de culture : Marcel Zamparo. Maître de chai : Luca Zamparo. Œnologue conseil : François Maurin. *Superficie du vignoble :* 12 ha. *Encépagement :* 6 % cabernet-sauvignon. 64 % merlot. 30 % cabernet-franc. *Production :* 76 000 bouteilles en M.D.C. *Vente au château et par correspondance :* B.P. 23, 33330 Saint-Emilion. Tél. 57 47 15 13.

Si, en Bordelais, le terme « Château » ne signifie pas souvent grand chose au plan architectural, on peut dire que Fourney mérite cette épithète tant par la qualité de la construction que par l'usage viticole. C'est en effet une fort élégante demeure de style Louis XVI dont le dessin est attribué au célèbre Victor Louis, architecte du Grand Théâtre de Bordeaux. C'est la maison d'habitation de Jean-Pierre Rollet et sa famille, qui ont acheté la propriété voici plus de vingt ans. Les Rollet sont viticulteurs à Saint-Emilion depuis le début du XVIII* siècle. Les vins de Fourney offrent une belle mâche tannique aux tonalités de fruits rouges bien mûrs. Les grands millésimes lui réussissent particulièrement bien.

Fourtet (Clos)

Commune : Saint-Emilion. **Propriétaire :** Lurton Frères. (Société Civile du Clos Fourtet). Régisseur : Pierre Lurton. Maître de chai : Daniel Alard. Œnologues conseils : E. Peynaud et M. Hébrard. *Superficie du vignoble :* 18 ha. *Age moyen du vignoble :* 30 ans. *Encépagement :* 10 % cabernet-sauvignon. 70 % merlot. 20 % cabernet-franc. *Production :* 80 000 bouteilles en M.D.C. *Visite des chais :* du lundi au vendredi de 9 h à 12 h et de 14 h à 18 h. Tél. 57 24 70 90. *Vente au château et par correspondance :* en France. *Vente par le négoce :* bordelais.

Bien que doté d'une grande demeure bourgeoise construite avant la Révolution, ce Premier Grand Cru classé de Saint-Emilion n'a pas cédé à la mode des « Châteaux » et son étiquette s'est maintenue dans sa discrète ancienneté. En fait d'ancienneté, Clos Fourtet peut se targuer de racines profondes. Déjà au Moyen Age « Camfourtet » était un haut lieu de Saint-Emilion. Au XVII* siècle, il arriva dans le patrimoine de la famille Rulleau dont Henri Enjalbert dit qu'elle engendra une lignée de grands viticulteurs. Il précise que « si les Rulleau furent les premiers à faire de grands vins à Clos Fourtet, c'est d'abord qu'ils surent réaliser la mutation radicale qui, d'une petite viticulture traditionnelle aux faiblesses multiples et produisant de petits vins, conduisit à un vignoble nouveau homogène dans ces plantiers à cépages dans la longue durée afin de constituer un vignoble à fort pourcentage de vignes vieilles. » A propos de racines profondes et de vieilles vignes, il faut observer le plafond des caves souterraines de Clos Fourtet. Anciennes carrières de pierres, ces caves monolithes s'enfoncent à quelque quinze mètres sous terre et l'on peut voir les racines des cabernets-francs pendre du rocher comme des lianes fragiles. Quelle prodigieuse vitalité végétale a donc forcé la plante à vriller le roc, utilisant la plus minuscule fissure naturelle pour frayer son passage vers une frugale nutrition! A Saint-Emilion et particulièrement à Clos Fourtet, la spéléologie viticole réserve ce genre d'émerveillement. L'essentiel du terroir de Clos Fourtet est constitué d'une très mince couche de terre arable, juste suffisante pour permettre le racinement des jeunes plants. A partir de la deuxième ou troisième année, le cépage devra enfanter dans la douleur. Il y a là une vision assez bourguignonne de la viticulture, accentuée par les clôtures de murs qui justifient le terme de « Clos ».

Mon grand-père, Fernand Ginestet, fut propriétaire de Clos Fourtet depuis la fin de la guerre de 14-18 jusqu'à celle de 40. En 1948, il échangea le cru contre les parts de François Lurton dans la société du Château Margaux. Les vingt années suivantes n'illustrèrent pas outre mesure la belle réputation de la marque. Depuis cette époque, ses descendants : Mme Noël, MM. André, Lucien, et Dominique Lurton assurent la gestion du domaine et Clos Fourtet a retrouvé toute sa célébrité. Au plan technique, la vinification a évolué vers la cuve métallique mais le vieillissement en barriques est soigneusement préservé. Les propriétaires se prévalent de leurs

Une demeure bourgeoise avec un vignoble pour jardin.

fameuses caves monolithes pour faire ressortir une température constante et une humidité atmosphérique de 85 % comme gages de qualité. Sur le premier point, je suis entièrement d'accord, le vin qui est élevé sans variations thermiques s'affine en douceur. Sur le second point, je suis moins enthousiaste. Une saturation hygrométrique aussi importante peut faire baisser le degré du vin. Mais cela n'est dit que pour le plaisir du bavardage. Car, sans discussion possible, les vins de Clos Fourtet sont à la pointe de la qualité. Surtout les derniers millésimes.

Franc (Château) ⚱ → Franc Patarabet

Franc Bigaroux (Château)

Grand Cru

Commune : Saint-Sulpice-de-Faleyrens. **Propriétaire :** Yves Blanc. Régisseur : Michel Martrinchard. Maître de chai : Jean-François Vergne. Œnologue conseil : M. Hébrard. **Superficie du vignoble :** 9 ha. **Age moyen du vignoble :** 19 ans. **Encépagement :** 20 % cabernet-sauvignon. 60 % merlot. 20 % cabernet-franc. **Production :** 60 000 bouteilles en M.D.C. **Visite des chais :** les jours ouvrables de 8 h à 12 h et de 14 h à 17 h 30. Tél. 57 51 54 73. **Vente par correspondance :** Vignobles Yves Blanc, 167, avenue Foch, 33501 Libourne Cedex B.P. 170. **Vente par le négoce :** 90 % à l'exportation : Etats-Unis, Angleterre, Danemark, Belgique.

Une partie du vignoble se trouve en pied de côte argilo-calcaire et l'autre partie sur des terres sablonneuses et chaudes. La vinification est bien surveillée grâce à un équipement de refroidissement des moûts. Le résultat peut se traduire par des vins au bouquet développé avec des arômes de fruits confits. Le corps est ample, riche et onctueux. Ils constituent un excellent « type Saint-Emilion » qui pourrait parfois entrer en compétition avec des crus bien plus célèbres. D'ailleurs, les   143 connaisseurs étrangers ne s'y sont pas trompés. Tous les principaux marchés d'exportation apprécient cette marque qui est présente dans les meilleurs restaurants européens et américains. C'est justice.

Franc-Cros (Château)

Commune : Saint-Emilion. *Propriétaires :* M. et Mme André Lafage. *Superficie du vignoble :* 3 ha 30 a. *Age moyen du vignoble :* 30 ans. *Encépagement :* 20 % cabernet-sauvignon. 60 % merlot. 20 % cabernet-franc. *Production :* 12 tonneaux. 3 000 bouteilles en M.D.C. *Visite des chais :* tél. 57 24 60 14. *Vente au château et par correspondance :* en France. *Vente par le négoce. Plusieurs parcelles aux bons voisinages pour cette famille vigneronne qui compte plus de cinq générations.*

Franc-Fongaban

Commune : Saint-Emilion. *Propriétaire :* Jean-Louis Bigaud. *Superficie du vignoble :* 36 a. *Age moyen du vignoble :* 25 ans. *Encépagement :* 40 % merlot. 25 % cabernet-franc. 25 % malbec. *Production :* 1,5 tonneau.

Autrefois le vallon de Fongaban était constitué par quelques vignobles mais surtout par une multitude de petits jardins qui étaient cultivés par les habitants de la ville toute proche. Vu leur quantité, leurs surfaces respectives étaient réduites. A l'origine, le grand-père maternel de Jean-Louis Bigaud en possédait un qu'il put agrandir par l'achat d'une parcelle mitoyenne. Gaston Bigaud, son fils, put y ajouter un autre lopin et commença d'y planter de la vigne. Encore deux ou trois adjonctions micrométriques et le fonds atteignit la superficie actuelle de 36 ares. Ce petit royaume vigneron est un trésor au cœur de Jean-Louis Bigaud. Son vin est prioritairement destiné à sa consommation personnelle et à celle de ses amis. Il consent parfois à vendre quelques bouteilles aux « connaissances ». Vous devriez essayer d'en faire partie. Commerce, s'abstenir.

Franc Grâce-Dieu (Château)

Grand Cru

Commune : Saint-Emilion. *Propriétaire :* Germain Siloret. Fermier : S.E.V. Fournier. Maître de chai : Paul Cazenave. Œnologue conseil : Michel Rolland. *Superficie du vignoble :* 8 ha 27 a. *Age moyen du vignoble :* 25 ans. *Encépagement :* 7 % cabernet-sauvignon. 52 % merlot. 41 % cabernet-franc. *Production :* 40 000 bouteilles en M.D.C. *Visite des chais :* tél. 57 24 70 79. *Vente au château et par correspondance :* B.P. 28, 33330 Saint-Emilion. *Vente par le négoce.*

C'est l'une des propriétés de Saint-Emilion les plus chargées d'histoire, au sens où l'histoire est celle des hommes telle qu'ils la vivent dans le quotidien. Elle est intimement liée aux Guadet, famille du cru dont la gloire locale a largement défrayé toutes les chroniques des anciennes gazettes depuis le XVIIᵉ siècle. De très ancienne bourgeoisie, installée de longue date parmi les notables de Saint-Emilion, elle ne fournit pas moins de cinq maires à la cité. En 1692, Pierre Guadet, sieur de la Grâce-Dieu, fut élu premier jurat. Les propriétés familiales s'étendaient de Saint-Martin de Mazerat à la Porte Bourgeoise, à Sansonnet, près de la Porte Bouqueyre, à La Grâce-Dieu et jusque dans la paroisse de Saint-Hippolyte. Comme la France est petite ! En l'an de grâce 1930, Germain Siloret, breton d'origine, épousa une demoiselle Siloret, héritière du ci-devant domaine des Guadet. Au Moyen Age, c'était un prieuré cistercien qui, par la grâce de Dieu, se trouvait franc d'impôts. D'où le nom. Germain Siloret, retraité aujourd'hui, a exercé les plus hautes fonctions du Génie rural et des Eaux et Forêts. C'est notamment lui qui est à l'origine du captage des nappes phréatiques dans les Landes pour l'avènement des cultures de maïs. A Saint-Emilion, Germain Siloret fait figure d'un vieux sage, tout auréolé d'une belle carrière de grand serviteur de l'Etat mais volontairement retranché dans une discrète modestie naturelle. Il n'a jamais cherché le vedettariat personnel mais il écoute toujours et conseille volontiers tous ceux qui croient avoir quelque chose à dire ou à écrire. Henri Enjalbert n'aurait jamais imaginé se passer de lui pour son étude sur les vignobles du Libournais. Il a confié le fermage de sa propriété aux Fournier du Château Canon ; mais on le trouve encore dans ses vignes et au chai. Le vin de La Grâce-Dieu se déguste les yeux fermés.

Franc Jaugue Blanc (Château)

→ Union de Producteurs

Franc-Laporte (Château)

Commune : Saint-Christophe-des-Bardes. *Propriétaire :* Max Rollet. Œnologue conseil : C.B.C. Libourne. *Superficie du vignoble :* 6 ha 59 a. *Age moyen du vignoble :* 20 ans. *Encépagement :* 50 % merlot. 50 % cabernet-franc. *Production :* 30 tonneaux. 5 000 bouteilles en M.D.C. *Vente au château :* tél. 57 24 77 03. *Vente par le négoce.*

Franc Lartigue (Château)

→ Union de Producteurs

Grand Cru

Franc Le Maine (Château)

→ Union de Producteurs

Franc-Mayne (Château)

Commune : Saint-Emilion. *Propriétaire :* Société Civile
Agricole du Château Franc-Mayne. Administrateur : Nicole
Butaud. Chef de culture : Raphaël Herrera. *Superficie du
vignoble :* 6 ha 82 a. *Age moyen du vignoble :* 20 ans.
Encépagement : 15 % cabernet-sauvignon. 70 % merlot.
15 % cabernet-franc. *Production :* 43 000 bouteilles en
M.D.C. *Visite des chais :* tél. 57 24 62 61. *Vente au château
et par correspondance :* en France et à l'étranger.

L'important négociant libournais Theillassoubre se rendit propriétaire du cru en
1903. Auparavant, Franc-Mayne appartenait au baron G. des Cordes et le vignoble,
qui représentait alors huit hectares, avait été détaché du domaine médiéval de La
Gomerie. En 1984, une société civile se constitua avec le groupe Axa (Mutuelles
unies) comme principal actionnaire mais c'est Mme Butaud, héritière Theillassoubre,
qui assure toujours la gérance de l'exploitation. Traditionnellement, Franc-Mayne
est une marque bien connue et appréciée au Benelux. Les trois parcelles qui
composent le vignoble, sur plateau, en coteau et en pied de côte apportent au vin
une bonne complémentarité de qualités. Hugh Johnson le décrit comme « une petite
propriété sérieuse sur les côtes ouest. » J'ajouterai que les vins de Franc-Mayne
sont très agréablement souples et coulants.

Franc-Mazerat (Château)

Commune : Saint-Emilion. *Propriétaire :* Pierrette Koch.
Œnologue conseil : Michel Rolland. *Superficie du vignoble :*
2 ha. *Age moyen du vignoble :* 30 ans. *Encépagement :*
50 % merlot. 50 % cabernet-franc. *Production :* 7 000 bouteilles en M.D.C. *Vente au château et par correspondance :*
tél. 57 24 73 07. *Vente par le négoce. Depuis l'âge de
vingt ans, Pierrette Koch travaille la vigne. Sa mère, qui va
sur ses quatre-vingts ans lui donne toujours un coup de main.*

Franc Patarabet (Château)

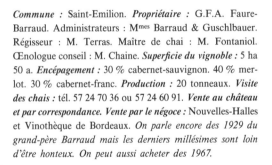

Commune : Saint-Emilion. *Propriétaire :* G.F.A. Faure-
Barraud. Administrateurs : Mmes Barraud & Guschlbauer.
Régisseur : M. Terras. Maître de chai : M. Fontaniol.
Œnologue conseil : M. Chaine. *Superficie du vignoble :* 5 ha
50 a. *Encépagement :* 30 % cabernet-sauvignon. 40 % merlot. 30 % cabernet-franc. *Production :* 20 tonneaux. *Visite
des chais :* tél. 57 24 70 36 ou 57 24 60 91. *Vente au château
et par correspondance. Vente par le négoce :* Nouvelles-Halles
et Vinothèque de Bordeaux. *On parle encore des 1929 du
grand-père Barraud mais les derniers millésimes sont loin
d'être honteux. On peut aussi acheter des 1967.*

Franc Petit Figeac (Château)

Commune : Saint-Emilion. *Propriétaires :* M. et Mme Gilbert Dumon. Œnologue conseil : M. Rolland. *Superficie du vignoble :* 4 ha 50 a. *Age moyen du vignoble :* 20 ans. *Encépagement :* 85 % merlot. 15 % cabernet-franc. *Production :* 12 000 bouteilles en M.D.C. *Visite des chais :* tél. 57 24 73 42. *Vente au château et par correspondance :* en France. *Vente par le négoce. La table d'hôte des Dumon est grande mais elle semble rétrécir lorsqu'ils y posent tous leurs vins vieux qu'ils font goûter aux amis et clients.*

Franc Pineuilh (Château)

Commune : Saint-Christophe-des-Bardes. *Propriétaire :* Jean-Paul Deson. Œnologue conseil : C.B.C. Libourne. *Superficie du vignoble :* 1 ha 38 a 05 ca. *Age moyen du vignoble :* 25 ans. *Encépagement :* 5 % cabernet-sauvignon. 60 % merlot. 35 % cabernet-franc. *Production :* 10 000 bouteilles en M.D.C. *Visite des chais :* tél. 57 24 77 40. *Vente au château et par correspondance. Un petit cru discret qui s'écoule sans problème et qui glisse facilement.*

Franc Pipeau (Château)

Grand Cru

Commune : Saint-Hippolyte. *Propriétaire :* Jacqueline Bertrand-Descombes. Administrateur : Jacques Bertrand. Œnologue conseil : Michel Rolland. *Superficie du vignoble :* 4 ha 50 a. *Age moyen du vignoble :* 30 ans. *Encépagement :* 10 % cabernet-sauvignon. 70 % merlot. 20 % cabernet-franc. *Production :* 25 000 bouteilles en M.D.C. *Vente par correspondance :* en France. Tél. 57 24 73 94. *Vente par le négoce :* France et étranger. *Vin très vif avec de l'alcool. Assez fermé et un peu court. Finale amère (égrappage insuffisant).*

Franc-Pourret (Château)

Grand Cru

Commune : Saint-Emilion. *Propriétaire :* François Ouzoulias. Régisseur et maître de chai : Pierre Ouzoulias. Œnologue conseil : Michel Rolland. *Superficie du vignoble :* 5 ha. *Age moyen du vignoble :* 40 ans. *Encépagement :* 10 % cabernet-sauvignon. 80 % merlot. 10 % cabernet-franc. *Production :* 21 000 bouteilles en M.D.C. *Visite des chais :* du lundi au vendredi de 15 h à 18 h. Tél. 57 51 07 55. *Vente par correspondance :* en France. François Ouzoulias, 17, rue du Colonel Picot, 33500 Libourne.

« La qualité passe par tous les petits plus. C'est plus qu'un métier, c'est une passion. » Pierre Ouzoulias pratique dans ses propres vignes la méthode dite du « jardinage ». Pas de désherbage chimique ni de pesticides. Au cuvier : macérations sous protection carbonique et remontages journaliers des moûts avec aspersion du chapeau. Je suis, personnellement, très favorable à ce procédé qui apporte des principes odorants fort séduisants. Franc Pourret s'écoule principalement en Europe à travers une clientèle sélectionnée. Les vins ont généralement un bouquet développé, beaucoup de corps avec des tanins bien fondus et une belle longueur en bouche.

Franc-Robin (Château)

Commune : Saint-Christophe-des-Bardes. *Propriétaire* : Michel Laudu. Œnologue conseil : C.B.C. Libourne. *Superficie du vignoble : 10 a 85 ca. Age moyen du vignoble :* 20 ans. *Encépagement :* 50 % merlot. 50 % cabernet-franc. *Production :* 1 barrique. Tél. 40 83 23 84. *Alors là... si vous arrivez à en goûter, de celui-là, c'est que vous êtes copain de régiment avec Michel Laudu.*

étiquette non communiquée

Francs Bories (Château)

→ *Union de Producteurs*

Gaillard (Château)

Grand Cru

Commune : Saint-Hippolyte. *Propriétaire :* M. J.-J. Nouvel. Œnologues conseils : Mlle Cazenave et M. Chaine. *Superficie du vignoble :* 18 ha. *Age moyen du vignoble :* 30 ans. *Encépagement :* 40 % cabernet-sauvignon. 40 % merlot. 20 % cabernet-franc. *Production :* 90 000 bouteilles en M.D.C. *Visite des chais :* sur rendez-vous. Tél. 57 24 72 05. *Vente au château et par correspondance :* en France. *Six générations!... Les Gaillard d'avant étaient là antérieurement à la Révolution. Ceux d'aujourd'hui aiment les vins assouplis.*

Gaillard de la Gorce (Château)

Grand Cru

Commune : Saint-Etienne-de-Lisse. *Propriétaire :* Jean-Pierre Rollet. Chef de culture : Marcel Zamparo. Maître de chai : Luca Zamparo. Œnologue conseil : François Maurin. *Superficie du vignoble :* 8 ha. *Encépagement :* 29 % cabernet-sauvignon. 46 % merlot. 25 % cabernet-franc. *Production :* 50 000 bouteilles en M.D.C. *Vente au château et par correspondance :* B.P. 23, 33330 Saint-Emilion. Tél. 57 47 15 13.

Le 29 mai 1729, Léon Roulleau, dit Rollet, et son épouse, Marie Thibaut, propriétaires à Saint-Etienne-de-Lisse, font leur testament. Ils ont ensemble décidé de désintéresser leurs deux filles le mieux possible et de partager les vignes entre les deux fils. Jean-Pierre Rollet est un descendant direct du cadet, Pierre Roulleau, dit Rollet. Au cours des générations, le petit domaine s'est agrandi et il est l'une des quatre fiertés viticoles signées Rollet dans l'appellation Saint-Emilion. D'ailleurs, l'or, l'argent et le bronze, en forme de médailles, récompensent régulièrement cette production ancestrale. La situation du vignoble est à la limite des terrains argilo-calcaires et des terrains silico-argileux avec « crasse de fer ». Les vins en tirent un équilibre plutôt harmonieux : mâche et vinosité sans excès de lourdeur. La table du duché de Luxembourg, celle du palais de l'Elysée ou de maints diplomates français ont souvent illustré la bonne réputation de ce sympathique Gaillard.

Gaubert (Château)

Grand Cru

Commune : Saint-Christophe-des-Bardes. *Propriétaire :* Jean Ménager. Exploitant : G.A.E.C. Ménager. Chefs de culture et maîtres de chai : Joëlle et Gérard Ménager. Œnologue conseil : M. Hébrard. *Superficie du vignoble :* 8 ha. *Age moyen du vignoble :* 40 ans. *Encépagement :* 70 % merlot. 30 % cabernet-franc. *Production :* 24 000 bouteilles en M.D.C. *Vente au château et par correspondance :* tél. 57 24 70 55. *Une altitude de 96 mètres à l'est de Saint-Emilion et une culture écologique pour un vin d'un fort honnête standard.*

Gerbaud (Clos)

Commune : Saint-Pey-d'Armens. *Propriétaire :* Ginette Chabrol. Maître de chai : Jean Chabrol. Œnologue conseil : M. Hébrard. *Superficie du vignoble :* 2 ha 50 a. *Age moyen du vignoble :* 20 ans. *Encépagement :* 15 % cabernet-sauvignon. 70 % merlot. 15 % cabernet-franc. *Production :* 18 000 bouteilles en M.D.C. *Visite des chais :* sur rendez-vous. Tél. 57 47 12 39. *Vente au château et par correspondance.*

Gessan (Château)

Commune : Saint-Sulpice-de-Faleyrens. *Propriétaire :* Bernard Gonzalès. Chef de culture et œnologue conseil : Ets Bonneau. *Superficie du vignoble :* 7 ha 19 a 16 ca. *Age moyen du vignoble :* 20 ans. *Encépagement :* 35 % cabernet-sauvignon. 65 % merlot. *Production :* 50 000 bouteilles en M.D.C. *Visite des chais :* le matin. Tél. 57 74 44 04. *Vente au château. Vente par le négoce :* Ets Bonneau à Branne. *Les propriétaires n'exploitent pas eux-mêmes mais ils assurent toute la commercialisation.*

Ghildes (Clos des)

Commune : Libourne. **Propriétaire :** Gérard Faisandier. **Maître de chai :** Jean Michaud. **Œnologue conseil :** M. Rolland. **Superficie du vignoble :** 1 ha 12 a. **Age moyen du vignoble :** 80 ans. **Encépagement :** 30 % cabernet-sauvignon. 40 % merlot. 30 % cabernet-franc. **Production :** 6 000 bouteilles en M.D.C. Tél. 57 51 20 79.

Musicien dans l'âme, Gérard Faisandier a néanmoins toujours eu l'idée qu'un jour il se retirerait du monde de la musique pour entrer dans celui du vin. Il est déjà propriétaire du Château La Bassonnerie à Pomerol lorsqu'en 1962 il achète le Clos des Ghildes. Le vignoble du Clos des Ghildes est placé aux premières loges en face de Pomerol. Par une belle soirée ensoleillée, se promenant sur les sables de Saint-Emilion à travers la vigne, on peut encore entendre la mélodie d'un basson. Les vins de Gérard Faisandier ne manquent pas d'harmonie.

Godeau (Château)

Grand Cru

Commune : Saint-Laurent-des-Combes. **Propriétaire :** S.C.I. du Château Godeau. Administrateur : Georges Litvine. Régisseur : J.-F. Galhaud. Œnologue conseil : Michel Rolland. **Superficie du vignoble :** 4 ha 25 a. **Age moyen du vignoble :** 25 ans. **Encépagement :** 35 % cabernet-sauvignon. 60 % merlot. 5 % cabernet-franc. **Production :** 20 000 bouteilles en M.D.C. **Visite des chais :** sur rendez-vous. Tél. 57 74 08 48. **Vente au château et par correspondance :** en France et à l'étranger.

C'est un industriel belge, M. Georges Litvine, qui s'est offert, en 1978, ce cabochon d'argile sur sous-sol calcaire. Le vignoble a fait l'objet d'une complète remise en état et le cuvier ressemble à un modèle d'exposition. Les vins sont très soutenus par des tanins virils et se situent dans un excellent « type Saint-Emilion ». La désignation de « Grand Cru » n'est pas du tout surfaite et correspond à une qualité bien réelle.

Gombaud Ménichot (Château) 🗼

→ *Union de Producteurs*

Gourdins (Domaine des)

Commune : Libourne. *Propriétaire :* Mme Coudreau.
Fermier : J.-P. Estager. Œnologue conseil : Gilles Pauquet.
Superficie du vignoble : 1 ha 50 a. *Age moyen du vignoble :*
15 ans. *Encépagement :* 80 % merlot. 20 % cabernet-franc.
Production : 7 tonneaux. 3 600 bouteilles en M.D.C. *Vente*
par correspondance : en France. Tél. 57 51 04 09. *Vente par*
le négoce : J.-P. Estager, Libourne.

Plusieurs propriétaires du Libournais ont un pied à Saint-Emilion et l'autre à Pomerol. C'est le cas de Jean-Pierre Estager qui exploite une douzaine d'hectares au Château La Cabane (voir notre livre sur Pomerol). A Saint-Emilion, on le trouve notamment comme fermier de Mme Coudreau, sur un hectare et demi situé dans l'ancienne appellation « Sables Saint-Emilion ». Il décrit lui-même son vin comme « fruité, à l'attaque souple, dont le bon équilibre d'ensemble lui permet d'évoluer assez rapidement tout en lui gardant son potentiel de vieillissement ». Au point de vue du prix de vente, le Domaine des Gourdins ne sera jamais un coup de bambou.

Grand Barrail Lamarzelle Figeac

Grand Cru classé

Commune : Saint-Emilion. *Propriétaire :* Association Carrère. Œnologue conseil : Michel Rolland. *Superficie du vignoble :* 19 ha. *Age moyen du vignoble :* 25 ans. *Encépagement :* 20 % cabernet-sauvignon. 70 % merlot. 10 % cabernet-franc. *Production :* 100 000 bouteilles en M.D.C. *Vente au château et par correspondance :* tél. 57 24 71 43.

L'association familiale Carrère est également propriétaire des Châteaux Lamarzelle à Saint-Emilion, Cambon La Pelouse en Haut-Médoc et Ladevigne à Bergerac. Les six membres de la famille se répartissent les tâches pour gérer cet important patrimoine viticole. Avec Cheval Blanc et Figeac, Grand Barrail Lamarzelle Figeac est l'un des plus gros domaines des Graves de Saint-Emilion. Détaché de Figeac vers le milieu du siècle dernier, ce cru fut reconstitué en 1895, après le phylloxéra, par un industriel du Nord nommé Bouchard (Enjalbert cite Boitard). C'est lui qui fit raser la chartreuse XVIIIe constituant l'habitation de maître afin de construire le château actuel. Le piquant de l'affaire fut qu'il édifia en même temps deux demeures sur les mêmes plans. L'une dans le Nord, au centre d'une brasserie qu'il possédait (le matériau de construction fut la brique) et l'autre, en pierre, dans sa nouvelle propriété de Saint-Emilion. L'histoire rose rapporte que son épouse légitime habitait le premier et sa maîtresse le second. Ainsi l'heureux mortel pouvait mener une double vie dans ses châteaux jumeaux sans jamais se tromper de chambre et il célébrait Cupidon et Bacchus à la bière de mars vers septentrion, au vin de Saint-Emilion du côté méridien !

Anticonstitutionnellement, qui passe pour être le plus long mot de la langue française, ne tient pas la distance typographique devant Grand Barrail Lamarzelle Figeac. Le premier compte 25 lettres, le second 35. Je l'ai souvent pris pour exemple de la complexité de certaines étiquettes bordelaises. Il faut avouer que les amateurs étrangers ont parfois du mérite à les mémoriser. J'en ai rencontré que ce jeu amusait mais la plupart se découragent vite. Quoi qu'il en soit, le cru dont j'ai l'honneur de vous parler produit un excellent vin bien dans le style des meilleurs quartiers de Figeac, c'est-à-dire très enveloppé, consistant et charnu avec une dominante de merlots qui se retrouve au nez par des arômes de cassis et en bouche par une belle onctuosité flatteuse pour le palais. Ce vin se serait-il trompé d'adresse ? Il me semble décrire un grand cru de Pomerol ! Mais qu'importe le Saint-Emilion, pourvu qu'on ait la papille en liesse !

Grand Bert (Château)

Commune : Saint-Sulpice-de-Faleyrens. *Propriétaire :* Philippe Lavigne. Œnologue conseil : M. Maugein à Puisseguin. *Superficie du vignoble :* 8 ha. *Age moyen du vignoble :* 15 ans. *Encépagement :* 5 % cabernet-sauvignon. 65 % merlot. 30 % cabernet-franc. *Production :* 50 000 bouteilles en M.D.C. *Visite des chais :* du lundi 10 h au samedi 12 h. Tél. 57 40 60 09. *Vente au château et par correspondance :* en France et à l'étranger. Philippe Lavigne, Saint-Philippe d'Aiguille, 33350 Castillon-la-Bataille. *Quand on s'appelle Philippe Lavigne, l'expression « tradition familiale » signifie vraiment quelque chose.*

Grand Bigaroux (Château)

Grand Cru

Commune : Saint-Sulpice-de-Faleyrens. *Propriétaire :* Jean-Louis Fayard. *Superficie du vignoble :* 4 ha. *Age moyen du vignoble :* 25 à 30 ans. *Encépagement :* 5 % cabernet-sauvignon. 90 % merlot. 5 % cabernet-franc. *Production :* 12 000 bouteilles en M.D.C. *Vente au château et par correspondance :* en France et à l'étranger. Tél. 57 24 75 18. *Vente par le négoce.*

Bigaroux est un hameau coupé en deux par la route qui vient de Libourne pour aller à Bergerac et son carrefour permet un accès quasi direct à Saint-Emilion en passant non loin de la Cave coopérative. C'est en 1978 que Jean-Louis Fayard a acquis cette propriété, étant déjà viticulteur au Moulin de Pierrefitte (voir ce nom), également situé dans la commune de Saint-Sulpice-de-Faleyrens. L'étiquette du « Grand Bigaroux » me semble fort intelligente et nombre de « châteaux » bordelais pourraient s'en inspirer. C'est la reproduction de la carte I.G.N. permettant de localiser exactement le cru. Au demeurant, elle habille des vins honnêtes qui déploient surtout leurs charmes dans les grandes années, les petits millésimes pouvant apparaître un peu minces et amers.

Grand Bouquey (Château)

→ *Union de Producteurs*

Grand Corbin (Château)

Grand Cru classé

Commune : Saint-Emilion. *Propriétaire :* Société familiale Alain Giraud. Administrateur : Geneviève Giraud. *Superficie du vignoble :* 12 ha 76 a 26 ca. *Age moyen du vignoble :* 25 ans. *Encépagement :* 30 % cabernet-sauvignon. 65 % merlot. 5 % cabernet-franc. *Production :* 80 000 bouteilles en M.D.C. *Visite des chais :* uniquement sur rendez-vous. Tél. 57 24 70 62. *Vente au château et par correspondance.*

« La viticulture offre plus de satisfactions que le droit. » Cet aphorisme bien senti sert de profession de foi à Philippe Giraud, petit-fils de Joseph qui fut propriétaire de Trotanoy à Pomerol et dont les descendants possèdent sur ce terroir les Châteaux Certan-Giraud et Clos du Roy. La famille est originaire de Normandie mais les Giraud se sont fixés dans le quartier de Corbin qu'il ne faut pas confondre avec le Corbin de Saint-Georges Saint-Emilion et qui, jusqu'au XVIIIe siècle, était une « terre noble ». La vigne y fit son apparition au milieu du XIXe, comme dans la majeure partie du secteur des Graves de Saint-Emilion, très assimilable, géomorphologiquement, à l'appellation Pomerol. Les vins cousinent aussi avec ce qu'il est convenu d'appeler le « type Pomerol ». Ils sont fermes, robustes et ronds. Ils savent s'épanouir assez vite et offrent de belles images de fruits rouges.

Grand-Corbin-Despagne (Ch.)

Grand Cru classé

Commune : Saint-Emilion. *Propriétaire :* Consorts Despagne. Régisseur et chef de culture : Guy Despagne. Œnologue conseil : Michel Rolland. *Superficie du vignoble :* 26 ha. *Age moyen du vignoble :* 60 ans. *Encépagement :* 5 % cabernet-sauvignon. 70 % merlot. 25 % cabernet-franc. *Production :* 100 tonneaux. *Visite des chais :* Guy Despagne. Tél. 57 51 74 04. *Vente au château et par correspondance :* en France. *Vente par le négoce.*

Lors des « épousailles » des vins de Bordeaux et de Bourgogne, le Grand-Corbin-Despagne 1947 fut servi au Clos Vougeot ; singulière faveur pour un cru bordelais que d'être admis au saint des saints bourguignon. A cette fête mémorable qui se passait dans les années cinquante, l'époux était le Bourgogne. Il ne se plaignit point que la mariée était trop belle. Il la trouva, dit-on, plutôt à son goût le temps d'une noce mais la chronique rapporte qu'il revint vite à ses premières amours, du côté de la Romanée et du Clos de Bèze, tandis que l'épousée, élevée en odeur de sainteté grâce au bon Saint-Emilion, décidait de rentrer sagement au berceau familial pour éviter les scènes de ménage. A dire vrai, le mariage fut-il jamais consommé ? Et il paraît que ce coquin de Bourgogne avait convolé, bien longtemps auparavant, avec le jambon de Mayence tandis que Bordeaux refaisait sa vie avec le fromage de Gouda. Quelle histoire ! Et je ne vous dis pas tout ! Depuis ce temps-là, le Grand-Corbin-Despagne se prend pour un grand cru de Pomerol, le Bourgogne des vins de Bordeaux.

Grand Corbin Manuel (Château)

Grand Cru

Commune : Saint-Emilion. **Propriétaire :** Pierre Manuel. **Superficie du vignoble :** 12 ha. **Age moyen du vignoble :** 20 ans. **Encépagement :** 40 % cabernet-sauvignon. 45 % merlot. 15 % cabernet-franc. **Production :** 70 000 bouteilles en M.D.C. **Visite des chais :** Pierre Manuel. Tél. 57 51 12 47. **Vente au château et par correspondance :** en France et à l'étranger. **Vente par le négoce :** Coste & Fils. *Avec une dominante de cabernets (sauvignons et francs) les vins de Pierre Manuel possèdent une race remarquable.*

Grand Destieu (Château)

Commune : Saint-Sulpice-de-Faleyrens. **Propriétaire :** Claude Thibaud. Œnologue conseil : M. Rolland. **Superficie du vignoble :** 9 ha 60 a. **Age moyen du vignoble :** 30 ans. **Encépagement :** 20 % cabernet-sauvignon. 80 % merlot. **Production :** 50 tonneaux. 6 000 bouteilles en M.D.C. **Vente au château et par correspondance :** en France. Tél. 57 24 73 48. **Vente par le négoce.**

En l'an de grâce 1445, le capitaine d'Estieu, officier du régiment de Navarre, décida de faire la première et dernière « retraite » de sa vie. Il se fixa à Saint-Sulpice-de-Faleyrens, donnant son nom à l'endroit où il s'était établi. Depuis cinq générations, le Château Grand Destieu est la propriété de la famille Thibaud, également viticulteurs à Vignonet (Château Brisson). Les vins ont du corps et une sève agréable avec une bonne richesse d'alcool. Les meilleures cuvées sont élevées en barriques pendant deux ans. Les Thibaud les réservent à leur fidèle clientèle particulière.

Grandes Murailles (Château)

Grand Cru classé

Commune : Saint-Emilion. **Propriétaire :** S.C. des Grandes Murailles. Fermiers : M. et Mme Reiffers. Chef de culture et maître de chai : Jean Brun. Œnologue conseil : Michel Rolland. **Superficie du vignoble :** 2 ha. **Age moyen du vignoble :** 30 ans. **Encépagement :** 20 % cabernet-sauvignon. 60 % merlot. 20 % cabernet-franc. **Production :** 12 000 bouteilles en M.D.C. **Vente au château et par correspondance :** Château Côte Baleau, 33330 Saint-Emilion. Tél. 57 24 71 09. **Vente par le négoce.**

Boum, paf et toc ! Comme au jeu de massacre, les Grandes Murailles et le Château Côte Baleau sont tombés au champ d'horreur des déclassés. Ils appartiennent à la famille Reiffers, héritière des Malen, propriétaire également du Clos Saint-Martin. La Commission de l'I.N.A.O. a eu un malin plaisir à souffler sur ces étiquettes qui formaient un gentil château de cartes. Autant en emporte le vent ? Cela n'est

Malgré le souffle des censeurs, les Grandes Murailles sont toujours debout.

pas évident. Les « grandes murailles » sont le plus vénérable, le plus pittoresque... peut-être le plus célèbre des pans de murs de Saint-Emilion. Quelle gloire y a-t-il à démolir un pan de mur ? Bien entendu, mon image est à prendre au sens figuré. Mais, pour illustrer la couverture de ce livre j'ai eu à cœur de choisir une photographie de ces grandes murailles. Ce n'était pas pour l'originalité du cliché mais pour sa représentativité. On va encore me taxer de provocation. Pourtant, les Grandes Murailles représentent un symbole aujourd'hui entré dans la légende. Il ne faut pas détruire les légendes. Dans mon livre sur Chablis, je cite le poète Patrice de La Tour du Pin : « Tous les pays qui n'ont plus de légendes sont condamnés à mourir de froid . » Déclasser 2 hectares de terroir historique : quelle honte ! Et moi je dis à l'amateur de se réchauffer les entrailles avec une bouteille de ces Grandes Murailles.

Grand Faurie (Domaine)

Grand Cru

Commune : Saint-Emilion. *Propriétaire :* René Bodet. Œnologue conseil : M. Chaine. *Superficie du vignoble :* 4 ha. *Age moyen du vignoble :* 15 ans. *Encépagement :* 20 % cabernet-sauvignon. 70 % merlot. 10 % cabernet-franc. *Production :* 18 à 20 tonneaux. *Vente par correspondance :* en France et à l'étranger. Tél. 56 85 81 42. *René Bodet a pris la suite de ses parents en 1957. Il s'est fait une bonne clientèle directe.*

Grand Fortin (Château)

Commune : Saint-Emilion. **Propriétaire :** S.C.E. des Vignobles A. Janoueix. Administrateur : Michel Janoueix. Maître de chai : Guy Janoueix. Œnologue conseil : C.B.C. Libourne. **Superficie du vignoble :** 6 ha. **Age moyen du vignoble :** 20 ans. **Encépagement :** 25 % cabernet-sauvignon. 50 % merlot. 25 % cabernet-franc. **Production :** 25 tonneaux. 2 500 bouteilles en M.D.C. **Vente par le négoce :** bordelais. Tél. 57 51 06 99 ou 57 51 41 24.

Grand Lartigue (Château)

Grand Cru

Commune : Saint-Emilion. **Propriétaires :** M. et Mme Daudier de Cassini. Maître de chai : M. Oizeau. Œnologue conseil : M. Rémy Cassignard. **Superficie du vignoble :** 7 ha. **Age moyen du vignoble :** 25 ans. **Encépagement :** 10 % cabernet-sauvignon. 60 % merlot. 30 % cabernet-franc. **Production :** 42 000 bouteilles en M.D.C. **Vente par correspondance :** en France. Tél. 57 24 73 83. *C'est la qualité du vin de Saint-Emilion et le charme de sa région qui ont incité M. et Mme Daudier de Cassini à devenir propriétaires viticulteurs en 1977.*

Grand Mayne (Château)

Grand Cru classé

Commune : Saint-Emilion. **Propriétaire :** Jean-Pierre Nony. Chef de culture : René Venat. Œnologue conseil : Michel Rolland. **Superficie du vignoble :** 16 ha 87 a 15 ca. **Age moyen du vignoble :** 25 ans. **Encépagement :** 10 % cabernet-sauvignon. 50 % merlot. 40 % cabernet-franc. **Production :** 80 tonneaux. **Visite des chais :** Jean-Pierre Nony. Tél. 57 74 42 50. **Vente au château et par correspondance :** en France. **Vente par le négoce.**

A la saison des palombes, qui est aussi celle des vendanges, la vigne vierge qui habille les murs de Grand Mayne se teint de pourpre comme la somptueuse robe du soir d'un grand couturier. Il fallut plusieurs siècles pour en achever le modèle. Le manoir qui forme le bustier ne s'est guère démodé à partir du XVe siècle, grâce à quelques retouches de style et la longue traîne des chais fut achevée au XVIIIe. A cette époque, le Maine était dans le patrimoine des Laveau, une puissante famille de Libourne qui gagna sa fortune grâce au « commerce des Iles ». Le fils de Jacques Laveau fut, au début du XIXe, le plus important propriétaire foncier de Saint-Emilion avec près de 300 hectares de terres dont les vignobles de Soutard et du Maine. A la mort de Jean Laveau, en 1836, ce petit empire fut morcelé entre de multiples héritiers mais l'intégrité du territoire du Maine fut à peu près préservée. Le vignoble et son château se trouvent à l'ouest de Saint-Emilion en un seul tenant, sur des terrains argilo-calcaires et sablo-graveleux. L'encépagement semble fort judicieux

Le Château Grand Mayne est un fort beau domaine doté de bâtiments harmonieux.

(voir fiche technique) et bien adapté aux natures géologiques et à leurs expositions. Jean Nony a succédé à son père en 1975. Depuis lors, il administre entièrement l'exploitation et privilégie les méthodes de vinification les plus modernes. Les vendanges sont manuelles. Selon le millésime, l'éraflage est total ou partiel. La fermentation se passe dans une batterie de cuves d'acier inoxydable qui a une capacité de 1 920 hectolitres. Les températures sont rigoureusement surveillées et asservies. Les écoulages se font en barriques dont la moitié est renouvelée chaque année. Les vins du Château Grand Mayne ont une couleur soutenue grâce aux cuvaisons longues. Ils ont du corps mais se distinguent surtout par leur délicatesse aromatique et la finesse qui se dégage des tanins. La régularité des qualités, d'un millésime à l'autre, mérite d'être mentionnée. Exemple : les 1977, 1980 et 1984 ont produit des bouteilles tout à fait dignes de ce Grand Cru classé.

Grand Mirande (Château)

Grand Cru

Commune : Saint-Emilion. **Propriétaire :** Christian Junet. Œnologue conseil : Gilles Pauquet. **Superficie du vignoble :** 9 ha. **Age moyen du vignoble :** 20 ans. **Encépagement :** 5 % cabernet-sauvignon. 60 % merlot. 35 % cabernet-franc. **Production :** 30 tonneaux. 12 000 bouteilles en M.D.C. **Vente au château et par correspondance :** en France et à l'étranger. Tél. 57 51 34 91. **Vente par le négoce :** Bordeaux et Libourne. *L'arrière-grand-père mesurait 1,98 m et il s'appelait Mirande. Voilà l'origine ancestrale du Château Grand Mirande qui a des cuves en ciment.*

Grand-Pey-Lescours (Château)

Grand Cru

Commune : Saint-Sulpice-de-Faleyrens. *Propriétaire :* G.F.A. Héritiers Escure. Administrateur-gérant : Pierre Escure. *Superficie du vignoble :* 27 ha. *Age moyen du vignoble :* 15 ans. *Encépagement :* 65 % merlot. 35 % cabernet-franc. *Production :* 150 000 bouteilles en M.D.C. *Vente au château et par correspondance :* en France. Tél. 57 51 07 59. *Vente par le négoce. La famille Escure est également propriétaire du Château Bellile-Mondotte à Saint-Laurent-des-Combes.*

Grand-Pontet (Château)

Grand Cru classé

Commune : Saint-Emilion. *Propriétaire :* S.A. Grand-Pontet. Administrateur-gérant : Claude Pourquet. Régisseurs : Gérard et Dominique Bécot. Œnologue conseil : Michel Rolland. *Superficie du vignoble :* 14 ha. *Age moyen du vignoble :* 50 ans. *Encépagement :* 10 % cabernet-sauvignon. 75 % merlot. 15 % cabernet-franc. *Production :* 65 000 bouteilles en M.D.C. *Visite des chais :* sur rendez-vous. Tél. 57 74 46 87. *Vente au château et par correspondance. Vente par le négoce :* bordelais en primeur.

Sur le fameux plateau ouest de Saint-Emilion, Grand-Pontet étale ses quatorze hectares calcaires, à 900 mètres de la Collégiale et à 500 mètres de la vieille église Saint-Martin de Mazerat. Ce fut, pendant plusieurs années, la propriété de la société de négoce Barton et Guestier qui en assuma la distribution principalement dans les pays anglo-saxons. En 1980, les familles Pourquet, Bécot (Beau-Séjour Bécot) et Berjal mirent leurs moyens en commun pour acquérir l'exploitation. Les vins sont

à la fois solides et nerveux. La forte proportion de merlots se retrouve en bouche avec rondeur mais le terroir impose sa vigueur. Dans les grandes années, on peut être surpris par la richesse alcoolique. Ce sont alors, sans aucun doute, des vins de bonne garde.

Grangey (Château)

→ *Union de Producteurs*

Grand Cru

Gravet (Château)

Grand Cru

Commune : Saint-Sulpice-de-Faleyrens. *Propriétaire :* Jean Faure. *Superficie du vignoble :* 8 ha 50 a. *Age moyen du vignoble :* 25 ans. *Encépagement :* 80 % merlot. 20 % cabernet-franc. *Production :* 54 000 bouteilles en M.D.C. *Visite des chais :* M. Faure. Tél. 57 24 75 68. *Vente au château et par correspondance :* en France et à l'étranger.

Ici aussi, la tradition familiale porte ses fruits, puisque les récents millésimes du Château Gravet lui ont valu nombre de médailles d'or aux expositions. La propriété est protégée des vents du nord par la colline du Château Tertre Daugay et elle bénéficie d'un microclimat très favorable. Grâce à sa proportion de merlots, le vin trouve du fruit, du bouquet et de la souplesse caractérisée par des tanins bien fondus. L'ensemble des bâtiments d'exploitation et de la maison d'habitation attenante respirent l'ordre et la netteté qui inspirent la confiance. Pour un amateur soucieux de bien utiliser son budget de cave, je recommande Gravet comme un vin bien fait et d'un prix abordable. Les petits millésimes pour les repas simples, les moyens pour les dimanches, et les grands pour les fêtes.

Gravet-Renaissance (Château)

Grand Cru

Commune : Saint-Sulpice-de-Faleyrens. *Propriétaire :* Albert Peuch. *Œnologue conseil :* Jean-François Chaine. *Superficie du vignoble :* 9 ha. *Age moyen du vignoble :* 30 ans. *Encépagement :* 7 % cabernet-sauvignon. 60 % merlot. 30 % cabernet-franc. 3 % malbec. *Production :* 72 000 bouteilles en M.D.C. *Vente par le négoce :* Vente directe, dans le cadre de la société familiale Peuch et Besse, le tout en M.D.C. ; diffusion en France et à l'exportation, surtout Belgique, Suisse, U.S.A.

Graviers d'Elliès (Château des)

Grand Cru

Commune : Saint-Sulpice-de-Faleyrens. *Propriétaire :* Max Ellies. Administrateur : Jean-Pierre Rollet. Chef de culture : Marcel Zamparo. Maître de chai : Luca Zamparo. Œnologue conseil : François Maurin. *Superficie du vignoble :* 7 ha. *Encépagement :* 25 % cabernet-sauvignon. 75 % merlot. *Production :* 46 700 bouteilles en M.D.C. *Vente au château et par correspondance :* en France et à l'étranger. Vignobles Rollet, B.P. 23, 33330 Saint-Emilion. Tél. 57 47 15 13. *Chez les Rollet, on est vigneron de père en fils depuis plus de 250 ans. C'est ce qui s'appelle avoir du métier !*

Gravillon (Château du)

Commune : Saint-Sulpice-de-Faleyrens. **Propriétaire** : Georges Lavaud. Œnologue conseil : Michel Rolland. **Superficie du vignoble** : 3 ha 50 a. **Age moyen du vignoble** : 25 ans. **Encépagement** : 20 % cabernet-sauvignon. 60 % merlot. 20 % cabernet-franc. **Production** : 17 000 bouteilles en M.D.C. **Visite des chais** : tél. 57 24 52 73. **Vente au château et par correspondance.** *Elevé dans la vigne, Georges Lavaud est sorti du rang et il assume des responsabilités au sein de la Fédération des cadres agricoles.*

Gros-Caillou (Château)

Commune : Saint-Sulpice-de-Faleyrens. **Propriétaire** : Jacques Dupuy. Œnologue conseil : Gilles Pauquet. **Superficie du vignoble** : 18 ha. **Age moyen du vignoble** : 20 ans. **Encépagement** : 5 % cabernet-sauvignon. 90 % merlot. 5 % cabernet-franc. **Production** : 80 tonneaux. 55 000 bouteilles en M.D.C. **Vente au château et par correspondance** : Tél. 57 24 74 91 ou 57 24 75 69. **Vente par le négoce** : bordelais. *Jacques Dupuy a succédé à son père Georges depuis 1981. Son vin tend vers la souplesse.*

Guadet-Saint-Julien (Château)

Grand Cru classé

Commune : Saint-Emilion. **Propriétaire** : Robert Lignac. Œnologue conseil : P.F. Chenard. **Superficie du vignoble** : 6 ha. **Age moyen du vignoble** : 25 ans. **Encépagement** : 75 % merlot. 25 % cabernet-franc. **Production** : 24 000 bouteilles en M.D.C. **Visite des chais** : Robert Lignac. Tél. 57 74 40 04. **Vente au château et par correspondance** : en France et à l'étranger. **Vente par le négoce.**

Réminiscence de l'Histoire, le petit domaine de Saint-Julien à Saint-Emilion porte aussi le nom de Marie Elie Guadet, avocat, député Girondin, qui fut guillotiné en juin 1794. Moins d'un siècle plus tard, le vignoble fut acheté par Mathieu Garitey, arrière-grand-père du propriétaire actuel. Sa situation est très favorable, à l'entrée

nord de la cité, sur le plateau proche de la Porte bourgeoise. Le visiteur pourra admirer les caves magnifiques. Les vins ont une belle puissance d'alcool et de tanins. Ils sont assez riches en arômes et en matières pour permettre un vieillissement de plusieurs années.

Gueyrosse (Château)

Commune : Libourne. **Propriétaire :** Yves Delol. Œnologue conseil : M. Pauquet. **Superficie du vignoble :** 4 ha 70 a. **Age moyen du vignoble :** 40 ans. **Encépagement :** 20 % cabernet-sauvignon. 60 % merlot. 20 % cabernet-franc. **Production :** 24 000 bouteilles en M.D.C. **Visite des chais :** sur rendez-vous. Tél. 57 51 02 63. **Vente au château et par correspondance :** en France et à l'étranger.

En pleine banlieue libournaise, d'une allure féodale, les pieds dans l'argile, et bordant la Dordogne, le Château Gueyrosse surprend le visiteur. La propriété entre dans la famille Delol par Madame Delol née Magen. Son père, M. Ernest Magen, négociant à Libourne, en a été le premier acquéreur. A l'époque de l'achat, en 1855, Château Gueyrosse est une grosse maison bourgeoise. Vingt ans plus tard, après de longs travaux, l'ancienne demeure se présente avec l'architecture anachronique d'un château médiéval.

Yves Delol était fermier de la propriété depuis 1973 lorsqu'en 1982, au décès de son père, il en devient propriétaire. Originaire du Sauternais, Yves Delol accueille avec gentillesse les visiteurs. Il ne vend pas sa production par l'intermédiaire d'une maison de négoce. Il tient à être en prise directe avec sa clientèle. D'ailleurs, Château Gueyrosse et Yves Delol forment un tout indissociable soudé par quelque chose qui ressemble à l'amour. Le Domaine Chante Alouette Cormeil est sa seconde propriété. Il dirige ses exploitations avec une bienveillance paternaliste, n'oubliant pas toutefois de pousser, de temps à autre, le « coup de gueule » qui convient au chef. Cela fait partie de la tradition, comme les vendanges manuelles (avec une troupe d'étudiants qui agrandit la famille pendant quelques jours) ou comme le collage aux blancs d'œufs quatre mois avant la mise en bouteilles.

Gueyrosse (Domaine de)

Commune : Libourne. **Propriétaire :** Robert Mignon. Œnologue conseil : M. Pauquet. **Superficie du vignoble :** 62 a. **Age moyen du vignoble :** 15 ans. **Encépagement :** 75 % merlot. 25 % cabernet-franc. **Production :** 2 000 bouteilles en M.D.C. **Vente par le négoce :** en vrac. Tél. 57 51 37 78. *Reliquat d'un vignoble de quatre hectares sur lequel le père vivait mais qui fut divisé entre cinq enfants.*

Gueyrot (Château)

Commune : Saint-Emilion. **Propriétaires :** de La Tour du Fayet Frères. **Superficie du vignoble :** 8 ha 50 a. **Age moyen du vignoble :** 25 ans. **Encépagement :** 20 % cabernet-sauvignon. 60 % merlot. 20 % cabernet-franc. **Production :** 40 000 bouteilles en M.D.C. **Vente au château et par correspondance :** en France. Tél. 57 24 72 08.

Guignan la Tonnelle (Château)

Commune : Saint-Sulpice-de-Faleyrens. **Propriétaire** : Arlette Rambeaud. Chef de culture : Gérard Jayle. Œnologue conseil : Michel Rolland. **Superficie du vignoble** : 2 ha 16 a. **Age moyen du vignoble** : 15 ans. **Encépagement** : 50 % cabernet-sauvignon. 50 % merlot. **Production** : 1 500 bouteilles en M.D.C. **Vente au château et par correspondance** : en France. Mme Rambeaud, Les Bigaroux, 33330 Saint-Sulpice-de-Faleyrens. Tél. 57 24 76 66. **Vente par le négoce.**

Guillemin La Gaffelière (Ch.)

Grand Cru

Commune : Saint-Emilion. **Propriétaire** : S.C.E. des Vignobles Fompérier. Directeur-gérant : Yves Fompérier. **Superficie du vignoble** : 9 ha 50 a. **Age moyen du vignoble** : 35 ans. **Encépagement** : 15 % cabernet-sauvignon. 65 % merlot. 15 % cabernet-franc. 5 % malbec. **Production** : 60 000 bouteilles en M.D.C. **Vente au château et par correspondance** : en France. Tél. 57 74 46 92. *Un tiers des terrains est sablonneux, un tiers alluvio-calcaire, un tiers sur coteau calcaire. L'équilibre est satisfaisant.*

Guillemot (Château)

Commune : Saint-Christophe-des-Bardes. **Propriétaire** : Pierre Lavau. Œnologue conseil : C.B.C. Libourne. **Superficie du vignoble** : 8 ha. **Age moyen du vignoble** : 20 ans. **Encépagement** : 30 % cabernet-sauvignon. 40 % merlot. 30 % cabernet-franc. **Production** : 30 tonneaux. 12 000 bouteilles en M.D.C. **Vente au château** : tél. 57 24 77 21. **Vente par le négoce** : Ets Quancard.

Haut-Badette (Château)

Commune : Saint-Emilion. **Propriétaire** : Jean-François Janoueix. Chef de culture : Max Chabrerie. Maître de chai : Paul Cazenave. Œnologues conseils : MM. Legendre & Pauquet. **Superficie du vignoble** : 4 ha 50 a. **Age moyen du vignoble** : 30 ans. **Encépagement** : 10 % cabernet-sauvignon. 90 % merlot. **Production** : 30 000 bouteilles en M.D.C. **Visite des chais** : sur rendez-vous. Tél. 57 24 70 98 ou 57 51 41 86. **Vente au château et par correspondance** : en France et à l'étranger. *Le vignoble de Haut-Badette s'étend au pied des Châteaux Haut-Sarpe et Balestard la Tonnelle. Le vin est d'une évolution rapide.*

Haut-Brisson (Château)

Commune : Vignonet. *Propriétaire :* Yves Blanc. *Chef de culture :* Michel Martrinchard. *Maître de chai :* J.-F. Vergne. Œnologue conseil : M. Hébrard. *Superficie du vignoble :* 13 ha. *Age moyen du vignoble :* 18 ans. *Encépagement :* 30 % cabernet-sauvignon. 60 % merlot. 10 % cabernet-franc. *Production :* 86 000 bouteilles en M.D.C. *Visite des chais :* tél. 57 51 54 73. *Vente par correspondance :* 167, av. Foch, BP 170, 33501 Libourne Cedex.

En 1974, Yves Blanc quitta la coopérative pour voler de ses propres ailes. Trois ans plus tard, il partait à la conquête des marchés, joignant à sa science de viticulteur un réel talent de vendeur. Aujourd'hui, 90 % de ses ventes sont réalisées à l'exportation. Sa marque se retrouve sur les cartes des restaurants célèbres. Robert Parker estime que Haut-Brisson devrait être promu au rang de Grand Cru classé.

Haut-Bruly (Ch.) 🏠 → Union de Producteurs

Haut-Cadet (Château)

Commune : Saint-Emilion. *Propriétaire :* S.C.I. du Château Haut-Cadet. Administrateur : Jean Lafaye. Chef de culture et maître de chai : Gabriel Audebert. Œnologue conseil : M. Chaine. *Superficie du vignoble :* 12 ha. *Age moyen du vignoble :* 25 ans. *Encépagement :* 65 % merlot. 35 % cabernet-franc. *Production :* 66 000 bouteilles en M.D.C. *Visite des chais :* tél. 57 40 08 88. *Vente par le négoce.*

Le vignoble de « Cadet » s'étend sur trois quartiers : au Cadet, le sol est formé par des calcaires à astéries ; au Bragard, il est siliceux avec sous-sol argileux ; à Jean Voisin, c'est l'argile mélangée d'alios qui domine. Depuis juillet 1985, des capitaux hollandais sont venus s'investir dans cette propriété de bon aloi.

Haut-Corbin (Château)

Commune : Saint-Emilion. *Propriétaire :* S.C.A. Haut-Corbin. Administrateur : M. Parment. Régisseur et maître de chai : Dominique Teyssou. Directeur et œnologue-conseil : Georges Pauli. *Superficie du vignoble :* 6 ha 50 a. *Age moyen du vignoble :* 25 ans. *Encépagement :* 19% cabernet-sauvignon, 70% merlot, 11% cabernet-franc. *Production :* 40 000 bouteilles en M.D.C. *Visite des chais :* Mme Malbec, tél. 56 31 44 44. *Vente par correspondance :* en France. Château Haut-Corbin, 33330 Saint-Emilion. *Vente par le négoce :* Ets Cordier.

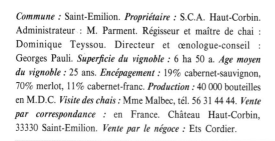

Haute-Nauve (Château)

→ *Union de Producteurs*

Grand Cru

Hautes Graves du Rouy (Ch.)

Commune : Vignonet. *Propriétaire :* Guy Bouladou. Chefs de culture : Bernard et Guy Bouladou. Œnologue conseil : M. Hébrard. *Superficie du vignoble :* 19 ha 70 a. *Age moyen du vignoble :* 30 ans. *Encépagement :* 75 % merlot. 25 % cabernet-franc. *Production :* 80 tonneaux. 25 000 bouteilles en M.D.C. *Vente au château et par correspondance :* tél. 57 84 55 92. *Vente par le négoce :* cave coopérative et Maison Cordier.

Hautes Versannes (Château)

→ *Union de Producteurs*

Haut-Ferrandat (Château)

Commune : Saint-Emilion. *Propriétaire :* Christian Goujou. Œnologue conseil : C.B.C. Libourne. *Superficie du vignoble :* 6 ha 50 a. *Age moyen du vignoble :* 30 ans. *Encépagement :* 1 % cabernet-sauvignon. 80 % merlot. 19 % cabernet-franc. *Production :* 34 tonneaux. 15 000 bouteilles en M.D.C. *Vente au château et par correspondance :* tél. 57 24 74 62. *Vente par le négoce :* en vrac. *Christian Goujou, qui est un bon viticulteur devrait s'organiser pour faire la mise en bouteilles lui-même.*

Haut-Fonrazade (Château)

Grand Cru

Commune : Saint-Emilion. *Propriétaire :* Jean-Claude Carles. Œnologue conseil : M. Rolland. *Superficie du vignoble :* 11 ha. *Age moyen du vignoble :* 15 ans. *Encépagement :* 10 % cabernet-sauvignon. 70 % merlot. 20 % cabernet-franc. *Production :* 72 000 bouteilles en M.D.C. *Visite des chais :* sur rendez-vous. Tél. 57 24 78 92. *Vente au château et par correspondance :* en France et à l'étranger. Château Coudert, Saint-Christophe-des-Bardes. *Vente par le négoce :* libournais. *Vendanges manuelles mais vinification en cuves ciment et aucun vieillissement en barriques.*

Haut-Grand-Faurie (Château) 🜨 → Larmande

Haut-Gravet (Château)

Grand Cru

Commune : Saint-Sulpice-de-Faleyrens. **Propriétaire :** Alain Aubert. **Superficie du vignoble :** 4 ha 51 a. **Age moyen du vignoble :** 25 ans. **Encépagement :** 10 % cabernet-sauvignon. 60 % merlot. 30 % cabernet-franc. **Production :** 25 000 bouteilles en M.D.C. **Visite des chais :** tél. 57 40 04 30. **Vente au château et par correspondance :** en France et à l'étranger. *Puissance, rondeur et sève avec une bonne aptitude au vieillissement.*

Haut Gros Caillou (Château)

Commune : Saint-Sulpice-de-Faleyrens. **Propriétaire :** Paul Lafaye. **Superficie du vignoble :** 6 ha 40 a. **Age moyen du vignoble :** 30 ans. **Encépagement :** 5 % cabernet-sauvignon. 70 % merlot. 25 % cabernet-franc. **Production :** 35 tonneaux. 12 000 bouteilles en M.D.C. **Visite des chais :** Paul Lafaye. **Tél. 57 24 75 75. Vente au château et par correspondance :** en France. **Vente par le négoce.**

Haut-Gueyrot (Château)

Commune : Saint-Laurent-des-Combes. **Propriétaire :** Jean-Marcel Gombeau. Œnologue conseil : M. Chaine. **Superficie du vignoble :** 8 ha. **Age moyen du vignoble :** 25 ans. **Encépagement :** 15 % cabernet-sauvignon. 70 % merlot. 15 % cabernet-franc. **Production :** 40 tonneaux. 24 000 bouteilles en M.D.C. **Vente au château et par correspondance :** en France. **Tél. 57 24 60 53. Vente par le négoce.** *Du temps du grand-père Delbos on cultivait 4 à 5 journaux de blé. Jean-Marcel Gombeau en a fait un joli vignoble agrandi qui est tenu comme un jardin.*

Haut-Jaugue-Blanc (Château)

Commune : Saint-Emilion. **Propriétaire :** Joseph Debacque. Œnologue conseil : M. Hébrard. **Superficie du vignoble :** 1 ha 50 a. **Age moyen du vignoble :** 15 ans. **Encépagement :** 50 % merlot. 50 % cabernet-franc. **Production :** 10 tonneaux. 1 000 bouteilles en M.D.C. **Visite des chais :** sur rendez-vous. **Tél. 57 51 27 44. Vente au château. Vente par le négoce.**

Haut-Jonqua (Château)

Commune : Saint-Sulpice-de-Faleyrens. *Propriétaire :* Georges Ripes. *Superficie du vignoble :* 4 ha 25 a. *Age moyen du vignoble :* 10 à 30 ans. *Encépagement :* 10 % cabernet-sauvignon. 70 % merlot. 20 % cabernet-franc. *Production :* 22 à 25 tonneaux. *Visite des chais :* tous les jours. Tél. 57 24 75 92. *Vente au château et par correspondance :* en France et à l'étranger. *Vente par le négoce. Georges Ripes encourage ses clients particuliers à faire eux-mêmes la mise en bouteilles en livrant son vin en cubitainers.*

Haut-Jura (Château)

Commune : Saint-Emilion. *Propriétaire :* Société Civile d'Exploitation Andrieu & Fils. Chef de culture : René Andrieu. Maître de chai : Christian Andrieu. Œnologue conseil : M. Callède. *Superficie du vignoble :* 49 a. *Age moyen du vignoble :* 16 ans. *Encépagement :* 100 % merlot. *Production :* 3 000 bouteilles en M.D.C. *Visite des chais :* tél. 57 74 66 07. *Vente au château et par correspondance :* S.C.E. Andrieu & Fils, 33230 Saint-Denis de Pile.

Haut-Lavallade (Château)

Grand Cru

Commune : Saint-Christophe-des-Bardes. *Propriétaires :* Jean-Pierre Chagneau & Fils. Œnologue conseil : M. Maugein. *Superficie du vignoble :* 12 ha. *Age moyen du vignoble :* 35 ans. *Encépagement :* 15 % cabernet-sauvignon. 65 % merlot. 20 % cabernet-franc. *Production :* 60 000 bouteilles en M.D.C. *Visite des chais :* tous les jours de 8 h à 12 h et de 14 h à 18 h. Le dimanche sur rendez-vous. Tél. 57 24 77 47. *Vente au château et par correspondance :* en France et à l'étranger. *Une bonne dimension pour une exploitation transmise d'une génération à l'autre depuis le trisaïeul du propriétaire actuel.*

Haut-Lavergne (Château)

→ *Union de Producteurs*

Haut-Matras Côte Daugay (Château)

→ *Franc-Cros*

Haut-Mazerat (Château)

Grand Cru

Commune : Saint-Emilion. *Propriétaire :* G.A.E.C. Gouteyron Frères. Administrateurs : Francis et Christian Gouteyron. Œnologue conseil : M. Rolland. *Superficie du vignoble :* 11 ha 30 a. *Age moyen du vignoble :* 25 ans. *Encépagement :* 10 % cabernet-sauvignon. 60 % merlot. 30 % cabernet-franc. *Production :* 80 000 bouteilles en M.D.C. *Visite des chais :* sur rendez-vous. Tél. 57 74 44 69 ou 57 24 71 15. *Vente au château et par correspondance :* en France et à l'étranger. *Vente par le négoce.*

A l'ouest du village de Saint-Emilion, Haut-Mazerat occupe une gorge microclimatique entre Bellevue-Contet et Daugay. L'ensoleillement y est exceptionnel et le sous-sol se caractérise par une nappe phréatique peu profonde et abondante. Cette combinaison chaleur/fraîcheur fournit des rendements substantiels et des degrés élevés dans les grandes années. Une partie du vignoble est plantée sur des éboulis argilo-calcaires qu'on appelle « terre clappe ». Je rapporte ce fait pour inciter le dégustateur à faire entendre des clappements approbateurs.

Haut-Mazerat (Clos) 🍷 → Haut-Mazerat

Haut-Montil (Château) 🏰

→ Union de Producteurs

Grand Cru

Haut-Moureaux (Château) 🏰

→ Union de Producteurs

Haut-Patarabet (Domaine du)

Grand Cru

Commune : Saint-Emilion. *Propriétaire :* François et Pierre Ouzoulias. Régisseur : Pierre Ouzoulias. Œnologue conseil : Michel Rolland. *Superficie du vignoble :* 3 ha 50 a. *Age moyen du vignoble :* 25 ans. *Encépagement :* 90 % merlot. 10 % cabernet-franc. *Production :* 13 000 bouteilles en M.D.C. *Vente par correspondance :* en France. 17, rue du Colonel Picot, 33500 Libourne. Tél. 57 51 07 55. *Vente par le négoce :* Ets Ouzoulias S.A. 10, av. du Parc, 33500 Libourne. *Patarabet signifie en occitan « le pied du ravin ». De fait, il jouxte La Gaffelière en bas du coteau de Pavie.*

Haut-Peyroutas (Château)

Grand Cru

Commune : Vignonet. *Propriétaire :* Guy Labécot. Œnologue conseil : Michel Rolland. *Superficie du vignoble :* 5 ha 50 a. *Age moyen du vignoble :* 15 ans. *Encépagement :* 50 % merlot. 50 % cabernet-franc. *Production :* 27 tonneaux. 8 000 bouteilles en M.D.C. *Visite des chais :* tous les jours. Tél. 57 84 53 31. *Vente au château et par correspondance :* en France. *Vente par le négoce :* bordelais.

Guy Labécot ne continuera pas le travail de son père, M. André Labécot, forgeron à Vignonet. Après son service militaire, au cours d'une partie de chasse, Guy Labécot repéra une parcelle de vigne que son père acheta illico. Cela se passait en 1950. Puis, poussé par des amis, il étendit autant qu'il put son vignoble. C'est ainsi que, cinq ans plus tard, la marque de Haut-Peyroutas fut déposée. Guy Labécot aime la chasse au gros gibier. Une meute d'une trentaine de chiens vous accueille à l'entrée de Haut-Peyroutas. Madame Labécot est dynamique, énergique et souriante. Pour les vendanges, c'est elle qui mène la troupe. Leur fils Fabien est aussi à la tâche. Un cuissot de sanglier et une bouteille de Haut-Peyroutas feront toujours bon ménage.

Haut-Plantey (Château)

Grand Cru

Commune : Saint-Emilion. *Propriétaire :* Michel Boutet. Chef de culture et maître de chai : Jean-Claude Micoine. Œnologue conseil : Rémi Cassignard. *Superficie du vignoble :* 9 ha. *Age moyen du vignoble :* 30 ans. *Encépagement :* 80 % merlot. 20 % cabernet-franc. *Production :* 48 000 bouteilles en M.D.C. *Visite des chais :* sur rendez-vous. Tél. 57 24 70 86. *Vente au château et par correspondance :* en France. *Vente par le négoce :* place de Bordeaux. *Ancien castel des abbés Marquaux, vignoble très morcelé dont la vendange est vinifiée aux chais du Château Petit Val dont Michel Boutet est également propriétaire.*

Haut-Pontet (Château)

Grand Cru

Commune : Saint-Emilion. *Propriétaire :* G.F.A. du Château Haut-Pontet. Administrateur et maître de chai : Yves Limouzin. Chef de culture : M. et Mme Grasseau. Œnologue conseil : M. Hébrard. *Superficie du vignoble :* 5 ha. *Age moyen du vignoble :* 35 ans. *Encépagement :* 10 % cabernet-sauvignon. 80 % merlot. 10 % cabernet-franc. *Production :* 35 000 bouteilles en M.D.C. *Vente au château et par correspondance :* en France. Tél. 57 24 76 77. *Vente par le négoce :* Jean-Pierre Moueix. *Pour ce pâtissier reconverti dans le vignoble familial, les œufs frais ne servent plus qu'au collage du vin.*

Haut-Puyblanquet (Château) ♟

→ *Tour Puyblanquet*

Haut-Rocher (Château)

Commune : Saint-Etienne-de-Lisse. *Propriétaire :* Jean de Monteil. Œnologue conseil : M. Hébrard. *Superficie du vignoble :* 8 ha. *Age moyen du vignoble :* 22 ans. *Encépagement :* 15% cabernet-sauvignon. 60 % merlot. 20 % cabernet-franc. 5 % malbec. *Production :* 42 000 bouteilles en M.D.C. *Visite des chais :* sur rendez-vous. Tél. 57 40 18 09. *Vente au château et par correspondance :* en France et à l'étranger. *Vente par le négoce :* 40 % négoce bordelais.

L'histoire de Haut-Rocher prend naissance avec celle du Château du Rocher, implanté quelques arpents plus bas. M. de Monteil vivait au Château du Rocher. En 1870, il fit construire Haut-Rocher. Son fils Adhémar hérita de la propriété. Aujourd'hui, Jean de Monteil, par filiation directe, est le représentant des chevaliers de Monteil. Il travaille sur l'exploitation depuis 1972. La moitié du vignoble de 15 hectares est plantée sur les coteaux de Castillon. En pente douce, la vigne s'étale sur un versant sud-est. Elle est vendangée mécaniquement. On aime les cuvaisons longues dans des cuves en béton, équipées d'un régulateur de température en chaud et en froid.

Haut-Saint-Brice (Château)

Commune : Vignonet. *Propriétaire :* Jacques Thibaud. Œnologue conseil : M. Plomby. *Superficie du vignoble :* 2 ha 72 a. *Age moyen du vignoble :* 10 ans. *Encépagement :* 100 % merlot. *Production :* 12 tonneaux. 2 000 bouteilles en M.D.C. *Vente au château :* tél. 57 84 68 01. *Vente par le négoce.*

Haut-Sarpe (Château)

Commune : Saint-Emilion. *Propriétaire :* Joseph Janoueix. Régisseur : Max Chabrerie. Maître de chai : Paul Cazenave. Œnologues conseils : MM. Legendre et Pauquet. *Superficie du vignoble :* 12 ha. *Age moyen du vignoble :* 30 ans. *Encépagement :* 70 % merlot. 30 % cabernet-franc. *Production :* 75 000 bouteilles en M.D.C. *Visite des chais :* sur rendez-vous. M. Janoueix. Tél. 57 51 41 86 ou M. Chabrerie. Tél. 57 24 70 98. *Vente au château et par correspondance :* en France et à l'étranger. Joseph Janoueix, 37, rue Pline Parmentier, 33500 Libourne.

Juste avant que la dernière page du siècle précédent ne se tournât, en 1898, un Corrézien qui s'appelait Jean Janoueix quitta le plateau de Millevaches pour se rapprocher de la colline aux mille crus. Il ne perdait pas au changement d'air. Là-bas, les hivers étaient rudes et la culture austère. Ici, le climat était doux et la vigne semblait lui tendre les bras. Oh! ce ne fut pas facile ; encore moins de tout repos. Comme beaucoup de ses congénères, il prit une adresse commerciale à Libourne, s'assura le concours de quelques fournisseurs sur un simple contrat verbal de confiance réciproque et s'en fut vers les herbages normands avec son bâton de pèlerin du bon vin ... qui devint un bâton de maréchal du commerce. Mais il fallut du temps. Ses enfants lui emboîtèrent le pas. Parmi eux, son fils Joseph voulut rendre plus fortes les attaches de la famille avec son berceau d'élection. En 1930, alors que le monde viticole du Bordelais basculait dans le marasme, il acheta le Château Haut-Sarpe. Et pour montrer plus clairement encore ses intentions, il fit une belle déclaration d'amour à Marie-Antoinette Estrade, fille d'un honnête négociant, et il l'épousa. De conquête en conquête, il fonda sa propre Maison de commerce et la dota peu à peu d'un « outil de production » (comme on dit aujourd'hui) propre à lui assurer une fourniture irréprochable. Mon propos n'est pas d'aligner ci-après la liste des domaines de Joseph Janoueix mais de prendre le Château Haut-Sarpe pour modèle exemplaire.

Bien d'autres, avant moi, ont salué la bonne extraction du vignoble et la haute qualité de ses vins. Henri Enjalbert le cite comme « l'un des plus anciens et des plus anciennement réputés de Saint-Emilion. En 1750, Pierre Beylot, négociant libournais, parle déjà du cru de Sarpe. En 1807, son fils Mathieu achète à très haut prix des vins de Sarpe qui partent pour Bruxelles par la voiture. » Il est très rare de voir le professeur pratiquer le pléonasme. S'il mentionne à la fois l'ancienneté du cru et celle de sa réputation c'est qu'il tient à souligner leurs accordailles. De nos jours, beaucoup de vignobles revendiquent une archéologie d'origine – parfois contestable – sans pouvoir l'étayer sur des références qualitatives. Au milieu du XVIIIe siècle, le fameux « cru de Sarpe » appartenait au comte Jacques Amédée de Carles, lieutenant général du roi. Au XIXe, il passa entre les mains du comte d'Allard puis chez les barons du Foussat de Bogeron qui le conservèrent jusqu'à l'acquisition par Joseph Janoueix. Le château proprement dit, tel qu'il existe aujourd'hui, fut construit au tout début de l'époque romantique sur les plans de Léon Droyn qui était allé chercher l'inspiration créatrice aux Trianons de Versailles. Le parc, qui couvre trois hectares, a été tracé sur le bord du plateau calcaire. Il faut alors parler de la bonne fée du logis, Marie-Antoinette Janoueix, qui n'a qu'à regarder un massif en disant « je veux » pour le voir aussitôt fleurir et qui choisit avec délicatesse et sûreté de goût l'embrasse des rideaux la mieux assortie à la tapisserie. D'un coup de baguette magique, l'antique moulin à vent fut restauré tandis que le village des vendangeurs se mettait à ressembler à une succursale du Club Méditerranée. Si d'aventure vous allez faire les vendanges à Haut-Sarpe, non seulement vous serez hébergés et nourris comme des vacanciers fortunés mais vous pourrez glisser dans votre album-souvenir la photo où vous êtes le compagnon d'une vedette de cinéma, d'un champion olympique, d'une femme de ministre, d'un ambassadeur, d'une duchesse ou d'un membre de l'Institut. Bien plus tard, en débouchant avec émotion cette bouteille de Château Haut-Sarpe 1985, devant vos petits-enfants émerveillés, vous leur direz, la voix tremblotante : « Eh oui, ce vin, c'est moi qui l'ai vendangé! »

Les vins de Haut-Sarpe sont généralement remarquables. Vinifiés et élevés sous la conduite du maître de chai Paul Cazenave, ils présentent une robe splendide, un

Le moulin à vent de Haut-Sarpe : une heureuse restauration.

bouquet qui est une tapisserie olfactive aux mille fruits et une bouche riche, pleine de tanins fondus. Dans les grands millésimes, après quelques années, ils peuvent rivaliser avec tous les meilleurs crus de la région et parfois les surclasser. Pour les Janoueix, l'élaboration d'un grand vin est vraiment une œuvre d'art. Je laisserai d'ailleurs à un artiste célèbre, le peintre Foujita, le soin de conclure : « Le mérite d'un tableau, disait Delacroix, est d'être une fête pour l'œil ; le Haut-Sarpe est une fête pour l'œil, mais aussi le nez, le palais. » Pour garder le mot de la fin, j'ajouterai le cœur et l'esprit.

Haut-Segottes (Château)

Grand Cru

Commune : Saint-Emilion. **Propriétaire :** Danielle André. Œnologue conseil : M. Chaine. *Superficie du vignoble :* 8 ha 60 a. *Age moyen du vignoble :* 25 ans. *Encépagement :* 10 % cabernet-sauvignon. 50 % merlot. 40 % cabernet-franc. *Production :* 50 000 bouteilles en M.D.C. *Visite des chais :* du lundi au samedi de 9 h à 12 h et de 14 h à 18 h. Tél. 57 24 60 82. *Vente au château et par correspondance :* en France. *Vente par le négoce. Rien que des méthodes traditionnelles transmises à quatre générations pour l'élaboration d'un grand petit cru.*

Haut-Simard (Château)

Commune : Saint-Emilion. **Propriétaire :** Claude Mazière. *Superficie du vignoble :* 10 ha. *Age moyen du vignoble :* 20 ans. *Encépagement :* 70 % merlot. 30 % cabernet-franc. *Production :* 60 000 bouteilles en M.D.C. *Visite des chais :* sur rendez-vous. Tél. 57 24 70 42. *Vente au château et par correspondance :* en France. *Entre La Gaffelière, Canon la Gaffelière et Pavie, vignoble d'un seul tenant, propriété de Claude Mazière depuis 1947. Le vin est typique du terroir et mérite d'être connu.*

Haut Vachon La Rose (Château)

Commune : Saint-Emilion. **Propriétaire :** André Quenouille. *Superficie du vignoble :* 2 ha 44 a 50 ca. *Age moyen du vignoble :* 20 à 25 ans. *Encépagement :* 75 % merlot. 25 % cabernet-franc. *Production :* 10 tonneaux. 3 000 bouteilles en M.D.C. *Vente au château et par correspondance :* tél. 57 24 78 93. *Vente par le négoce :* en vrac. *Il y a des mises en bouteilles au château qui se perdent !*

Haut-Veyrac (Château)

vente
en vrac

Commune : Saint-Etienne-de-Lisse. **Propriétaire :** Société Civile du Château Haut-Veyrac. Administrateurs : Jacqueline Castaing et Gérard Claverie. *Superficie du vignoble :* 7 ha 30 a. *Age moyen du vignoble :* 18 ans. *Encépagement :* 60 % merlot. 40 % cabernet-franc. *Production :* 35 tonneaux. *Vente par le négoce :* Société de Luze, Bordeaux. Tél. 57 51 61 80. *La famille Claverie est présente sur ce terroir depuis au moins cinq générations. Mais où donc est le dynamisme d'antan ?*

Jacques Blanc (Château)

Grand Cru

Commune : Saint-Etienne-de-Lisse. *Propriétaire :* G.F.A. du Château Jacques Blanc. Administrateur : Pierre Chouet. Maître de chai : Christian Zamparo. Œnologue conseil : M. Hébrard. *Superficie du vignoble :* 20 ha. *Age moyen du vignoble :* 30 ans. *Encépagement :* 10 % cabernet-sauvignon. 64 % merlot. 26 % cabernet-franc. *Production :* 100 000 bouteilles en M.D.C. *Visite des chais. Vente au château et par correspondance :* en France. Tél. 57 40 18 01. *Vente par le négoce :* France et étranger.

A la fin du XIVe siècle, Jacques Blanc fut un éminent jurat de Saint-Emilion. La chronique locale rapporte qu'il se montrait fort exigeant en matière de qualité des vins. Six siècles plus tard, sa mémoire se perpétue à travers le nom de ce Grand Cru, entre les mains attentives de M. Pierre Chouet. Ce dernier, de santé fragile, a définitivement quitté la thérapeutique chimique. Il est aujourd'hui un partisan convaincu de l'homéopathie et des médecines douces qui sont devenues pour lui une nouvelle religion. Comme il ne va jamais à mi-chemin de ses principes il a, depuis 1978, transposé sur son vignoble les méthodes de biologie naturelle qui lui ont réussi. C'est ainsi que tous les traitements, tant à la vigne qu'au chai, n'ont d'autre origine que l'extraction végétale ou minérale directe. Membre de l'association « Nature et Progrès », il garantit l'application d'un « cahier des charges » très strict. Le ministère de l'Agriculture s'intéresse à ce genre d'expérimentation grandeur nature. Un exemple : les travaux de simple drainage, considérables, qui ont été effectués, ont amélioré de façon indiscutable l'état phytosanitaire du vignoble. Bien sûr, cela coûte cher et les rendements ne sont pas à inscrire au livre des records. Mais le Château Jacques Blanc mérite une citation à l'ordre des bons crus.

Jacques Noir (Château)

Commune : Saint-Etienne-de-Lisse. *Propriétaire :* Rémy Daut. Œnologue conseil : M. Rolland. *Superficie du vignoble :* 5 ha 37 a. *Age moyen du vignoble :* 20 ans. *Encépagement :* 10 % cabernet-sauvignon. 60 % merlot. 30 % cabernet-franc. *Production :* 36 000 bouteilles en M.D.C. *Vente au château et par correspondance :* en France et à l'étranger. M. Daut, Château des Demoiselles, 33350 Saint-Magne. Tél. 57 40 11 88.

En bas de côte et d'un seul tenant, le vignoble Jacques Noir forme un triangle dont la pointe est dirigée vers le sud. Les rangs de vigne entourent la gare de Saint-Etienne-de-Lisse. Quelle est la véritable origine du chevalier Jacques Noir qui, selon les légendes entendues, aurait hanté Saint-Emilion et ses alentours? Nul ne sait. Mais il est permis de supposer que ce sinistre guerrier inconnu ne serait que l'ombre de Jacques Blanc, son voisin immédiat. On peut acheter du Jacques Noir au château des Demoiselles, un point de vente situé à 2 km de Castillon-la-Bataille, en venant de Libourne.

Jauma (Château) 🏰 → Union de Producteurs

Jean Blanc (Château)

Commune : Saint-Pey-d'Armens. **Propriétaire** : Yvonne Brette. **Superficie du vignoble** : 6 ha 50 a. **Age moyen du vignoble** : 25 ans. **Encépagement** : 60 % merlot. 40 % cabernet-franc. **Production** : 25 tonneaux. 10 000 bouteilles en M.D.C. **Vente au château et par correspondance** : en France. Tél. 57 47 15 21. **Vente par le négoce** : en vrac. *Bonne marque régulière, appréciée du négoce et d'une petite clientèle particulière, surtout dans le nord de la France.*

Jean du Mayne (Château) 🍶 → L'Angélus

Jean Faure (Château)

Grand Cru classé

Commune : Saint-Emilion. **Propriétaire** : G.F.A. du Château Jean Faure. Administrateur et maître de chai : Michel Amart. Œnologue conseil : Mme Rolland. **Superficie du vignoble** : 17 ha. **Age moyen du vignoble** : 30 ans. **Encépagement** : 30 % merlot. 60 % cabernet-franc. 10 % malbec. **Production** : 96 000 bouteilles en M.D.C. **Visite des chais** : tous les jours. Tél. 57 51 49 36. **Vente au château et par correspondance** : en France. **Vente par le négoce** : place de Bordeaux.

Lorsque Michel Amart prit en charge l'administration du Château Jean Faure, en 1976, il avait à cœur de faire la preuve de sa capacité, voire de faire sortir cette vieille marque de la cohorte des Grands Crus classés pour être reconnu comme un Premier. Cette louable prétention ne fut pas exaucée. Pis encore, lors de la révision du classement, en 1985, le Château Jean Faure fut exclu du club des crus classés. La sanction était sévère et se justifiait, qui plus est, de façon vexatoire : « Insuffisances notoires dans la conduite de l'exploitation de votre cru, principalement au niveau œnologique. Cette opinion s'est trouvée largement confortée par la dégustation des différents millésimes fournis à l'appui de votre demande. Ils lui sont apparus comme présentant une qualité ne correspondant pas à celle d'un Grand Cru classé. »

FRANCE   1976

Pourtant, Michel Amart avait, à la suite de son beau-père, Michel de Wilde, redonné au Château Jean Faure son individualité, précédemment mélangée avec celle du Château Ripeau. Pourtant, il lui semblait n'avoir négligé aucun effort, aucun investissement, tant à la vigne qu'aux chais, pour doter son cru des meilleurs soins 174 et des meilleurs équipements : quatre façons de labours traditionnels, fumure

La commission de l'I.N.A.O. se serait-elle disqualifiée en déclassant Jean Faure ?

organique et minérale, traitements phytosanitaires éprouvés, vendanges manuelles, rosiers au bout des règes et bégonias à l'entrée de la propriété, vinifications de trois semaines en cuves métalliques, vieillissement en barriques de merrain de l'Allier, collage aux œufs frais, pas de filtration mais plus de quatre soutirages par an pendant les deux années d'élevage! Pourtant, pourtant, le professeur Emile Peynaud en personne avait goûté trois récents millésimes avec les commentaires suivants : « 1981, coloré, déjà ouvert, marqué au nez par le tanin, le bon bois, vineux, corsé, tanin d'amertume agréable, bonne persistance. 1982, couleur encore violette, peu d'évolution, bloqué dans sa jeunesse, très corsé, tanin un peu sévère. 1983, coloré, fruit mûr, vineux, corsé, tanin de grande classe. » Michel Amart précise : « C'est justement pour ma récolte 1983 que j'ai acheté des nouvelles barriques de premier choix qui m'ont coûté une fortune ! » Alors, que signifie cette accusation « d'insuffisances notoires », portée lourdement contre lui ? Michel Amart la comprend d'autant moins que son exploitation n'a jamais été contrôlée, ni seulement visitée par un responsable de l'I.N.A.O. Certes, avant lui, les soins œnologiques n'étaient pas de la plus grande rigueur. De 1970 à 1975, les vins se montrent durs et astringents avec des doses élevées d'acidité volatile. Mais, depuis 1976, ces vilains traits de caractère ont été effacés. L'œnologue Rolland, de Libourne, a fait du bon travail. Michel Amart espérait rougir de plaisir en entendant les félicitations du jury. Il rougit de honte à la lecture du blâme. Et, bien sûr, il a fait appel du jugement des censeurs auprès du ministre de l'Agriculture.

Sans entrer de plain-pied dans la polémique je me risquerai à déclarer que le débat est mal établi. Car, avec ses sols de graves, ses méthodes archi-médocaines et surtout ses 60 % de cabernets-francs et 10 % de malbecs, Michel Amart fait des vins qui ont un indéniable style « rive gauche ». Pas étonnant que les Saint-Emilionnais ronds et purs ne reconnaissent pas un enfant du pays. Pas étonnant qu'Emile Peynaud apprécie la structure tannique de Jean Faure et sa vinosité un peu austère au début. Le défi de Michel Amart a été de faire du Saint-Julien à Saint-Emilion. Si j'étais saint Pierre, je l'accueillerais volontiers au paradis des grands vins. Classé ou pas? Ce n'est pas la question.

Jean Voisin (Château)

Grand Cru

Commune : Saint-Emilion. *Propriétaire :* S.C. Chassagnoux. Administrateur : Pierre Chassagnoux. Œnologue conseil : Gilles Pauquet. *Superficie du vignoble :* 14 ha. *Age moyen du vignoble :* 10 à 25 ans. *Encépagement :* 15 % cabernet-sauvignon. 60 % merlot. 25 % cabernet-franc. *Production :* 70 000 à 75 000 bouteilles en M.D.C. *Visite des chais :* tél. 57 24 70 40. *Vente au château et par correspondance :* Ets Chassagnoux & Fils, 114, route de Saint-Emilion, 33500 Libourne. *Vente par le négoce :* Chassagnoux & Fils.

La propriété est située dans ce qu'il est convenu d'appeler les « graves » de Saint-Emilion. Les vins de Jean Voisin sont extrêmement souples et peuvent être dégustés presque aussitôt après la mise en bouteilles. « Nous sommes tout près de Pomerol » dit Pierre Chassagnoux... comme s'il voulait s'excuser.

Juguet (Château)

→ Union de Producteurs

Jupille (Château)

Commune : Saint-Sulpice-de-Faleyrens. *Propriétaire :* Régis Visage. *Superficie du vignoble :* 7 ha. *Age moyen du vignoble :* 25 ans. *Encépagement :* 65 % merlot. 35 % bouchet. *Vente au château et par correspondance :* en France. Tél. 57 24 62 92. *Vente par le négoce :* Ets Bordeaux Tradition. *Assez élégant et fruité, le vin de Régis Visage ne manque généralement pas de cachet.*

Jupille Carillon (Château) → Jupille

La Barde (Château de)

Grand Cru

Commune : Saint-Laurent-des-Combes. *Propriétaire :* Michel Bergey. Œnologue conseil : Laboratoire de Soussac. *Superficie du vignoble :* 4 ha. *Age moyen du vignoble :* 15 ans. *Encépagement :* 85 % merlot. 15 % cabernet-franc. *Production :* 23 000 bouteilles en M.D.C. *Vente par correspondance.* Tél. 56 63 71 42. *Vente par le négoce. Ce petit cru est la « locomotive » de Michel Bergey, par ailleurs viticulteur à Saint-Macaire.*

Labarde (Clos)

Grand Cru

Commune : Saint-Laurent-des-Combes. **Propriétaire :** Jacques Bailly. Œnologue conseil : C.B.C. Libourne Saint-Emilion. **Superficie du vignoble :** 4 ha 50 a. **Age moyen du vignoble :** 40 ans. **Encépagement :** 5 % cabernet-sauvignon. 80 % merlot. 15 % cabernet-franc. **Production :** 22 000 bouteilles en M.D.C. **Visite des chais :** tél. 57 74 40 26. **Vente au château et par correspondance :** en France et à l'étranger. Jacques Bailly, Bergat, 33330 Saint-Emilion. **Vente par le négoce.**

Il n'y a pas d'âge pour l'amour. A 54 ans (c'était en 1978) Jacques Bailly décida de travailler au soleil. Pendant les vingt années précédentes, il avait exercé le métier de champignonniste dans les caves contiguës à celles d'Ausone, Bélair, Clos Fourtet et Canon. « La vigne m'apparaissait par ses racines pendantes au-dessus de ma tête et le vin par ses effluves transpirant à travers les murs de séparation. » Alors, l'amateur a voulu devenir créateur et, quittant le dessous des apparences il en a voulu prendre le dessus. « C'était fatal » dit-il aujourd'hui. Lorsqu'il a acheté sa propriété, elle était plus que souffreteuse, tiraillée au sein d'une indivision de plusieurs dizaines de cohéritiers. Le vignoble, parfaitement reconstitué, règne sur un coteau à rotondité d'est en ouest et s'expose au midi. Le drainage naturel du sol composé de calcaire à astéries est idéal. Après les aménagements destinés au vin, Jacques Bailly a construit des locaux de réception pour ses clients dont une salle de dégustation, rustique et simple, qui peut accueillir une trentaine de visiteurs. On pourra souvent féliciter le propriétaire pour le niveau qualitatif de sa production.

La Boisserie (Château)

→ *Union de Producteurs*

Grand Cru

La Bonnelle (Château)

→ *Union de Producteurs*

Grand Cru

La Bonté (Domaine de)

Commune : Libourne. **Propriétaire :** Robert Labonté. Œnologue conseil : M. Legendre. **Superficie du vignoble :** 32 a 46 ca. **Age moyen du vignoble :** 30 ans. **Encépagement :** 50 % merlot. 50 % cabernet-franc. **Production :** 2 500 bouteilles en M.D.C. **Vente au château :** 220, av. de l'Épinette, 33500 Libourne. Tél. 57 51 28 02. *Vestige du passé viticole de Libourne, ce cru minuscule est voué à l'expropriation.*

La Bourrue (Château) ♟ → Grand Fortin

Labrie (Château)

→ Union de Producteurs

La Carte (Domaine de)

Commune : Saint-Emilion. *Propriétaire :* Bernard Loménie. *Superficie du vignoble :* 22 a 28 ca. *Age moyen du vignoble :* 5 ans. *Encépagement :* 100 % merlot. *Production :* 1 200 bouteilles en M.D.C. *Vente au château et par correspondance :* en France. Tél. 57 74 42 09. *Minuscule vignoble tout fraîchement planté qui devrait « faire très bon » dans l'avenir.*

La Carte de Beau-Séjour ♟ → Beau-Séjour Bécot

La Caze Bellevue (Château)

Commune : Saint-Sulpice-de-Faleyrens. *Propriétaire :* Philippe Faure. Œnologue conseil : C.B.C. Libourne. *Superficie du vignoble :* 7 ha. *Age moyen du vignoble :* 18 ans. *Encépagement :* 80 % merlot. 20 % cabernet-franc. *Production :* 28 tonneaux. 16 000 bouteilles en M.D.C. *Visite des chais :* tél. 57 74 41 85. *Vente au château et par le négoce. Philippe Faure est aussi le « fermier » de son père au Château Gravet.*

La Chapelle-Despagnet (Château)

Grand Cru

Commune : Saint-Sulpice-de-Faleyrens. *Propriétaire :* Ginette Gagnaire. *Superficie du vignoble :* 7 ha 1 a. *Age moyen du vignoble :* 30 ans. *Encépagement :* 70 % merlot. 30 % cabernet-franc. *Production :* 30 à 35 tonneaux. *Vente par correspondance :* en France. Ginette Gagnaire, Margot, 33330 Saint-Emilion. Tél. 57 51 35 20. *Vente par le négoce.*

La mise en bouteilles au château est assurée par la Maison Lebègue qui possède son matériel mobile d'embouteillage. C'est une bonne formule, dégageant le viticulteur des soucis et des frais d'équipement et de main-d'œuvre. Les vins sont agréables.

La Chapelle-Lescours (Château)

Grand Cru

Commune : Saint-Sulpice-de-Faleyrens. *Propriétaire :* Pierre Quentin. Chefs de culture et maîtres de chai : Pierre et Jacques Quentin. Œnologue conseil : M. Hébrard. *Superficie du vignoble :* 7 ha 36 a. *Age moyen du vignoble :* 100 ans. *Encépagement :* 10 % cabernet-sauvignon. 70 % merlot. 15 % cabernet-franc. 5 % malbec. *Production :* 48 000 bouteilles en M.D.C. *Vente au château :* tél. 57 74 41 22. *Vente par le négoce. Peut-être l'un des plus anciens vignobles de la commune si l'on se réfère aux vestiges archéologiques.*

La Clide (Château)

vente
en vrac

Commune : Saint-Sulpice-de-Faleyrens. *Propriétaire :* Antoine Suils. Œnologue conseil : Mlle Cazenave-Mahé. *Superficie du vignoble :* 4 ha 8 a 50 ca. *Age moyen du vignoble :* 20 ans. *Encépagement :* 40 % cabernet-sauvignon. 50 % merlot. 10 % cabernet-franc. *Production :* 20 tonneaux. *Vente par le négoce :* une grande partie est vendue à l'exportation. Tél. 57 24 76 91. *Fournisseur traditionnel du négoce, Antoine Suils n'a jamais eu de problèmes de commercialisation.*

La Clotte (Château)

Grand Cru classé

Commune : Saint-Emilion. *Propriétaires :* Héritiers Chailleau. Régisseur : Michel Gillet. Maître de chai : Jean Veyssière. Œnologue : Jean-Claude Berrouet. *Superficie du vignoble :* 3 ha 70 a. *Age moyen du vignoble :* 35 ans. *Encépagement :* 80 % merlot. 20 % cabernet-franc. *Production :* 19 000 bouteilles en M.D.C. *Vente au château. Vente par le négoce :* Ets Jean-Pierre Moueix.

« Notre fierté est de continuer volontairement les anciennes traditions artisanales et sincères qui font les "grands vins", renom et honneur de notre pays. » Quand Georges Chailleau ouvrait la bouche, c'était pour manger un morceau et boire un coup ou pour exprimer son sentiment le plus sincère. Dans les deux cas, on le considérait. Cet homme enveloppé (il pesait, je crois, jusqu'à 130 kg) avait une grosse personnalité, tant au-dehors qu'au-dedans de lui. Sans aucune hésitation dans ma mémoire, ce sont Daniel Querre et Georges Chailleau qui ont été, pour la génération passée, les meilleurs chantres de Saint-Emilion. On les trouve tous deux à la création de la Jurade, en 1948. Le second y a exercé les fonctions de Grand Vinetier jusqu'à sa mort, en 1973. Ce titre avait été fait pour lui et il le portait fièrement avec une incontestable autorité naturelle. On dit que certains bébés naissent avec une cuillère d'argent dans la bouche. Lui, c'était une fourchette et une tasse à dégustation. L'un des plus fins palais que j'aie jamais connus, il se passionnait pour tout ce qui pouvait se goûter. La comparaison des crus et des millésimes était un jeu perpétuel dont

Belle survivance du passé, les labours du Château La Clotte s'effectuent « à l'ancienne ».

il ne se lassait pas. Il fallait s'asseoir à sa table pour comprendre aussi le sens profond du mot convivialité. Il avait fait construire une coquette maison neuve dont il faisait, bien sûr, visiter la cuisine avant le salon et qu'il appelait son « Palais de Chailleau ». Avec sa famille, son cru de La Clotte était ce qu'il avait de plus cher au monde. Il en avait hérité de son père en 1932, celui-ci ayant acquis le vignoble du marquis Archambault de Grailly en 1913. Pendant plusieurs années, le cru s'est appelé « La Clotte de Grailly ». Sur une modeste superficie de presque 4 hectares, la vigne est cultivée en terrasses orientées plein sud, le long des remparts, de la porte Burnet à la porte Bouqueyre, au pied de la tour du Guetteur. C'est l'un des plus authentiques vieux vignobles de Saint-Emilion. Il est protégé, à la mode ancienne, de murs de pierres sèches destinés à dissuader les voleurs de raisins. Les vins de La Clotte ne démentent jamais l'amour qui leur est porté. Aujourd'hui, les héritiers Chailleau ont confié l'exploitation en métayage aux Etablissements Jean-Pierre Moueix, garantie supplémentaire de haute qualité s'il était besoin. Le touriste pourra les déguster dans d'excellentes conditions au restaurant du Logis de la Cadène, à Saint-Emilion, tenu par le gendre et la petite-fille de Georges Chailleau, Mme Mouliérac étant décédée depuis quelques années. On appréciera la plénitude et le chatoiement olfactif du Château La Clotte ainsi que les différenciations des millésimes qui ne signifient pas une irrégularité de la qualité intrinsèque mais le reflet le plus exact des variations climatiques d'une année à l'autre. Alors, on évoquera l'œil pétillant et la bouche gourmande de Georges Chailleau. Ecoutez-le : « ... Et maintenant, il vous reste à regarder couler ce Saint-Emilion limpide, avec des reflets moirés de vieux velours dans un verre pur et fin. Le dégustateur doit agiter celui-ci lentement d'un mouvement circulaire et le lever dans la lumière pour voir ses reflets de rubis, se grisant déjà du bouquet qui frappe l'odorat par ses effluves de sous-bois

à l'automne. Ensuite, les yeux fermés, il le hume et le savoure enfin, à petites gorgées, pour en maintenir le parfum dans la gorge, tandis que les papilles s'entrouvrent et que le palais juge et apprécie. Et l'appréciation d'un connaisseur sera toujours flatteuse, car notre vin non seulement s'impose par sa race, mais se recommande au surplus pour la santé, grâce à son tanin puissant, par son action stomachique, comme le dit si bien dans son Traité de gastronomie galénique et magistrale le docteur Yves André, de l'Institut Pasteur. » Pour ce qui est de la physiologie du goût, Georges Chailleau n'avait rien à apprendre de Brillat-Savarin.

La Clusière (Château)

Grand Cru classé

Commune : Saint-Emilion. *Propriétaire :* Consorts Valette S.C.A. Administrateur : Mme Antoinette Valette. Régisseur : Patrick Valette. Directeur : Jean-Paul Valette. Maître de chai : Pierre Rabeau. Œnologue conseil : Pascal Ribéreau-Gayon. *Superficie du vignoble :* 3 ha 50 a. *Age moyen du vignoble :* 30 ans. *Encépagement :* 10 % cabernet-sauvignon. 70 % merlot. 20 % cabernet-franc. *Production :* 10 tonneaux. 9 600 bouteilles en M.D.C. *Visite des chais :* sur rendez-vous. Tél. 57 24 72 02. *Vente par correspondance :* en France et à l'étranger : en Belgique et en Suisse. *Vente par le négoce :* place de Bordeaux.

Ancienne propriété des Thibeaud qui reconstituèrent le vignoble, ce petit cru se trouve pratiquement enclavé dans celui du Château Pavie. Il était alors logique que les frères Valette, détenteurs de ce Premier Cru classé en prissent possession à la première occasion, laquelle se présenta en 1953. La Clusière est aujourd'hui cultivé,

vinifié et élevé dans la même idée directrice que Pavie. Au point que les barriques ayant servi à faire vieillir le second rempilent pour le premier. Je n'irai pas jusqu'à dire que les deux vins se ressemblent comme deux gouttes du même tonneau mais chacun comprendra que le célèbre grand frère dispose chaque année de son droit d'aînesse pour affirmer et maintenir son rang. Le puîné restera toujours « le petit ».

La Commanderie (Château)

Grand Cru

Commune : Saint-Emilion. **Propriétaire :** M. Marcel Roger. Œnologue conseil : C.B.C. Libourne. **Superficie du vignoble :** 3 ha 40 a. **Age moyen du vignoble :** 25 ans. **Encépagement :** 5 % cabernet-sauvignon. 85 % merlot. 10 % cabernet-franc. **Production :** 20 000 bouteilles en M.D.C. **Visite des chais :** de 9 h à 12 h et de 14 h à 18 h. Tél. 57 24 60 44. et 68 42 23 23 **Vente au château. Vente par le négoce :** Belgique, Luxembourg, Etats-Unis, Grande-Bretagne, France.

Pierre Brasseur vient de vendre sa propriété à un sympathique architecte narbonnais, amoureux de la vigne, du vin et du pays bordelais. En fait, il est déjà viticulteur dans sa propriété de famille au cœur de l'A.O.C. Saint-Chignan. Mais il vient de réaliser un vieux rêve en comptant désormais de vénérables pieds de vignes à Saint-Emilion, près de Figeac et Cheval Blanc. Spécialisé dans l'architecture vinicole, Pierre Brasseur a créé des chais et cuviers jusqu'en Moldavie. Voici donc un apport de sang neuf et d'esprit créateur au sein de notre vieille province vineuse. Nous lui souhaitons la bienvenue et serons heureux de déguster le fruit de ses œuvres bachiques. Les vins de la Commanderie sont fort estimables.

La Couspaude (Château)

Grand Cru classé

Commune : Saint-Emilion. **Propriétaire :** G.F.A. La Couspaude (Vignobles Aubert). Administrateur et œnologue conseil : Daniel Aubert. **Superficie du vignoble :** 7 ha 01 a. **Age moyen du vignoble :** 25 ans. **Encépagement :** 25 % cabernet-sauvignon. 50 % merlot. 25 % cabernet-franc. **Production :** 48 000 bouteilles en M.D.C. **Visite des chais :** tous les jours. Juillet, août, 15 septembre. Tél. 57 40 15 76 ou 57 40 01 15. **Vente au château et par correspondance :** en France et à l'étranger. **Vente par le négoce :** Angleterre, Danemark, Etats-Unis, Luxembourg.

La cave souterraine de La Couspaude est remarquablement aménagée.

Depuis la première édition du *Bordeaux et ses Vins* de Charles Cocks, en 1850, et jusqu'au début de ce siècle, La Couspaude a toujours figuré dans la liste de tête des « premiers crus » de Saint-Emilion. En 1867, participant à une exposition, le cru avait été jugé particulièrement méritant au point qu'une plaque de marbre a gravé cet exploit dans l'entrée de la mairie. De fait, La Couspaude a été un grand collectionneur de médailles. Au fil des lustres, elles s'ajoutèrent, l'une après l'autre, comme une vitrine de louis d'or, sur l'étiquette ainsi glorifiée. Trouvant que cet étalage devenait trop encombrant, Daniel Aubert les a mises au placard à partir du millésime 1975, restituant à l'habillage de son vin la discrète sobriété qui convient pour une affaire de bon goût. Le vignoble de La Couspaude est resté dans son cadastre initial depuis un siècle et demi. Seuls les bâtiments d'exploitation ont évolué, dénotant un esprit fonctionnel et une impeccable constance d'entretien. La cave souterraine et la vaste salle de réception sont remarquablement aménagées. Propriétaires du cru depuis 1908, les Aubert sont viticulteurs de père en fils à partir de 1750. La Couspaude est le fleuron de leur importante gamme de vignobles. Ils savent faire du bon vin.

La Croix Chantecaille *(Château)*

Grand Cru

Commune : Saint-Emilion. **Propriétaire :** Marie-Madeleine Angle. Œnologues conseils : M. Chaine & Melle Cazenave-Mahé. **Superficie du vignoble :** 7 ha. **Age moyen du vignoble :** 25 ans. **Encépagement :** 70 % merlot. 30 % malbec. **Production :** 30 tonneaux. 15 000 bouteilles en M.D.C. **Visite des chais :** tél. 57 51 11 51. **Vente au château et par correspondance :** en France. *Un vignoble frontalier entre le Château Gazin de Pomerol et le Château Croque-Michotte. Des vins fruités.*

La Croix de Jaugue (Château)

Commune : Libourne. **Propriétaire :** Georges Bigaud. Œnologue conseil : Gilles Pauquet. **Superficie du vignoble :** 4 ha 35 a. **Age moyen du vignoble :** 30 ans. **Encépagement :** 80 % merlot. 20 % cabernet-franc. **Production :** 18 tonneaux. 5 000 bouteilles en M.D.C. **Vente au château :** Château La Croix de Jaugue, 150, avenue Général de Gaulle, 33500 Libourne. Tél. 57 51 51 29. **Vente par correspondance :** en France et à l'étranger. **Vente par le négoce :** négoce libournais.

Du printemps à la Toussaint, on peut s'arrêter chez Georges Bigaud pour goûter et acheter sa dernière mise en bouteilles. Les vins sont robustes et tanniques, issus de macérations prolongées : 3 à 4 semaines de cuvaison. Ils vieillissent sous bois et fleurent l'argile profonde autant que la tradition.

La Croix Fourney (Château)

Grand Cru

Commune : Saint-Pey-d'Armens. **Propriétaire :** G.F.A. du Château La Croix Fourney (Mᵐᵉ Marie-Louise Sauterel). Maître de chai : Benoît Turbet-Delof. Œnologue conseil : André Vaset. **Superficie du vignoble :** 10 ha. **Age moyen du vignoble :** 18 ans. **Encépagement :** 50 % cabernet-sauvignon. 35 % merlot. 15 % cabernet-franc. **Production :** 50 000 bouteilles en M.D.C. **Vente au château :** Château La Croix Fourney, 36, avenue Haldimand, 1400 Yverdon (Suisse). Tél. 57 24 51 20 ou 57 47 15 75. **Vente par correspondance :** en France et à l'étranger. **Vente par le négoce.** *Mᵐᵉ Sauterel prodigue ses meilleurs soins à ce Grand Cru qui vieillit un an en barriques.*

La Croix Montlabert (Ch.) ⚱ → Montlabert

La Croizille (Château)

Grand Cru

Commune : Saint-Laurent-des-Combes. **Propriétaire :** Société du Château La Claymore. Chef de culture : Louis Marin. Directeur : Raymond Marin. Œnologue conseil : Société Laffort à Bordeaux. **Superficie du vignoble :** 4 ha 95 a. **Age moyen du vignoble :** 30 ans. **Encépagement :** 85 % merlot. 15 % cabernet-franc. **Production :** 30 000 bouteilles en M.D.C. **Visite des chais :** Louis Marin. Tél. 57 51 53 37. **Vente au château et par correspondance :** en France. Château Canon Chaigneau, B.P. 1, Pomerol. **Vente par le négoce :** Bordeaux et étranger.

Je connais Raymond Marin depuis une quinzaine d'années et j'ai été le témoin amical de sa ténacité au travail, de sa conscience professionnelle et de son goût pour les affaires claires et nettes. Son goût, également, pour les vins souples et bien faits, avec un bon arbitrage entre la tradition et le modernisme. Depuis quelque temps, il consacre davantage d'attention à la promotion de sa production. Amateur et collectionneur de peinture, il fait orner ses étiquettes d'une œuvre originale, à l'instar des Châteaux Mouton-Rothschild à Pauillac et Siran à Margaux. Le Château La Croizille n'est pas la principale des propriétés de la famille Marin-Audra au point de vue de la superficie mais elle en est sans doute le fleuron. Elle a été achetée en 1977 à la maison Barton et Guestier de Bordeaux. Sa bonne réputation est en progression constante.

La Cure (Clos de)

Grand Cru

Commune : Saint-Christophe-des-Bardes. *Propriétaire* : Christian Bouyer. *Superficie du vignoble* : 6 ha. *Age moyen du vignoble* : 35 ans. *Encépagement* : 13 % cabernet-sauvignon. 75 % merlot. 12 % cabernet-franc. *Production* : 30 000 bouteilles en M.D.C. *Visite des chais. Vente au château et par correspondance.* Tél. 57 24 77 18.

Propriétaire depuis 1967 de ce petit vignoble, Christian Bouyer a peu à peu découvert la qualité de ce terroir, alors que son prédécesseur, un vieux monsieur fatigué, avait laissé aller l'exploitation dans le « générique » le plus anonyme. Sous l'Ancien Régime, cette pièce appartenait au curé de Saint-Christophe-des-Bardes qui en retirait maintes satisfactions gustatives... et financières. A partir du travail de Christian Bouyer et de son épouse, née Françoise Arteau (on trouve un Arteau jurat de Saint-Emilion au Moyen Age) la réputation du cru s'est édifiée tout naturellement, sans tambours ni trompettes publicitaires mais au son du pipeau propagé de bouche à oreille. Aujourd'hui, ils exportent directement vers nombre de pays et la clientèle est fidèle. Les vins sont des produits bien élevés qui ont un caractère flatteur et charmeur. Le fils de la maison, qui va sur ses seize ans, conduit le tracteur familial comme un vieux viticulteur. Il a déjà gagné sa planche à voile. La mobylette est presque là. Après ?... pourquoi pas le micro-ordinateur afin d'aider papa et maman à la gestion ?

La Dominique (Château)

Grand Cru classé

Commune : Saint-Emilion. *Propriétaire* : Société des Vignobles Dominique Pichon. Administrateur : Clément Fayat. Régisseur et chef de culture : Michel Musset. Maître de chai : Jacques Chambaud. Œnologue conseil : Michel Rolland. *Superficie du vignoble* : 18 ha 50 a. *Age moyen du vignoble* : 25 ans. *Encépagement* : 12 % cabernet-sauvignon. 70 % merlot. 12 % cabernet-franc. 6 % malbec. *Production* : 72 000 bouteilles en M.D.C. *Visite des chais* : sur rendez-vous. Marie-Thérèse Blanco. Tél. 57 51 92 00. *Vente au château et par correspondance* : en France. *Vente par le négoce* : place de Bordeaux.

« La Dominique est absolument dans les mêmes conditions que le Cheval Blanc, un des meilleurs crus du pays, sous le rapport du sol, où dominent tour à tour la grave, l'argile et le sable ferrugineux. Une ligne droite, tracée par les propriétaires, sépare les deux vignobles. La contenance de La Dominique est d'environ 21 hectares, presque entièrement complantés en cépages de choix produisant de 35 à 80 tonneaux, année moyenne. Unissant la générosité du Saint-Emilion à la sève du Pomerol, les vins de La Dominique ont leur place parmi les plus renommés du Libournais. » Cette présentation, qui date de 1870, est due à la plume du *Grand Bernard des Vins* de son époque, Charles de Lorbac. Elle est toujours d'actualité puisque la situation du cru est exactement la même et que 18,50 hectares sur 21 sont actuellement en production. Bien sûr, entre-temps, les rendements ont évolué, ici comme ailleurs, grâce aux progrès de l'agronomie viticole. Mais entre-temps, du vin a coulé dans les douils, comme on dit chez nous. Car les avatars de Vichnou peuvent être considérés comme de la petite bière au regard des heurs et malheurs de La Dominique. Quand Bordeaux était florissant du « commerce des îles », le riche

marchand qui acheta ce vignoble « pour son égoïste satisfaction » lui donna le nom de l'île des Antilles d'où sa fortune était originaire et que les Anglais annexèrent au traité de Paris, 310 ans après la bataille de Castillon, façon comme une autre de récupérer l'Histoire. Deux siècles encore et nous débouchons sur avant-hier, lorsque le professeur Enjalbert assimila complètement les terroirs de Cheval Blanc, Figeac et La Dominique. Au plan de la morphologie géologique, il avait bien entendu la science de son côté. A celui de la physiologie du vignoble, il n'a pas tout dit. Mais ce n'était pas son problème. Des problèmes à La Dominique, il y en a eu. Sans en dresser l'inventaire fastidieux, j'indiquerai seulement, pour l'édification des générations présentes et à venir, l'état où se trouvait la propriété après les gelées de 1956 : coma profond. Aux prises avec une indivision divisée en quatre, Etienne de Baillencourt ne pouvait faire autre chose qu'espérer survivre. Autour de lui, personne ne voulait (ou ne pouvait) endosser un chèque sur l'avenir en contribuant à la replantation. De son côté, il voulait (ou pouvait) espérer que, le temps travaillant pour lui, il tirerait les cavaillons du gel comme d'autres les marrons du feu en récupérant à bon compte une terre brûlée. Mais les bons comptes ne font pas toujours les bons amis, même en famille et à Saint-Emilion. Après treize ans de désespoir, Zorro est arrivé, déguisé en Clément Fayat. Industriel de valeur éprouvée, ce Corrézien d'Argentat gardait au fond de lui la nostalgie terrienne héritée de ses ancêtres culs-terreux et, exerçant à Libourne ses activités de constructeur de ponts et d'autoroutes, il restait agacé par la promiscuité de ses compatriotes fixés sur le terroir de Saint-Emilion ou de Pomerol depuis plusieurs générations. A vrai dire, il n'était pas jaloux mais envieux. Démêlant l'écheveau juridique des ayants droit, il mit ensemble le paquet de volonté et l'argent qu'il fallait pour conquérir les beaux yeux de La Dominique. C'étaient des yeux clos, il le savait. Zorro se métamorphosa en prince charmant afin de faire revivre la belle aux ceps dormants. Son
186 bouche-à-bouche dura presque vingt ans. Replantant chaque année un peu moins

d'un hectare, il transfusa au vignoble une nouvelle génération. Pendant ce temps, il démolissait les trop vieilles cuves en bois. Mais on ne naît pas corrézien pour gaspiller n'importe comment le charbon, le bois... et la braise qu'ils peuvent faire. Les douves furent pieusement récupérées et confiées au meilleur artisan-menuisier afin de restaurer dans les règles de l'art les portes et fenêtres des bâtiments vétustes. Mis à part le cuvier, des chais, il n'y en avait pas. Les Baillencourt vendaient en vrac et même, selon des habitudes déplorables encouragées par les dinosaures des Chartrons, ils négociaient leurs récoltes sur souche comme un chat dans un sac. Clément Fayat, bon prince régnant, fit tout ce qu'il fallait pour abriter chaque vendange jusqu'à la mise en bouteilles au château. Aujourd'hui, de la cuve inox à la barrique du meilleur merrain et jusqu'au caveau à bouteilles, le vin de La Dominique a un écrin royal. Souverain, le propriétaire attendit cinq ans avant de laisser juger les autres de l'effet produit. Ce n'est qu'en 1975 qu'il se décida à mettre ses millésimes sur la place de Bordeaux. Courtiers et négociants se grattèrent l'occiput : « Tiens ! La Dominique... ça existe encore ? – Mais oui, leur répondit-on – Ah ? goûtons voir si le vin est bon, répliquèrent-ils ». Dernière heure : 80-% de la récolte 1985, proposée à la vente à midi, furent achetés ferme avant 16 heures, au prix demandé, pendant que le propriétaire déjeunait. Chacun des acquéreurs aurait voulu en avoir encore plus.

La morale de l'histoire ? Clément Fayat la formule lui-même : « Dans la même année, en 1969, j'ai acheté La Dominique à l'abandon et une usine en pleine production. Je les ai payées le même prix, à peu de chose près. Aujourd'hui, l'usine trouverait peut-être preneur à un franc mais je ne vendrais pas La Dominique contre tout l'or du monde. » Clément Fayat n'est plus industriel. Il est un viticulteur passionné qui fait des vins de rêve. Oui, mais pourquoi n'a-t-il pas fait attribuer le Mérite agricole au père Musset, grand vigneron sur cette terre depuis 55 ans ?

La Fagnouse (Château)

Grand Cru

Commune : Saint-Etienne-de-Lisse. *Propriétaire :* Mme Coutant. *Œnologue conseil :* M. Chaine. *Superficie du vignoble :* 10 ha. *Age moyen du vignoble :* 15 ans. *Encépagement :* 85 % merlot. 15 % cabernet-franc. *Production :* 50 000 bouteilles en M.D.C. *Visite des chais. Vente au château et par correspondance. Vente par le négoce. La majeure partie du vignoble a été récemment replantée mais, sur ce terroir, la vigne peut vieillir gaillardement. Rendez-vous au XXIe siècle.*

La Fleur (Château)

Grand Cru

Commune : Saint-Emilion. *Propriétaire :* Mme Lily P. Lacoste-Loubat. *Administrateur :* Jean-Pierre Moueix. *Régisseur et chef de culture :* Michel Gillet. *Maître de chai :* Jean Veyssière. *Œnologue :* Jean-Claude Berrouet. *Superficie du vignoble :* 6 ha 50 a. *Age moyen du vignoble :* 30 ans. *Encépagement :* 70 % merlot. 30 % cabernet-franc. *Production :* 30 000 bouteilles en M.D.C. *Vente par le négoce :* Ets Jean-Pierre Moueix. *Madame Lily P. Lacoste est également l'associée de Jean-Pierre Moueix aux Châteaux Pétrus et Latour à Pomerol. Cette propriété lui vient de sa mère.*

La Fleur Cauzin (Château)

Commune : Saint-Christophe-des-Bardes. *Propriétaire :* Raynal-Demur. *Superficie du vignoble :* 8 ha. *Age moyen du vignoble :* 30 ans. *Encépagement :* 20 % cabernet-sauvignon. 80 % merlot. *Production :* 50 tonneaux. 10 000 bouteilles en M.D.C. *Visite des chais :* tél. 57 24 77 58. *Vente au château et par correspondance :* en France. *Un vignoble planté à 80 % sur le coteau et bénéficiant d'une exposition au midi pour des vins qui ne manquent pas de panache.*

La Fleur Cravignac (Château)

Grand Cru

Commune : Saint-Emilion. *Propriétaires :* Lucienne et André Beaupertuis. Maître de chai : M. Oizeau. Œnologue conseil : Gérard Gendrot. *Superficie du vignoble :* 7 ha 50 a. *Age moyen du vignoble :* 30 ans. *Encépagement :* 10 % cabernet-sauvignon. 60 % merlot. 30 % cabernet-franc. *Production :* 36 000 bouteilles en M.D.C. *Visite des chais :* tél. 56 28 09 96 ou 57 74 44 01. *Vente au château et par correspondance :* Château Cravignac, 10, rue César Franck, 33320 Eysines. *Vente par le négoce :* Coste et Fils, Langon. Nony-Borie, Bordeaux. Audy, Libourne.

Mme Lucienne Beaupertuis tient cette propriété de son oncle Maxime Noël. Le nom de Cravignac est lié à l'histoire de Saint-Emilion puisque Jean-Baptiste Lavau de Cravignac, avocat au Parlement et Jacques Lavau de Cravignac, banquier, furent successivement maires de la commune vers le milieu du XVIIIe siècle. La petite chronique rapporte que Raymond Poincaré l'apprécia particulièrement lors du Congrès national des anciens combattants en 1929. Tradition politique oblige : les millésimes 80, 81 et 82 sont servis au restaurant de l'Assemblée nationale. Tous les députés qui le dégustent sont d'excellents parlementaires avec un taux élevé d'assiduité.

La Fleur Figeac (Clos)

Commune : Saint-Emilion. *Propriétaires :* Héritiers Marcel Moueix. Administrateur et directeur : Armand Moueix. Œnologue conseil : M. Crébana. *Superficie du vignoble :* 3 ha 43 a 48 ca. *Age moyen du vignoble :* 35 ans. *Encépagement :* 70 % merlot. 30 % cabernet-franc. *Production :* 19 000 bouteilles en M.D.C. *Vente par correspondance :* A. Moueix & Fils, Château Taillefer, 33500 Libourne. Tél. 57 51 50 63. *Vente par le négoce :* A. Moueix & Fils. *Bien typique des vins des Graves de Saint-Emilion, ce petit cru s'enorgueillit d'un voisinage de crus classés.*

La Fleur Gueyrosse (Château)

Commune : Libourne. **Propriétaire :** Robert Simon. Œnologue conseil : Mlle Cazenave. **Superficie du vignoble :** 2 ha 16 a. **Age moyen du vignoble :** 22 ans. **Encépagement :** 10 % cabernet-sauvignon. 60 % merlot. 30 % cabernet-franc. **Production :** 10 tonneaux. 2 000 bouteilles en M.D.C. **Vente au château. Vente par le négoce :** négoce langonnais. *Les vins destinés à la clientèle particulière vieillissent en barriques. Pour le négoce : cuves ciment.*

La Fleur Peilhan (Château)   → *Bellegrave*

La Fleur Picon (Château)

Grand Cru

Commune : Saint-Emilion. **Propriétaires :** M. et Mme Christian Lassègues. **Superficie du vignoble :** 6 ha. **Age moyen du vignoble :** 25 ans. **Encépagement :** 70 % merlot. 30 % cabernet-franc. **Production :** 30 000 bouteilles en M.D.C. **Visite des chais :** les samedi et dimanche de préférence. Tél. 57 24 70 56. **Vente au château et par correspondance :** en France. **Vente par le négoce.** *Marque récente pour un joli petit vignoble artisanal qui cousine avec Pomerol.*

La Fleur Pourret (Château)

Grand Cru

Commune : Saint-Emilion. **Propriétaire :** Domaines Prats. Administrateur : Bruno Prats. Chef de culture et maître de chai : Gilbert Xans. Directeur : Robert Hallay. Œnologue conseil : professeur Pascal Ribéreau-Gayon. **Superficie du vignoble :** 4 ha 50 a. **Age moyen du vignoble :** 20 ans. **Encépagement :** 10 % cabernet-sauvignon. 57 % merlot. 33 % cabernet-franc. **Production :** 18 000 bouteilles en M.D.C. **Vente par correspondance :** en France. Domaines Prats, 84, rue Turenne, 33000 Bordeaux. Tél. 56 44 11 37. **Vente par le négoce :** Domaines Prats.

Après la Première Guerre mondiale, Fernand Ginestet, grand-père des propriétaires actuels (et de l'auteur de ce livre) a réuni le petit vignoble de Haut-Pourret et celui de La Fleur Pourret, non loin du « Petit-Figeac », autre propriété de la famille. Bruno Prats a fait évoluer culture et vinification vers un style moderne qui n'est pas dénué de charme. Sans jamais prétendre au sublime, La Fleur Pourret est une bonne valeur.

La Fleur Puyblanquet (Château)   → *Robin*

Lafleur Vachon (Château)

Commune : Saint-Emilion. *Propriétaire :* Raymond Tapon.
Œnologue conseil : Mlle Cazenave. *Superficie du vignoble :*
2 ha 51 a. *Age moyen du vignoble :* 20 ans. *Encépagement :*
15 % cabernet-sauvignon. 70 % merlot. 15 % cabernet-
franc. *Production :* 7 000 bouteilles en M.D.C. *Visite des
chais :* sur rendez-vous. Tél. 57 74 46 42. *Vente au château
et par correspondance :* en France et à l'étranger : Allemagne.
Vente par le négoce : négoce libournais.

Dans la famille Tapon, le travail de la vigne a toujours été lié à celui de la pépinière.
Au siècle dernier, M. Tapon, le grand-père, apprit la greffe des plants de vigne chez
Macquin et Galhaud à Montagne. Aujourd'hui encore, le petit-fils, Raymond Tapon,
maintient la tradition familiale. Il produit des porte-greffes à Pernes-les-Fontaines
dans le Vaucluse, à cause des conditions climatiques favorables. Le Château Gazin
à Pomerol est un vieux client puisqu'il s'approvisionnait déjà du temps du grand-père.
Dans les merveilleuses petites caves souterraines, joliment aménagées, sont entassés
en terre les futurs ceps de vigne avec toutes leurs promesses.

La Forterie (Clos) ♟ → La Commanderie

La Gaffelière (Château)

1er Grand Cru classé

Commune : Saint-Emilion. *Propriétaire :* comte de Malet
Roquefort. Administrateur : Léo de Malet Roquefort. Chef
de culture : Edouard Garin. Maître de chai : J.-M. Galeri.
Œnologue conseil : M. Guimberteau. *Superficie du vignoble :* 22 ha. *Age moyen du vignoble :* 40 ans. *Encépagement :*
10 % cabernet-sauvignon. 65 % merlot. 25 % cabernet-
franc. *Production :* 80 000 bouteilles en M.D.C. *Visite des
chais :* du lundi au vendredi de 8 h à 12 h et de 14 h à
18 h. Tél. 57 24 72 15. *Vente au château et par correspondance :* en France. *Vente par le négoce :* négoce bordelais
traditionnel.

On a peine à croire que ce gentilhomme campagnard aux allures policées descend
d'un sauvage compagnon de Rollon le Viking qui participa à l'invasion et au pillage
de la Normandie à la fin du IXe siècle. A cette époque-là, l'ancêtre guerrier du comte
Léo de Malet Roquefort faisait ses libations au dieu Thor, fils d'Odin, en versant
dans le crâne d'un ennemi mort au combat la terrible eau-de-vie (akvavit) distillée
au clair de lune et mélangée de sang de renne. Quelques années plus tard, son fils
prêta main-forte à Guillaume le Conquérant contre l'infâme Harold qui fut, comme
on sait, défait à Hastings en 1066. Alors le Normand fut anobli et sa migration
vers le sud lui communiqua un caractère moins belliqueux. Il traversa le Périgord
pour se fixer au château de Roquefort, situé à Lugasson, près de Rauzan. A partir
de la guerre de Cent Ans, le patronyme familial fut définitivement établi en Malet
190 Roquefort. De quel côté des antagonistes étaient-ils lors de la bataille de Castillon ?

La Gaffelière bénéficie d'une situation privilégiée à mi-côte et d'un joli parc.

L'histoire reste discrète et la mémoire des Malet Roquefort n'est pas assez longue pour préciser s'ils soutenaient Charles VII ou le connétable Talbot. Mais aussitôt après, l'un d'eux prit pied à Saint-Emilion. Dans la vieille cité, à l'emplacement actuel du musée, la maison familiale devint le « Logis de Malet ». Vers la fin du XVIIe siècle, un Malet Roquefort épousa une demoiselle Leroy et devint le seigneur de La Gaffelière. Léo, comte de Malet Roquefort, est le descendant direct de la branche aînée ; c'est dire combien cette famille est profondément enracinée dans le terroir. A Saint-Emilion, elle partage l'ancienneté de la filiation terrienne avec 191 les Capdemourlin. Tôt mis à la tâche par le décès de son père, Léo de Malet mit un peu de temps avant d'apporter sa touche personnelle au produit de l'exploitation. La Gaffelière – qui s'est longtemps appelée « La Gaffelière-Naudes » – était un peu victime de ses propres pesanteurs ancestrales. L'esprit directeur, fondé depuis des générations sur la maintenance des traditions, pouvait parfois montrer sa force d'inertie face aux mouvements du progrès. La sempiternelle répartie : « Mais, Monsieur, on a toujours fait comme ça ! » servait de bastion inexpugnable aux habitudes érigées en préceptes. Il fallut patience et persévérance pour faire évoluer le cours des choses. Sans aucunement renier ses fibres subjectives, Léo de Malet a donné à son cru l'objective rigueur qui est de règle aujourd'hui dans les Châteaux bordelais de haut rang, surtout depuis que les universitaires ont investi le vignoble, le cuvier et le chai, après avoir endossé sportivement l'étiquette du vin comme un glorieux « T-shirt ». La preuve, la voici : la décennie soixante offre des vins généralement raides et davantage inspirés par l'acidité volatile que par les bouquets floraux ; la décennie soixante-dix se place dans une constante croissance de qualité, tous millésimes égaux par ailleurs ; depuis le début des années quatre-vingt, La Gaffelière s'est hissée au sommet du bon goût. Léo de Malet, émérite cavalier, a parfaitement maîtrisé sa monture et se permet de lui faire faire des démonstrations de Haute-Ecole. Désormais, c'est l'esprit de perfection qui prévaut dans la vigne et chez le vin. La devise des Malet Roquefort : *In arduis fortior* pourrait se compléter de la maxime *semper altum*. Exemple : pendant l'hiver 1985, La Gaffelière s'est transformée en séminaire toute saison. Cela signifie que la remise en question a été totale. MM. Cordeau, de l'INRA, Guimberteau, éminent œnologue, Compin, ingénieur agronome, Thienpont, ancien régisseur du domaine, Garin, de l'Ecole de Montpellier, et le propriétaire ont planché sur tous les cas de figure pouvant améliorer encore les normes de l'exploitation : porte-greffes, méthodes d'amendement, traitements phytosanitaires, contrôle des rendements (entre 35 et 45 hl, pas moins, pas plus : bravo !), règlement intérieur pour la taille de la vigne, éclaircissage des râfles (qu'on appelle les « fausses vendanges » parce qu'elles amputent la récolte des grappes vouées à l'immaturité), vinifications longues avec macérations prolongées (les vins de presse deviennent alors des « clairets » : les professionnels comprendront), fûts neufs systématiques, sélection des cuvées pour déterminer trois niveaux de qualité, le premier étant seul retenu pour la marque principale du cru, collage aux blancs d'œufs, barrique par barrique, à l'instar des plus grands médocs, toute filtration étant exclue ; en bref, Léo de Malet a radicalement pris une option sur chacun des facteurs de qualité dans la complexe problématique du grand vin qui n'a plus rien, au demeurant, d'une mystérieuse alchimie.

Juste à côté du château se trouve un lieu-dit « Palat ». Depuis 1969, des fouilles archéologiques ont révélé l'emplacement d'un riche *palatium*, aujourd'hui daté avec certitude comme appartenant à l'époque gallo-romaine des IIIe et IVe siècles, c'est-à-dire au temps d'Ausone. Le tracé de cette *villa* a été à peu près reconstitué, à l'exception d'une partie qui est enfouie sous la route départementale. A n'en point douter, c'était la villégiature d'un notable de haut rang et les mosaïques du sol évoquent par endroits la vigne féconde. De surcroît, le plan de l'habitation est étrangement proche des villas que l'on connaît autour de Trèves, dans la campagne mosellane. Quand on sait que notre Ausone national habita cette région pendant plusieurs années avant de revenir en terre burdigalienne, la présomption est très forte d'avoir enfin découvert l'une de ses sept résidences dans le Sud-Ouest. Quoi qu'il en soit, l'évidence est flagrante : La Gaffelière est un haut lieu de la vigne et du vin à Saint-Emilion depuis les premiers temps où, dans notre pays, les hommes cultivèrent la *vitis vinifera*. J'avoue que, pour moi, il en résulte une charge émotionnelle cumulative, outre celle qui résulte de la superbe qualité du vin. La Gaffelière réunit toutes les chances : celle du terroir, celle des hommes et celle de la « romance ». Comme l'a écrit Jacques Bouzerand dans *Le Point :* « Et, merveille! toute bouteille s'enrichit de son histoire, qui amplifie le plaisir du palais. » L'agronome romain Columelle, quant à lui, vouait son admiration au *palatum eruditum*. Dans les joies de la vie, une chose est bien sûre : c'est de pouvoir ainsi déguster la culture.

La Gaffelière (Clos) ☖ → La Gaffelière

La Gaffelière (Domaine de)

Commune : Saint-Emilion. *Propriétaire :* Claude Mazière. *Superficie du vignoble :* 1 ha. *Age moyen du vignoble :* 20 à 30 ans. *Encépagement :* 70 % merlot. 30 % cabernet-franc. *Production :* 60 00 bouteilles en M.D.C. *Visite des chais :* sur rendez-vous. Tél. 57 24 70 42. *Vente au château et par correspondance :* en France et à l'étranger : Belgique, Angleterre. *Une des multiples étiquettes de Claude Mazière qui, tout en habillant des vins agréables, ne doit pas être confondue avec le Château homonyme.*

La Garelle (Château)

Commune : Saint-Emilion. *Propriétaire :* Guy Thibeaud. *Superficie du vignoble :* 8 ha 70 a. *Age moyen du vignoble :* 20 ans. *Encépagement :* 5 % cabernet-sauvignon. 85 % merlot. 10 % cabernet-franc. *Production :* 50 tonneaux. *Vente au château et par correspondance :* en France. Tél. 57 40 05 32. *Vente par le négoce :* en vrac.

La Gomerie (Château)

Grand Cru

Commune : Saint-Emilion. *Propriétaire :* Marcel Lescure. *Superficie du vignoble :* 3 ha. *Age moyen du vignoble :* 20 ans. *Encépagement :* 5 % cabernet-sauvignon. 90 % merlot. 5 % cabernet-franc. *Production :* 17 000 bouteilles en M.D.C. *Vente au château et par correspondance :* en France et à l'étranger. Tél. 57 24 71 35.

« En l'an 1276, Dom Bertrand, abbé de Fayze, reçut en donation d'Hélie, vicomte de Castillon, le manoir de La Gomerie avec ses appartenances et ses revenus. Edouard Ier, roi d'Angleterre, confirma cette donation par lettres patentes du 7 décembre 1289 » (Gallia Christiana, vol II. p. 888). Pendant plus de quatre siècles, La Gomerie resta attachée à l'abbaye de Fayze qui y construisit un prieuré. Devenu indépendant, 193 celui-ci prospéra jusqu'à la Révolution, lorsque la propriété, qui couvrait quelque 200 hectares, fut démembrée. Le modeste vignoble actuel représente l'ancien enclos du prieuré proprement dit. Marcel Lescure soigne avec amour sa vigne, son vin et ses clients.

La Grâce Dieu (Château)

Commune : Saint-Emilion. **Propriétaire :** Société Château La Grâce Dieu. Administrateur, chef de culture et maître de chai : Christian Pauty. Œnologue conseil : M. Chagneau. **Superficie du vignoble :** 12 ha. **Age moyen du vignoble :** 20 ans. **Encépagement :** 15 % cabernet-sauvignon. 70 % merlot. 15 % cabernet-franc. **Production :** 72 000 bouteilles en M.D.C. **Vente au château :** tél. 57 24 71 10. **Vente par le négoce.** *Bonne vieille marque qui a évolué vers des méthodes progressistes, La Grâce Dieu s'est convertie au culte de l'œnologie moderne. Amen.*

La Grâce Dieu des Prieurs (Château)

Grand Cru

Commune : Saint-Emilion. **Propriétaires :** M. et Mme Laubie. Œnologue conseil : Mlle Cazenave-Mahé. **Superficie du vignoble :** 7 ha. **Age moyen du vignoble :** 30 ans. **Encépagement :** 5 % cabernet-sauvignon. 80 % merlot. 15 % cabernet-franc. **Production :** 36 000 bouteilles en M.D.C. **Vente par correspondance :** Mme Laubie, 35, avenue Georges Clemenceau, 33500 Libourne. Tél. 57 51 07 87. **Vente par le négoce :** exportation. *L'acquisition de la propriété remonte aux années cinquante. Le vin est gras et fruité à tendance Pomerol.*

La Grâce Dieu Les Menuts (Château)

Grand Cru

Commune : Saint-Emilion. **Propriétaire :** G.F.A. des Vignobles Xans-Pilotte. Administrateur : Max Pilotte. Œnologue conseil : Michel Rolland. **Superficie du vignoble :** 13 ha. **Age moyen du vignoble :** 25 à 30 ans. **Encépagement :** 10 % cabernet-sauvignon. 60 % merlot. 30 % cabernet-franc. **Production :** 60 à 70 000 bouteilles en M.D.C. **Visite des chais :** les jours ouvrables et sur rendez-vous les week-ends. Tél. 57 24 73 10. **Vente au château et par correspondance. Vente par le négoce.**

L'origine de ce cru remonte au siècle dernier lors de la première vente à Jean Thibeau, cultivateur, de deux parcelles totalisant environ 90 ares dans le quartier de La Grâce Dieu. Chaque génération qui suivit acheta, ici et là, des lopins successifs dont le cumul actuel est de 13 hectares. Il en résulte un morcellement important avec l'avantage d'une grande diversité de sols et de microclimats. La cinquième génération

La cinquième génération affirme son attachement au temps jadis.

est à pied d'œuvre, par gendres interposés. Quant à la sixième, représentée notamment par Mme Audier, elle vient de terminer ses études de viticulture-œnologie et a pris pour fonts baptismaux les cuves familiales lors de la vendange 1985. Son père, Max Pilotte, ainsi secondé, peut consacrer un peu plus de son temps à sa passion de collectionneur d'outils et d'instruments relatifs à la vigne et au vin. Le clan Thibeau-Xans-Pilotte revendique l'honneur de s'appeler paysans-vignerons. Dans les meilleures années, la macération dure presque un mois. Mais alors : couleur dense, bouquet concentré, corps charnu, finale qui n'en finit pas... sont au rendez-vous du dégustateur. Du bel ouvrage, en vérité.

Lagrange de Lescure (Château)

Grand Cru

Commune : Saint-Sulpice-de-Faleyrens. *Superficie du vignoble :* environ 10 ha. *Encépagement :* 37 % cabernet-sauvignon. 25 % merlot. 37 % cabernet-franc. *Vente par correspondance :* en France et à l'étranger. Tél. 57 74 62 21. *Vente par le négoce. Voir Château Le Couvent.*

La Grave Figeac (Château)

Grand Cru

Commune : Saint-Emilion. *Propriétaire :* Odette Ornon. Exploitant et maître de chai : Georges Meunier. Œnologue conseil : Gilles Pauquet. *Superficie du vignoble :* 4 ha 50 a. *Age moyen du vignoble :* 30 ans. *Encépagement :* 20 % cabernet-sauvignon. 60 % merlot. 20 % cabernet-franc. *Production :* 24 000 bouteilles en M.D.C. *Vente au château et par correspondance :* Tél. 57 51 38 47. *Vente par le négoce.*

La Grezolle (Domaine de)

Commune : Saint-Sulpice-de-Faleyrens. **Propriétaire :** S.C.E. Vignobles Michel Decazes. **Superficie du vignoble :** 4 ha. **Age moyen du vignoble :** 15 ans. **Encépagement :** 80 % merlot. 20 % cabernet-franc. **Production :** 16 tonneaux. 10 000 bouteilles en M.D.C. **Vente au château et par correspondance :** en France. Vignobles Michel Decazes, Château Compassant, Génissac, 33420 Branne. Tél. 57 24 47 60. *Cinq siècles de présence de la famille Decazes sur ce terroir ! Qui dit mieux ?*

La Madeleine (Clos)

Grand Cru classé

Commune : Saint-Emilion. **Propriétaire :** Hubert Pistouley. **Superficie du vignoble :** 2 ha. **Age moyen du vignoble :** 18 ans. **Encépagement :** 50 % merlot. 50 % cabernet-franc. **Production :** 11 000 bouteilles en M.D.C. **Vente au château et par correspondance :** en France. H. Pistouley, La Gaffelière, 33330 Saint-Emilion. Tél. 57 24 71 50.

Petite propriété du genre « bijou de famille », ce vignoble fait face au midi, roi des étés, sur le coteau de La Madeleine, bien historique du Haut Saint-Emilion. Cerné par des Premiers Grands Crus classés, sa dimension ne lui permet pas de siéger parmi les seigneurs. Mais son vin est, pour l'amateur, une véritable trouvaille. Fin, racé, souple et nerveux, le Clos La Madeleine est capable d'enchanter le palais le plus délicat.

Lamartre (Château)

→ Union de Producteurs

Grand Cru

La Marzelle (Château)

Grand Cru classé

Commune : Saint-Emilion. **Propriétaire :** Association Carrère. Administrateur : M. Carrère. Œnologue conseil : Michel Rolland. **Superficie du vignoble :** 13 ha. **Age moyen du vignoble :** 20 ans. **Encépagement :** 20 % cabernet-sauvignon. 70 % merlot. 10 % cabernet-franc. **Production :** 80 000 bouteilles en M.D.C. **Vente par correspondance :** en France et à l'étranger. **Vente par le négoce.**

C'est peut-être un bambin zozotant qui lui a donné pour toujours ce nom gazouillant.

Sous l'Ancien Régime, La Marzelle constituait un fief qui a appartenu pendant quelque temps aux cisterciens de Fayze, de même que La Gomerie. Mais il ne semble pas que les disciples de saint Bernard aient jamais fait grand cas de ces deux donations. Pourtant, à partir de 1760, on y voit de la vigne, tout à fait justifiée par la terrasse de hautes graves günziennes qui émerge des sables environnants. Les familles Belliquet, Chauvin et Longa, bourgeois de Libourne, s'y sont succédé jusqu'à la Révolution. Puis c'est l'éclipse et l'étampe du cru ne réapparaît qu'au début de ce siècle. Le Château La Marzelle se situe aujourd'hui très dignement dans la liste des crus classés. Pourrait-il encore mieux faire ?

Lamarzelle Cormey (Domaine de)

Grand Cru

Commune : Saint-Emilion. **Propriétaires :** Héritiers Nouvel. Gérant : Claude Moreaud. Régisseur : Richard Moreaud. Œnologue conseil : C.B.C. Libourne. **Superficie du vignoble :** 5 ha. **Age moyen du vignoble :** 11 ans. **Encépagement :** 100 % merlot. **Production :** 24 000 bouteilles en M.D.C. **Vente par correspondance :** S.C.E.A. Domaines Cormeil Figeac-Magnan, Cormeil Figeac, 33330 Saint-Emilion. Tél. 57 24 70 53. *Le vignoble a été entièrement réhabilité entre 1969 et 1980. Rareté à Saint-Emilion, il est planté sur une veine superficielle d'argile (comme à Pétrus !).*

La Mélissière (Château)

Grand Cru

Commune : Saint-Hippolyte. **Propriétaire :** Patrick Bernard. **Superficie du vignoble :** 12 ha. **Age moyen du vignoble :** 20 ans. **Encépagement :** 33 % cabernet-sauvignon. 33 % merlot. 33 % cabernet-franc. **Production :** 60 tonneaux. 20 000 bouteilles en M.D.C. **Visite des chais :** tél. 57 24 60 81. **Vente au château et par correspondance :** Patrick Bernard, Mitrotes, Saint-Laurent-des-Combes, 33330 Saint-Emilion. *Ce cru appartient à l'une des plus anciennes familles du pays mais, aujourd'hui, le vin se boit de plus en plus jeune.*

La Mondotte (Château)

Grand Cru

Commune : Saint-Emilion. **Propriétaire :** S.C.E. Vignobles des comtes de Neipperg. Administrateur : comte Stephan de Neipperg. Chef de culture : Paul Pébou. Maître de chai : Patrick Erésué. **Superficie du vignoble :** 4 ha. **Age moyen du vignoble :** 35 ans. **Encépagement :** 7 % cabernet-sauvignon. 65 % merlot. 28 % cabernet-franc. **Production :** 20 000 bouteilles en M.D.C. **Vente au château et par correspondance :** en France. Château Canon La Gaffelière, 33330 Saint-Emilion. Tél. 57 24 71 33. **Vente par le négoce :** exportation. *Cette petite exploitation apparaît comme une deuxième marque du Château Canon La Gaffelière. Elle permet une sélection au profit de cette dernière.*

Lamour (Château)

Grand Cru

Commune : Saint-Emilion. **Propriétaire :** S.C. du Château Lamour. Directeurs : Jacques de Coninck, Serge Feuillatte. **Superficie du vignoble :** 3 ha 68 a. **Age moyen du vignoble :** 17 ans. **Encépagement :** 35 % cabernet-sauvignon. 65 % merlot. **Production :** 20 tonneaux. **Vente par correspondance.** *La légèreté de ce vin de « sables » est compensée par une macération de 4 à 5 semaines.*

La Nauve (Clos)

Commune : Saint-Laurent-des-Combes. **Propriétaire :** Mme Guion-Bénard. Chef de culture et maître de chai : M. Bénard. Œnologue conseil : M. Chaine. **Superficie du vignoble :** 25 a 60 ca. **Age moyen du vignoble :** 20 ans. **Encépagement :** 100 % merlot. **Production :** 1 200 bouteilles en M.D.C. **Vente au château et par correspondance :** tél. 57 24 70 32. *Production très confidentielle réservée à un petit cercle d'amis et connaissances.*

L'Ancien Moulin (Château)

Commune : Libourne. **Propriétaire :** M. Gilbert Favrie. Œnologue conseil : Gilles Pauquet. **Superficie du vignoble :** 4 ha. **Age moyen du vignoble :** 25 ans. **Encépagement :** 10 % cabernet-sauvignon. 50 % merlot. 40 % cabernet-franc. **Production :** 16 000 bouteilles en M.D.C. **Visite des chais :** sur rendez-vous. Tél. 57 51 29 02. **Vente au château et par correspondance :** en France et à l'étranger. Gilbert Favrie, 11, chemin du Ruste, 33500 Libourne.

Avec son sol silico-argileux et son sous-sol de « crasse de fer », ce cru s'apparente davantage au terroir de Pomerol qu'aux Saint-Emilion les plus traditionnels. De fait, l'Ancien Moulin est contigu à l'appellation Pomerol et se trouve tout à fait à l'ouest de celle de Saint-Emilion, à cheval sur le ruisseau de Tailhas. La culture

y est fort traditionnelle (4 façons de labours sans désherbants) et les vendanges sont manuelles. Vinification classique et vieillissement en barriques dont 1/6e en fûts neufs. Vin agréable : fruité, vif, léger, sincère.

L'Angélus (Château)

Grand Cru classé

Commune : Saint-Emilion. *Propriétaires* : Messieurs de
Boüard de Laforest. Administrateur : Jacques de Boüard.
Régisseur : Hubert de Boüard. Œnologues conseils : Hubert
de Boüard et Pascal Ribéreau-Gayon. *Superficie du vignoble* : 23 ha. *Age moyen du vignoble* : 25 ans. *Encépagement* :
5 % cabernet-sauvignon. 45 % merlot. 50 % cabernet-franc.
Production : 144 000 bouteilles en M.D.C. *Visite des chais* :
sur rendez-vous. Tél. 57 24 71 39. *Vente au château et par
correspondance* : en France. *Vente par le négoce* : place de
Bordeaux.

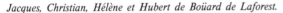

Aujourd'hui, l'Angélus carillonne la bonne parole de Saint-Emilion sur tous les points
du globe. Autrefois, selon la tradition orale du cru, c'était le seul lieu d'où l'on pouvait
entendre sonner l'angélus par les trois églises du pays : Mazerat, Saint-Martin de
Mazerat et Saint-Emilion. En 1909, Maurice de Boüard hérita de sa tante. L'essentiel
du bien était une propriété viticole de treize hectares dont les vins s'étampaient
« Mazerat ». Ce legs devait contribuer à fixer celui qui, aîné d'une famille
nombreuse, avait dû émigrer vers l'Amérique dès l'âge de 16 ans. Il servit dans les
dragons et se distingua par son tempérament bouillant. En 1924, il ne manqua pas
l'occasion d'acheter à la famille Gurchy l'enclos de trois hectares appelé
« l'Angélus ». Il avait alors 54 ans. Une douzaine d'années plus tard il eut la main
droite broyée par la roue d'une charette dont il voulait arrêter le cheval emballé.
Flegmatiquement, il apprit à écrire de la main gauche et s'éteignit en 1959, âgé de
89 ans, après avoir, une dernière fois, entendu sonner l'angélus. Ses trois fils avaient

Jacques, Christian, Hélène et Hubert de Boüard de Laforest.

pris en charge la gestion viticole à l'issue de la dernière grande guerre. Ils décidèrent que, les meilleures cloches n'ayant qu'un son, ils regrouperaient sous la seule marque de l'Angélus les productions de Mazerat et du petit enclos. C'est sous ce nom que le vignoble fut classé en 1954.

En 1960, le frère benjamin, Alain, quitta la société familiale. En 1969, la propriété se trouva confortée de trois hectares voisins, achetés au Château Beauséjour. L'ensemble est d'un seul tenant et se trouve situé sur le pied de côte méridional, au bénéfice d'un ensoleillement optimal. L'âge moyen des vignes est maintenu à 25 ans. La vinification est traditionnelle avec des cuvaisons de l'ordre de trois semaines. Le vieillissement est assumé pour les deux tiers en barriques neuves pendant une durée de quatorze à seize mois. Le reste garde la fraîcheur de son prime fruit en cuves. L'égalisage intégral de chaque récolte intervient peu avant la mise en bouteilles. La totalité de la production est emballée en caisses de bois. J'avoue ma déjà vieille tendresse personnelle pour les vins du Château l'Angélus. Ils sont capables de « s'ouvrir » rapidement tout en restant consistants et profonds. Ce caractère particulier n'est pas si fréquent qu'on le croit dans le difficile arbitrage entre les charmes spontanés de l'adolescence et les subtiles vertus de la maturité. L'Angélus a le secret des analogies olfactives telles que le cachou, la réglisse, la vanille et les fruits confits. C'est un vin qui déçoit rarement et dont on retrouve toujours avec plaisir la personnalité bien marquée.

Langrane (Château)

→ Saint-Pey « Branche Aînée »

Laniote (Château)

Grand Cru classé

Commune : Saint-Emilion. **Propriétaires** : Héritiers Freymond-Rouja. Administrateur : M. de La Filolie. Régisseur : M. Jean Brun. **Superficie du vignoble** : 5 ha. **Age moyen du vignoble** : 25 ans. **Encépagement** : 10 % cabernet-sauvignon. 70 % merlot. 20 % cabernet-franc. **Production** : 30 000 bouteilles en M.D.C. **Visite des chais** : M. Bombeau. Tél. 57 24 70 80. **Vente au château et par correspondance** : en France et à l'étranger. **Vente par le négoce**.

Les Domaines Cordier ont récemment acquis cet excellent « petit » grand cru. Au nord-ouest et tout proche de la ville, ce vignoble de cinq hectares est planté sur un terrain lourd, de type argilo-calcaire avec des veines ferrugineuses dans la partie basse. C'est sans doute le cru le plus authentiquement représentatif du bon saint Emilion car on y trouve la célèbre chapelle de la Trinité, édifiée au XIIᵉ siècle au-dessus de la grotte où vécut Emilion, quatre siècles plus tôt. Le touriste ne manquera pas de visiter le pieux ermitage au charme pittoresque. Il est taillé dans le rocher comme un studio troglodyte dont le « mobilier » est immeuble par destination. Autel, lit et fauteuil sont du même roc. Indéniablement, saint Emilion avait le sens du *design* rustique lorsqu'il aménagea son petit intérieur. Il y règne une atmosphère de pieuse simplicité où l'on ne pénètre pas sans émotion. A gauche en entrant, protégée par des balustres anciennes mais anachroniques, on voit la source d'eau pure qui incita le saint homme à fixer là son habitat. Les amoureux, les pieux pèlerins, les dévots et les superstitieux ne manquent pas d'y jeter une épingle en formulant un vœu qui sera exaucé dans l'année si elle tombe en croix sur une autre épingle déjà immergée. Comme les épingles, au fond du bassin, se comptent par plusieurs milliers, si vous avez un vœu à faire exaucer, allez lancer votre fibule dans l'eau limpide de l'ermitage. Votre oraison jaculatoire (c'est-à-dire courte et fervente) sera entendue. Ça marche mieux que le loto. Ceux qui n'ont rien (ou tout) à demander peuvent jeter une pièce de monnaie. Il y en a déjà des quintaux. Dans mille ans, peut-être, un archéologue venu d'une lointaine galaxie découvrira le « trésor d'Emilion » et détruira la légende de la pauvreté du saint. Autre bénédiction

particulière du lieu : les épouses qui désirent avoir un enfant doivent s'asseoir sur le fauteuil de pierre en pensant très fort à leur cher désir. Moins de trois lunes plus tard, elles auront un petit Jésus dans la crèche. Surtout si le futur papa a fait une cure de bon vin de Saint-Emilion. Du Château Laniote, par exemple.

L'Annonciation (Château de)

Commune : Saint-Emilion. *Propriétaire :* Bruno Callégarin. Œnologue conseil : Mlle Cazenave. *Superficie du vignoble :* 4 ha 50 a. *Age moyen du vignoble :* 30 ans. *Encépagement :* 33 % cabernet-sauvignon. 33 % merlot. 33 % cabernet-franc. *Production :* 30 000 bouteilles environ. *Visite des chais :* tél. 57 51 74 50. *Vente au château et par correspondance :* en France et à l'étranger. Bruno Callégarin, 11, avenue de l'Europe, 33500 Libourne. *Vente par le négoce.*

Lapelletrie (Château)

Grand Cru

Commune : Saint-Christophe-des-Bardes. *Propriétaire :* G.F.A. Lapelletrie (Famille Pierre Jean). Administrateur : Christian Lassegues. Maître de chai : M. Gagnaire. Œnologue conseil : M. Pauquet. *Superficie du vignoble :* 12 ha. *Age moyen du vignoble :* 50 ans. *Encépagement :* 80 % merlot. 20 % cabernet-franc. *Production :* 66 000 bouteilles en M.D.C. *Vente au château et par correspondance :* en France et à l'étranger. Tél. 57 24 77 54.

Juché sur deux croupes argilo-calcaires, le vignoble du Château Lapelletrie surplombe la commune de Saint-Christophe-des-Bardes. A son mariage, en 1930, M. Pierre Jean (maire de Saint-Christophe-des-Bardes durant trente-deux ans) acheta le Château Lapelletrie. Aujourd'hui, Lapelletrie est le siège d'une exploitation viti-vinicole non négligeable. De vastes chais permettent le stockage et l'expédition de vins moyens, notamment pour la vente en cubitainer. De grandes caves souterraines offrent des conditions favorables à la conservation d'un folklore local dont certains clients sont friands.

Lapeyre (Château)

Grand Cru

Commune : Saint-Etienne-de-Lisse. *Propriétaire :* Simone Tauziac. Fermier, chef de culture et maître de chai : Hubert Tauziac. Œnologue conseil : Max Jumin. *Superficie du vignoble :* 12 ha. *Age moyen du vignoble :* 25 ans. *Encépagement :* 10 % cabernet-sauvignon. 50 % merlot. 40 % cabernet-franc. *Production :* 70 000 bouteilles en M.D.C. *Visite des chais :* sur rendez-vous. Tél. 57 40 18 24. *Vente au château et par correspondance :* en France et à l'étranger. *Vente par le négoce.*

Simone Tauziac est une femme de tête. Propriétaire des Châteaux Lapeyre et Guinot (une seconde marque), elle s'est retirée du travail à l'âge de 65 ans, en 1983. Elle a confié la relève à son fils Hubert mais garde néanmoins un œil vigilant sur l'exploitation. De son temps, madame Tauziac était aussi bien au vignoble qu'au chai. C'est elle qui a fait les premières mises en bouteilles à la propriété. Lorsqu'elle se lança dans la commercialisation de son vin, elle fit preuve d'astuce. Prenant des annuaires téléphoniques, elle releva tous les patronymes Lapeyre et Guinot et leur adressa ses propositions. Elle se souvient et sourit : « Les gens s'y faisaient prendre... souvent, mais ils étaient contents ! » Alors, si vous avez un tonton qui s'appelle Lapeyre, vous saurez comment lui faire plaisir. Mais s'il s'appelle autrement, offrez-en une caisse à votre grand-père.

La Pierre du Maréchal (Château)

Commune : Saint-Christophe-des-Bardes. *Propriétaire :* Max Iteï. *Superficie du vignoble :* 1 ha. *Age moyen du vignoble :* 20 ans. *Encépagement :* 70 % merlot. 30 % bouchet. *Production :* 6 000 bouteilles en M.D.C. *Vente au château et par correspondance :* en France. Tél. 57 24 62 36. *Depuis 1955, ce petit vignoble a réussi à stabiliser Max Iteï, préalablement globe-trotter et aventurier.*

La Pignonne (Clos)

Commune : Libourne. *Propriétaire :* Denis Pueyo. Administrateur : G.A.E.C. Pueyo Frères. Œnologue conseil : M. Pauquet. *Superficie du vignoble :* 3 ha. *Age moyen du vignoble :* 25 ans. *Encépagement :* 70 % merlot. 30 % cabernet-franc. *Production :* 18 tonneaux. 8 000 bouteilles en M.D.C. *Visite des chais :* sur rendez-vous. Tél. 57 51 13 26. *Vente au château et par correspondance :* en France et à l'étranger : Allemagne, Belgique. Denis Pueyo, 15, avenue de Gourinat, 33500 Libourne. *Vente par le négoce :* en vrac. *Les trois générations de Pueyo font du vin dans des cuves ciment et dans la bonne humeur.*

La Pointe Bouquey (Château)

Grand Cru

Commune : Saint-Pey-d'Armens. **Propriétaire :** René Bentenat. Chef de culture et maître de chai : Philippe Bentenat. Œnologue conseil : M. Hébrard. **Superficie du vignoble :** 6 ha 85 a. **Age moyen du vignoble :** 30 ans. **Encépagement :** 75 % merlot. 25 % cabernet-franc. **Production :** 25 tonneaux. 6 000 bouteilles en M.D.C. **Vente au château et par correspondance :** tél. 57 47 15 34. **Vente par le négoce :** négoce bordelais. M. le maire de Saint-Pey-d'Armens devrait donner l'exemple et faire davantage de bouteilles en M.D.C.

Larcis Ducasse (Château)

Grand Cru classé

Commune : Saint-Laurent-des-Bardes. **Propriétaire :** Hélène Gratiot Alphandéry. Régisseur et maître de chai : Philippe Dubois. Œnologue conseil : J.-F. Chaine. **Superficie du vignoble :** 10 ha. **Age moyen du vignoble :** 20 à 30 ans. **Encépagement :** 10 % cabernet-sauvignon. 65 % merlot. 25 % cabernet-franc. **Production :** 50 à 60 000 bouteilles en M.D.C. **Visite des chais :** sur rendez-vous. Philippe Dubois. Tél. 57 24 70 84. **Vente au château et par correspondance :** en France et à l'étranger. **Vente par le négoce :** négoce traditionnel de Bordeaux et Libourne.

Le Château Larcis Ducasse a été acquis en 1893 par Henry Raba, descendant direct d'une vieille famille d'armateurs et négociants, installés à Bordeaux depuis le

Larcis-Ducasse est l'un des deux crus classés extérieurs à la commune de Saint-Emilion.

XVIIIe siècle et proches parents des Fould, des Gradis et des Péreire. En 1936, André Raba, un des cinq enfants de Henry, qui avait été médecin auxiliaire des armées pendant la Première Guerre mondiale, s'installa à Larcis Ducasse, succédant ainsi à sa mère. 1941 : les troupes nazies font irruption dans la propriété. André Raba est incarcéré à Libourne sous l'accusation d'écouter la radio anglaise. Il décède peu de temps après à cause des mauvais traitements, laissant la propriété à sa nièce, Mme Gratiot Alphandéry. Celle-ci, menacée à son tour par l'occupant, se réfugie en zone libre avec ses deux enfants. Elle revient à Larcis Ducasse après la Libération de 1944 et, depuis cette date, elle assure la direction de l'exploitation tout en exerçant à Paris d'importantes fonctions dans l'enseignement.

Pendant la guerre, la propriété et les récoltes ont été sauvegardées grâce au dévouement et à la grande compétence du régisseur, M. Pharaon Roche. Il est aujourd'hui remplacé (depuis 1978) par Philippe Dubois, né à Larcis Ducasse où ses parents étaient employés. Il y a longtemps déjà que mon ami Pierre Castéja, le patron de la Maison Joanne, m'a converti aux subtilités aromatiques de ce vin.

Larguet (Château) 🏰 → Union de Producteurs

Larmande (Château)

Grand Cru classé

Commune : Saint-Emilion. **Propriétaire :** Jean-Fernand Mèneret-Capdemourlin. Régisseur et chef de culture : Philippe Mèneret-Capdemourlin. Maître de chai : Roland Dudilot. Œnologues conseils : MM. Peynaud et Guimberteau. **Superficie du vignoble :** 19 ha 50 a. **Age moyen du vignoble :** 35 ans. **Encépagement :** 5 % cabernet-sauvignon. 65 % merlot. 30 % cabernet-franc. **Production :** 90 000 bouteilles en M.D.C. **Visite des chais :** sur rendez-vous. Tél. 57 24 71 41 ou 57 74 40 77. **Vente par correspondance :** en France. Château Larmande, rue Guadet, 33330 Saint-Emilion. **Vente par le négoce :** Bordeaux et Libourne.

Larmande est un lieu-dit sur la côte nord de Saint-Emilion. La vigne croît sur des terrains aux natures géologiques variées. Leur complémentarité s'exprime dans le vin qui offre une belle et riche structure. L'âge moyen du vignoble est maintenu à 35 ans et les rendements à l'hectare sont fort raisonnables. Une pièce de cabernets-francs ne se souvient pas de son âge exact mais elle est plus que centenaire.

Il y a cent ans, Larmande appartenait à la famille de Saint-Genis qui avait succédé aux Pion de Case. A cette époque, le cru était rangé par Cocks et Féret avec les

Au cœur de la cité, Larmande est une ancienne demeure seigneuriale du XIVᵉ siècle.

deuxièmes de Saint-Emilion. Le régisseur de la propriété s'appelait alors Germain Mèneret. Vers la fin du siècle précédent il offrit à son patron de lui acheter le bien. Comme il ne pouvait pas réunir seul la somme nécessaire, il appela à l'aide son ami Amédée Capdemourlin. Les deux familles étaient proches l'une de l'autre au point que la génération suivante convola. Germain Mèneret (le jeune) et son épouse Alice (née Capdemourlin) héritèrent de la propriété en 1935. C'est leur fils Jean-Fernand (dit Jean) qui leur a aujourd'hui succédé à la tête de l'exploitation et qui est secondé par ses deux fils. J'aime beaucoup les vins de Larmande. Ils sont d'une belle consistance qui en met « plein la bouche ».

La Rocaille (Château)

Commune : Libourne. **Propriétaire :** François Florit. **Superficie du vignoble :** 5 ha 47 a. **Age moyen du vignoble :** 20 ans. **Encépagement :** 20 % cabernet-sauvignon. 70 % merlot. 10 % cabernet-franc. **Production :** 30 tonneaux. **Vente au château et par correspondance :** François Florit, Gueyrosse, 33500 Libourne. Tél. 57 51 01 23. *Vin bien fait, sans acidité excessive et qui sera généralement un vrai petit plaisir pour le bon grand amateur.*

Laroque (Château)

Grand Cru

Commune : Saint-Christophe-des-Bardes. **Propriétaire :** S.C.A. Château Laroque. Régisseur : Bruno Sainson. Gestionnaire : Franck Allard. Œnologue conseil : Michel Rolland. **Superficie du vignoble :** 44 ha. **Age moyen du vignoble :** 25 ans. **Encépagement :** 15 % cabernet-sauvignon. 65 % merlot. 20 % cabernet-franc. **Production :** 250 000 bouteilles en M.D.C. **Visite des chais :** tél. 57 24 77 28. **Vente au château :** Château Laroque, 33, rue de Saint-Genès, 33000 Bordeaux. **Vente par le négoce :** Alexis Lichine & Cie.

Les premières pierres de Laroque datent du Moyen Age. La tour ronde en est un vestige. Reconstruit au XVIIIe dans un pur style Louis XIV, c'est l'un des plus imposants et majestueux châteaux de la région. Il fut, pendant plusieurs siècles, la propriété des comtes de Rochefort Lavie, dont le monogramme orne encore le portail monumental. Dans les années 30, la famille Beaumartin acheta l'ensemble des domaines Rochefort. Il fallut attendre 1960 pour que le Château Laroque soit

Le château Laroque représente un imposant ensemble architectural.

remis en bonne condition. Avec près de 45 hectares en production, c'est l'un des grands vignobles de Saint-Emilion. Le cru est actuellement distribué en exclusivité par la société Alexis Lichine et Cie. Les derniers millésimes produits présentent toutes les caractéristiques des vins de côtes et ne manquent pas d'élégance.

La Rose (Clos)

Grand Cru

Commune : Saint-Emilion. *Propriétaire :* Jean-Claude Carles. Œnologue conseil : Michel Rolland. *Superficie du vignoble :* 2 ha. *Age moyen du vignoble :* 15 ans. *Encépagement :* 10 % cabernet-sauvignon. 70 % merlot. 20 % cabernet-franc. *Production :* 12 000 bouteilles en M.D.C. *Visite des chais :* sur rendez-vous. Tél. 57 24 78 92. *Vente au château et par correspondance :* en France et à l'étranger. Château Coudert, Saint-Christophe-des-Bardes. *Vente par le négoce :* négoce libournais.

La Rose Blanche (Château)

Commune : Saint-Christophe-des-Bardes. *Propriétaire :* Lisette Fritegotto. Œnologue conseil : M. Hébrard. *Superficie du vignoble :* 6 ha. *Age moyen du vignoble :* 20 ans. *Encépagement :* 20 % cabernet-sauvignon. 60 % merlot. 20 % cabernet-franc. *Production :* 20 000 bouteilles en M.D.C. *Visite des chais :* tél. 57 24 62 26. *Vente au château et par correspondance :* Lisette Fritegotto, La Brièche, 33330 Saint-Christophe-des-Bardes. *Vente par le négoce :* Borie-Manoux, Barrière. M*me* Fritegotto partage son temps entre la poste centrale de Bordeaux et son vignoble. Son vin ne manque pas de cachet.

La Rose Côtes Rol (Château)

Grand Cru

Commune : Saint-Emilion. *Propriétaire :* Yves Mirande. *Superficie du vignoble :* 8 ha 50 a. *Age moyen du vignoble :* 25 ans. *Encépagement :* 15 % cabernet-sauvignon. 65 % merlot. 15 % cabernet-franc. 5 % malbec. *Production :* 42 000 bouteilles en M.D.C. *Visite des chais :* tous les jours ; sur rendez-vous pour les groupes. Tél. 57 24 71 28. *Vente au château et par correspondance :* en France et à l'étranger. *Plusieurs médailles d'or et d'argent sont venues récompenser le mérite de ce bon viticulteur.*

La Rose-Pourret (Château)

Grand Cru

Commune : Saint-Emilion. *Propriétaires :* B. & B. Warion. Administrateur : Mme Warion. Œnologue conseil : Mlle Cazenave-Mahé. *Superficie du vignoble :* 8 ha 14 a. *Age moyen du vignoble :* 30 à 50 ans. *Encépagement :* 75 % merlot. 25 % cabernet-franc. *Production :* 40 000 bouteilles en M.D.C. *Visite des chais :* les jours ouvrables. Tél. 57 24 71 13. *Vente au château et par correspondance :* en France et à l'étranger. *Vente par le négoce. Des vins agréablement bouquetés au caractère souple et léger qui peuvent être dégustés assez jeunes.*

La Roseraie (Château)

Commune : Saint-Emilion. *Propriétaire :* Christian Lasfargeas. *Œnologue conseil :* J.-F. Chaine. *Superficie du vignoble :* 4 ha 50 a. *Age moyen du vignoble :* 25 ans. *Encépagement :* 5 % cabernet-sauvignon. 80 % merlot. 15 % cabernet-franc. *Production :* 18 tonneaux. 7 000 bouteilles en M.D.C. *Vente au château et par correspondance :* en France, C. Lasfargeas, Vachon, 33330 Saint-Emilion. Tél. 57 74 40 38. *Vente par le négoce. Campé à flanc de coteau, Raymond Lasfargeas ne s'encombre pas de littérature. Il fait du bon vin, et le vend bien. C'est ça, la tradition.*

La Rose Rol (Château) ⚲ → Petit Bigaroux

La Rose-Trimoulet (Château)

Grand Cru

Commune : Saint-Emilion. *Propriétaire :* Jean-Claude Brisson. Œnologue conseil : C.B.C. Libourne. *Superficie du vignoble :* 5 ha. *Age moyen du vignoble :* 25 ans. *Encépagement :* 10 % cabernet-sauvignon. 70 % merlot. 20 % cabernet-franc. *Production :* 25 tonneaux. *Visite des chais :* tél. 57 24 73 24. *Vente au château et par correspondance. Vente par le négoce :* négoce belge et français.

En 1834, les lointains « cousins » de Jean-Claude Brisson achetèrent une pièce de vigne de 2,60 hectares qui avait été détachée du Château Trimoulet. Cette acquisition fut conclue moyennant le prix de 4 000 francs, payables sur huit ans à 5 % d'intérêt annuel. Pendant la deuxième partie du XIXe siècle, les bâtiments furent construits peu à peu et deux nouvelles parcelles vinrent conforter le patrimoine. Depuis 1967, Jean-Claude Brisson a pris la propriété en fermage à ses parents. Le vin est tannique sans excès et préfère la finesse à la puissance. Très recommandable pour les palais délicats.

La Rouchonne (Château)

→ *Union de Producteurs*

Laroze (Château)

Grand Cru classé

Commune : Saint-Emilion. *Propriétaire :* S.C.E. Château Laroze. Administrateur : Georges Meslin. *Superficie du vignoble :* 30 ha. *Age moyen du vignoble :* 20 ans. *Encépagement :* 10 % cabernet-sauvignon. 45 % merlot. 45 % cabernet-franc. *Production :* 158 000 bouteilles en M.D.C. *Visite des chais :* tél. 57 51 11 31. *Vente par correspondance :* en France. S.C.E. Château Laroze, 62, quai du Priourat, 33500 Libourne. *Vente par le négoce :* bordelais.

Avec trente hectares de superficie, Château Laroze s'inscrit parmi les grandes propriétés de Saint-Emilion. Le vignoble fut créé à partir de 1882 par Mᵐᵉ G. Gurchy qui réunit les domaines de Camus-La Gomerie et de Lafontaine. Le château fut construit en 1885 et l'ensemble des installations d'exploitation firent l'admiration des observateurs de l'époque. Le cru connut d'emblée une bonne notoriété sous la marque Laroze-Gurchy que Cocks et Féret rangèrent avec les « premiers seconds » de Saint-Emilion. Le docteur Meslin devint le propriétaire suivant dans le courant des années 20. Georges Meslin est aujourd'hui son successeur.

L'Arrosée (Château)

Grand Cru classé

Commune : Saint-Emilion. *Propriétaire :* G.F.A. du Château l'Arrosée. Fermier et chef de culture : François Rodhain. Œnologue conseil : Pascal Ribéreau-Gayon. *Superficie du vignoble :* 10 ha. *Age moyen du vignoble :* 25 ans. *Encépagement :* 35 % cabernet-sauvignon. 45 % merlot. 20 % cabernet-franc. *Production :* 60 000 bouteilles en M.D.C. *Vente par le négoce.* Tél. 57 24 70 47.

Le terroir se caractérise par une grande variété de sols, dont la nature, la pente, le drainage et les couches inférieures peuvent changer sur l'espace de quelques règes. La vieille vigne puise son alimentation à huit ou dix mètres de profondeur où les eaux telluriques ne tarissent jamais. Elles sont à l'origine du nom du cru. En 1958, la très estimable maison de négoce Barrière frères, de Bordeaux, conclut un contrat d'abonnement. La marque de L'Arrosée en retira une bonne notoriété, mais ce cru était déjà fort prisé au XIXᵉ siècle. François Rodhain y maintient des méthodes culturales traditionnelles. C'est un farouche partisan des vendanges les plus tardives possibles. Exemple : en 1980, on coupait encore du raisin à la veille de la Toussaint. Le professeur Pascal Ribéreau-Gayon ajoute son grain de science œnologique aux vinifications. Le résultat est agréable. Il peut être superbe : goûtons voir 1983.

Lartigue Naude (Château) 🏺 → Bigaroux

La Sablière (Château)

Commune : Saint-Emilion. **Propriétaires :** M. et Mme Robert Avezou. Œnologue conseil : Rolland Frères. *Superficie du vignoble :* 10 ha. *Age moyen du vignoble :* 20 ans. *Encépagement :* 10 % cabernet-sauvignon. 70 % merlot. 20 % cabernet-franc. *Production :* 50 tonneaux. 20 000 bouteilles en M.D.C. *Visite des chais :* tél. 57 24 73 04. *Vente au château et par correspondance :* en France et à l'étranger. *Vente par le négoce :* négoce bordelais. *Un métayage de père en fils depuis 1956 pour cette exploitation dont les vignes croissent sur de bonnes graves.*

La Sablonnerie (Château)

Commune : Saint-Sulpice-de-Faleyrens. **Propriétaires :** MM. Robert Lavigne & Fils. Directeur : Michel Lavigne. Œnologue conseil : M. Rolland. *Superficie du vignoble :* 10 ha 50 a. *Age moyen du vignoble :* 28 ans. *Encépagement :* 5 % cabernet-sauvignon. 60 % merlot. 35 % cabernet-franc. *Production :* 50 tonneaux. *Visite des chais :* tél. 57 24 75 35. *Vente au château et par correspondance :* en France. *Vente par le négoce.*

Réparti en cinq groupes de parcelles, le vignoble de La Sablonnerie est situé entre le village de Saint-Sulpice-de-Faleyrens et le Tertre de Daugay. En 1956, les vignes gelèrent à mort. A la veille de passer son baccalauréat, Michel Lavigne quitta le collège pour aider son père à tout replanter. Il y a toujours beaucoup de foi et d'ardeur chez ce viticulteur qui garde pour ses clients directs les meilleures cuvées dans les bons millésimes.

La Salle (Domaine de) 🏺 → Sansonnet

La Seigneurie (Château de)

Grand Cru

Commune : Saint-Etienne-de-Lisse. **Propriétaire :** Famille Laporte-Bayard. Administrateur : Laporte Père & Fils. Œnologue conseil : Michel Rolland. *Superficie du vignoble :* 10 ha. *Age moyen du vignoble :* 25 ans. *Encépagement :* 15 % cabernet-sauvignon. 70 % merlot. 15 % cabernet-franc. *Production :* 60 000 bouteilles en M.D.C. *Visite des chais :* tél. 57 74 62 47. *Vente par le négoce. Les Laporte ont acheté la propriété en 1978 « afin de monter dans la hiérarchie et d'être plus près du clocher de Saint-Emilion ».*

La Serre est un joli domaine à la dimension familiale.

La Serre (Château)

Grand Cru classé

Commune : Saint-Emilion. **Propriétaire :** M. B. d'Arfeuille. Administrateur : Luc d'Arfeuille. Œnologue conseil : M. Rolland. **Superficie du vignoble :** 7 ha. **Age moyen du vignoble :** 35 ans. **Encépagement :** 20 % cabernet-sauvignon. 80 % merlot. **Production :** 36 000 bouteilles en M.D.C. **Visite des chais :** tél. 57 51 17 57. **Vente par correspondance. Vente par le négoce.**

A deux cents mètres des remparts de Saint-Emilion, entre Villemaurine et Trottevieille, le vignoble du Château La Serre déploie ses sept hectares sur des terrains argilo-graveleux. L'habitation fut construite vers la fin du XVIIe par Romain de Labayme dont la famille a compté quantité de jurats, d'avocats au Parlement et cinq maires de Bordeaux du XVIe au XVIIIe siècle. C'est la famille d'Arfeuille qui détient aujourd'hui cette propriété. Les vinifications sont très traditionnelles avec des durées de cuvaison de l'ordre de trois semaines. La forte proportion des merlots fournit des vins bien ronds avec beaucoup de gras. Cette bonne étiquette mériterait un effort de promotion.

Lassègue (Château)

Grand Cru

Commune : Saint-Hippolyte. **Propriétaires :** M. et Mme Jean-Pierre Freylon. Œnologue conseil : Centre Informations Œnologiques, chambre d'agriculture de la Gironde. **Superficie du vignoble :** 22 ha 50 a. **Age moyen du vignoble :** 20 ans. **Encépagement :** 25% cabernet-sauvignon. 40% merlot. 35% cabernet-franc. **Production :** 150 000 bouteilles en M.D.C. **Visite des chais :** M. Freylon. Tél. 57 24 72 83. **Vente au château et par correspondance :** en France. **Vente par le négoce.**

Bon terroir situé sur la ligne des côtes sud de l'appellation Saint-Emilion, en prolongement des Châteaux Pavie et Larcis-Ducasse. La mère de Mme Freylon, Mme Belliquet, tenait ce cru de sa famille depuis le milieu du XVIIIe siècle. Pour une fois, je laisserai l'appréciation finale dans la bouche de l'œnologue qui a fait un commentaire pertinent sur quatre millésimes récents :

Millésime	1979	1981	1982	1983
Couleur	Teinte carminée évoluée.	Teinte carminée évoluée intense.	Teinte rubis intense.	Teinte sombre rubis grenat.
Bouquet	Délicat. Notes de raisins mûrs et légèrement boisées.	Puissant. Notes de cuir légèrement boisées. Cabernet très persistant.	Très bouqueté. Notes florales de merlots et petits fruits.	Notes intenses de petits fruits et de noyaux.
Goût	Souple en bouche. Bon à boire.	Fin et élégant, bien équilibré. Bon à boire.	Corsé. Harmonieux. Puissant. Bons tanins. Grand avenir.	Charnu. Charpenté. Très bons tanins. Grand avenir.

Conclusions : Bon ensemble. Les 82 et 83 sont très caractéristiques de Saint-Emilion – Centre d'Etudes et d'Informations œnologiques de Grézillac.

La Tonnelle (Château) 🏰
→ Union de Producteurs

La Tonnelle (Clos de) ♟ → Soutard

La Tour du Guetteur (Château) 🍷🍷🍷🍷🍷

Commune : Saint-Emilion. **Propriétaire :** Antoinette Andrieux. Exploitant : François Morin. Œnologue conseil : Michel Rolland. **Superficie du vignoble :** 35 a. **Age moyen du vignoble :** 50 ans. **Encépagement :** 50 % merlot. 50 % cabernet-franc. **Production :** 1 200 bouteilles en M.D.C. **Vente par le négoce.** Tél. 57 84 38 52.

Cette rare et charmante étiquette annonce que « ce tout petit vignoble, au cœur de Saint-Emilion, est disposé en terrasses cultivées entièrement à la main. Le vin qu'il produit en quantité très limitée constitue une réserve hors commerce d'un terroir et d'une qualité exceptionnelle, à l'usage de quelques privilégiés. »

La Tour du Pin Figeac (Ch.)

Commune : Saint-Emilion. *Propriétaire :* G.F.A. Giraud Bélivier. Gérant : André Giraud. *Superficie du vignoble :* 10 ha 50 a. *Age moyen du vignoble :* 35 à 40 ans. *Encépagement :* 75 % merlot. 25 % cabernet-franc. *Production :* 50 tonneaux. *Visite des chais :* Mme Giraud. Tél. 57 51 06 10. *Vente au château et par correspondance :* en France et à l'étranger. G.F.A. Giraud Bélivier, Château Le Caillou, Pomerol.

La Tour du Pin Figeac Moueix

Commune : Saint-Emilion. *Propriétaires :* Héritiers Marcel Moueix. Administrateur et maître de chai : Armand Moueix. Œnologue conseil : Bernard Crébassa. *Superficie du vignoble :* 9 ha. *Age moyen du vignoble :* 20 ans. *Encépagement :* 5 % cabernet-sauvignon. 60 % merlot. 30 % cabernet-franc. 5 % malbec. *Production :* 48 000 bouteilles en M.D.C. *Visite des chais :* tél. 57 51 50 63. *Vente par correspondance :* en France. S.A. Moueix & Fils. Château Taillefer, 33500 Libourne. *Vente par le négoce :* S.A. Moueix & Fils.

Les frères jumeaux ci-dessus poussent la ressemblance jusqu'à s'appeler du même nom. La tour a disparu depuis longtemps et le pin parasol n'existe plus. Ces vignobles sont situés sur les graves sableuses à la limite de Saint-Emilion et de Pomerol et au voisinage immédiat de Cheval Blanc. Ils ont une bonne réputation

qui remonte au début de ce siècle. Les vins sont le plus souvent d'une évolution rapide et peuvent très facilement se confondre avec des pomerols.

La Tour Figeac (Château)

Commune : Saint-Emilion. *Propriétaire :* S.C. du Château La Tour Figeac. Administrateur : Michel Boutet. Chef de culture : Jean Beyly. Œnologue conseil : Rémi Cassignard. *Superficie du vignoble :* 13 ha 63 a. *Age moyen du vignoble :* 35 ans. *Encépagement :* 60 % merlot. 40 % cabernet-franc. *Production :* 72 000 bouteilles en M.D.C. *Visite des chais :* sur rendez-vous. Tél. 57 24 70 86. *Vente au château et par correspondance :* en France. *Vente par le négoce :* place de Bordeaux.

Corbière, Lassèverie, Martin-Boiteau, Rapin et, aujourd'hui, Michel Boutet, sont les noms des propriétaires successifs de La Tour Figeac depuis 1879, c'est-à-dire lors de son détachement du Château Figeac. Le cru connut une éclipse lors de la dernière guerre. Puis il fut remembré et la propriété a couvert jusqu'à 40 hectares. Les propriétaires précédents firent reconstruire la tour du XVIIIe siècle qui était démolie et ils édifièrent une élégante chartreuse, élevée sur perron à balustres. Le vignoble actuel est d'un seul tenant, situé sur un point haut des graves de Saint-Emilion, jouxtant Cheval Blanc à l'est et Figeac au sud, l'appellation Pomerol étant sa frontière ouest. Michel Boutet, propriétaire depuis 1973, est un expert agricole qui devint viticulteur par amour du vin. A l'âge de 18 ans il était déjà collectionneur de fines bouteilles. Il reste partisan des vendanges manuelles et des vinifications donnant la primauté à la souplesse.

Latte de Sirey (Château)

Commune : Saint-Laurent-des-Combes. **Propriétaire** : Max Neycenssas. Administrateur : Michèle Neycenssas. **Œnologue conseil** : M. Chaine. **Superficie du vignoble** : 5 ha. **Age moyen du vignoble** : 30 ans. **Encépagement** : 10 % cabernet-sauvignon. 80 % merlot. 10 % cabernet-franc. **Production** : 30 tonneaux. 18 000 bouteilles en M.D.C. **Visite des chais** : tél. 57 24 74 05. **Vente au château et par correspondance** : en France et à l'étranger. Max Neycenssas, Petit Gueyrot, 33330 Saint-Laurent-des-Combes. **Vente par le négoce**.

D'un abord abrupt et d'un verbe sarcastique, Max Neycenssas est un vigneron à l'âme sensible qui aime à s'épancher sur son vin et son métier. Défenseur des traditions, il ne désherbe pas sa vigne, laboure selon les quatre façons, et colle aux blancs d'œufs. Mais tout ceci ne fait pas le secret de son vin. Seul Max le détient et il ne fera jamais partie de sa bouillante communication. Il faut aller frapper à sa porte. Ce propriétaire est aussi authentique que son vin et tous les deux méritent un détour. La récolte 1982 a obtenu la médaille d'or au concours général agricole de Paris, en 1984.

Lavallade (Château)

Grand Cru

Commune : Saint-Christophe-des-Bardes. **Propriétaire** : Pierre Gaury. **Œnologue conseil** : C.B.C. Libourne. **Superficie du vignoble** : 12 ha. **Age moyen du vignoble** : 40 ans. **Encépagement** : 65 % merlot. 35 % cabernet-franc. **Production** : 84 000 bouteilles en M.D.C. **Visite des chais** : tél. 57 24 77 49. **Vente au château et par correspondance**. **Vente par le négoce** : négoce libournais.

La moitié du vignoble est labourée, l'autre moitié est désherbée. La moitié est vendangée à la machine, l'autre moitié à la main. Oui, mais sont-ce les mêmes moitiés ? En tout cas, tout se retrouve en cuves ciment.

La Vieille Eglise (Domaine de)

Grand Cru

Commune : Saint-Hippolyte. *Propriétaires* : M. Palatin et M. Micheau-Maillou. Œnologue conseil : C.B.C. Libourne. *Superficie du vignoble* : 13 ha. *Age moyen du vignoble* : 18 ans. *Encépagement* : 5 % cabernet-sauvignon, 65 % merlot, 30 % cabernet-franc. *Production* : 70 000 bouteilles en M.D.C. *Visite des chais* : tél. 57 24 77 48 ou 57 24 61 99. *Vente au château et par correspondance* : en France et à l'étranger. *Vente par le négoce* : Savour-Club.

Lavignère (Château)

→ Union de Producteurs

Le Blanquey (Château) → Touzinat

Le Bois du Loup (Château)

Grand Cru

Commune : Vignonet. *Propriétaires* : M. et Mᵐᵉ Raymond Lenne. Œnologue conseil : M. Plomby. *Superficie du vignoble* : 62 a. *Age moyen du vignoble* : 55 ans. *Encépagement* : 50 % merlot. 50 % cabernet-franc. *Production* : 2 000 bouteilles en M.D.C. *Visite des chais* : sur rendez-vous. Tél. 57 40 07 87. *Vente au château et par correspondance* : Raymond Lenne, Château du Bois, 33350 Saint-Magne-de-Castillon. *Vente par le négoce.*

Le Château Le Bois du Loup appartient à M. et Mᵐᵉ Raymond Lenne, déjà propriétaires du Château du Bois à Saint-Magne-de-Castillon. Le vignoble du Bois du Loup s'étend sur des terres sablonneuses. Les vendanges sont traditionnelles. Vinifié dans des cuves en ciment, le vin vieillit en fûts.

Le Brégnet (Clos)

Commune : Saint-Sulpice-de-Faleyrens. *Propriétaires* : Jean-Michel et Arlette Coureau. Œnologue conseil : C.B.C. Libourne. *Superficie du vignoble* : 7 ha. *Age moyen du vignoble* : 30 ans. *Encépagement* : 5 % cabernet-sauvignon. 85 % merlot. 10 % cabernet-franc. *Production* : 35 tonneaux. 20 000 bouteilles en M.D.C. *Visite des chais* : tél. 57 24 76 43. *Vente au château et par le négoce.*

C'est une bien sympathique petite exploitation, campée avec autant de goût que de discrétion dans son vignoble. Le tout est d'une tenue exemplaire et je tiens Jean-Michel et Arlette Coureau pour de jeunes vignerons modèles. Il faut les encourager à faire davantage de mise en bouteille au château, quitte à leur réserver en primeur l'équivalent d'une barrique ou d'un tonneau. Ce sera de l'argent bien placé pour un rapport prix/qualité tout à fait attractif.

Le Castelot (Château)

♟ ♟ ♟ ♟ ♟

Grand Cru

Commune : Saint-Sulpice-de-Faleyrens. *Propriétaire :* G.F.A. J. Janoueix. Chef de culture : Max Chabrerie. Maître de chai : Paul Cazenave. Œnologues conseils : MM. Legendre et Pauquet. *Superficie du vignoble :* 5 ha 50 a. *Age moyen du vignoble :* 45 ans. *Encépagement :* 20 % cabernet-sauvignon. 60 % merlot. 20 % cabernet-franc. *Production :* 35 000 bouteilles en M.D.C. *Visite des chais :* sur rendez-vous. Tél. 57 51 41 86. *Vente au château et par correspondance :* en France et à l'étranger. M. Janoueix, 37, rue Pline Parmentier, 33500 Libourne.

C'est grâce à Henri IV que la tourelle d'angle a été construite.

Dans l'amitié et la bonne humeur, les clients et les enfants des clients viennent donner la main aux vendanges des Janoueix qui ont ajouté ce Grand Cru au palmarès de leurs productions. Exactement quatre siècles auparavant, le bon roi Henri IV de Navarre, surpris par un orage, trouva refuge à l'hostellerie du Bosquet. L'aubergiste et son épouse se multiplièrent en petits soins et le Gascon au panache blanc se régala d'une sublime poule-au-pot et de vigoureuses rasades du meilleur tonneau. « Plus tard, j'en parlerai à Sully » se promit-il alors. La belle hôtesse le chouchouta tant et si bien qu'au petit matin, la tempête calmée, le roi Henri permit d'ériger en ce lieu un « petit château », c'est-à-dire une maison noble avec tourelle à toit conique et girouette, symbole seigneurial. Parmi les citations de Henri IV, on a oublié celle-ci : « Il faut toujours savoir d'où souffle l'ouragan. » C'est au Castelot qu'elle lui fut inspirée. Depuis, le cru bénéficie d'un microclimat serein. Son vin est pourpre et brillant, avec un bouquet fruité et animal qui ne manque pas de panache ni de courage. Son propriétaire assure même qu'il a « de la tripe ».

Le Chatelet (Château)

Grand Cru classé

Commune : Saint-Emilion. **Propriétaires :** H. et P. Berjal. **Superficie du vignoble :** 6 ha. **Age moyen du vignoble :** 15 à 20 ans. **Encépagement :** 33 % cabernet-sauvignon. 33 % merlot. 33 % cabernet-franc. **Production :** 30 tonneaux. **Visite des chais :** sur rendez-vous. Tél. 57 24 70 97. **Vente au château et par correspondance :** en France et à l'étranger. M. Berjal, B.P. 16, 33330 Saint-Emilion. **Vente par le négoce.**

A 300 mètres de la collégiale et à l'ouest de la ville, ce vignoble s'étend sur le plateau calcaire décapé par l'érosion qui fait partie du Haut Saint-Emilion historique. Il a pour prestigieux voisins Clos Fourtet et Beau-Séjour Bécot. D'ailleurs, Mme Berjal tient cette propriété de son père, M. Bécot. Le terroir est excellent et l'exposition favorable. Une vinification classique privilégie la distinction qui s'exprime souvent, comme l'approche d'une jolie femme, par des parfums plein de promesses. Il suffit alors de porter la coupe aux lèvres. Et la bouche s'emplira de fragrances suaves dont la mémoire n'aura pas à rougir.

Le Conte Marquey (Château)

Commune : Saint-Hippolyte. **Propriétaire :** Jean-Paul Borderie. Fermière, chef de culture et maître de chai : Irène Bouyer. Œnologue conseil : Mlle Cazenave. **Superficie du vignoble :** 4 ha 96 a. **Age moyen du vignoble :** 17 ans. **Encépagement :** 35 % cabernet-sauvignon. 30 % merlot. 35 % cabernet-franc. **Production :** 23 tonneaux. 10 000 bouteilles en M.D.C. **Visite des chais :** sur rendez-vous. Tél. 57 24 62 28. **Vente au château et par correspondance :** Jean-Paul Borderie, Haut-Piney, 33330 Saint-Hippolyte. **Vente par le négoce. Le fils de la maison est pilote à Air France mais c'est la maman qui tient le manche à balai du vignoble.**

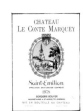

Le Couvent (Château)

Commune : Saint-Emilion. *Propriétaire :* S.C. Château Le Couvent. Administrateur : M. François-M. Marret. *Superficie du vignoble :* environ 10 ha. *Age moyen du vignoble :* 50 ans. *Encépagement :* 55 % merlot, 20 % cabernet-sauvignon, 25 % cabernet-franc. *Vente par correspondance :* en France et à l'étranger. Tél. 57 74 62 21. *Vente par le négoce :* exportation.

On croirait que les vignobles saint-émilionnais qui dépendent du groupe « Marne et Champagne » sont la propriété d'une secte secrète. Car tout y est mystère : les responsables (régisseur ou maître de chai ont la consigne formelle de rester anonymes), les œnologues (il paraît qu'il y en a trois), les surfaces en production, etc. M. François-M. Marret a débarqué à Saint-Emilion en 1981. Sa première acquisition fut le Château Pontet-Clauzure, en octobre 1981, suivi du Château Le Couvent en décembre de la même année. Chaque millésime est alors marqué par un nouvel achat ; 1982 : Lagrange de Lescure ; 1983 : Capet et Les Baziliques ; 1984 : Petit-Bert. Dans le pays, cela fit quelque bruit. Y compris le vrombissement de l'hélicoptère personnel du patron survolant ses terres et allant parfois reluquer de trop près les voisins. Et puis, vous comprenez, un costume trois-pièces de couleur très claire, cela se portait à Paris Rive gauche il y a plus de vingt ans! Bref, la discrétion de la Société Civile du Château Le Couvent ne passe pas inaperçue! Mais la direction souhaite développer son commerce d'exportation et, somme toute, les vins, d'où qu'ils proviennent, ne sont pas si mal que ça !

Le Freyche (Château)

Commune : Saint-Pey-d'Armens. *Propriétaire :* Henri Domezil. Œnologue conseil : Mlle Cazenave. *Superficie du vignoble :* 4 ha. *Age moyen du vignoble :* 15 ans. *Encépagement :* 50 % merlot. 50 % cabernet-franc. *Production :* 20 tonneaux. 15 000 bouteilles en M.D.C. *Visite des chais. Vente au château et par correspondance. Vente par le négoce.*

Le Grand Faurie (Château)

Commune : Saint-Emilion. *Propriétaire :* Charles Bouquey. *Superficie du vignoble :* 4 ha. *Age moyen du vignoble :* 35 ans. *Encépagement :* 60% merlot. 40 % cabernet-franc. *Production :* 24 000 bouteilles en M.D.C. *Visite des chais :* sur rendez-vous. Tél. 57 51 35 27. *Vente au château et par correspondance :* en France et à l'étranger. Charles Bouquey, Le Rivallon, 33330 Saint-Emilion. *Vente par le négoce. Propriété familiale et ancestrale comme Vieux-Rivallon, excellent terroir et vignes bien soignées.*

Le Jurat (Château)

Commune : Saint-Emilion. *Propriétaire :* S.C.A. Haut-Corbin. Administrateur : M. Parment. Régisseur et maître de chai : Dominique Teyssou. Directeur et œnologue-conseil : Georges Pauli. *Superficie du vignoble :* 7 ha 50 a. *Age moyen du vignoble :* 25 ans. *Encépagement :* 25% cabernet-sauvignon, 75% merlot. *Production :* 40 000 bouteilles en M.D.C. *Visite des chais :* Mme Malbec, tél. 56 31 44 44. *Vente par correspondance :* en France. Mme Gonzales, Ets Cordier, 10 quai de Paludate, 33800 Bordeaux Cédex. *Vente par le négoce :* Ets Cordier.

Le Loup (Ch.) → *Union de Producteurs*

Le Maine (Château)

Commune : Saint-Pey-d'Armens. *Propriétaire :* Pierre Veyry. Œnologue conseil : M. Rolland. *Superficie du vignoble :* 5 ha 15 a. *Age moyen du vignoble :* 20 ans. *Encépagement :* 15 % cabernet-sauvignon. 66 % merlot. 18 % cabernet-franc. 1 % malbec. *Production :* 20 000 bouteilles en M.D.C. *Visite des chais :* tous les jours. Tél. 57 24 60 75 ou 57 24 74 09. *Vente au château et par correspondance :* en France. Château Le Maine, Raynaud, 33330 Saint-Pey-d'Armens.

La maison d'habitation se trouve sur la commune de Saint-Pey-d'Armens mais le vignoble est situé sur celle de Saint-Laurent-des-Combes. Très parcellé dans un rayon de 2 km, il se divise en six quartiers aux natures de sol nuancées. Culture et vinification sont menées de façon traditionnelle avec une recherche systématique de surmaturité. L'âge moyen des vignes est maintenu aux environs de 25 ans. Depuis une dizaine d'années, Pierre Veyry développe la vente directe, et il accueille très volontiers les visiteurs dans ses chais rénovés.

Le Mayne (Château)

Commune : Libourne. *Propriétaire :* Jean-Claude Dupuy. Œnologue conseil : M. Pasquier. *Superficie du vignoble :* 1 ha 35 a. *Age moyen du vignoble :* 10 ans. *Encépagement :* 25 % cabernet-sauvignon. 75 % merlot. *Production :* 6 000 bouteilles en M.D.C. *Vente au château :* Jean-Claude Dupuy, Saint-Raphaël, 33480 Avensan. Tél. 56 58 17 41. *Vente par correspondance.*

Jean-Claude Dupuy a succédé à son père, Ma.. Dupuy, propriétaire et négociant à Libourne. On le trouve également à Pomerol, sur les trois hectares du Château La Providence et à Villegouge en Fronsadais dans le cru de La Bruyère. Mais c'est un Médocain d'Avensan, plus exactement de Saint-Raphaël, la petite patrie du célèbre archevêque Pey-Berland. Sa propriété de Saint-Emilion a jusqu'ici résisté à l'urbanisation. Jean-Claude Dupuy y mélange tradition et modernisme.

Le Mont d'Or (Château)

Commune : Saint-Emilion. **Propriétaires :** Consorts Lavandier. Exploitant : Thierry Lavandier. Œnologue conseil : laboratoire de Grézillac. **Superficie du vignoble :** 3 ha. **Age moyen du vignoble :** 30 ans. **Encépagement :** 60 % merlot. 40 % cabernet-franc. **Production :** 15 tonneaux. 8 000 bouteilles en M.D.C. **Vente au château et par correspondance :** Consorts Lavandier, Saupiquet, 33330 Saint-Emilion. Tél. 57 74 46 64. **Vente par le négoce :** Sichel & Cie.

L'Epine (Château)

Commune : Libourne. **Propriétaires :** Jean et Monique Ardouin. Chef de culture et maître de chai : Monique Ardouin. Œnologue conseil : Mlle Mahé. **Superficie du vignoble :** 2 ha 13 a. **Age moyen du vignoble :** 25 ans. **Encépagement :** 60 % merlot. 40 % cabernet-franc. **Production :** 12 000 bouteilles en M.D.C. **Visite des chais :** sur rendez-vous. Tél. 57 51 07 75. **Vente au château et par correspondance :** en France et à l'étranger. Jean et Monique Ardouin, 4 quai du Priourat, 33500 Libourne.

Comme à Courgis, dans la région de Chablis, il y aurait eu, autrefois, sur le vignoble actuel du Château L'Epine, une stèle renfermant une épine de la couronne du Christ. Telle serait, selon la légende, l'origine du nom du Château L'Epine. Une petite propriété plongée dans la banlieue de Libourne et bordée, en contrebas, par le Lour, aussi appelé « le ruisseau vert ». Ancien instituteur, Jean Ardouin ne s'est jamais vraiment occupé du vignoble. C'est sa femme qui mène l'exploitation familiale. Monique Ardouin est une femme éprise de nature. Elle aime suivre la floraison de la vigne. Elle est aussi une femme de terrain puisqu'elle monte sur le tracteur, surveille les vendanges, vinifie et assure la mise en bouteilles. Dans tous ses déplacements, elle est secondée par son jeune fils Gabriel, un diable de viticulteur en herbe !

L'Epinette (Domaine de)

Commune : Libourne. **Propriétaire :** Thierry Lavandier. Œnologue conseil : laboratoire de Grézillac. **Superficie du vignoble :** 1 ha. **Age moyen du vignoble :** 25 ans. **Encépagement :** 50 % merlot. 50 % cabernet-franc. **Production :** 6 000 bouteilles en M.D.C. **Visite des chais :** tél. 57 74 46 64. **Vente au château et par correspondance. La totalité de la production s'écoule en clientèle directe.**

Le Prieuré (Château)

Commune : Saint-Emilion. **Propriétaire :** Olivier Guichard. Régisseur et maître de chai : Jacques Rougier. Œnologue conseil : C.B.C. Libourne. **Superficie du vignoble :** 5 ha 44 a. **Age moyen du vignoble :** 21 ans. **Encépagement :** 60 % merlot. 40 % cabernet-franc. **Production :** 24 000 bouteilles en M.D.C. **Vente par correspondance :** en France et à l'étranger. S.C.E. Baronne Guichard, Château Siaurac, Néac, 33500 Libourne. Tél. 57 51 64 58. **Vente par le négoce.**

En face d'Ausone sur le versant opposé, près de Trottevieille et Troplong-Mondot, le vignoble du Prieuré jouit sans aucun doute possible d'une bonne situation avec exposition au midi. Le grand-père maternel de M. Olivier Guichard acheta la propriété en 1897. Elle provenait du démembrement des biens fonciers du cru des Cordeliers qui existait encore à la fin du siècle dernier et qui était la survivance d'un patrimoine ecclésiastique de l'Ancien Régime. La baronne Guichard tient l'essentiel de ses terres sur l'appellation Lalande de Pomerol, mais elle fait des incursions distinguées à Pomerol et à Saint-Emilion. L'ensemble représente une production dont la famille s'honore.

Les Baziliques (Château)

Commune : Saint-Christophe-des-Bardes. **Superficie du vignoble :** 10 ha environ. **Age moyen du vignoble :** 25 ans. **Encépagement :** 25 % cabernet-sauvignon. 39 % merlot. 36 % cabernet-franc. **Vente par correspondance :** en France et à l'étranger. Tél. 57 74 62 21. *Voir Château Le Couvent.*

Lescours (Château de)

Commune : Saint-Sulpice-de-Faleyrens. **Propriétaire :** S.A.E. du Château Lescours. Administrateur : Pierre Chabriol. Maître de chai : Daniel Julliot. Œnologue conseil : M. Gendrot. **Superficie du vignoble :** 34 ha. **Age moyen du vignoble :** 20 ans. **Encépagement :** 5 % cabernet-sauvignon. 70 % merlot. 25 % cabernet-franc. **Production :** 180 000 bouteilles en M.D.C. **Visite des chais :** tous les jours, les samedi et dimanche sur rendez-vous. Tél. 57 24 74 75. **Vente au château et par correspondance :** en France et à l'étranger (Etats-Unis, Japon). **Vente par le négoce :** négociant-éleveur Lescours.

Le château de Lescours fut construit en 1341 par un certain Pey de Lascortz, écuyer d'Edouard Ier, roi d'Angleterre. C'est dans les années soixante que M. Pierre Chariol, médecin, arrêta son activité pour prendre en main les destinées de Lescours. Voyageur dans l'âme il s'embarqua pour le Nouveau-Monde et créa sa première clientèle. Aujourd'hui encore, le Château de Lescours exporte plus de 80 % de sa production aux U.S.A. Son second marché est le Japon. (Un dimanche comme les autres, Pierre Chariol alla à Saint-Emilion pour « faire son tiercé ». Il revint à la propriété accompagné d'un Japonais. Ce visiteur insolite était un sommelier de renom dans son pays.) Aujourd'hui, le Château de Lescours est dirigé par Pierre Chariol fils, mais plusieurs de ses sœurs et l'un des beaux-frères participent activement à la plus grande gloire de ce bon cru.

Les Fougères (Château) → *Bouquey*

Les Grandes Versannes (Château)  → *Gravet-Renaissance*

Les Grandes Versannes (Clos)

Commune : Saint-Emilion. **Propriétaire :** M. et Mme Sylvain. Œnologue conseil : C.B.C. Libourne. **Superficie du vignoble :** 1 ha 38 a. **Age moyen du vignoble :** 35 ans. **Encépagement :** 25 % cabernet-sauvignon. 50 % merlot. 25 % cabernet-franc. **Production :** 7 000 bouteilles en M.D.C. **Vente au château et par correspondance :** tél. 57 51 13 51. *Un tonnelier fournisseur de grands crus classés qui a son petit cru bien à lui.*

Les Graves d'Armens (Château)  → *Union de Producteurs*

Lespinasse (Château)

Grand Cru

Commune : Saint-Pey-d'Armens. **Propriétaire :** Roger Bentenat. Œnologue conseil : Mlle Cazenave. **Superficie du vignoble :** 7 ha 50 a. **Age moyen du vignoble :** 25 ans. **Encépagement :** 80 % merlot. 20 % cabernet-franc. **Production :** 35 tonneaux. 18 000 bouteilles en M.D.C. **Vente au château et par correspondance :** tél. 57 47 15 08. **Vente par le négoce.**

Quatre façons de labours dans l'année, culture et vendanges manuelles ; dans les vignes, on respecte la sacro-sainte tradition. Au cuvier et aux chais, des concessions sont faites aux temps modernes. Vinification et stockage en cuves ciment mais passage en barriques et collage aux blancs d'œufs. Le tout est consciencieux et la bonne réputation méritée.

Le Tertre Rotebœuf (Château)

Commune : Saint-Laurent-des-Combes. *Propriétaires :* F. et E. Mitjavile. Œnologue conseil : M. Chaine. *Superficie du vignoble :* 4 ha 50 a. *Age moyen du vignoble :* 20 ans. *Encépagement :* 80 % merlot. 20 % cabernet-franc. *Production :* 24 000 bouteilles en M.D.C. *Visite des chais :* tél. 57 24 70 57. *Vente au château et par correspondance :* en France. *Vente par le négoce.*

François Mitjavile.

Avant l'ère du tracteur, le vigneron utilisait le cheval dans la plaine et le bœuf sur le coteau. Lorsque la pente était rude, le ruminant mêlait des borborygmes à sa respiration. C'est là la très exacte origine du lieu-dit cadastral de Rotebœuf. François Mitjavile et son épouse y sont installés depuis une dizaine d'années. Ils ont considérablement amélioré l'état du vignoble et des chais, partant : la qualité du vin. Le parc de futailles est renouvelé par tiers chaque année. Le Tertre Rotebœuf représente un petit domaine viticole idéal, tout à fait typique du terroir de Saint-Emilion. Avec son style rural du plus pur XVIIIe, le « château » est une charmante illustration du paysage vigneron tel qu'il existait 250 ans plus tôt. M. et Mme François Mitjavile réservent quelques bouteilles pour les amis et clients de passage. Eux et leur vin méritent d'être connus. Ils sont cordiaux, sains et chaleureux avec des prix de vente modérés.

Leydet-Figeac (Château)

Commune : Saint-Emilion. *Propriétaire :* S.C.E.A. des Vignobles Leydet. Administrateurs, chefs de culture et maîtres de chai : Bernard Leydet et Jean-Gérard Chazeau. *Superficie du vignoble :* 1 ha 25 a. *Age moyen du vignoble :* 23 ans. *Encépagement :* 60 % merlot. 40 % cabernet-franc. *Production :* 6 000 bouteilles en M.D.C. *Visite des chais :* tous les jours. *Vente au château :* Château Leydet-Figeac, Rouilledinat, 33500 Libourne. Tél. 57 51 19 77. *Vente par correspondance :* en France et à l'étranger. *Cuvaisons de vingt jours au minimun dans l'inox et vieillissement en fûts. Davantage typé Pomerol que Saint-Emilion. Souple et aromatique.*

Leydet-Valentin (Château)

Grand Cru

Commune : Saint-Emilion. *Propriétaire :* Bernard Leydet. Œnologue conseil : C.B.C. Libourne. *Superficie du vignoble :* 5 ha 6 a. *Age moyen du vignoble :* 20 ans. *Encépagement :* 5 % cabernet-sauvignon. 60 % merlot. 30 % cabernet-franc. 5 % malbec. *Production :* 24 000 bouteilles en M.D.C. *Visite des chais :* tous les jours. Tél. 57 24 73 05. *Vente au château et par correspondance :* en France et à l'étranger. *Vente par le négoce :* Coste à Langon. *Des vins bien faits.*

L'Hermitage (Château)

Grand Cru

Commune : Saint-Emilion. *Propriétaire :* G.F.A. du Château Matras. Exploitante : Véronique Gaboriaud. Œnologue conseil : Michel Rolland. *Superficie du vignoble :* 3 ha 50 a. *Age moyen du vignoble :* 30 ans. *Encépagement :* 30 % cabernet-sauvignon. 30 % merlot. 30 % cabernet-franc. 10 % malbec. *Production :* 23 000 bouteilles en M.D.C. *Visite des chais :* tél. 57 51 52 39. *Vente par le négoce :* 20 % en exportation.

L'Housteau-Neuf (Clos de)

Commune : Libourne. *Propriétaire :* Jean Fortin. Œnologue conseil : Michel Rolland. *Superficie du vignoble :* 1 ha. *Age moyen du vignoble :* 19 ans. *Encépagement :* 25 % cabernet-sauvignon. 50 % merlot. 25 % cabernet-franc. *Production :* 5 tonneaux. *Vente par le négoce :* en vrac. *Il est sans doute dommage que ce petit cru ne fasse pratiquement pas de M.D.C.*

Lianet (Château) ♟ → Trapaud

Lisse (Château de)

Commune : Saint-Etienne-de-Lisse. *Propriétaire :* S.C. des Vignobles Jean Petit. Chef de culture et maître de chai : Didier Parrot. *Superficie du vignoble :* 12 ha. *Age moyen du vignoble :* 30 ans. *Encépagement :* 15 % cabernet-sauvignon. 50 % merlot. 35 % cabernet-franc. *Production :* 72 000 bouteilles en M.D.C. *Visite des chais :* sur rendez-vous. Tél. 57 40 18 23. *Vente au château et par correspondance :* en France et à l'étranger. *Vente par le négoce. Voir aussi le Château Mangot qui appartient au même propriétaire dans la même commune.*

Lisse (Château de) → Union de Producteurs

L'Oratoire (Clos de)

Grand Cru classé

Commune : Saint-Emilion. **Propriétaire :** Société Civile du Château Peyreau. Administrateur : Michel Boutet. Œnologue conseil : Rémi Cassignard. **Superficie du vignoble :** 9 ha 45 a. **Age moyen du vignoble :** 32 ans. **Encépagement :** 75 % merlot. 25 % cabernet-franc. **Production :** 48 000 bouteilles en M.D.C. **Visite des chais :** sur rendez-vous. Tél. 57 24 70 86. **Vente au château et par correspondance :** en France. S.C.E. du Château Peyreau. **Vente par le négoce :** place de Bordeaux.

Son histoire ancienne est intimement liée à celle du Château Peyreau. Le vignoble croît sur le glacis sableux qui s'étend au bas de Soutard et de Sarpe. A la fin du siècle dernier, il a appartenu à la famille Beylot qui fit construire une agréable résidence dans un parc boisé. Depuis 1971, une société civile administrée par Michel Boutet a pris la suite de la famille Lenne. Le comte de Neipperg (Château Canon La Gaffelière) en est actionnaire. Les vins sont élevés « à l'ancienne » avec dix-huit mois de séjour en fûts, soutirage trimestriel et collage aux blancs d'œufs. Ils sont généralement d'une belle vigueur et doués pour la longévité. Ils exigent au minimum quatre à cinq ans de garde avant de commencer leur épanouissement.

Magdelaine (Château)

1er Grand Cru classé

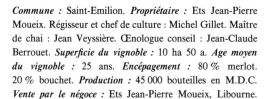

Commune : Saint-Emilion. **Propriétaire :** Ets Jean-Pierre Moueix. Régisseur et chef de culture : Michel Gillet. Maître de chai : Jean Veyssière. Œnologue conseil : Jean-Claude Berrouet. **Superficie du vignoble :** 10 ha 50 a. **Age moyen du vignoble :** 25 ans. **Encépagement :** 80 % merlot. 20 % bouchet. **Production :** 45 000 bouteilles en M.D.C. **Vente par le négoce :** Ets Jean-Pierre Moueix, Libourne.

« Les Chatonnet ont régné pendant deux siècles (jusqu'en 1953) sur la Magdelaine. Ils en ont assuré la célébrité fondée, jusqu'au Second Empire, sur le vignoble du plateau. Quand la Côte se révéla apte à produire de grands vins, au milieu du XIXe siècle, les Chatonnet acquirent, en côte, 5 hectares détachés du vignoble de Fonplégade et construisirent le château actuel. » C'est ainsi qu'Henri Enjalbert résume l'historique du Château Magdelaine. Evidemment, les choses ne sont pas aussi simples mais nous avons là un résumé. En fait, après deux siècles de possession terrienne au lieu-dit La Madeleine (c'est-à-dire les terres proches de la chapelle du même nom) et après avoir traversé sans trop de heurts la Révolution, les biens des Chatonnet furent menacés d'éclatement, au gré des alliances. Déjà, en 1850, il y avait trois exploitations distinctes utilisant chacune l'étampe « La Magdelaine ». (Enjalbert se trompe lorsqu'il dit que l'orthographe du cru fut changée par Georges Jullien, gendre d'un Chatonnet, à la fin du siècle dernier. L'écriture actuelle du nom est parfaitement conforme à l'origine). Vingt ans plus tard, ces exploitations sont

Le Château Magdelaine, gravé vers la fin du XIXᵉ siècle.

quatre et se divisent en Chatonnet, Chatonnet-Crépin, Bon Barat (qui a engendré le cru de Curé Bon La Madeleine) et Domecq Cazaux, devenu ensuite Malineau-la-Madeleine, marque aujourd'hui disparue. C'est à cette époque que, pour se différencier, les marques s'épelèrent de manières différentes : Magdelaine, Madeleine, La Madeleine, La Magdeleine, etc. Entre-temps, la branche aînée des Chatonnet, soucieuse de reconstituer son patrimoine, avait acquis 5 hectares sur le versant de Fonplégade pour retrouver une dimension économique. Georges Jullien, notaire à Saint-Emilion, apparaît comme un viticulteur du dimanche qui connaissait les relations publiques et qui sut maintenir la réputation du cru au plus haut niveau. Le *Bordeaux et ses Vins* de Féret le range, en 1922, à la troisième place, juste derrière Ausone et Bélair. Dans quelles conditions exactes fut négociée l'orthographe particulière des noms ? Je l'ignore. Mais, à partir des années 20, la distinction s'établit définitivement et Magdelaine est le seul cru rappelant à la fois l'époque magdalénienne pour la tête du mot et le bas de laine pour la fin, tandis que sont nombreuses (pas toutes situées à Saint-Emilion) les « madeleines » simplement proustiennes. En 1952, Jean-Pierre Moueix acheta le Château Magdelaine à Jean Jullien, fils de Georges et qui, bien que brillant universitaire du Droit, semblait n'avoir jamais rien fait de

ses dix doigts. Le plus clair de son temps, surtout quand il faisait beau, il le passait derrière le mur de l'étude paternelle à regarder passer les gens d'un air indifférent, coiffé d'un chapeau melon. Réincarnation de Diogène, peut-être? L'événement annuel était le voyage à Bordeaux pour acheter le costume d'étrennes. L'événement hebdomadaire était le marché de Libourne et le déjeuner au Pigeon Blanc, en face de l'Hôtel de France. Il ne se maria point et vécut sous l'aile protectrice d'une gouvernante qui ne fit rien pour soigner la goutte chronique dont il était affligé. Original, marginal intégral, ce phénomène se permettait des pieds de nez à l'honorable société, par exemple en offrant de la piquette, sous sa propre étiquette, au banquet du Syndicat viticole qui se tenait confraternellement chez les dames Guiraud, au Palais Cardinal. Cent ans après Balzac, le caractère dépassait la caricature. Et alors, et alors ?...

Jean-Pierre Moueix arriva, comme il sait le faire dans les grandes occasions. Il commença par affermer. Puis il acheta. Et Magdelaine changea de sérénité sans rien perdre de son authenticité. Sur une mise en scène de l'œnologue Jean-Claude Berrouet, avec Michel Gillet côté jardin (la vigne) et Jean Veyssière côté cour (les chais), la représentation est parfaite. Les productions Moueix nous offrent leur festival 227

Le pigeonnier à clocheton était autrefois un privilège seigneurial.

annuel : un vin théâtral et sublime, classique et audacieux comme Wagner par Chéreau. Chaque étiquette affiche complet. Est-ce donc ce qui se fait de mieux en ville ? Pas forcément, mais tout le monde y court. Alors : tout le monde il a raison. Rideau. Bravo. Bis.

Magnan (Château)

Grand Cru

Commune : Saint-Emilion. *Propriétaire :* G.F.A. Cormeil-Figeac. Gérant : Claude Moreaud. Régisseur : Richard Moreaud. Œnologue conseil : C.B.C. Libourne. *Superficie du vignoble :* 10 ha. *Age moyen du vignoble :* 22 ans. *Encépagement :* 85 % merlot. 15 % cabernet-franc. *Production :* 48 000 bouteilles en M.D.C. *Vente par correspondance :* S.C.E.A. Domaines Cormeil-Figeac-Magnan, Cormeil-Figeac, 33330 Saint-Emilion. Tél. 57 24 70 53. *Vente par le négoce :* exportation.

Jusqu'en 1978, les précédents propriétaires apportaient leur récolte à la cave coopérative. Depuis 1979, Robert Moreaud s'est attaché à restaurer son nouveau domaine. Il reconnaît volontiers lui-même que le vignoble est actuellement en déséquilibre avec une moitié de vieilles vignes « à bout de souffle » et l'autre moitié de jeunes plantations. L'ambition non déguisée de ce viticulteur compétent est de faire retrouver au Château Magnan la place de premier cru qu'il occupait il y a exactement un siècle dans le *Bordeaux et ses Vins* de Cocks et Féret. Pour le moment, les vins sont assez charpentés et plaisants. Mais rendez-vous dans quinze ans !

Magnan La Gaffelière (Château)

Grand Cru

Commune : Saint-Emilion. **Propriétaire :** Hubert Pistouley.
Superficie du vignoble : 8 ha. **Age moyen du vignoble :** 14 ans.
Encépagement : 10 % cabernet-sauvignon. 50 % merlot.
40 % cabernet-franc. **Production :** 43 000 bouteilles en
M.D.C. **Vente au château et par correspondance :** en France.
Tél. 57 24 71 50.

Un aïeul de Hubert Pistouley, Transon, était tonnelier à La Gaffelière au XVIIIe siècle.
On sait qu'en 1777 il vendit son vin à Horeau Beylot, négociant à Libourne. C'est
dire l'atavisme filial de l'actuel propriétaire de Magnan La Gaffelière, vignoble
familial agrandi au fil des générations et limitrophe de noms célèbres. Les vins sont
charpentés, bien construits pour vieillir. Bien que d'un naturel affable, Hubert
Pistouley ne pratique pas l'accueil du visiteur touristique. Ecrivez lui.

Mangot (Château)

Commune : Saint-Etienne-de-Lisse. **Propriétaire :** G.F.A. du
Château Mangot. Administrateur : Jean Petit. Chef de
culture et maître de chai : Didier Parrot. **Superficie du
vignoble :** 35 ha. **Age moyen du vignoble :** 40 ans.
Encépagement : 80 % merlot. 20 % cabernet-franc.
Production : 210 000 bouteilles en M.D.C. **Visite des chais :**
sur rendez-vous. Tél. 57 40 18 23. **Vente au château et par
correspondance :** en France et à l'étranger. **Vente par le
négoce :** Vignobles Jean Petit.

Le Château Mangot est une récente acquisition de Jean Petit. Mais les Vignobles
Jean Petit sont une vieille affaire. M. Marcelin Petit, le grand-père, en fut le fondateur.
De nos jours, les vignes sont réparties sur une superficie de quatre-vingts hectares
dont la moitié est plantée sur les côtes de Castillon. Bien que l'exploitation soit d'une
dimension imposante, Jean et Jacqueline Petit maintiennent une atmosphère familiale
dans leurs relations avec leurs employés. Ceux-ci les appellent couramment Papa
et Maman. Les prix pratiqués par ces viticulteurs apparaissent très raisonnables.

Marquey (Château)

Grand Cru

Commune : Saint-Emilion. **Propriétaire :** Alain Berjal.
Superficie du vignoble : 4 ha. **Age moyen du vignoble :** 20 ans.
Encépagement : 40 % cabernet-sauvignon. 60 % merlot.
Production : 24 000 bouteilles en M.D.C. **Visite des chais :**
tél. 57 74 60 06 ou 57 74 42 55. **Vente au château et par
correspondance :** en France. Alain Berjal, B.P. 16, 33330
Saint-Emilion. **Vente par le négoce :** étranger. **Propriété
d'Alain Berjal située au pied de la côte de Pavie.**

Marquis de Mons (Château du) ♟
→ La Vieille Eglise

Marrin (Château)

Commune : Saint-Christophe-des-Bardes. *Propriétaire* : René Chêne. Chef de culture : Françoise et René Chêne. Œnologue conseil : C.B.C. Libourne. *Superficie du vignoble :* 16 ha 37 a. *Age moyen du vignoble :* 50 ans. *Encépagement :* 85 % merlot. 15 % cabernet-franc. *Production :* 65 tonneaux. 10 000 bouteilles en M.D.C. *Vente au château et par correspondance :* tél. 57 24 77 60. *Vente par le négoce.* *Propriété, depuis 1975, de René et Françoise Chêne, ce cru a appartenu à la fin du dernier siècle à M. Bouquey, figure notable de Saint-Emilion.*

Marsolan (Château de)

Commune : Saint-Christophe-des-Bardes. *Propriétaire :* Jean Cheminade. Œnologue conseil : M. Hébrard. *Superficie du vignoble :* 64 a. *Age moyen du vignoble :* 20 ans. *Encépagement :* 70 % merlot. 30 % cabernet-franc. *Production :* 4 500 bouteilles en M.D.C. *Vente au château et par correspondance :* Jean Cheminade, Beynat, 33350 Saint-Magne-de-Castillon.

Martinet (Château)

Commune : Libourne. *Propriétaire :* de Lavaux. Œnologue conseil : M. Pauquet. *Superficie du vignoble :* 17 ha. *Age moyen du vignoble :* 20 ans. *Encépagement :* 15 % cabernet-sauvignon. 85 % merlot. *Production :* 100 tonneaux. *Visite des chais :* tél. 57 51 06 07. *Vente par correspondance :* en France et à l'étranger. *Vente par le négoce :* Horeau Beylot.

C'est l'un des plus importants vignobles actuels de la commune de Libourne. Il est anciennement réputé et s'est trouvé associé depuis de nombreuses années aux familles Decazes, Saint-Genis et de Lavaux, cette dernière étant l'actuelle propriétaire. Sa clientèle traditionnelle se trouve surtout dans le Benelux. Sans atteindre des sommets de finesse, son vin se présente comme un très honnête représentant des sables de Saint-Emilion et, certainement, l'un des meilleurs de ce quartier. Mais il ne faut pas s'attendre à déguster un Saint-Emilion de côte ! L'annexion des « Sables Saint-Emilion » par l'appellation principale est due, en fait, à la réduction de ce terroir par suite de l'urbanisation de Libourne. Pour les viticulteurs du coin, ce ne fut pas une mauvaise affaire.

Matignon (Château)

Commune : Libourne. **Propriétaire :** Henri Matignon. Œnologue conseil : M. Rolland. **Superficie du vignoble :** 1 ha 45 a. **Age moyen du vignoble :** 15 ans. **Production :** 8 tonneaux. 4 000 bouteilles en M.D.C. **Vente au château :** Henri Matignon, 60, chemin de la Lamberte, 33500 Libourne. Tél. 57 51 12 86. **Vente par correspondance :** en France. **Vente par le négoce :** négoce bordelais.

Château Matignon est planté derrière les dernières maisons de Libourne, qui annoncent les premières vignes de Pomerol. Ce petit vignoble est en quelque sorte le jardin d'un coquet pavillon banlieusard. Malheureusement, il risque de disparaître dans les temps à venir, victime de la construction d'un boulevard extérieur. Mais, à défaut de boire un saint-émilion du Château Matignon, il sera toujours loisible de boire un pomerol du Château des Jacobins, appartenant au même propriétaire, M. Henri Matignon.

Matras (Château)

Grand Cru classé

Commune : Saint-Emilion. **Propriétaire :** G.F.A. Château Matras. Fermière : Véronique Gaboriaud-Bernard. **Superficie du vignoble :** 14 ha. **Age moyen du vignoble :** 20 ans. **Encépagement :** 30 % cabernet-sauvignon. 35 % merlot. 30 % cabernet-franc. 5 % malbec. **Production :** 60 000 bouteilles en M.D.C. **Visite des chais :** tous les jours sur rendez-vous. Tél. 57 51 52 39. **Vente au château :** Château Matras, B.P. 127, 33501 Libourne Cedex. **Vente par correspondance :** en France. Mme Gaboriaud-Bernard, Château Bourseau, 33500 Lalande de Pomerol. **Vente par le négoce :** Bordeaux et Libourne.

« Ce vignoble domine la vallée. Il est protégé des vents du nord et se trouve situé à 1 000 mètres du clocher de Saint-Emilion. Il fut de ce fait épargné par les terribles froids de 1956. » Voilà. Cette explication du microclimat miraculeux de Matras n'est-elle pas convaincante ? Quand vous saurez aussi que ce trou de verdure vigneronne appartint un moment au cardinal de Sourdis, archevêque de Bordeaux au temps du terrible duc d'Epernon, vous serez rassuré sur la bonté divine qui abrite Matras contre toute sorte d'adversité. D'après son propriétaire, l'ingénieur œnologue Jean Bernard-Lefebvre, le nom de Matras tire son origine de l'attirail guerrier de l'époque du Moyen Age : « Soit carreau d'arbalète, soit gros trait d'arbalétrier, il désignait aussi l'homme d'armes qui s'en servait. » Le *Grand Robert* venant au secours du *Grand Bernard*, par *Grand Albert* interposé, j'ai à proposer une autre signification tout aussi plausible : le matras était un vase de verre ou de terre au col étroit et long, utilisé autrefois en alchimie et, de nos jours, en chimie, en pharmacie pour diverses opérations, notamment la distillation. Alors, d'accord ? A raison d'un millésime sur deux, l'écusson ornant l'étiquette du Château Matras portera tantôt l'arbalète et tantôt le ballon d'essai.
Pendant plusieurs années, le Château Matras fut affermé par M. Vauthier. Lorsque

la propriétaire, Mme de Fremond (née Carle), voulut vendre le domaine, elle réalisa que son fermier n'avait pas demandé le classement du cru lors de l'homologation de 1954. En fait, Matras avait plus ou moins sombré dans l'oubli. L'affaire fit quelque bruit, mais avec une discrétion feutrée. Le dossier fut constitué et le Château Matras eut l'honneur de figurer à la première page du *Bordeaux et ses Vins* de Féret, dans l'édition de 1969, sous le titre « Avis tardifs et errata ». Avec sept autres crus de Saint-Emilion (dont le Château Dassault), il venait d'être enfin reconnu comme Grand Cru classé. Mais, décidément, l'oubli est un bien contagieux sortilège! Le professeur Henri Enjalbert lui-même, décrivant avec minutie les vallons et combes du sud et particulièrement le vallon de Mazerat, n'a pas mentionné Matras, pourtant relevé sur la carte de Belleyme en 1785 ! Mais Mme Véronique Gaboriaud, l'actuelle maîtresse des lieux, fille de Jean Bernard-Lefebvre, est en train de souffler si fort dans la trompette de la renommée que cela va s'entendre aux quatre coins du monde. Avis aux amateurs : Matras est revenu.

Maurens (Château) → Fombrauge

Maurins du Boutail (Château)

Commune : Saint-Sulpice-de-Faleyrens. **Propriétaires :** M. et Mme Bourée. **Superficie du vignoble :** 4 ha. **Age moyen du vignoble :** 20 ans. **Encépagement :** 25 % cabernet-sauvignon. 50 % merlot. 25 % cabernet-franc. **Production :** 25 000 bouteilles en M.D.C. **Visite des chais :** tél. 57 24 74 47. **Vente au château et par correspondance :** en France. *Aromatiques, ronds et coulants, ce sont des vins que l'on peut déguster aussi bien jeunes que vieux.*

Mauvezin (Château)

Grand Cru classé

Commune : Saint-Emilion. **Propriétaire :** G.F.A. Cassat & Fils. Œnologue conseil : Libourne. **Superficie du vignoble :** 3 ha 20 a. **Age moyen du vignoble :** 10 à 100 ans. **Encépagement :** 10 % cabernet-sauvignon. 35 % merlot. 55 % cabernet-franc. **Production :** 16 000 bouteilles en M.D.C. **Visite des chais :** tél. 57 24 72 36 ou 57 24 62 57. **Vente au château et par correspondance :** G.F.A. Cassat & Fils, B.P. 44, 33330 Saint-Emilion. **Vente par le négoce :** pour les restaurants.

Sur un plateau calcaire à astéries, la terre arable ne couvre que deux ou trois pieds d'épaisseur. Mauvezin est un lieu-dit ancien. Les Fontémoing y furent propriétaires au XVIIIe siècle. Enjalbert rapporte que le bourdieu mesurait 8 journaux et que le vin était de la première classe. C'était une dépendance de la paroisse de Saint-Martin. L'étymologie du nom est latine. *Malum vicinium* signifie tantôt « mauvais quartier », tantôt « mauvais voisin ». Mais cela n'interfère d'aucune façon sur l'excellence du vin de vieilles vignes que Pierre Cassat distille à faible rendement et que l'on a plaisir à rencontrer sur la carte de maints bons restaurants.

Mauvinon (Château)

→ Union de Producteurs

Grand Cru

Mayne-Figeac (Château)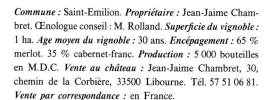

Grand Cru

Commune : Saint-Emilion. *Propriétaire :* Jean-Jaime Chambret. Œnologue conseil : M. Rolland. *Superficie du vignoble :* 1 ha. *Age moyen du vignoble :* 30 ans. *Encépagement :* 65 % merlot. 35 % cabernet-franc. *Production :* 5 000 bouteilles en M.D.C. *Vente au château :* Jean-Jaime Chambret, 30, chemin de la Corbière, 33500 Libourne. Tél. 57 51 06 81. *Vente par correspondance :* en France.

Autrefois, chacun des membres les plus notables d'une famille avait son chaffre, c'est-à-dire son sobriquet. L'arrière-grand-père de Jean-Jaime Chambret était surnommé le « Vieux Cadiche » ou paysan-vigneron du terroir. Le grand-père, qui devait plaire aux dames, répondait au petit nom de « Chéri ». Jean-Jaime Chambret habite Libourne mais il reste très attaché à son vignoble et à sa « cabane ». Au printemps, il aime aller respirer l'odeur des fleurs de la vigne : « C'est un délice ! » Le Mayne-Figeac est un vin pur.

Mazeran (Château)
→ Vieux Château Peymouton

Mazouet (Château)

→ Union de Producteurs

Mélin (Château)

Commune : Libourne. *Propriétaire :* S.C. Debacque René & Fils. Œnologue conseil : Gilles Pauquet. *Superficie du vignoble :* 13 ha. *Age moyen du vignoble :* 25 ans. *Encépagement :* 75 % merlot. 25 % cabernet-franc. *Production :* 70 tonneaux (20 000 bouteilles en M.D.C.). *Vente au château et par correspondance :* S.C. Debacque & Fils, 17, rue des Réaux, 33500 Libourne. Tél. 57 51 00 66. *Vente par le négoce :* Ets De Rivoyre & Diprovin. *Le jeune Vincent Debacque semble avoir trouvé la voie d'une qualité aussi bonne que régulière. Bravo !*

Menuts (Clos des)

Grand Cru

Commune : Saint-Emilion. *Propriétaire :* Pierre Rivière. Maître de chai : Serge Beau. Œnologue conseil : M. Chaine. *Superficie du vignoble :* 23 ha 60 a. *Age moyen du vignoble :* 30 ans. *Encépagement :* 30 % cabernet-sauvignon. 70 % merlot. *Production :* 156 000 bouteilles en M.D.C. *Visite des chais :* tél. 57 24 70 59 ou 57 24 73 90. *Vente au château et par correspondance :* en France. *Vente par le négoce.*

C'est la meilleure expression vigneronne de Pierre Rivière, viticulteur à Saint-Emilion depuis trois générations. La maison Rivière, fondée en 1875, est aussi propriétaire à Lussac, Montagne et en Bordeaux Supérieur. Le vignoble des Menuts se divise en deux parties, l'une près des remparts de Saint-Emilion et l'autre au pied des coteaux. Le vieillissement s'effectue dans la fraîche profondeur de caves souterraines creusées dans le roc. Elles méritent une visite et on les trouve facilement en face de la poste. Les vins de la famille Rivière m'apparaissent comme des valeurs sûres.

Merlin (Château)

Grand Cru

Commune : Libourne. *Propriétaire :* Alain Debacque. Œnologue conseil : M. Hébrard. *Superficie du vignoble :* 2 ha 6 a. *Age moyen du vignoble :* 20 ans. *Encépagement :* 70 % merlot. 30 % cabernet-franc. *Production :* 10 tonneaux. 6 000 bouteilles en M.D.C. *Visite des chais :* sur rendez-vous. Tél. 57 74 14 90. *Vente au château et par correspondance :* Alain Debacque, Domaine de Ridet, Condat, 33500 Libourne. *Vente par le négoce.*

C'est peut-être l'enchanteur Merlin en personne qui a ainsi décrit les vins de ce Grand Cru : « D'un fumet de ronces et d'aubépines avec une arrière-senteur de truffes. » Récente acquisition de M. et Mme Alain Debacque, le Château Merlin, aux portes de Libourne, est en train de se tailler une jeune et bonne réputation grâce à des livraisons fort convenables, tant au négoce qu'à la fidèle petite clientèle particulière.

Millaud-Montlabert (Château)

Grand Cru

Commune : Saint-Emilion. *Propriétaire :* M. et Mme Claude Brieux. Œnologue conseil : M. Pauquet. Superficie du vignoble : 3 ha 98 a. *Age moyen du vignoble :* 25 ans. *Encépagement :* 20 % cabernet-sauvignon. 70 % merlot. 10 % cabernet-franc. *Production :* 24 000 bouteilles en M.D.C. *Visite des chais :* tél. 57 24 71 85. *Vente au château et par correspondance :* en France et à l'étranger. *Dans la famille Brieux depuis le début du siècle, la majeure partie du vignoble se trouve à Montlabert.*

Milon (Château)

Grand Cru

Commune : Saint-Christophe-des-Bardes. **Propriétaire** : Christian Bouyer. **Superficie du vignoble** : 18 ha. **Age moyen du vignoble** : 35 ans. **Encépagement** : 13 % cabernet-sauvignon. 75 % merlot. 12 % cabernet-franc. **Production** : 100 000 bouteilles en M.D.C. **Visite des chais** : du lundi au vendredi de 9 h à 11 h et de 14 h à 17 h. Tél. 57 24 77 18. **Vente au château et par correspondance** : en France et à l'étranger. *18 hectares en pied de côte pour le vignoble du Château Milon et 6 hectares sur plateau argilo-calcaire pour le Clos de La Cure. Leur origine remonte au Moyen Age.*

Moines (Clos des)

Commune : Saint-Christophe-des-Bardes. **Propriétaire** : Jean Ménager (père). Administrateur : Jean Ménager (fils). Œnologue conseil : C.B.C. Libourne. **Superficie du vignoble** : 3 ha 27 a. **Age moyen du vignoble** : 40 ans. **Encépagement** : 15 % cabernet-sauvignon. 65 % merlot. 20 % cabernet-franc. **Production** : 13 tonneaux. 5 000 bouteilles en M.D.C. **Visite des chais** : tél. 57 24 77 02. **Vente au château et par correspondance.** **Vente par le négoce** : expédition par cubitainers. *Ce bon cru artisan, aux vins tanniques et charpentés, devrait étendre sa superficie à plus de 9 hectares dans les années qui viennent.*

Monbousquet (Château)

Grand Cru

Commune : Saint-Sulpice-de-Faleyrens. **Propriétaire** : Héritiers Daniel Querre. Administrateur : S.C. du Château Monbousquet. Chef de culture : Guy Thoilliez. Maître de chai : Alain Querre. Œnologue conseil : M. Chaine. **Superficie du vignoble** : 30 ha. **Age moyen du vignoble** : 25 ans. **Encépagement** : 10 % cabernet-sauvignon. 50 % merlot. 40 % cabernet-franc. **Production** : 150 tonneaux. 100 000 bouteilles en M.D.C. **Visite des chais** : tél. 57 51 56 18. **Vente au château et par correspondance** : Alain Querre, B.P. 140, 33500 Libourne. **Vente par le négoce** : Daniel Querre.

Il est impossible de dire quelques mots à propos de ce cru sans évoquer la figure bonhomme de Daniel Querre qui fut, à Saint-Emilion, l'une des plus marquantes de sa génération. Amour du terroir, enthousiasme et compétence, jovialité et cordialité composaient sa personnalité, rehaussée d'une culture terrienne parmi les plus fines du pays. Aujourd'hui, c'est principalement son fils Alain qui préside le présent. Il a hérité de son père ce caractère à l'emporte-pièce qui frappe par sa conviction brutale et découpe de tendres fleurettes par son humour bouqueté.

235

Monbousquet : une gentilhommière dans un parc romantique.

Au demeurant, Monbousquet est une belle et importante propriété en parfaite condition de culture. Sans vouloir agiter à nouveau le grelot du jugement premier, je prends la liberté de déclarer que ce cru mériterait un classement. Alain Querre rétorque : « Je préfère être le premier des non-classés que le dernier des classés. » Classé ou pas, Monbousquet tient sa place à lui et son organe sonore et puissant se fait entendre dans le chœur des saint-émilions comme Chaliapine chantant du Grégorien. Si d'aventure vous avez quelques heures à consacrer à la faconde sincère des frères Querre, vous ne regretterez pas une halte à Monbousquet, ni la dégustation des derniers millésimes qui vous en mettront plein la papille. Le Monbousquet n'est pas un vin pour freluquets.

Mondotte-Bellisle (Château)

Commune : Saint-Laurent-des-Combes. **Propriétaire :** Marie-Antoinette Chaput. Fermier : M. Hibert. **Superficie du vignoble :** 5 ha 80 a. **Age moyen du vignoble :** 30 ans. **Encépagement :** 75 % merlot. 25 % cabernet-franc. **Production :** 30 tonneaux. **Vente au château :** tél. 57 24 72 84. **Vente par le négoce.** *Il ne casse pas les verres mais ce serait quand même dommage de simplement les rincer avec.*

Mondou Mérignan (Château)

→ *Union de Producteurs*

Monlot Capet (Château)

Grand Cru

Commune : Saint-Hippolyte. *Propriétaire :* G.F.A. Château Monlot Capet. Métayer : Palatin-Micheau-Maillou. Œnologue conseil : C.B.C. Libourne. *Superficie du vignoble :* 8 ha 4 a. *Age moyen du vignoble :* 22 ans. *Encépagement :* 5 % cabernet-sauvignon. 65 % merlot. 30 % cabernet-franc. *Production :* 45 000 bouteilles en M.D.C. *Vente au château et par correspondance :* en France et à l'étranger. Tél. 57 24 77 48. *Vente par le négoce :* Savour Club, Sichel. *Un nom qui sonne bien au point de faire illusion et un vin sans prétention qui peut faire plaisir au client.*

Montagu (Château de) → *Merlin*

Monte-Christo (Château)

Commune : Libourne. *Propriétaire :* Philibert Rousselot. Œnologue conseil : Michel Rolland. *Superficie du vignoble :* 2 ha 81 a. *Age moyen du vignoble :* 20 ans. *Encépagement :* 25 % cabernet-sauvignon. 60 % merlot. 15 % cabernet-franc. *Production :* 16 tonneaux. 5 000 bouteilles en M.D.C. *Vente au château et par correspondance :* Château Monte-Christo, 185, avenue de l'Epinette, 33500 Libourne. Tél. 57 74 06 71. *Vente par le négoce :* Borie-Manoux. *Il pourrait aussi bien s'appeler « Château d'If » mais l'abbé Faria n'a jamais dit une messe avec ce vin-là.*

Montlabert (Château)

Grand Cru

Commune : Saint-Emilion. *Propriétaire :* S.C. du Château Montlabert. Gérant : René Barrière. Chef de culture : Jean-Michel Lalande. Maître de chai et œnologue conseil : M. Le Menn. *Superficie du vignoble :* 13 ha. *Age moyen du vignoble :* 20 ans. *Encépagement :* 10 % cabernet-sauvignon. 50 % merlot. 40 % cabernet-franc. *Production :* 72 000 bouteilles en M.D.C. *Visite des chais :* sur rendez-vous. Tél. 56 39 59 86 ou 57 24 70 75. *Vente au château et par correspondance :* en France et à l'étranger. *Vente par le négoce.*

En 1967, une amitié internationale, soudée par l'amour du bon vin, se cristallisa et prit la forme d'une société civile. Les parrains fondateurs étaient les frères Armand et René Barrière du côté français, le Canadien Donald Webster et le Britannique Montaigu Curzon. Grâce à leurs brillantes relations, ils constituèrent un groupe de grands amateurs pour l'acquisition du Château Montlabert. Cette belle propriété de 17 hectares comprend 13 hectares de vignes en un seul tenant avec l'agrément d'un parc splendide aux essences variées. Son origine certaine remonte au XVIIIᵉ siècle. Un acte du 15 septembre 1791 indique qu'elle appartenait alors à la famille Decazes. Sa superficie était plus importante. Au milieu du siècle dernier, elle eut à subir plusieurs divisions, seul le cœur du vignoble autour du château ayant été sauvegardé. Les partenaires de la société actuelle ont formé une sorte de club élitiste qui est une confrérie privée : les Chevaliers du Château Montlabert. Leur plus grande satisfaction est de déguster leurs dividendes. Et leur premier soin fut d'éditer, en 1969, une brochure imprimée par Etienne Braillard à Genève, qui est un petit chef-d'œuvre typographique. Aujourd'hui en superbe condition, le cru de Montlabert pourrait justement prétendre à un classement. Les vins sont d'une bonne constance de qualité.

Morillon (Château)

Commune : Saint-Christophe-des-Bardes. *Propriétaire :* Clotaire Sarrazin. Œnologue conseil : C.B.C. Libourne. *Superficie du vignoble :* 6 ha 75 a. *Age moyen du vignoble :* 25 ans. *Encépagement :* 15 % cabernet-sauvignon. 70 % merlot. 15 % cabernet-franc. *Production :* 28 tonneaux. 5 000 bouteilles en M.D.C. *Vente au château et par correspondance :* Clotaire Sarrazin, Badette, 33330 Saint-Christophe-des-Bardes. Tél. 57 24 76 18. *Vente par le négoce :* Maison Lebègue. *Au temps où les sobriquets étaient fréquents, les Sarrazin étaient surnommés « Morillon », variété de raisin noir, sans doute à cause de leur complexion foncée.*

Moulin Bellegrave (Château)

Grand Cru

Commune : Vignonet. *Propriétaires :* Max et Florian Périer. Œnologue conseil : laboratoire de Grézillac. *Superficie du vignoble :* 13 ha. *Age moyen du vignoble :* 25 ans. *Encépagement :* 15 % cabernet-sauvignon. 70 % merlot. 15 % cabernet-franc. *Production :* 60 000 bouteilles en M.D.C. *Vente au château et par correspondance :* en France. Tél. 57 84 53 28 ou 57 74 97 08. *Vente par le négoce :* vente aux demi-grossistes et aux particuliers. *Charpenté et tannique pour des bouteilles de garde. Les offres de services de bons V.R.P. seront étudiées.*

Moulin de Cantelaube (Château)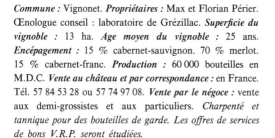
→ Gros Caillou

Moulin de la Chapelle (Château du)

→ *Union de Producteurs*

Moulin de Lagnet (Château)

Commune : Saint-Christophe-des-Bardes. *Propriétaire :* G.F.A. Héritiers Olivet. Fermiers : Anne-Lise Goujon et Pierre Chatenet. Œnologue conseil : C.B.C. Libourne. *Superficie du vignoble :* 4 ha 50 a. *Age moyen du vignoble :* 25 ans. *Encépagement :* 30 % cabernet-sauvignon. 70 % merlot. *Production :* 2 000 bouteilles en M.D.C. *Visite des chais :* tél. 57 74 40 06. *Vente au château et par correspondance :* Château Moulin de Lagnet, Larguet, 33330 Saint-Christophe-des-Bardes. *Vente par le négoce :* négoce bordelais. *Ce cru vient d'être repris en mains. La superficie du vignoble va être portée à 8 hectares.*

Moulin de Pierrefitte (Château)

Grand Cru

Commune : Saint-Sulpice-de-Faleyrens. *Propriétaire :* Jean-Louis Fayard. Œnologue conseil : M. Hébrard. *Superficie du vignoble :* 6 ha 50 a. *Age moyen du vignoble :* 30 ans. *Encépagement :* 5 % cabernet-sauvignon. 70 % merlot. 25 % cabernet-franc. *Production :* 30 tonneaux. 18 000 bouteilles en M.D.C. *Vente au château et par correspondance :* J.-L. Fayard, Le Bourg, 33330 St-Sulpice-de-Faleyrens. Tél. 57 24 75 18. *Vente par le négoce :* négoce libournais.

Au lieu-dit Pierrefitte se trouve un moulin, d'où le nom. J.-L. Fayard en a hérité en 1978 et il prodigue ses meilleurs soins aux quelque 6 hectares de graves sablonneuses, répartis en six parcelles discontinues. Si son deuxième vignoble de Grand Bigaroux semble plus connu, je préfère les vins du Moulin de Pierrefitte comme étant mieux charpentés et mieux conformes à l'idée qu'on se fait d'un Saint-Emilion Grand Cru.

Moulin du Cadet (Château)

Grand Cru classé

Commune : Saint-Emilion. *Propriétaires :* Héritiers Mouliérac et Ets Jean-Pierre Moueix. Régisseur et chef de culture : Michel Gillet. Maître de chai : Jean Veyssière. Œnologue : Jean-Claude Berrouet. *Superficie du vignoble :* 5 ha. *Age moyen du vignoble :* 25 ans. *Encépagement :* 75 % merlot. 25 % cabernet-franc. *Production :* 25 000 bouteilles en M.D.C. *Vente par le négoce :* Ets Jean-Pierre Moueix.

Comme le Château La Clotte, le Moulin du Cadet est en association entre les héritiers Mouliérac et les établissements Jean-Pierre Moueix. Ses 75 % de merlots assurent au vin une rondeur et un velouté qui font les délices des gourmets. C'est une vinification signée de Jean-Claude Berrouet, le brillant œnologue de la grande maison Moueix, qui a toujours eu le nez inspiré, la main heureuse, le palais délicat et la langue bien pendue.

Moulin Saint-Georges (Château)

Grand Cru

Commune : Saint-Emilion. **Propriétaire :** Famille Vauthier. Administrateur : Alain Vauthier. Œnologues conseils : Mlle Cazenave-Mahé et M. Chaine. **Superficie du vignoble :** 6 ha 50 a. **Age moyen du vignoble :** 25 ans. **Encépagement :** 60 % merlot. 40 % cabernet-franc. **Production :** 30 000 bouteilles en M.D.C. **Vente au château et par correspondance :** Alain Vauthier, Château Ausone, 33330 Saint-Emilion. Tél. 57 24 70 26. **Vente par le négoce :** négoce bordelais. *Bonne vieille marque, le Moulin Saint-Georges est un petit frère du grand Ausone.*

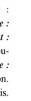

Naude (Château)

Grand Cru

Commune : Saint-Etienne-de-Lisse. **Propriétaire :** Alain Bonneau. Chef de culture : Jean-Christian Lacoste. Maître de chai et œnologue conseil : Daniel Gaston. **Superficie du vignoble :** 6 ha 25 a. **Age moyen du vignoble :** 15 ans. **Encépagement :** 30 % cabernet-sauvignon. 70 % merlot. **Production :** 45 000 bouteilles en M.D.C. **Visite des chais :** sur rendez-vous. Tél. 57 84 50 01. **Vente au château et par correspondance :** Alain Bonneau, 33420 Branne.

Alain Bonneau, maire de Branne et propriétaire du cru, porte allègrement sa quarantaine joviale et grisonnante. Cet œnologue diplômé cultive, outre ses merlots et cabernets-sauvignons, un discret mais savoureux accent du terroir qui témoigne (si besoin était) de sa totale sincérité. Le cœur sur la main pour accueillir le visiteur et la main sur le cœur pour lui déclarer que son vin est le meilleur, il règne paternellement sur son vignoble de Naude depuis la succession de son père en 1975.

La vigne est encore un peu jeune et elle est invitée à des rendements généreux qui frôlent les 60 hectolitres par hectare. Mais la science de l'œnologue est là pour assurer une qualité très « commerciale », au meilleur sens du terme.

Orme Brun (Château)

→ *Belle Assise Coureau*

Page Les Terres Rouges (Ch.)

Commune : Saint-Laurent-des-Combes. *Propriétaires :* Georgette, Gaston et Jean Page. *Superficie du vignoble :* 1 ha 35 a. *Age moyen du vignoble :* 12 à 40 ans. *Production :* 7 tonneaux. *Vente au château et par correspondance :* tél. 57 24 62 65.

Pagnac (Château)

→ *Union de Producteurs*

Pailhas (Château)

Commune : Saint-Hippolyte. *Propriétaire :* Michel Robin-Lafugie. *Superficie du vignoble :* 15 ha. *Age moyen du vignoble :* 25 ans. *Encépagement :* 10 % cabernet-sauvignon. 60 % merlot. 30 % cabernet-franc. *Production :* 50 tonneaux. *Vente au château et par correspondance :* en France et à l'étranger. Michel Robin-Lafugie, 33350 Saint-Genès-de-Castillon. Tél. 57 40 10 01. *Vente par courtiers. Cette modeste étiquette habille des vins bien faits et très agréables à boire, jeunes ou vieux.*

Palais-Cardinal-La-Fuie (Ch.)

Grand Cru

Commune : Saint-Sulpice-de-Faleyrens. *Propriétaires :* Gérard Frétier & Fils. Œnologue conseil : M. Hébrard. *Superficie du vignoble :* 16 ha. *Age moyen du vignoble :* 30 ans. *Encépagement :* 15 % cabernet-sauvignon. 50 % merlot. 35 % cabernet-franc. *Production :* 84 000 bouteilles en M.D.C. *Visite des chais :* sur rendez-vous. Tél. 57 24 75 91. *Vente au château et par correspondance :* en France. *Vente par le négoce.*

Gérard Frétier est un enfant du pays qui sait aussi bien fabriquer une barrique que l'emplir. Enfin... façon de parler car les vins du Palais-Cardinal-La-Fuie ne vieillissent jamais sous bois. Vinification et stockage ont lieu dans des cuves en ciment.

Panet (Château)

Grand Cru

Commune : Saint-Christophe-des-Bardes. *Propriétaire* : Jean-Claude Carles. Œnologue conseil : Michel Rolland. *Superficie du vignoble :* 8 ha. *Age moyen du vignoble :* 20 ans. *Encépagement* : 10 % cabernet-sauvignon. 70 % merlot. 20 % cabernet-franc. *Production* : 54 000 bouteilles en M.D.C. *Visite des chais :* sur rendez-vous. Tél. 57 24 78 92. *Vente au château et par correspondance :* en France et à l'étranger. Jean-Claude Carles, Château Coudert, 33330 Saint-Christophe-des-Bardes. *Vente par le négoce :* négoce libournais. *Le vignoble est situé en coteau, à l'ouest du bourg. C'est une propriété familiale depuis plus d'un siècle.*

Paradis (Château du)

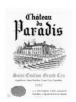

Grand Cru

Commune : Vignonet. *Propriétaire* : Vignobles Raby-Saugeon S.A. Administrateur : Janine Raby-Saugeon. Maître de chai : Honoré Nadaud. Œnologue conseil : M. J.-F. Chaine. *Superficie du vignoble :* 35 ha. *Age moyen du vignoble :* 20 ans. *Encépagement :* 5 % cabernet-sauvignon. 70 % merlot. 25 % cabernet-franc. *Production :* 240 000 bouteilles en M.D.C. *Visite des chais :* tél. 57 84 53 27. *Vente au château et par correspondance :* en France et à l'étranger. Château du Paradis, B.P. n° 1, 33330 Saint-Emilion. *Vente par le négoce :* exportation. (Notamment Reidemeister & Ulrichs à Brême).

Paradis Sicard → Tourans

Paran Justice (Château)

→ Union de Producteurs

Grand Cru

Parc (Château du)

Commune : Saint-Sulpice-de-Faleyrens. *Propriétaire :* Marcel Tabarlet. Œnologue conseil : M. Rolland. *Superficie du vignoble :* 2 ha. *Age moyen du vignoble :* 40 ans. *Encépagement :* 10 % cabernet-sauvignon. 50 % merlot. 40 % cabernet-franc. *Production :* 9 tonneaux. 4 000 bouteilles en M.D.C. *Vente au château et par correspondance :* tél. 57 24 74 82. *Vente par le négoce. Cet instituteur retraité cultive aujourd'hui son Parc comme un jardin.*

Pasquette (Domaine de)

Commune : Saint-Sulpice-de-Faleyrens. **Propriétaire :** G.F.A. Jabiol. **Superficie du vignoble :** 3 ha. **Age moyen du vignoble :** 30 ans. **Encépagement :** 15 % cabernet-sauvignon. 70 % merlot. 15 % cabernet-franc. **Production :** 12 000 bouteilles en M.D.C. **Vente au château et par correspondance :** en France. Alain Jabiol, B.P. 24, 33330 Saint-Emilion. Tél. 57 74 47 69. **Vente par le négoce :** Belgique, Pays-Bas, Danemark, Angleterre. *Des vendanges plus mûres et un égrappage plus soigné contribueraient à améliorer la qualité.*

Patarabet (Château)

Commune : Saint-Emilion. **Propriétaire :** G.F.A. du Château Patarabet. Fermier : S.C.E. du Château Patarabet. **Superficie du vignoble :** 6 ha 97 a 26 ca. **Age moyen du vignoble :** 25 ans. **Encépagement :** 20 % cabernet-sauvignon. 60 % merlot. 20 % cabernet-franc. **Production :** 60 000 bouteilles en M.D.C. **Visite des chais :** tous les jours. Eric Bordas. Tél. 57 24 74 73. **Vente au château et par correspondance :** en France et à l'étranger. *Après avoir désintéressé les autres ayants droit, Eric Bordas et son épouse sont les seuls propriétaires de ce cru dont ils ont fait un petit bijou.*

Patris (Château)

Commune : Saint-Emilion. **Propriétaire :** Michel Querre. Chef de culture et œnologue conseil : Christian Durand. **Superficie du vignoble :** 9 ha 50 a. **Age moyen du vignoble :** 25 ans. **Encépagement :** 15 % cabernet-sauvignon. 70 % merlot. 15 % cabernet-franc. **Production :** 60 000 bouteilles en M.D.C. **Visite des chais :** tél. 57 51 00 40. **Vente par le négocé :** Maison Michel Querre S.A.

Le nom des Querre est étroitement associé au vignoble du Libournais. Michel Querre est également propriétaire du Château Mazeyres, un bon cru de Pomerol. Patris se trouve au pied du versant sud-ouest de la côte saint-emilionnaise, sur des terrains à dominance sableuse. Le vin possède une belle rondeur et une structure tannique très souple. Son type le rapproche de certains pomerols.

Pavie (Château)

1er Grand Cru classé

Commune : Saint-Emilion. **Propriétaire :** Consorts Valette S.C.A. Administrateur : Antoinette Valette. Régisseur : Patrick Valette. Maître de chai : Pierre Rabeau. Œnologue conseil : Pascal Ribéreau-Gayon. **Superficie du vignoble :** 37 ha. **Age moyen du vignoble :** 40 ans. **Encépagement :** 20 % cabernet-sauvignon. 55 % merlot. 25 % cabernet-franc. **Production :** 150 000 bouteilles en M.D.C. **Visite des chais :** sur rendez-vous. Tél. 57 24 72 02. **Vente par le négoce :** place de Bordeaux.

Aucune illustration ne pouvait mieux convenir à l'étiquette de ce cru que la vue panoramique de la côte de Pavie. Elle sert en effet de référence géographique à la plupart des vignobles situés sur le coteau méridional de Saint-Emilion et chacun s'accorde à reconnaître que la référence est également qualitative. Pourtant, le nom

Depuis la côte de Pavie, un superbe panorama viticole.

de Pavie est apparu tardivement dans le florilège du pays. Il est cité pour la première fois dans le *Bordeaux et ses Vins* de 1868. L'année précédente, un groupe de 36 propriétaires de Saint-Emilion s'était présenté solidairement à l'Exposition universelle de Paris et avait obtenu la médaille d'or des grands vins. Il faut préciser qu'à l'époque, les vins de Saint-Emilion n'étaient pas appelés « vins de Bordeaux ». On était sous le règne absolu des Médoc, Graves et Sauternes, douze ans après la fameuse classification. Si les 36 propriétaires avaient fait homologuer leur liste, Saint-Emilion disposerait d'un classement historique contemporain de celui du Médoc (à quoi tiennent les choses ?). Pavie s'y trouve bel et bien mentionné. Il appartenait alors à Adolphe Pigasse, docteur en médecine. C'est lui qui avait créé le cru en achetant autant de bonnes terres à vigne qu'il pouvait en payer. Les propriétaires actuels supposent que le nom de Pavie viendrait de *pavière*, soit une « carrière d'où viennent les pavés ». Je ferai ici observer que, premièrement, pour autant que je sache, le mot *pavière* n'existe pas dans la langue française et que, deuxièmement, les pierres extraites du sous-sol de Saint-Emilion sont bien peu aptes à faire des pavés. Elles sont bonnes pour la taille, c'est-à-dire la construction. Je ne dis pas cela par esprit de contradiction mais parce que j'ai une autre explication, davantage plausible, à proposer. Avant que de seulement concerner quelques crus déterminés (Pavie, Pavie-Decesse, Pavie-Macquin...), le nom de Pavie désigne, nous

l'avons vu, toute la côte sud de Saint-Emilion. Autrefois, les vignes plantées sur les plateaux ou coteaux rocheux étaient émaillées de pêchers. Ces petits arbres, appelés pêchers de plein vent, donnaient des fruits dont la chair était fermement attachée au noyau. C'est avec ceux-ci que les vignerons préparaient les « pêches au vin » tandis que leurs épouses avaient déjà cueilli quelques fleurs pour faire des tisanes laxatives et vermifuges. Dans mon livre sur les Côtes de Bourg, je rapporte que François Mauriac raffolait des « pêches de vigne ». Je me souviens en avoir dégusté, chez lui, à Malagar, par un après-midi caniculaire alors que j'étais adolescent. Veuillez me pardonner cette évocation. Elle reste très forte dans ma tête ; aussi forte que le goût de ces *pavies* puisque c'est ainsi qu'elles se nomment. Il fut un temps où le vignoble de la côte de Pavie s'ornait, fin avril début mai, d'un pavoisement de pavies en fleurs. La rationalisation de la monoculture viticole, dans la deuxième moitié du siècle dernier, a supprimé cette production accessoire. Partout en Bordelais, les tracteurs enjambeurs ont condamné les pêchers de plein vent survivants.

Après le décès du docteur Pigasse, son épouse survécut en vendant, parcelle après parcelle, les terres patiemment réunies par le praticien. La famille Fayard-Talleman en récupéra la majeure partie mais il ne semble pas que ce patronyme fût jamais inscrit au gotha de Saint-Emilion. Après le paroxysme de la crise phylloxérique, en 1885, le négociant bordelais Ferdinand Bouffard arriva avec ses escarpins vernis. Il avait hérité du Domaine de la Sable, situé juste au pied de la côte de Pavie et, ses moyens financiers étant à la hauteur de ses ambitions, il entreprit de la grimper. Après avoir acquis les terres des Fayard-Talleman, il acheta successivement les parcelles de Pimpinelle, Dussaut, Larcis-Bergey et, consécration, le dernier lopin de feu Pigasse. Dès lors, Pavie contenait plus de 50 hectares et sa production frisait les 150 tonneaux (heureusement qu'il n'y avait pas de commission de l'I.N.A.O. pour sanctionner cet excès de « consistance ». Voir Beau-Séjour Bécot !). Toujours est-il que le Château Pavie accéda au sommet des crus émérites de Saint-Emilion et qu'il vendit ses vins plus cher même que des seconds crus classés du Médoc. Entre les deux guerres mondiales, Albert Porte prit la suite de Bouffard. Sans changer de localisation mais en réduisant sa superficie, le domaine redescendit d'un cran dans l'estime des fins connaisseurs. A Pavie, les constructions se situent sur trois niveaux de la colline. En bas : le cuvier et les bureaux ; à mi-pente : le château, en forme de grande ferme ; en haut, mais enterrés, les chais. Ces derniers sont d'anciennes carrières de pierres à bâtir. Les premières excavations dateraient du XIᵉ siècle. Leur faible profondeur relative (moins de 8 mètres) a entraîné des effondrements, provoqués par les infiltrations d'eau de pluie. En 1974, 53 barriques de vin furent écrabouillées pendant que le personnel cassait la croûte du midi.
Depuis 1943, Château Pavie est entre les mains des Valette. C'est Jean-Paul, petit-fils d'Alexandre, qui dirige aujourd'hui le domaine. Dans les années 70, Emile Peynaud a donné un coup de jouvence aux vins et un coup d'épaule à la réputation du cru. Pascal Ribéreau-Gayon lui a succédé dans le conseil œnologique. Pour un vin de côte, Pavie se maintient à un bon niveau avec une structure mince et dentelée qui tient du gothique flamboyant. Certes, c'est de la belle architecture, mais qui manque un peu de masse et de solidité. On demandait un jour à Tristan Bernard si le café servi était bon. « Sa bonté touche à la faiblesse » répondit-il. Oui, mais faiblesse rime avec délicatesse et finesse. Les Pavie se distinguent par ces deux derniers adjectifs et se destinent aux amateurs de saveurs réglissées ayant le palais très sensible.

Pavie Decesse (Château)

Grand Cru classé

Commune : Saint-Emilion. *Propriétaire :* S.C.A. du Château Pavie Decesse. Administrateur : Mme Antoine Valette. Régisseur : Patrick Valette. Directeur : Jean-Paul Valette. Maître de chai : Pierre Rabeau. Œnologue conseil : Pascal Ribéreau-Gayon. *Superficie du vignoble :* 9 ha 50 a. *Age moyen du vignoble :* 40 ans. *Encépagement :* 15 % cabernet-sauvignon. 60 % merlot. 25 % cabernet-franc. *Production :* 48 000 bouteilles en M.D.C. *Visite des chais :* sur rendez-vous. Tél. 57 24 72 02. *Vente par correspondance :* en France et à l'étranger. *Vente par le négoce :* place de Bordeaux et à l'étranger : Suisse, Belgique, U.S.A., Japon, Australie.

La « côte de Pavie » est une référence de qualité pour tous les crus, grands ou petits, qui s'y trouvent rassemblés... et même pour ceux qui se contentent de la regarder. C'est le versant sud de la colline de Saint-Emilion qui présente une pente relativement abrupte jusqu'à la plaine de la Dordogne. A la fin du siècle dernier, le négociant bordelais Ferdinand Bouffard acheta toutes les terres à vigne qu'il put trouver sur la côte de Pavie. Dans cet empire de plus de 50 hectares il y avait le cru de Pigasse qui faisait l'objet d'une exploitation séparée et qui allait devenir Pavie Decesse. Après la guerre de 14-18, le domaine fut acheté par Marcel Larget, également propriétaire du Clos Villemaurine et du Château des Bardes. Puis, on y voit Robert Marzelle et une société civile qui ne contribue guère à la gloire de l'étiquette. Depuis 1970, Pavie Decesse a rejoint les vignobles Valette. L'exploitation est administrée par Jean-Paul Valette qui lui prodigue les mêmes soins qu'au Château Pavie mais il s'agit bien de deux crus distincts et non d'une organisation où Pavie Decesse serait la deuxième marque de Pavie.

Pavie Macquin (Château)

Grand Cru classé

Commune : Saint-Emilion. *Propriétaire :* G.F.A. du Château Pavie Macquin. Administrateur : Marie-Jacques Charpentier. Chef de culture et maître de chai : Marc Joudinaud. Œnologue conseil : M. Rolland. *Superficie du vignoble :* 10 ha. *Age moyen du vignoble :* 20 ans. *Encépagement :* 5 % cabernet-sauvignon. 80 % merlot. 15 % cabernet-franc. *Production :* 48 000 bouteilles en M.D.C. *Visite des chais :* Marie-Louise Barre. Tél. 57 51 26 44. *Vente au château et par correspondance.* Vente par le négoce : S.D.V.F. (exclusivité).

« J'étais agriculteur dans le département de Seine-et-Marne dont je suis originaire, lorsque je fus attiré en 1885 dans le département de la Gironde, d'une part par la dépréciation de la propriété due aux ravages du phylloxéra, et d'autre part par la certitude que j'avais, dès cette époque, du retour des vignobles à leur ancienne prospérité. » Ce visionnaire s'appelait Albert Macquin. Pendant le dernier quart du siècle dernier, il fut le génial rénovateur du vignoble libournais. Achetant, pour des prix de misère, autant de terres à vigne dévastées qu'il pouvait, il régénéra la viticulture par des greffes sélectionnées. Entre 1885 et 1895, il fit greffer 4 879 000 plants sur lesquels plus de trois millions furent un succès. Les bénéfices tirés des ventes aux viticulteurs de la région lui servirent à mettre en valeur ses propres domaines. Il fut propriétaire de 70 hectares de vignes à Saint-Georges-de-Montagne et à Saint-Emilion, surface considérable à l'époque ! En 1887, il acheta 24 hectares dans le secteur de Pavie. Accumulant les observations pratiques, les données scientifiques et les statistiques d'expérimentations, il marqua son époque par une foi irréductible en l'avenir du terroir libournais. Il fut l'un des tout premiers à rapprocher comparativement l'analyse des sols et celle des vins. Il rationalisa la gestion du temps de travail de ses ouvriers et poussa la rigueur jusqu'à étudier le meilleur rendement de ses bœufs selon leur nourriture. Grand précurseur de la viticulture moderne, Albert Macquin mériterait que sa statue en pied soit érigée quelque part, au sommet d'une colline viticole du pays. Le Château Pavie Macquin procède de toutes les qualités reconnues à la côte de Pavie. Ses vins sont du genre fin, léger, fruité, alcoolisé. Il faudrait peut-être un tout petit peu plus de matières tanniques pour en faire un très grand cru. Je crois savoir que cette idée est en cours d'application. Une vinification plus lente et mieux contrôlée, un temps supérieur de vieillissement dans du bois neuf et Pavie Macquin sera capable de se hisser au niveau des meilleurs vins de côte.

Pavillon-Figeac (Château)   ♟♟♟♟♟

Commune : Saint-Emilion. **Propriétaire** : Mme Boisseau. Fermier : René de Coninck. Œnologue conseil : M. Rolland. **Superficie du vignoble** : 3 ha 50 a. **Age moyen du vignoble** : 25 ans. **Encépagement** : 45 % merlot. 55 % cabernet-franc. **Production** : 21 600 bouteilles en M.D.C. **Vente au château et par correspondance** : René de Coninck, B.P. 125, 33501 Libourne. Tél. 57 51 06 07. **Vente par le négoce** : négoce libournais.

Pavillon-Lavallade (Château)   ♟   →   Robin

Pendary (Château)   ♟♟♟♟♟

Commune : Saint-Sulpice-de-Faleyrens. **Propriétaire** : Société de fait Cubilier (Serge et Jean-Luc). Œnologue conseil : M. Rolland. **Superficie du vignoble** : 8 ha. **Age moyen du vignoble** : 15 ans. **Encépagement** : 10 % cabernet-sauvignon. 80 % merlot. 10 % cabernet-franc. **Production** : 40 tonneaux. 3 000 bouteilles en M.D.C. **Visite des chais** : sur rendez-vous. Tél. 57 24 75 29. **Vente au château et par correspondance** : en France et à l'étranger. **Vente par le négoce** : Jean-Pierre Moueix.

Serge et Jean-Luc Cubilier ont commencé l'exploitation de Château Pendary en janvier 1985. La propriété est un héritage venu de leur grand-père, Louis-Robert Pendary. Il était métayer. De son vivant, il n'y avait pas de vigne. La terre était vouée à la culture du maïs, pommes de terre, betteraves..., ainsi qu'à l'élevage d'une dizaine de vaches. Petit à petit, la vigne gagna du terrain. « Il est difficile d'être un jeune propriétaire » dit Serge, vingt-quatre ans, un peu timide. Mais, déjà, les deux frères pensent à un plan de développement de leur propriété. Ils feront leur première mise en bouteilles en 1987. Je leur souhaite tout le succès qu'ils méritent.

Perey (Château)

Commune : Saint-Sulpice-de-Faleyrens. *Propriétaire :* Denis Martegoutes. Œnologue conseil : M. Pauquet. *Superficie du vignoble :* 2 ha 2 a 50 ca. *Age moyen du vignoble :* 12 ans. *Encépagement :* 30 % cabernet-sauvignon. 62 % merlot. 8 % cabernet-franc. *Production :* 12 tonneaux. *Vente par le négoce :* en vrac aux négociants. *Ce cru mériterait sans doute la mise en bouteilles au château.*

vente en vrac

Perey-Grouley (Château)

Commune : Saint-Sulpice-de-Faleyrens. *Propriétaire :* Remi Xans. Chef de culture : Alain Xans. Maîtres de chai : Remi et Alain Xans. Œnologue conseil : C.B.C. Libourne. *Superficie du vignoble :* 10 h 84 a. *Age moyen du vignoble :* 36 ans. *Encépagement :* 10 % cabernet-sauvignon. 70 % merlot. 20 % cabernet-franc. *Production :* 65 tonneaux. 30 000 bouteilles en M.D.C. *Visite des chais :* tous les jours de 8 h à 12 h et de 14 h à 19 h. Le dimanche sur rendez-vous. Tél. 57 24 73 17. *Vente au château et par correspondance :* en France. *Vente par le négoce :* Ets Hilhade de Galgon.

Avec plus de quatre cents ans de présence à Saint-Sulpice-de-Faleyrens, la famille Xans est l'une des plus anciennes du pays. On trouve la grande et pimpante maison de famille à l'est de la commune, tout près du Château Monbousquet. Le vignoble se compose de terroirs à la géologie variée qui, alliés à une heureuse proportion des différents cépages, produisent un vin assez complet et plutôt bien équilibré. Les deux fils de Remi Xans, Bernard et Alain, sont là pour assurer la continuité. Il faut souhaiter qu'elle tende vers davantage de mises en bouteille au château. La qualité de ses vins autorise à être scellé sur place.

Perey-Grouley (Clos)

Commune : Saint-Sulpice-de-Faleyrens. *Propriétaire :* Francis Campaner. *Superficie du vignoble :* 1 ha 54 a. *Age moyen du vignoble :* 30 ans. *Encépagement :* 10 % cabernet-sauvignon. 90 % merlot. *Production :* 7 tonneaux. *Vente au château et par correspondance :* en France. *Ce modeste vignoble offre des vins dignes de la cave d'un bon amateur.*

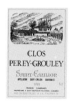

Petit Bigaroux (Château)

Commune : Saint-Sulpice-de-Faleyrens. *Propriétaire :* Jacques Brisson. Œnologue conseil : C.B.C. Libourne. *Superficie du vignoble :* 9 ha. *Age moyen du vignoble :* 20 ans. *Encépagement :* 20 % cabernet-sauvignon. 60 % merlot. 20 % cabernet-franc. *Production :* 40 tonneaux. 25 000 bouteilles en M.D.C. *Vente au château et par correspondance :* en France et à l'étranger. Tél. 57 24 72 57. *Vente par le négoce. Culture et vinification modernes pour des vins souples et légers.*

Petit Bois La Garelle (Château)

Commune : Saint-Emilion. *Propriétaire :* Jean Chatonnet. *Superficie du vignoble :* 4 ha 82 a. *Production :* 25 à 30 tonneaux. *Visite des chais :* tél. 57 24 74 17. *Vente au château. Vente par le négoce.*

Petit Clos Figeac (Château)

Grand Cru

Commune : Saint-Emilion. *Propriétaire :* S.C.E. des Vignobles A. Janoueix. Administrateur et chef de culture : Michel Janoueix. Maître de chai : Guy Janoueix. Œnologue conseil : C.B.C. Libourne. *Superficie du vignoble :* 3 ha 87 a. *Age moyen du vignoble :* 20 ans. *Encépagement :* 15 % cabernet-sauvignon. 70 % merlot. 15 % cabernet-franc. *Production :* 18 tonneaux. 2 500 bouteilles en M.D.C. *Vente par le négoce :* négoce bordelais.

Petit-Faurie-de-Soutard (Château)

Grand Cru classé

Commune : Saint-Emilion. *Propriétaire :* Françoise Capdemourlin. Administrateur : Jacques Capdemourlin. Chef de culture : Paul Jenck. Maître de chai : Bernard Oiseau. Œnologue conseil : Michel Rolland. *Superficie du vignoble :* 8 ha. *Age moyen du vignoble :* 34 ans. *Encépagement :* 10 % cabernet-sauvignon. 60 % merlot. 30 % cabernet-franc. *Production :* 42 000 bouteilles en M.D.C. *Vente au château et par correspondance :* en France. Tél. 57 74 62 06. *Vente par le négoce :* place de Bordeaux.

Petit Faurie de Soutard et Petit Faurie de Souchard furent détachés du Château

Soutard en 1850. Depuis 1977, le premier cité appartient à Mme Jacques

Capdemourlin qui l'a reçu de la société familiale Aberlen, celle-ci étant exploitante du cru et Jacques Capdemourlin assurant la gérance. Le grand-père Aberlen fut régisseur au Vieux Château Certan et à Troplong-Mondot. On vendange Petit Faurie de Soutard avant les Châteaux Capdemourlin et Balestard la Tonnelle. Les vinifications ne traînent pas. Elles se font en cuves de ciment. La moitié de la récolte passe quelques mois en barriques. La mise est plutôt hâtive. Le vin est agréable, léger, facile. Il peut même se boire un peu frais.

Petit-Figeac (Château)

Grand Cru

Commune : Saint-Emilion. **Propriétaire** : Domaines Prats. Administrateur : Bruno Prats. Chef de culture et maître de chai : Gilbert Xans. Œnologue conseil : Pascal Ribéreau-Gayon. **Superficie du vignoble** : 1 ha 50 a. **Age moyen du vignoble** : 30 ans. **Encépagement** : 50 % cabernet-sauvignon. 50 % merlot. **Production** : 7 500 bouteilles en M.D.C. **Vente par correspondance** : Domaines Prats, 84, rue Turenne, 33000 Bordeaux. **Vente par le négoce** : Domaines Prats. *Ce très petit vignoble est le voisin immédiat du Château Figeac. Il est vinifié à La Fleur Pourret, autre propriété des Domaines Prats.*

Petit-Garderose (Château)

Commune : Libourne. **Propriétaire** : Jacques Henocque. Œnologue conseil : M. Rolland. **Superficie du vignoble** : 4 ha 50 a. **Age moyen du vignoble** : 25 ans. **Encépagement** : 10 % cabernet-sauvignon. 55 % merlot. 35 % cabernet-franc. **Production** : 16 tonneaux. 10 000 bouteilles en M.D.C. **Visite des chais** : tous les jours sauf du 25 août au 10 septembre. Tél. 57 51 58 84. **Vente au château et par correspondance** : en France et à l'étranger. Jacques Henocque, 94, boulevard Garderose, 33500 Libourne. **Vente par le négoce** : négoce bordelais.

Venu du froid pays de la betterave, Jacques Henocque s'installe en 1963 à Libourne. A son arrivée, les terres qu'il achète sont pour moitié des terres maraîchères, pour l'autre du vignoble. Son implantation dans la région ne s'est pas faite en un jour. Aujourd'hui, reconnu pour ses qualités de viticulteur et pour ses qualités personnelles, Jacques Henocque a oublié ce passé difficile. Il est fort reconnaissant de l'aide que lui a apportée M. Robert Delol (père d'Yves Delol, propriétaire du Château Gueyrosse) qui lui apprit les rudiments du métier de la vigne. Jacques Henocque se dit au service du client. Celui-ci sera toujours bien reçu, à n'importe quelle heure de la journée et une chambre sera mise à sa disposition s'il souhaite profiter à plein de l'hospitalité du lieu. Si Jacques Henocque en avait les moyens, sa maison se transformerait en auberge espagnole dont la chaleur sentirait le cœur du Nord. Situé en pleine banlieue agitée, près de la route de Bergerac, Petit-Garderose est une escale agréable. Pour sa vigne, Jacques Henocque utilise des porte-greffes anciens qui ont un faible rendement mais qui produisent avec constance des vins charnus et puissants.

Petit-Gravet (Château)

Grand Cru

Commune : Saint-Emilion. *Propriétaire :* Marie-Louise Nouvel. Directeur : Jean-Jacques Nouvel. Œnologues conseils : Mᴵˡᵉ Cazenave et M. Chaine. *Superficie du vignoble :* 6 ha. *Age moyen du vignoble :* 30 ans. *Encépagement :* 20 % cabernet-sauvignon. 50 % merlot. 30 % cabernet-franc. *Production :* 20 000 bouteilles en M.D.C. *Vente par correspondance :* S.C.E. Ch. Petit-Gravet, Porte-Bouqueyre, Saint-Emilion.

Petit Gueyrot (Château) 🍶 → *Latte de Sirey*

Petit-Mangot (Château)

Grand Cru

Commune : Saint-Etienne-de-Lisse. *Propriétaire :* G.A.E.C. Décamps Père & Fils. Administrateur et maître de chai : Jean-Yves Décamps. *Superficie du vignoble :* 12 ha. *Age moyen du vignoble :* 30 ans. *Encépagement :* 65 % merlot. 35 % cabernet-franc. *Production :* 80 000 bouteilles en M.D.C. *Visite des chais :* sur rendez-vous. Tél. 57 40 25 44. *Vente au château. Vente par le négoce.*

Petit Pindefleurs (Château)

Commune : Saint-Emilion. *Propriétaire :* Henri Bonnemaison. *Superficie du vignoble :* 44 a 54 ca. *Age moyen du vignoble :* 70 ans. *Encépagement :* 30 % cabernet-sauvignon. 50 % merlot. 20 % cabernet-franc. *Production :* 3 tonneaux. 1 200 bouteilles en M.D.C. *Vente au château et par correspondance :* en France. Tél. 57 24 70 10. *Henri Bonnemaison est un préposé des P.T.T. à la retraite qui bichonne son (presque) demi-hectare pour faire du vin « super ».*

Petit Val (Château)

Grand Cru

Commune : Saint-Emilion. *Propriétaire :* Michel Boutet. Chef de culture et maître de chai : Jean-Claude Micoine. Œnologue conseil : Remi Cassignard. *Superficie du vignoble :* 9 ha 20 a. *Age moyen du vignoble :* 35 ans. *Encépagement :* 10 % cabernet-sauvignon. 60 % merlot. 30 % cabernet-franc. *Production :* 42 000 bouteilles en M.D.C. *Visite des chais :* sur rendez-vous. Tél. 57 24 70 86. *Vente au château et par correspondance :* en France. *Vente par le négoce :* Belgique. *De la finesse et de l'élégance.*

Peymouton *(Château)*

Commune : Saint-Christophe-des-Bardes. *Propriétaires :* M. et Mme Paul-Joseph Dussol. Œnologue conseil : M. Rolland. *Superficie du vignoble :* 54 ha 80 ca. *Age moyen du vignoble :* 28 ans. *Encépagement :* 10 % cabernet-sauvignon. 60 % merlot. 30 % cabernet-franc. *Production :* 5 tonneaux. 2 500 bouteilles en M.D.C. *Vente au château et par correspondance :* en France. Tél. 54 24 77 53. *Plus d'un siècle d'existence pour cette bonne petite marque habillant des vins sincères.*

Peyreau *(Château)*

Grand Cru

Commune : Saint-Emilion. *Propriétaire :* S.C. du Château Peyreau. Administrateur : Michel Boutet. Œnologue conseil : Remi Cassignard. *Superficie du vignoble :* 13 ha 68 a. *Age moyen du vignoble :* 32 ans. *Encépagement :* 25 % cabernet-sauvignon. 50 % merlot. 25 % cabernet-franc. *Production :* 84 000 bouteilles en M.D.C. *Visite des chais :* sur rendez-vous. Tél. 57 24 70 86. *Vente au château et par correspondance :* en France. *Vente par le négoce :* place de Bordeaux. *Importante et bonne production de qualité régulière pour ce cru bien géré par Michel Boutet.*

Peyrelongue *(Château)*

Grand Cru

Commune : Saint-Emilion. *Propriétaire :* Jean-Jacques Bouquey. Œnologues conseils : M. et Mme Rolland. *Superficie du vignoble :* 10 ha. *Age moyen du vignoble :* 20 ans. *Encépagement :* 15 % cabernet-sauvignon. 70 % merlot. 10 % cabernet-franc. 5 % malbec. *Production :* 65 000 bouteilles en M.D.C. *Visite des chais :* sur rendez-vous. Tél. 57 24 71 17. *Vente au château et par correspondance :* en France et à l'étranger. *Vente par le négoce. « La renommée des vins du Château Peyrelongue et Badon La Garelle les dispense de toute modestie. » Et la modestie de Jean-Jacques Bouquey fait partie de sa renommée.*

Peyrelongue (Domaine de)

Grand Cru

Commune : Saint-Emilion. **Propriétaire :** G.F.A. Cassat & Fils. Administrateur et maître de chai : Pierre Cassat. Œnologue conseil : Libourne. **Superficie du vignoble :** 13 ha. **Age moyen du vignoble :** 30 ans. **Encépagement :** 15 % cabernet-sauvignon. 55 % merlot. 30 % cabernet-franc. **Production :** 90 000 bouteilles en M.D.C. **Visite des chais :** tél. 57 24 72 36 ou 57 24 62 57. **Vente au château et par correspondance :** en France et à l'étranger. G.F.A. Cassat & Fils, B.P. 44, 33330 Saint-Emilion. **Vente par le négoce.** *Situé au pied des coteaux de Pavie et d'Arcis sur terrains argilo-calcaires, ce Grand Cru fournit des vins élégants.*

Peyrouquet (Château)
→ Union de Producteurs

Grand Cru

Peyroutas (Château)

Commune : Vignonet. **Propriétaire :** Robert Chaineaud. Fermier, chef de culture et maître de chai : Jean-Bernard Gagnerot. Œnologue conseil : M. Hébrard. **Superficie du vignoble :** 6 ha 50 a. **Age moyen du vignoble :** 25 à 30 ans. **Encépagement :** 10 % cabernet-sauvignon. 80 % merlot. 10 % cabernet-franc. **Production :** 33 tonneaux. 3 500 bouteilles en M.D.C. **Vente au château et par correspondance :** en France. Tél. 57 84 55 73. Robert Chaineaud, Les-4-Chemins, 33330 Vignonet. **Vente par le négoce :** Lichine. *C'est une vieille marque honorablement connue du négoce chartronnais, qui habille des vins d'un style conventionnel se plaçant dans un standard moyen.*

Peyroutas (Château)

Commune : Vignonet. **Propriétaire :** Baye-Dupin de Beyssat. **Superficie du vignoble :** 4 ha. **Age moyen du vignoble :** 25 ans. **Encépagement :** 60 % merlot. 40 % cabernet-franc. **Production :** 25 tonneaux. 10 000 bouteilles en M.D.C. **Vente au château et par correspondance :** en France et à l'étranger. Baye-Dupin de Beyssat, 73, rue Michel Montaigne, 33500 Libourne. Tél. 57 51 00 49 ou 57 74 61 55. **Vente par le négoce.** *Marque jumelle de la précédente et qui est dans la même famille depuis plusieurs générations.*

Picau Pena (Château) ♟ → Sicard

Piganeau (Château) 🕯 → Cantenac

Pimpineuilh (Clos)

Commune : Libourne. **Propriétaire :** Domaine Wery. Chef de culture et maître de chai : Denis Wery. Œnologue conseil : M. Rolland. **Superficie du vignoble :** 34 a. **Age moyen du vignoble :** 13 ans. **Encépagement :** 30 % cabernet-sauvignon. 47 % merlot. 23 % cabernet-franc. **Production :** 1 500 bouteilles en M.D.C. **Vente au château et par correspondance :** tél. 57 51 06 91. *C'est en 1972 que les Wery, venus du Nord, ont ressuscité ce sympathique « journal ».*

Pindefleurs (Château)

Grand Cru

Commune : Saint-Emilion. **Propriétaire :** Mme Dior. Chef de culture : Roger Toulon. **Superficie du vignoble :** 8 ha 38 a 41 ca. **Encépagement :** 53 % merlot. 47 % cabernet-franc. **Production :** 30 000 bouteilles en M.D.C. **Visite des chais :** sur rendez-vous. Tél. 57 24 71 78. **Vente au château et par correspondance :** en France. Mme Dior, 142, rue de la Tour, 75116 Paris.

Philippe Larcher fut un Chartronnais distingué qui dirigea pendant plusieurs années la maison de négoce fondée par mon grand-père. Il était lié d'amitié avec tous les vieux courtiers de la place. Les saint-émilions, il les achetait volontiers aux bureaux Brun et Leperche. Je vois encore Gaston Leperche lui apportant les échantillons, en huitièmes de bouteilles aux étiquettes scolaires remplies d'une belle écriture penchée. « Ah ! tu m'as porté Pindefleurs, Gaston. Viens avec moi, nous allons le goûter tout de suite. » Quand Philippe Larcher prononçait « Pindefleurs », il se passait visiblement quelque chose dans sa tête. La poésie de ce nom s'en trouvait attisée comme si l'on soufflait sur un petit bout de braise. « Ah ! Pindefleurs, Pindefleurs... quel joli vin ! – allait-il d'un air gourmand – mon cher Gaston, je sens que nous allons faire une affaire ! » Depuis lors, je n'ai jamais lu ni entendu le nom de Pindefleurs sans revoir ces images souriantes.

L'origine du domaine semble remonter à l'époque de Louis XIV, si l'on se réfère au style des boiseries de la maison. Il appartint à une famille notable de Saint-Emilion, les Sèze de Mondot. Anthoine de Sèze avait été maire de la ville entre 1625 et 1632. Son fils Pierre eut quatre enfants. L'un des garçons devint curé de Saint-Sulpice-de-Faleyrens, paroisse qui ne possédait pas de presbytère. Selon toute vraisemblance, il habita à Pindefleurs que son père lui avait légué. Après lui, ce fut la propriété de son neveu Paul Romain de Sèze qui fut, avec Malesherbes, le défenseur de Louis XVI contre les Conventionnels. Vers 1780, il écrivait à son frère, resté à Saint-Emilion : « Envoie-moi samedi prochain un panier de Bouchet et un panier de Sauvignon. J'ai promis à ma femme de lui faire manger de ces deux espèces de raisins. » C'est une indication intéressante qui confirme bien la pluralité de l'encépagement au XVIIIe siècle. En 1811, alors âgé, il évoquait ses souvenirs d'enfance et de jeunesse : « Je pense bien souvent à ce climat si favorisé où j'ai eu le bonheur de naître. »

Pindefleurs est une jolie villégiature qui fait du bon vin.

Aujourd'hui, Pindefleurs appartient à Mme Dior, cousine par alliance du célèbre couturier. Son époux est conseiller honoraire à la Cour d'appel de Paris. Elle succède à son grand-père Adolphe Charoulet qui fut un brillant député de la Gironde dans la première partie de ce siècle. Pour elle, Pindefleurs est en quelque sorte un lieu magique et sacré auquel elle se sent attachée par des liens invisibles mais forts. Tous les ans, du 25 août à la Toussaint, les Dior rejoignent leur villégiature de Saint-Emilion et président aux vendanges, conduites de main de maître par Roger Toulon. Le vin de Pindefleurs mérite son nom pour le bouquet puissant qu'il offre au connaisseur. Il marie avec bonheur le corps et la délicatesse. Est-ce donc un cru classé ? Mieux encore : c'est un Grand Cru qui a de la classe.

Pineuilh (Château)   ♈ ♈ ♈ ♈ ♈

Commune : Saint-Christophe-des-Bardes. *Propriétaires :* M. et Mme Claude Cubillier. Œnologue conseil : M. Pauquet. *Superficie du vignoble :* 15 a 25 ca. *Age moyen du vignoble :* 50 ans. *Encépagement :* 90 % merlot. 10 % cabernet-franc. *Production :* 1 tonneau. *Vente par le négoce :* Jean-Pierre Moueix.

vente en vrac

Château Pineuilh est une minuscule propriété d'un peu plus de 15 ares, à la terre grasse, prise entre les routes de Saint-Christophe-des-Bardes et de Saint-Emilion. Elle a été transmise de mère en fille. Mme Claverie, grand-mère de Mme Cubillier, en était la première propriétaire. A l'époque, le vignoble n'existait pas. C'est M. Claverie, cantonnier à Saint-Christophe-des-Bardes, qui a planté la vigne. « Je me souviens, dit Mme Cubillier, en revenant du catéchisme, je voyais mon grand-père planter les pieds de vigne à la pelle-bêche. » Aujourd'hui, M. Cubillier, maître de chai au Château Tour Saint-Christophe, prend toujours soin du microvignoble.

Piney (Château)

→ Union de Producteurs

Grand Cru

Pipeau (Château)

Grand Cru

Commune : Saint-Laurent-des-Combes. **Propriétaire** : G.A.E.C. Mestreguilhem. Œnologue conseil : M. Chaine. **Superficie du vignoble** : 30 ha. **Age moyen du vignoble** : 25 à 30 ans. **Encépagement** : 5 % cabernet-sauvignon. 75 % merlot. 20 % cabernet-franc. **Production** : 160 000 bouteilles en M.D.C. **Visite des chais** : sur rendez-vous. Tél. 57 24 72 95. **Vente au château et par correspondance** : en France.

Dans la commune de Saint-Laurent-des-Combes, le Château Pipeau appartient à la famille Mestreguilhem. C'est Georges Mestreguilhem qui a créé le vignoble. De son temps, le vin était vendu en petits fûts aux particuliers par des représentants qui faisaient du porte-à-porte, surtout dans la région parisienne. Pierre Mestreguilhem a pris la succession de son père. Aujourd'hui, il dirige l'exploitation avec son fils Richard et sa fille Dominique. Pierre Mestreguilhem a étudié et développé les techniques de vente aux particuliers. Depuis deux ans, le vin est vendu en primeur, le client peut réserver sa barrique. « Pour l'acheteur, c'est un placement » assure le producteur. Les millésimes 81, 82, 83 ont reçu une médaille d'or au Concours général agricole de Paris. Il me semble qu'ils ont souvent un peu d'acidité.

Plaisance (Château)

Commune : Saint-Sulpice-de-Faleyrens. **Propriétaires** : Pierre et Didier Dubois. **Superficie du vignoble** : 8 ha. **Age moyen du vignoble** : 20 à 50 ans. **Encépagement** : 70 % merlot. 30 % cabernet-franc. **Production** : 40 tonneaux. 30 000 bouteilles en M.D.C. **Visite des chais** : sur rendez-vous. Tél. 57 24 78 85. **Vente au château et par correspondance** : en France et à l'étranger.

La maison familiale des Dubois date de 1886. C'est également l'époque de la fondation du vignoble. Il convient donc en premier lieu de saluer le centenaire de Plaisance et la filiation de quatre générations qui ont, l'une après l'autre, œuvré dans le sens du perfectionnement. Didier Dubois, fils de Pierre, est propriétaire à part entière d'une partie du domaine qu'il exploite sous la marque du Vieux Château des Moines.

Pomone (Château) → Vieux Rivallon

Pontet-Clauzure (Château)

Commune : Saint-Emilion. *Superficie du vignoble :* environ 10 ha. *Age moyen du vignoble :* 32 ans. *Encépagement :* 6 % cabernet-sauvignon. 46 % merlot. 48 % cabernet-franc. *Vente par correspondance :* en France et à l'étranger. *Vente par le négoce.* Voir Château Le Couvent.

Pontet-Fumet (Château) ☖ → Val d'Or

Pressac (Château de)

Grand Cru

Commune : Saint-Etienne-de-Lisse. *Propriétaire :* Jacques Pouey. Œnologue conseil : M. Chenard. *Superficie du vignoble :* 35 ha 69 a. *Age moyen du vignoble :* 25 à 30 ans. *Encépagement :* 58 % merlot. 40 % cabernet-franc. 2 % malbec. *Production :* 190 000 bouteilles en M.D.C. *Visite des chais :* tél. 56 81 45 00. *Vente au château et par correspondance :* en France et à l'étranger. Jacques Pouey, 59, rue Minvielle, 33000 Bordeaux. *Vente par le négoce.*

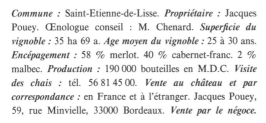

« Un vieux château, dont parties sont tombées en ruines, et précédé de douves, logements de paysans, chais, cuviers, fue, avant cour, le tout entouré de murs. » C'est ainsi que le notaire du temps décrivait le château de Pressac lors de sa vente

Le château de Pressac est un grand manoir dont l'origine remonte au Moyen-Age.

par le sieur d'Anglade à Jean-Marc Constantin, capitaine au régiment de Marmande, en 1775. Cette indication est intéressante dans la mesure où elle prouve formellement l'existence d'un vignoble autour du château au XVIIIᵉ siècle. On sait d'autre part que ce manoir fortifié fut plusieurs fois remanié et que sa première fondation remonte au Moyen Age. Vers le début de la Renaissance, c'était un édifice imposant qui ne comptait pas moins de vingt-sept tours, certaines d'entre elles existant encore aujourd'hui à l'état de vestiges. Pour ce qui est de l'histoire viticole, le professeur Henri Enjalbert nous a relaté que Vassal de Montviel, le propriétaire d'alors, transplanta dans son vignoble le cépage dénommé « Auxerrois ». Cela se passait entre 1737 et 1747. Il avait la particularité de fournir des raisins très foncés qui donnaient au vin une couleur dense. Vraisemblablement originaire du Quercy, l'Auxerrois fut rebaptisé « Noir de Pressac » et il est aujourd'hui mieux connu sous les noms de Malbec ou Cot de Bordeaux. La propriété est située sur une veine argilo-calcaire à sols rouges qui s'étend de Saint-Emilion à Saint-Etienne-de-Lisse en une bande étroite. La vocation viticole de ces sols est indéniable. Pressac se trouve à l'extrême pointe orientale de la formation. La prédominance des merlots apporte aujourd'hui un caractère souple qui rend le vin assez vite agréable à boire. Je me rappelle plusieurs dégustations au temps d'André Pouey, père du propriétaire actuel. Il avait notamment un 1943 stupéfiant par son corps et sa richesse tannique. Même si le type du Château de Pressac a évolué dans le sens de l'œnologie moderne, il n'en reste pas moins un excellent produit capable de matcher, certaines années, les plus grands crus de Saint-Emilion.

Prieuré-Lescours (Château)

Grand Cru

Commune : Saint-Sulpice-de-Faleyrens. *Propriétaires* : M. et Mᵐᵉ Sinsout. Maître de chai : M. Oiseau. Œnologue conseil : M. Rolland. *Superficie du vignoble* : 4 ha. *Age moyen du vignoble* : 30 ans. *Encépagement* : 75 % merlot. 20 % cabernet-franc. 5 % malbec. *Production* : 20 000 bouteilles en M.D.C. *Visite des chais* : tél. 57 24 61 12. *Vente au château et par correspondance* : en France. *Vente par le négoce* : exportation. *Un vin aimable et bien coloré, produit depuis 1980 par une dynastie de vignerons vieille de 150 ans.*

Prince Noir (Château du) ⚱ → Barbeyron

Puy-Blanquet (Château)

Grand Cru

Commune : Saint-Etienne-de-Lisse. *Propriétaire* : Roger Jacquet. Maître de chai : H. Lambert. Œnologue conseil : J.-F. Chaine. *Superficie du vignoble* : 23 ha. *Age moyen du vignoble* : 4 à 55 ans. *Encépagement* : 20 % cabernet-sauvignon. 75 % merlot. 5 % cabernet-franc. *Production* : 130 000 bouteilles en M.D.C. *Vente au château et par correspondance* : tél. 57 40 18 18. *Vente par le négoce* : Ets Jean-Pierre Moueix. *Ancienne propriété du comte de Malet Roquefort, achetée en 1958 par M. Roger Jacquet, issu d'une famille de viticulteurs d'Algérie.*

Puyblanquet Carrille (Château)

Grand Cru

Commune : Saint-Christophe-des-Bardes. *Propriétaire :* Jean-François Carrille. Maître de chai : J.-P. Regrenil. Œnologue conseil : M. Rolland. *Superficie du vignoble :* 10 ha. *Age moyen du vignoble :* 20 ans. *Encépagement :* 10 % cabernet-sauvignon. 70 % merlot. 20 % cabernet-franc. *Production :* 60 000 bouteilles en M.D.C. *Visite des chais :* sur rendez-vous. Tél. 57 24 74 46. *Vente au château et par correspondance :* en France et à l'étranger. Maison d'Aliénor, place du Marcadien, 33330 Saint-Emilion. *Vente par le négoce :* S.D.V.F. Chemin Lissandre, 33310 Lormont. *Vignoble détaché de Puyblanquet en 1971, aujourd'hui entre les mains de Jean-François Carrille (voir Château Boutisse).*

Puy-Razac (Château)

Grand Cru

Commune : Saint-Emilion. *Propriétaire :* Guy Thoilliez. Œnologue conseil : C.B.C. Libourne. *Superficie du vignoble :* 6 ha. *Age moyen du vignoble :* 15 ans. *Encépagement :* 30 % cabernet-sauvignon. 40 % merlot. 30 % cabernet-franc. *Production :* 30 000 bouteilles en M.D.C. *Visite des chais :* sur rendez-vous. Tél. 57 24 73 32. *Vente par le négoce :* Maison Daniel Querre.

C'est la débâcle de 1940 qui poussa M. Paul Thoilliez et sa famille à quitter le nord de la France et à s'installer à Saint-Emilion. A l'époque, le peu de vigne qui existait était des hybrides. De 1940 à 1945, la propriété resta en sommeil. M. Guy Thoilliez, le fils, était alors déporté. A son retour, il replanta le vignoble. Bien qu'ayant commencé des études à l'école Bréguet, Guy Thoilliez n'a pas voulu quitter ses parents. « J'ai toujours aimé la terre. Mes grands-parents étaient cultivateurs dans le Nord. » Aujourd'hui, Guy Thoilliez est chef de culture au Château Monbousquet. « J'ai appris le travail sur le tas » dit-il. Petit propriétaire, il veut défendre un vin de qualité. « Je ne veux pas décevoir ma clientèle. C'est ainsi que les millésimes 63, 65, 68 n'ont pas été mis en bouteilles. » Le vieillissement du vin se fait en cuve. « Le bois n'a rien à faire dans le vin » déclare Guy Thoilliez avec assurance.

Quatre Vents (Clos des)

Commune : Libourne. *Propriétaire :* Marcel Beaufils. Œnologue conseil : Michel Rolland. *Superficie du vignoble :* 33 a. *Age moyen du vignoble :* 13 ans. *Encépagement :* 100 % merlot. *Production :* 1 500 bouteilles en M.D.C. *Vente au château :* Marcel Beaufils, 49, rue des Réaux, 33500 Libourne. Tél. 57 51 46 19. *Les six enfants de Marcel Beaufils suffisent à faire les vendanges à raison de 550 mètres carrés chacun.*

Quentin (Château)

Commune : Saint-Christophe-des-Bardes. *Propriétaire :* Société Civile du Château Quentin. Directeurs : Jacques de Coninck et M. Laffort. *Superficie du vignoble :* 29 ha 58 a. *Age moyen du vignoble :* 15 à 40 ans. *Encépagement :* 30 % cabernet-sauvignon. 70 % merlot. *Production :* 150 à 180 tonneaux. *Visite des chais :* sur rendez-vous. Tél. 57 51 31 05. *Vente par correspondance. Vente par le négoce :* clients étrangers. *Un beau vignoble avec quelques vieilles vignes et, depuis peu, des barriques neuves.*

Queyron (Château)

Commune : Saint-Emilion. *Propriétaire :* Christian Goujou. Œnologue conseil : C.B.C. Libourne. *Superficie du vignoble :* 9 ha 40 a. *Age moyen du vignoble :* 50 ans. *Encépagement :* 10 % cabernet-sauvignon. 25 % merlot. 65 % cabernet-franc. *Production :* 29 tonneaux. 15 000 bouteilles en M.D.C. *Vente au château et par correspondance :* tél. 57 24 74 62. *Vente par le négoce :* vente en vrac ou en mise au château.

Lettres de protestations musclées, coups de téléphone avec insultes : pour Christian Goujou, la coupe fut vite pleine. Que lui reprochait-on ? De livrer sous son étiquette du « vinaigre pétillant » ! Trois générations de viticulture honnête et consciencieuse pour en arriver là ! Il décida de porter plainte afin de faire ouvrir

une enquête. Et la vérité se dévoila : un concurrent sans scrupule, habitant la région de Fronsac, livrait des vins ignominieux sous la marque « Château du Queyron », la mention du propriétaire étant faite au nom de Goujou. A l'heure où j'écris ces lignes, toute la justice n'est pas rendue car, si le jugement est prononcé, son application n'est pas achevée. Il n'en reste pas moins que cette mésaventure fut, pour Christian Goujou, une sorte de mauvais orage accompagné de grêle de « papier bleu ». L'orage est passé et le vin de ce sympathique vigneron est toujours aussi bon à Haut-Ferrandat qu'à Queyron. Mais ne vous trompez pas d'adresse. La bonne, c'est la sienne.

Queyron Patarabet (Château)

→ *Union de Producteurs*

Quinault (Château)

Grand Cru

Commune : Libourne. *Propriétaire :* Henri Maleret-Mons.
Œnologue conseil : M. Chaine. *Superficie du vignoble :*
11 ha. *Age moyen du vignoble :* 25 ans. *Encépagement :* 5 %
cabernet-sauvignon. 70 % merlot. 25 % cabernet-franc.
Production : 60 000 bouteilles en M.D.C. *Visite des chais :*
sur rendez-vous. Tél. 57 51 13 39. *Vente au château et par*
correspondance : en France et à l'étranger. Château
Quinault, avenue du Parc des sports, 33500 Libourne. *Vente*
par le négoce : exportation.

Dans la famille Maleret-Mons depuis soixante ans, le vignoble a été reconstitué après
les gelées de 1956. Il est d'un seul tenant. Autrefois, les vins produits bénéficiaient
de l'A.O.C. Sables Saint-Emilion, jusqu'au rattachement à l'A.O.C. Saint-Emilion
par la loi du 24 décembre 1973, le propriétaire de Quinault étant à l'époque président
du Syndicat des Sables Saint-Emilion. Le vignoble fait partie intégrante de la ville
de Libourne, entouré entièrement de routes urbaines. Son terroir est constitué de
sables siliceux sur un sous-sol de graves ferrugineuses. Le vin, produit en A.O.C.
Grand Cru, possède une finesse et un bouquet très agréables qui peuvent faire penser
à un « petit pomerol ».

Raby-Jean Voisin (Château) → *Paradis*

Rastouillet Lescure (Château)

→ *Union de Producteurs*

Ratouin (Clos)

Commune : Saint-Emilion. *Propriétaire :* Pierre Ratouin.
Œnologue conseil : C.B.C. Libourne. *Superficie du vignoble :*
2 ha 4 a. *Age moyen du vignoble :* 15 ans. *Encépagement :*
20 % cabernet-sauvignon. 60 % merlot. 20 % cabernet-
franc. *Production :* 7 200 bouteilles en M.D.C. *Vente au*
château et par correspondance : Pierre Ratouin, 91, avenue
de l'Epinette, 33500 Libourne. Tél. 57 51 15 43. *Ce maraî-*
cher de profession est un bon petit viticulteur du dimanche.

Régent (Château)

Commune : Saint-Emilion. *Propriétaire* : Florette Labatut. Exploitant : Christian Pascaud. Œnologue conseil : C.B.C. Libourne. *Superficie du vignoble* : 4 ha 20 a. *Age moyen du vignoble* : 30 ans. *Encépagement* : 50 % merlot. 50 % cabernet-franc. *Vente au château* : Florette Labatut, 38, rue Jean-Mermoz, 33500 Libourne. Tél. 57 24 74 34. *Vente par le négoce* : Ets Jean-Pierre Moueix. *L'abonnement des ventes aux Etablissements J.-P. Moueix est en soi une référence.*

Reillon (Clos du)

*étiquette
non
communiquée*

Commune : Saint-Etienne-de-Lisse. *Propriétaire* : Anne-Marie Ollivier. *Superficie du vignoble* : 46 a. *Age moyen du vignoble* : 25 ans. *Encépagement* : 30 % merlot. 70 % cabernet-franc. *Production* : 2 à 2,5 tonneaux. *Vente par le négoce. Dans les bonnes années, on fait la mise en bouteilles pour les clients (des amis) ; autrement, on le vend au négoce.*

Religieuses (Château des)

Commune : Saint-Christophe-des-Bardes. *Propriétaire* : Pierre Coiffard. Œnologue conseil : M. Rolland. *Superficie du vignoble* : 4 ha 20 a. *Age moyen du vignoble* : 30 ans. *Encépagement* : 65 % merlot. 35 % cabernet-franc. *Production* : 20 tonneaux. 2 500 bouteilles en M.D.C. *Vente au château et par correspondance* : Pierre Coiffard, La Pierre du Maréchal, 33330 Saint-Christophe-des-Bardes. Tél. 57 24 77 04. *Vente par le négoce* : cave coopérative. *La mise du château est très recommandable.*

Rimbaud (Château) ♟ → Bigaroux

Ripeau (Château)

Grand Cru classé

Commune : Saint-Emilion. *Propriétaire* : G.F.A. du Château Ripeau. Administrateurs : M. et Mme Michel Janoueix de Wilde. Œnologue conseil : Gilles Pauquet. *Superficie du vignoble* : 15 ha. *Age moyen du vignoble* : 20 ans. *Encépagement* : 40 % cabernet-sauvignon. 40 % merlot. 20 % cabernet-franc. *Production* : 78 000 bouteilles en M.D.C. *Visite des chais* : tél. 57 51 41 24. *Vente par correspondance* : M et Mme Janoueix, 169, avenue Foch, B.P. 17, 33502 Libourne Cedex. *Vente par le négoce.*

A Ripeau, une sympathique salle de réception a été aménagée.

L'étampe de Ripeau est apparue vers le milieu du siècle dernier. Je l'ai trouvée recensée pour la première fois dans l'édition 1868 du *Bordeaux et ses Vins* de Cocks et Féret. Il était alors assimilé aux « deuxièmes crus » de Saint-Emilion bien qu'à l'époque les vins des « graves » aient été beaucoup plus nettement qu'aujourd'hui distingués des vins de côtes. Je veux dire que chaque catégorie faisait l'objet d'une liste particulière. C'est donc un frontalier de Pomerol qui nourrit ses cépages d'argiles sur fond d'alios. Les gelées de printemps n'y sont pas rares et la production accuse des dents de scie. Selon la tradition des Janoueix, les amis et clients sont invités à venir faire les vendanges. On ne sait pas si le précédent propriétaire, un directeur de l'Opéra de Paris nommé Raoul Gunsbrug, embauchait la troupe des danseurs avant la guerre de quatorze. Ce que l'on sait, c'est qu'il se ruina (ah ! les p'tits rats, les p'tits rats...) et qu'il vendit Ripeau en catastrophe, maison toute meublée, à l'arrière-grand-père de Mme Michel Janoueix de Wilde.

Robin *(Château)*

Commune : Saint-Christophe-des-Bardes. **Propriétaire :** Jean Buzet. **Superficie du vignoble :** 8 ha 75 a. **Age moyen du vignoble :** 20 ans. **Encépagement :** 11,50 % cabernet-sauvignon. 70 % merlot. 18,50 % cabernet-franc. **Production :** 20 000 bouteilles en M.D.C. **Vente au château et par correspondance :** en France et à l'étranger. Tél. 57 24 77 64. **Vente par le négoce.**

Rochebelle (Château)

Grand Cru

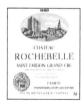

Commune : Saint-Laurent-des-Combes. *Propriétaire :* Philippe et Georges Faniest. *Superficie du vignoble :* 2 ha 50 a. *Age moyen du vignoble :* 40 ans. *Encépagement :* 70 % merlot. 30 % cabernet-franc. *Production :* 13 000 bouteilles en M.D.C. *Vente par correspondance :* en France. Philippe Faniest, 75, rue Trocard, 33500 Libourne. Georges Faniest, rue Gaucher Piola, 33500 Libourne. *Tradition familiale et clientèle amicale. Il est conseillé de réserver son vin longtemps à l'avance.*

Rochebrune (Château de) ⚱ → Grand Faurie

Rocher (Château du)

Grand Cru

Commune : Saint-Etienne-de-Lisse. *Propriétaire :* G.F.A. du Château du Rocher. Administrateur : baron Stanislas de Montfort. Œnologue conseil : M. Chaine. *Superficie du vignoble :* 14 ha. *Age moyen du vignoble :* 25 ans. *Encépagement :* 30 % cabernet-sauvignon. 50 % merlot. 20 % cabernet-franc. *Production :* 84 000 bouteilles en M.D.C. *Visite des chais :* sur rendez-vous. Tél. 57 40 18 20. *Vente au château et par correspondance :* en France. *Vente par le négoce :* agents étrangers.

Le Château du Rocher est l'une des plus anciennes demeures de Saint-Etienne-de-Lisse. Au XVᵉ siècle, la famille du Rocher (à l'époque Rochet s'écrivait avec un t) possédait déjà le château qui borde la route menant au bourg. En 1731, par le mariage de son unique descendante, la même famille du Rocher transmit la propriété à la maison des Grailly. Après la Révolution, la propriété passa, par alliance

directe, des Grailly aux Monteil puis aux Grateloup, enfin aux Montfort. Le baron Stanislas de Montfort exploite la propriété depuis 1969, mais ne s'installa définitivement sur les terres qu'en 1975. A son arrivée, l'exploitation était en déclin. Avant de vivre à Saint-Etienne-de-Lisse, Stanislas de Montfort exerçait à Paris la profession de gestionnaire. Aujourd'hui, sa compétence est mise au service de la propriété mais également à celui de la commune dont il est le maire. En pied de côte et d'exposition sud-est, le vignoble descend en pente douce derrière la vieille demeure. Le vin est élevé dans des cuves métalliques de façon à préserver les parfums primaires du fruit. C'est un vin qui a d'aussi exquises manières que son baron de propriétaire.

Rocher-Figeac (Château)

Commune : Saint-Emilion. **Propriétaires :** Max Tournier & Fils. **Superficie du vignoble :** 4 ha. **Age moyen du vignoble :** 30 ans. **Encépagement :** 85 % merlot. 15 % cabernet-franc. **Production :** 24 000 bouteilles en M.D.C. **Visite des chais :** sur rendez-vous. Tél. 57 51 36 49. **Vente au château et par correspondance :** en France. Max Tournier & Fils, Tailhas, 194, route de Saint-Emilion, 33500 Libourne. **Vente par le négoce :** Maison A. De Luze & Fils. *Le quartier de Figeac est bien situé sur un plateau de graves, mais un ancêtre de Max Tournier s'appelait Rocher. Comme il en est, d'ailleurs, pour sa propriété de Pomerol qui se nomme Rocher Beauregard.*

Rocher-Parent (Château)

Commune : Saint-Etienne-de-Lisse. **Propriétaire :** Franck Barthome. Chefs de culture et maîtres de chai : Franck Barthome et Fernand Contreras. Œnologue conseil : M. Tabouy. **Superficie du vignoble :** 4 ha 50 a. **Age moyen du vignoble :** 15 ans. **Encépagement :** 80 % merlot. 20 % cabernet-franc. **Production :** 20 tonneaux. 6 000 bouteilles en M.D.C. **Vente au château et par correspondance :** Franck Barthome, Bourg, 33350 Saint-Magne-de-Castillon. Tél. 57 40 08 75. **Vente par le négoce :** Bordeaux Tradition. *Des méthodes de culture et de vinification modernes au sens rentable du terme pour un vin commercial au sens moderne.*

Roc Saint-Michel (Château)

Grand Cru

Commune : Saint-Etienne-de-Lisse. **Propriétaire :** Jean-Pierre Rollet. Chef de culture : Marcel Zamparo. Maître de chai : Luca Zamparo. Œnologue conseil : François Maurin. **Superficie du vignoble :** 4 ha. **Encépagement :** 67 % merlot. 33 % cabernet-franc. **Production :** 27 000 bouteilles en M.D.C. **Vente au château et par correspondance :** en France et à l'étranger. Vignobles Rollet, B.P. 23, 33330 Saint-Emilion. Tél. 57 47 15 13. *Un très honnête standard de qualité proposé par l'une des plus vieilles familles de viticulteurs en Saint-Emilionnais.*

Rol (Château de)

Commune : Saint-Emilion. **Propriétaire :** Jean Sautereau. Œnologue conseil : M. Rolland. **Superficie du vignoble :** 7 ha. **Age moyen du vignoble :** 25 ans. **Encépagement :** 10 % cabernet-sauvignon. 80 % merlot. 10 % cabernet-franc. **Production :** 40 000 bouteilles en M.D.C. **Visite des chais :** « Du lundi au dimanche à n'importe quelle heure. » Tél. 57 24 70 38. **Vente au château et par correspondance :** en France.

Jean Sautereau est comme son vin. Fermé au début, il s'épanouit avec chaleur dès que l'on entreprend de dialoguer avec lui. Installé sur la propriété depuis 1951, il a rationalisé le travail, tant à la vigne qu'au cuvier. Il est partisan de la machine à vendanger parce qu'elle élimine totalement les rafles. Sa cave personnelle contient encore des 1924, 1934, 1945, qui montrent l'aptitude du cru au vieillissement.

Roland (Château) 🍾 → Pressac

Rol de Fombrauge (Château)

Commune : Saint-Christophe-des-Bardes. **Propriétaire :** Marie-Madeleine Bonnet. Œnologue conseil : Mlle Cazenave. **Superficie du vignoble :** 5 ha 50 a. **Age moyen du vignoble :** 25 ans. **Encépagement :** 20 % cabernet-sauvignon. 70 % merlot. 10 % cabernet-franc. **Production :** 30 tonneaux. 6 000 bouteilles en M.D.C. **Vente par le négoce :** Marie-Madeleine Bonnet. Tél. 57 24 77 67. *C'est une marque ancienne de bonne réputation qui se situe dans un standard convenable.*

Rol de Fombrauge (Clos)

Commune : Saint-Christophe-des-Bardes. **Propriétaire :** Roland Gaury. Administrateurs : Micheline et Roland Gaury. Œnologue conseil : C.B.C. Libourne. **Superficie du vignoble :** 4 ha. **Age moyen du vignoble :** 35 ans. **Encépagement :** 75 % merlot. 25 % cabernet-franc. **Production :** 12 000 bouteilles en M.D.C. **Vente au château et par correspondance :** tél. 57 24 77 75. **Vente par le négoce :** négoce bordelais. *Avant 1924, les terres de ce clos faisaient partie du Château Fombrauge. Elles produisent un vin très correct.*

Roquefort (Château de) 🍾 → Tertre Daugay

Roquemont (Château de)

Commune : Saint-Sulpice-de-Faleyrens. *Propriétaire :* Jean-André Robineau. Œnologue conseil : M. Hébrard. *Superficie du vignoble :* 4 ha 50 a. *Age moyen du vignoble :* 25 ans. *Encépagement :* 10 % cabernet-sauvignon. 60 % merlot. 30 % cabernet-franc. *Production :* 20 000 bouteilles en M.D.C. *Visite des chais :* tél. 57 84 52 26. *Vente au château et par correspondance :* en France. Jean-André Robineau, « Bouchet » Grézillac, 33420 Branne. *Vente par le négoce :* Maison Mau (Gironde-sur-Dropt).

Frontalier entre Saint-Sulpice-de-Faleyrens et Vignonet, Roquemont présente un vignoble d'un seul tenant, établi sur des graves filtrantes et profondes. Merlots et cabernets peuvent y prendre leurs pieds dans un bon confort agrologique pour atteindre la meilleure maturité possible. Le Château de Roquemont appartient à la famille Robineau depuis plus d'un siècle. C'est un cru qui présente un excellent rapport qualité-prix.

Roy (Château du)

Commune : Saint-Emilion. *Propriétaire :* Charles Bouquey. *Superficie du vignoble :* 3 ha. *Age moyen du vignoble :* 35 ans. *Encépagement :* 50 % merlot. 45 % cabernet-franc. 5 % malbec. *Production :* 14 400 bouteilles en M.D.C. *Visite des chais :* sur rendez-vous. Tél. 57 51 35 27. *Vente par correspondance :* en France et à l'étranger. Charles Bouquey, Le Rivallon, 33330 Saint-Emilion. *Vente par le négoce. Une partie du vignoble touche la tour du Roy à Saint-Emilion. Clientèle confidentielle pour un vin attractif.*

Rozier (Château)

Commune : Saint-Laurent-des-Combes. *Propriétaire :* G.F.A. du Château Rozier. Fermier et chef de culture : Jean-Bernard Saby. Œnologue conseil : M. Rolland. *Superficie du vignoble :* 18 ha. *Age moyen du vignoble :* 40 ans. *Encépagement :* 10 % cabernet-sauvignon. 75 % merlot. 15 % cabernet-franc. *Production :* 100 000 bouteilles en M.D.C. *Visite des chais :* tél. 57 24 73 03. *Vente au château et par correspondance :* en France. *Vente par le négoce :* 75 % exportation, 5 % négoce bordelais.

Jean-Bernard Saby est diplômé d'œnologie. Il met toute sa science au service d'un vin souple, tendre et facile à boire. Le style de ce cru est au Saint-Emilion ce que la « nouvelle cuisine » est à la gastronomie française. On peut aimer.

Sable (Domaine du)

Commune : Saint-Christophe-des-Bardes. **Propriétaire** :
François Tourriol. Œnologue conseil : C.B.C. Libourne.
Superficie du vignoble : 1 ha 10 a. **Age moyen du vignoble** :
30 ans. **Encépagement** : 10 % cabernet-sauvignon. 80 %
merlot. 10 % cabernet-franc. **Production** : 6 000 bouteilles
en M.D.C. **Vente au château et par correspondance** :
François Tourriol, Troquart-Montagne, 33570 Lussac.
Tél. 57 74 61 62. *Le 11 mars 1840, Marie-Bernard Arnaudet
acheta le vignoble pour la somme de 4 000 francs. C'était
la trisaïeule du propriétaire actuel.*

Saint-Christophe (Château)

Grand Cru

Commune : Saint-Christophe-des-Bardes. **Propriétaire** :
Gilbert Richard. Chef de culture et maître de chai : Benoît
Richard. Œnologue conseil : M. Gendrot. **Superficie du
vignoble** : 10 ha. **Age moyen du vignoble** : 25 ans.
Encépagement : 10 % cabernet-sauvignon. 70 % merlot.
20 % cabernet-franc. **Production** : 60 000 bouteilles en
M.D.C. **Visite des chais** : sur rendez-vous. Tél. 57 24 77 17.
Vente au château et par correspondance : en France et à
l'étranger. *On fait les vendanges à la main parce que c'est
la tradition mais on ne met pas les vins en barriques parce
que ça « les alourdit ». Voici un propos bien léger !*

« Saint-Emilion »

Commune : Saint-Emilion. **Propriétaire** : Pierre Musset.
Œnologue conseil : M. Rolland. **Superficie du vignoble** : 48 a.
Age moyen du vignoble : plus de 60 ans. **Encépagement** :
70 % merlot. 30 % cabernet-franc. **Production** : 1 tonneau.
Ce vin est réservé à la famille nombreuse des Musset.

Saint-Emilion

Commune : Saint-Emilion. **Propriétaire** : Raymond Visage.
Œnologue conseil : Mlle Cazenave. **Superficie du vignoble** :
30 a. **Age moyen du vignoble** : 12 ans. **Encépagement** : 25 %
cabernet-sauvignon. 50 % merlot. 25 % cabernet-franc.
Production : 2 tonneaux. 1 500 bouteilles en M.D.C. **Vente
au château et par correspondance** : en France. Raymond
Visage, Carret, 33500 Pomerol. Tél. 57 51 44 87. *Vous avez
entendu « Saint-Emilion » ? J'ai cru goûter du Pomerol. Du
bon vin, en tous les cas.*

Saint-Georges Côte Pavie (Ch.)

Commune : Saint-Emilion. **Propriétaire :** Jacques Masson. Chef de culture : Roger Toulon. Maître de chai : Philippe Lauret. **Superficie du vignoble :** 5 ha 42 a. **Age moyen du vignoble :** 30 ans. **Encépagement :** 40 % cabernet-sauvignon. 60 % merlot. **Production :** 240 000 bouteilles. **Visite des chais :** sur rendez-vous. D'avril à fin octobre, M. Masson, tél. 57 74 44 23. **Vente au château et par correspondance :** en France et à l'étranger. **Vente par le négoce.**

La précision apportée par les guillemets est indispensable afin de situer ce cru sur son terroir exact et ne pas le confondre avec le Château Saint-Georges de Montagne Saint-Emilion. Une fois de plus, je reconnais combien la bonne connaissance des vignobles du Libournais exige de savantes subtilités ! Le professeur Henri Enjalbert enregistre l'hypothèse, sans l'endosser tout à fait, d'une localisation possible de la villa d'Ausone à Saint-Georges, qui aurait pu être anciennement la paroisse de Saint-Georges de Lucaniac. Vers la fin du XVIIIe siècle, le curé Vidal indiquait que les terres de l'endroit constituaient un « petit bénéfice » sous la dépendance des bénédictins de la Sauve. Des vestiges de fondations médiévales sont enfouis dans le sol à l'angle nord-ouest de la propriété. Egalement, derrière la maison de maître dont les premières pierres sont indatables, des mosaïques gallo-romaines furent découvertes en 1935, lors de replantations. Elles pouvaient faire partie du « complexe résidentiel » mis en lumière au moulin du Palat tout proche. Mais, le « petit bénéfice » étant le grand maître d'œuvre, la découverte fut aussitôt recouverte et de vigoureux merlots montent la garde sur les secrets du dieu Bacchus et de son disciple Ausonius Decimus Magnus. Sans me prononcer sur l'authenticité ausonienne du lieu, je suis enclin à accréditer la probabilité d'une fondation religieuse sur un site du Bas-Empire romain. Les exemples en sont fréquents dans le sud-ouest de la France et en Gironde en particulier. Il ne faut pas oublier que le christianisme s'est greffé très volontiers sur les souches dionysiaques des villégiatures gallo-romaines car il y trouvait de facto la divine et mystique liqueur, « fruit de la terre et du travail des hommes », indispensable au culte. « O tempora, o mores ! » Non, du grand Cicéron je n'ai le baratin. Par Saint-Georges ! Ce cru est un excellent vin !

Saint-Hubert (Château)

Commune : Saint-Pey-d'Armens. **Propriétaire :** M. E. Aubert. Administrateur et œnologue conseil : Daniel Aubert. **Superficie du vignoble :** 3 ha. **Age moyen du vignoble :** 18 ans. **Encépagement :** 30 % cabernet-sauvignon. 50 % merlot. 20 % cabernet-franc. **Production :** 19 000 bouteilles en M.D.C. **Vente par correspondance :** en France et à l'étranger. M. Aubert, B.P. 40, 33330 Saint-Emilion.

Avec à peine seulement 20 000 bouteilles de production annuelle en moyenne, le Château Saint-Hubert représente environ cinq pour cent de la capacité totale de livraison des trois frères Aubert qui achètent aux verriers près d'un million de cols chaque année. Leurs huit vignobles sont essaimés dans le Libournais et l'Entre-deux-Mers. Mais Saint-Hubert est en quelque sorte le berceau de cette famille de viticulteurs qui est présente sur le terroir depuis 1750. Le fleuron de la collection d'étiquettes des Aubert est le Château La Couspaude, Grand Cru classé de Saint-Emilion. Saint-Hubert tient un juste milieu de qualité avec des productions homogènes et régulières. Il va de soi qu'un vin du Château Saint-Hubert a une prédestination pour accompagner un bon repas de chasse. A titre anecdotique, je signale un vin mousseux, blanc de blancs, méthode champenoise, dans la panoplie des frères Aubert. Ainsi disposent-ils de tout ce qu'il faut pour leurs fêtes de famille.

Saint-Jean (Château)

Commune : Saint-Emilion. **Propriétaire :** Danielle Torelli. Administrateur, chef de culture et maître de chai : Paul Torelli. Œnologue conseil : Michel Rolland. **Superficie du vignoble :** 2 ha. **Age moyen du vignoble :** 20 ans. **Encépagement :** 65 % merlot. 35 % cabernet-franc. **Production :** 12 000 bouteilles en M.D.C. **Visite des chais :** tél. 57 51 19 49. **Vente au château :** Danielle Torelli, 109, route de Saint-Emilion, 33500 Libourne.

Saint Jean de Béard (Château)
→ *Béard la Chapelle*

Saint-Julien (Clos)

Grand Cru

Commune : Saint-Emilion. **Propriétaire :** Jean-Jacques Nouvel. Œnologues conseils : Mlle Cazenave et M. Chaine. **Superficie du vignoble :** 2 ha. **Age moyen du vignoble :** 30 ans. **Encépagement :** 50 % cabernet-sauvignon. 30 % merlot. 20 % cabernet-franc. **Production :** 10 000 bouteilles en M.D.C. **Vente au château et par correspondance :** en France. Jean-Jacques Nouvel, Fontfleurie, 33330 Saint-Emilion. Tél. 57 24 72 05. *Saint-Julien et Saint-Emilion se sont donné la main pour bénir la délicieuse production de M. Nouvel.*

Saint-Martial (Château)

Grand Cru

Commune : Saint-Sulpice-de-Faleyrens. **Propriétaire :** Guy Dupeyrat. Métayer : M. Palatin Micheau-Maillou. Œnologue conseil : C.B.C. Libourne. **Superficie du vignoble :** 3 ha 46 a. **Age moyen du vignoble :** 60 % merlot. 40 % cabernet-franc. **Production :** 20 000 bouteilles en M.D.C. **Vente au château et par correspondance :** en France. Palatin Micheau-Maillou. *Trois parcelles de plaines se réunissent dans un honnête Saint-Emilion.*

Saint Martin (Clos)

Commune : Saint-Emilion. **Propriétaire :** S.C.E. des Grandes Murailles. Fermiers : M. et Mᵐᵉ Reiffers. Chef de culture : Jean Brun. Œnologue conseil : Michel Rolland. **Superficie du vignoble :** 1 ha 90 a. **Age moyen du vignoble :** 30 ans. **Encépagement :** 10 % cabernet-sauvignon. 70 % merlot. 20 % cabernet-franc. **Production :** 9 600 bouteilles en M.D.C. **Vente au château et par correspondance :** S.C.E. des Grandes Murailles, Château Côte Baleau, 33330 Saint-Emilion. Tél. 57 24 71 09. *Vente par le négoce. Ce cru est le seul des productions Reiffers, successeurs des Malen, qui n'ait pas subi les outrages du déclassement. On ne comprend pas très bien cette discrimination étant donné le bon niveau de qualité de tous les vins signés Reiffers.*

Saint-Pey (Château de)

Communes : Saint-Pey-d'Armens, Saint-Hippolyte. **Propriétaires :** MM. Maurice et Pierre Musset. Œnologue conseil : laboratoire de Grézillac. **Superficie du vignoble :** 16 ha. **Age moyen du vignoble :** 25 ans. **Encépagement :** 10 % cabernet-sauvignon. 70 % merlot. 20 % cabernet-franc. **Production :** 75 tonneaux. 60 000 bouteilles en M.D.C. **Visite des chais :** tél. 57 47 15 25. **Vente au château et par correspondance.**

Saint-Pey «Branche aînée» (Ch. de)

Commune : Saint-Pey-d'Armens. **Propriétaires :** L. & J.-P. Musset. Œnologue conseil : C.B.C. Libourne. **Superficie du vignoble :** 20 ha. **Age moyen du vignoble :** 30 ans. **Encépagement :** 10 % cabernet-sauvignon. 60 % merlot. 30 % cabernet-franc. **Production :** 120 000 bouteilles en M.D.C. **Visite des chais :** tél. 57 51 40 07 ou 57 47 15 01. **Vente au château et par correspondance :** en France et à l'étranger. Bel-Air, 33500 Lalande-de-Pomerol. **Vente par le négoce :** commerce traditionnel.

La superficie totale de cette propriété couvre près de 40 hectares mais elle a été partagée entre les deux branches de la famille Musset qui compte six générations de viticulteurs. On trouve trace certaine de leur présence sur cette terre en 1711 sans pouvoir remonter plus loin dans le temps faute d'archives. La marque du Château Saint-Pey est exploitée conjointement par Jean-Pierre et Maurice Musset. Le premier revendique simplement son droit d'aînesse par la mention « Branche aînée » qui est imprimée sur son étiquette. De récentes dégustations de ce cru m'ont fortement déçu.

Saint-Pierre (Château) ⚲ → Saint-Pey

Saint-Valéry (Clos)

Grand Cru

Commune : Saint-Emilion. *Propriétaires :* Hélène et Pierre Berjal. Œnologue conseil : M. Chaine. *Superficie du vignoble :* 4 ha. *Age moyen du vignoble :* 30 ans. *Encépagement :* 30 % cabernet-sauvignon. 40 % merlot. 30 % cabernet-franc. *Production :* 22 000 bouteilles en M.D.C. *Visite des chais :* sur rendez-vous. Tél. 57 24 70 97. *Vente au château et par correspondance :* en France et à l'étranger. Hélène et Pierre Berjal, Châtelet, 33330 Saint-Emilion. *Au lieu-dit Le Châtelet, en bas de la côte de Pavie, sables éoliens et vendanges mécaniques, vieillissement en cuves.*

Saint Vincent (Clos)

Commune : Saint-Sulpice-de-Faleyrens. *Propriétaire :* Pierre Ripes. *Superficie du vignoble :* 4 ha 14 a. *Age moyen du vignoble :* 40 ans. *Encépagement :* 20 % cabernet-sauvignon. 50 % merlot. 30 % cabernet-franc. *Production :* 20 tonneaux. 7 500 bouteilles en M.D.C. *Visite des chais :* tél. 57 24 74 21. *Vente au château et par correspondance :* en France. *Vente par le négoce. Au bas de l'étiquette, on peut lire : « Vin provenant de vigne non désherbée, raisins non ramassés à la machine. Fait selon la tradition. Vieilli en fûts de chêne ». Dont acte ; et que le saint patron des vignerons nous bénisse !*

Sansonnet (Château)

Grand Cru classé

Commune : Saint-Emilion. *Propriétaire :* Francis Robin. Régisseur : Jean-Loup Robin. Chef de culture et maître de chai : Dominique Robin. Œnologue conseil : Michel Rolland. *Superficie du vignoble :* 7 ha. *Age moyen du vignoble :* 25 ans. *Encépagement :* 20 % cabernet-sauvignon. 60 % merlot. 20 % cabernet-franc. *Production :* 48 000 bouteilles en M.D.C. *Visite des chais :* sur rendez-vous. Tél. 57 51 03 65. *Vente au château et par correspondance :* en France et à l'étranger. Francis Robin, Château Doumayne, 142, route de Saint-Emilion, 33500 Libourne. *Vente par le négoce :* exportation.

Sansonnet se perche sur un point culminant du coteau, à l'est de la ville de Saint-Emilion. Les sept hectares du vignoble entourent le château en un seul morceau, sur une assise de roches calcaires laissant peu de place à la terre meuble. Ce fut la propriété du duc Decazes qui la vendit, en 1846, au général Coutard, lequel en   273 dota sa fille, la vicomtesse de Montaudon. Prosper Robin l'acheta en 1892 et, depuis lors, elle n'est pas sortie de la famille. Les productions Robin représentent le savoir-faire de six générations. Elles illustrent bien la variété des terroirs libournais. Outre Saint-Emilion, on les trouve à Pomerol, Puisseguin et Lussac. Tout cela est très sérieusement fait.

Sarenceau (Château de)

Commune : Saint-Emilion. Propriétaire : Simone Horse. Chef de culture et maître de chai : Ludovic Delage-Horse. Œnologue conseil : C.B.C. Libourne. Superficie du vignoble : 7 ha 60 a. Age moyen du vignoble : 30 ans. Encépagement : 90 % merlot. 10 % cabernet-franc. Production : 35 tonneaux. 12 000 bouteilles en M.D.C. Vente au château et par correspondance : tél. 57 24 60 15. Vente par le négoce.

Sauvenelle (Château)

Commune : Libourne. Propriétaire : Danielle Torelli. Administrateur, chef de culture et maître de chai : Paul Torelli. Œnologue conseil : Michel Rolland. Superficie du vignoble : 1 ha. Age moyen du vignoble : 15 ans. Encépagement : 65 % merlot. 35 % cabernet-franc. Production : 7 000 bouteilles en M.D.C. Vente au château : Danielle Torelli, 109, route de Saint-Emilion, 33500 Libourne. Tél. 57 51 16 18. On peut aller sur place pour acheter quelques bouteilles agréables.

Sicard (Château)

Commune : Saint-Pey-d'Armens. Propriétaire : Guy Duboudin. Œnologue conseil : laboratoire de Grézillac. Superficie du vignoble : 6 ha. Age moyen du vignoble : 20 ans. Encépagement : 33 % cabernet-sauvignon. 33 % merlot. 33 % cabernet-franc. Production : 32 tonneaux. 10 000 bouteilles en M.D.C. Vente au château et par correspondance : tél. 57 47 14 43. Vente par le négoce.

Simard (Château)

Commune : Saint-Emilion. Propriétaire : Claude Mazière. Superficie du vignoble : 20 ha. Age moyen du vignoble : 20 à 30 ans. Encépagement : 70 % merlot. 30 % cabernet-franc. Production : 120 000 bouteilles en M.D.C. Visite des chais : sur rendez-vous. Tél. 57 24 70 42. Vente par le négoce : exportation par Barton & Guestier.

On trouve, au XVIIᵉ siècle, une famille Simard, « bourgeois de Saint-Emilion ». Furent-ils anoblis par la suite? Sous Napoléon Iᵉʳ, le comte Pierre de Simard apparaît comme propriétaire du Château Simard. Ses deux enfants moururent sans postérité. La propriété changea de mains et l'on voit se succéder les Delorme, Navaille et Charoulet. C'est à ces derniers que Claude Mazière acheta la propriété en 1954. Parmi ses clients, il compte des Canadiens du nom de Simard. Pour lui, Haut-Simard et Simard ont exactement les mêmes vertus. « Ils viennent du même père » dit-il. Je dirai même plus : les frères Simard sont siamois.

Soutard (Château)

Grand Cru classé

Commune : Saint-Emilion. *Propriétaire :* famille des Ligneris. Administrateur : Jacques des Ligneris. Régisseur, chef de culture et maître de chai : François des Ligneris. Œnologue conseil : C.B.C. Saint-Emilion. *Superficie du vignoble :* 22 ha. *Age moyen du vignoble :* 30 ans. *Encépagement :* 60 % merlot. 40 % cabernet-franc. *Production :* 120 000 bouteilles en M.D.C. *Visite des chais :* sur rendez-vous. Tél. 57 24 72 23. *Vente au château et par correspondance :* en France. *Vente par le négoce :* distributeurs étrangers : Belgique, Allemagne, Suisse, Hollande, Angleterre, Etats-Unis, Australie, Nouvelle-Zélande, Danemark.

« On essaie de vivre avec nos idées » déclare, en s'excusant presque, l'héritier des lieux, François des Ligneris. D'ailleurs, Soutard est dans la famille depuis plus de deux cents ans. Bien sûr, cela crée un état d'esprit que d'aucuns appellent la tradition. La propriété peut se suffire à elle-même, dans une autarcie qui va du lavoir (toujours en usage) au four à pain et au jardin potager en passant par le tilleul, grand fournisseur des tisanes du petit-coucher. L'autarcie devient écologique lorsque les seules coccinelles du cru sont chargées de dévorer les pucerons tout crus, à l'exclusion d'un traitement chimique. Du temps de l'aïeul, il n'y avait ni pesticide ni fongicide... et il faisait du bon vin. Alors ! Pourquoi changer de méthodes ? L'autarcie peut aussi s'appeler anachronisme lorsqu'elle campe des attitudes que certains pourraient trouver passéistes. Pourtant, cette forme de marginalité s'impose d'elle-même par sa respectabilité et la fière manière dont elle est vécue par ses acteurs, chacun jouant son rôle. C'est dans les dévolutions de la grand-mère d'enseigner les champignons aux derniers rejetons. Ces derniers doivent prendre en charge, personnellement, une plate-bande du jardin. Ainsi, le rôle de chacun dans la cellule familiale se justifie et s'articule de façon cohérente. Et ceux qui ne jouent pas côté jardin apparaissent du côté basse-cour. Les cent actes divers de la vie quotidienne prennent alors leur véritable dimension humaine. Les Ligneris forment une société organisée de longue date.

Le Château Soutard fut, au fil des époques, le plus souvent transmis en dot par les femmes. Au départ de l'histoire connue, on trouve Jean Laveau, fils de Laveau l'Aîné, déjà rencontré, dont la fille Marie épousa Gerôme de Chaussade de Chandos,

Château Soutard : on s'attend à voir sortir la maîtresse de maison...

écuyer, seigneur de Beauregard. Ce qu'il y a de bien, avec ces familles-là, c'est que la généalogie ne se perd pas. Les Ligneris en connaissent les moindres branchettes sur le bout des doigts. Jusqu'au jour où Jeanne du Foussat de Bogeron, fille d'un conseiller général de la Gironde, épousa un cousin éloigné, Michel des Ligneris. Soutard était dans son trousseau et l'époux avait un solide bagage d'ingénieur agronome. Ils firent un fils, Jacques, qui a lui-même trois enfants : François, Isabelle et Hélène. Aujourd'hui, ils savent tout des champignons, des carottes et petits pois et des difficultés qu'il y a à élever ensemble les poulets de Bresse et les Leghorns. Soutard est une belle propriété d'un seul bloc foncier, dotée d'un véritable château construit au milieu du XVIIIe siècle avec un parc d'agrément et des dépendances terriennes qui, elles aussi, respectent la tradition : la vache possède son pré et l'âne son lopin. Le vignoble est conséquent : 22 hectares en un morceau, cela n'est pas fréquent à Saint-Emilion. En vérité, Soutard est la plus importante unité de production parmi les Grands Crus classés. Cela se traduit par une récolte moyenne d'environ 100 tonneaux. Malgré le culte des ancêtres, la vinification peut être qualifiée de contemporaine. Les vins sont classiques, au meilleur sens du terme. Ils ont récemment évolué vers un style moins austère qu'autrefois et gagnent, fort heureusement, en rapidité d'épanouissement. Depuis dix ans, Soutard s'est ainsi construit une nouvelle réputation. Non point que l'ancienne fût mauvaise... mais

avec une jupe à crinoline et des petites filles modèles.

aujourd'hui ce Grand Cru classé, au demeurant fort bien distribué, s'inscrit comme une valeur au goût du jour. Sans altérer le charme de ses traits burinés par l'âge, Soutard s'est fait faire un « lifting », en douce. Il ne faut pas le dire. Mais il est permis de s'en apercevoir.

Soutard-Cadet (Château)

Commune : Saint-Emilion. *Propriétaire :* Jacques Darribé-haude. Œnologue conseil : M. Pauquet. *Superficie du vignoble :* 2 ha. *Age moyen du vignoble :* 40 ans. *Encépagement :* 60 % merlot. 40 % cabernet-franc. *Production :* 12 000 bouteilles en M.D.C. *Vente au château et par correspondance :* tél. 57 24 73 64. *Vente par le négoce. Le vignoble est d'un seul tenant mais une partie vient du Château Soutard et l'autre de Cadet. D'où la marque, qui fut déposée au siècle dernier.*

Tauzinat l'Hermitage (Château)

Commune : Saint-Christophe-des-Bardes. *Propriétaires* : Héritiers Marcel Moueix. Administrateur et chef de culture : Armand Moueix. Œnologue conseil : M. Crébassa. *Superficie du vignoble* : 8 ha 83 a 68 ca. *Age moyen du vignoble* : 25 ans. *Encépagement* : 70 % merlot. 30 % cabernet-franc. *Production* : 48 000 bouteilles en M.D.C. *Vente par correspondance* : en France. S.A. A. Moueix & Fils, Château Taillefer, 33500 Libourne. Tél. 57 51 50 63. *Vente par le négoce* : S.A. A. Moueix & Fils. *Les héritiers de Marcel Moueix sont propriétaires depuis 1953. La maison d'habitation date du XVIIe siècle.*

Templiers (Château des)

Commune : Saint-Emilion. *Propriétaire* : Jean-Fernand Mèneret-Capdemourlin. Régisseur : Philippe Mèneret-Capdemourlin. Maître de chai : Roland Dudilot. Œnologues conseils : Emile Peynaud et Guy Guiberteau. *Superficie du vignoble* : 2 ha 60 a. *Age moyen du vignoble* : 30 ans. *Encépagement* : 10 % cabernet-sauvignon. 65 % merlot. 25 % cabernet-franc. *Production* : 12 000 bouteilles en M.D.C. *Vente par le négoce*. Jean-Fernand Mèneret-Capdemourlin, rue Guadet, 33330 Saint-Emilion. Tél. 57 24 71 41. *Le nom vient de la « maison des Templiers », qui est l'habitation de Jean-Fernand Mèneret. Le vignoble vient d'une grand-tante qui appelait son vin : « mon velours ».*

Tertre Daugay (Château)

Commune : Saint-Emilion. *Propriétaire* : comte de Malet Roquefort. Chef de culture : Edouard Garin. Maître de chai : Jean-Louis Faure. Œnologue conseil : Guy Guimberteau. *Superficie du vignoble* : 16 ha. *Age moyen du vignoble* : 25 ans. *Encépagement* : 10 % cabernet-sauvignon. 60 % merlot. 30 % cabernet-franc. *Production* : 60 000 bouteilles en M.D.C. *Visite des chais* : du lundi au vendredi de 8 h à 12 h et de 14 h à 18 h. Tél. 57 24 72 15. *Vente au château et par correspondance* : ch. la Gaffelière, 33330 Saint-Emilion *Vente par le négoce* : négoce bordelais.

Depuis sa tendre enfance, Léo de Malet écoutait son père lui parler du Tertre Daugay avec une grande affection. Celle-ci s'exprimait sur deux plans. La famille avant tout : il y avait d'abord « cette pauvre Clairette », une cousine (éloignée, certes, mais cousine quand même) qui avait si mal vendu sa propriété, au pire moment et dans de très mauvaises conditions ! Et puis les affaires : « Ce pauvre Tertre Daugay »,

Le Tertre Daugay est un « haut-lieu » de Saint-Emilion.

une terre excellente et bien exposée, échue entre des mains peu précautionneuses qui l'avaient mise en triste état. « N'est-ce pas grand-pitié que de voir ça ? » Quand le fils d'un comte vigneron entend cette complainte à l'âge où les idées se font, son âme sensible devient l'airain sonore de la piété familiale, ici psalmodiée comme un *miserere* en sol mineur. Les années passèrent et l'airain se durcit, trempé dans les réalités de la vie. Mais l'âme d'enfant de Léo gardait son jardin secret qui s'appelait Tertre Daugay. C'était pour lui terre promise ; il se l'était juré sans le dire à quiconque.

En 1978, le Tertre Daugay fut à vendre. Léo de Malet et son notaire Jacques Guillon, de Targon, entamèrent des tractations avec le syndic chargé de l'affaire. Mais le prix demandé était fort élevé et la situation très compliquée. Ils décidèrent d'attendre jusqu'à la mise aux enchères publiques devant le tribunal : Léo de Malet est dans la salle au milieu d'une poignée de curieux. Le juge appelle les enchérisseurs à se manifester et il allume la première bougie. Léo de Malet annonce son offre. Silence général. La bougie s'éteint. On allume la deuxième. Léo de Malet attend une contre-attaque qui ne vient pas. On l'avait prévenu que des acquéreurs fortunés, notamment suisses ou belges, allaient faire monter le prix. Mais silence. La flamme   279 de la deuxième chandelle vacille et chancelle. C'est au tour de la dernière. L'atmosphère se charge d'une forte tension dramatique. Chaque bougie dure à peine une minute mais on dirait que la troisième éclaire l'éternité. Non. Ça y est. Elle est morte. Léo de Malet n'en croit pas ses yeux. Est-il propriétaire du Tertre Daugay ? Pas encore. Il faut souffrir pendant un mois. Jour après jour il attend qu'on lui annonce la surenchère du dixième. Rien ne vient. Le fatidique lundi de clôture arrive enfin. Le compte à rebours égrène les heures, puis les minutes. A un quart d'heure de l'adjudication, l'offre majorée du dixième parvient au juge. Il paraît qu'elle vient d'un Belge. Léo de Malet est assommé. Le jeudi suivant, c'est la liquidation définitive. L'acheteur ne se présente pas. Léo de Malet couvre l'enchère de 10 000 francs. Le Château Tertre Daugay lui appartient. Joie ineffable. Incroyable.

Depuis lors, la propriété a été entièrement rénovée. Aux 3 530 000 francs de son offre, il a ajouté plus d'un million de francs en travaux de remodelage des terrains, réaménagement complet des chais, cuvier, etc. Tous les bénéfices du Château La Gaffelière y ont été investis. Aujourd'hui, le Tertre Daugay a fait peau neuve. Léo de Malet ne rêve plus et les mânes de ses ancêtres sont béates. Attention, Tertre Daugay est devenu un redoutable challenger des Grands Crus classés !

Tertre de Sarpe (Château) 🛆
→ Vieux Château Pelletan

Tonneret (Château)

Commune : Saint-Christophe-des-Bardes. *Propriétaire* : Albino Gresta. Chefs de culture et maîtres de chai : Albino et Jacky Gresta. Œnologue conseil : C.B.C. Libourne. *Superficie du vignoble :* 3 ha 20 a. *Age moyen du vignoble :* 35 ans. *Encépagement :* 75 % merlot. 25 % cabernet-franc. *Production :* 18 tonneaux. 7 000 bouteilles en M.D.C. *Visite des chais :* tél. 57 24 60 01. *Vente au château et par correspondance. Vente par le négoce. Albino Gresta est installé au Tonneret depuis vingt ans. Il assume lui-même la conduite de l'exploitation et la commercialisation par vente directe avec l'espoir que son fils prendra sa succession.*

Tourans (Château)

Grand Cru

Commune : Saint-Etienne-de-Lisse. *Propriétaire* : S.A. Vignobles Rocher Cap de Rive. Administrateur : Jean Lafaye. Chef de culture et maître de chai : Gabriel Audebert. Œnologue conseil : M. Chaine. *Superficie du vignoble :* 11 ha 50 a. *Age moyen du vignoble :* 25 ans. *Encépagement :* 20 % cabernet-sauvignon. 60 % merlot. 20 % cabernet-franc. *Production :* 60 000 bouteilles en M.D.C. *Visite des chais :* sur rendez-vous. Tél. 57 40 08 88. *Vente par le négoce :* exportation : Belgique et Benelux. *Vendanges mécaniques. Cuves inox. Barriques neuves. Collage aux blancs d'œufs. Il y a du progrès.*

Tour Baladoz (Château)

Grand Cru

Commune : Saint-Laurent-des-Combes. *Propriétaires :* MM. de Schepper. Administrateur : Firmin de Schepper. Régisseur, chef de culture et maître de chai : Jean-Marie Faux. Œnologue conseil : M. Nauzin (laboratoire Laffort). *Superficie du vignoble :* 8 ha. *Age moyen du vignoble :* 30 ans. *Encépagement :* 10 % cabernet-sauvignon. 70 % merlot. 20 % cabernet-franc. *Production :* 36 000 bouteilles en M.D.C. *Visite des chais :* sur rendez-vous. Tél. 57 40 61 57. *Vente par le négoce :* Société Rabotvins (Belgique).

Tour Berthonneau (Château)

Commune : Saint-Emilion. *Propriétaire :* Gilberte Grolière & Fils. Œnologue conseil : Mlle Cazenave-Mahé. *Superficie du vignoble :* 3 ha 34 a. *Age moyen du vignoble :* 30 ans. *Encépagement :* 65 % merlot. 35 % cabernet-franc. *Production :* 10 tonneaux. 6 000 bouteilles en M.D.C. *Vente au château et par correspondance :* en France. Tél. 57 51 06 46. *Vente par le négoce :* en vrac. *« Grand Cru » jusqu'en 1981 cette exploitation se contente de rendements très faibles qui ne sont pas valorisés par une politique de marque.*

Tour Blanche (Château) ♟
→ Côte de la Mouleyre

Tour de Bardes (Château) ♟ → Labarde

Tour de Beauregard (Château)

Commune : Saint-Emilion. *Propriétaire :* Ilario Fritegotto. Œnologue conseil : M. Chaine. *Superficie du vignoble :* 15 ha. *Age moyen du vignoble :* 20 ans. *Encépagement :* 75 % merlot. 20 % cabernet-franc. 5 % malbec. *Production :* 80 000 bouteilles en M.D.C. *Visite des chais :* sur rendez-vous. Tél. 57 24 73 15. *Vente au château et par correspondance :* en France. *Vente par le négoce :* négoce bordelais. *Vignoble en deux parcelles sablonneuses, l'une à Saint-Emilion et l'autre à Vignonet. Vendanges à la machine. Vieillissement en cuves.*

Tour de Capet (Château) ♟ → Capet-Guillier

Tour de Corbin Despagne (Ch.)

Commune : Saint-Emilion. **Propriétaire :** G.F.A. Despagne-Rapin. Administrateurs : Gérard et Françoise Despagne. Chef de culture : Yves Richard. Maître de chai : François Gil. Œnologue conseil : C.B.C. Libourne. **Superficie du vignoble :** 5 ha environ. **Age moyen du vignoble :** 30 à 40 ans. **Encépagement :** 20 % cabernet-sauvignon. 60 % merlot. 20 % cabernet-franc. **Production :** 15 à 20 tonneaux. **Visite des chais :** tél. 57 74 62 18. **Vente au château et par correspondance :** en France. G.F.A. Despagne-Rapin, Maison Blanche, 33570 Montagne. **Vente par le négoce :** négociants hors place de Bordeaux (négoce régional et importateurs étrangers).

Tout de même ! Deux parcelles pour tout vignoble, oui, mais pas n'importe lesquelles ni n'importe où. Elles sont, l'une et l'autre, cernées par des grands crus classés. Quel est donc cet ostracisme qui prive la Tour de Corbin Despagne de ses lettres de noblesse ? La réponse est simple : les raisins sont « exportés » à Montagne Saint-Emilion au lieu d'être vinifiés sur place. Au contraire des champions et des stars, c'est sur leur territoire natal que les vendanges doivent faire éclater leur talent.

Dura lex sed lex. Il n'empêche que ce vin allie la délicatesse du terroir de Figeac à la sève mordante des Corbin. Il n'empêche que quelques kilomètres de transport n'enlèvent au raisin rien de ses qualités premières. Il n'empêche que Gérard Despagne est un vinificateur attentif et que ses vins sont superbes. Je les mets au niveau de bien des crus classés.

Tour de Pressac (Château)

Grand Cru

Commune : Saint-Etienne-de-Lisse. **Propriétaire :** Jacques Pouey. **Superficie du vignoble :** 7 ha. **Encépagement :** 58 % merlot. 40 % cabernet-franc. 2 % malbec. **Production :** 18 000 bouteilles en M.D.C. **Visite des chais :** du lundi au vendredi de 9 h à 12 h et de 14 h à 17 h. Tél. 56 81 45 00. **Vente au château et par correspondance :** en France et à l'étranger. Jacques Pouey, 59, rue Minvielle, 33000 Bordeaux (bureau). **Vente par le négoce.** *La Tour de Pressac est le frère puîné du Château de Pressac (voir ce nom) dont il récupère parfois quelques-unes des vertus.*

Tour des Combes (Château)

Grand Cru

Commune : Saint-Laurent-des-Combes. *Propriétaire* : Jean Darribéhaude. *Administrateur* : Brigitte Darribéhaude. *Superficie du vignoble* : 13 ha. *Age moyen du vignoble* : 35 ans. *Encépagement* : 15 % cabernet-sauvignon. 70 % merlot. 15 % cabernet-franc. *Production* : 78 000 bouteilles en M.D.C. *Vente au château et par correspondance* : en France et à l'étranger. Château Tour des Combes, Au Sable, Saint-Laurent-des-Combes, 33330 Saint-Emilion. Tél. 57 24 70 04. *Vente par le négoce* : négoce libournais et bordelais.

La tour a bel et bien existé au siècle dernier. Ses pierres servirent à construire la partie la plus ancienne des bâtiments actuels. Le vignoble a été constitué à partir de quelques parcelles, achetées en 1849 aux Meynard et à Marie-Françoise de Malet Roquefort, dont les descendants sont propriétaires du célèbre Château La Gaffelière. Il s'étend aujourd'hui sur les communes de Saint-Emilion, Saint-Laurent-des-Combes, Saint-Hippolyte, Vignonet et Saint-Sulpice-de-Faleyrens. (Je sais que ça fait loin, mais il s'étale bien !). Plutôt du genre riche et bien portant, le vin inspire une joviale et spontanée sympathie.

Tour Fortin (Château) ♟ → Haut-Segottes

Tour Grand Faurie (Château)

Grand Cru

Commune : Saint-Emilion. *Propriétaire* : Jean Feytit. Œnologue conseil : M. Chaine. *Superficie du vignoble* : 11 ha 45 a. *Age moyen du vignoble* : 30 ans. *Encépagement* : 5 % cabernet-sauvignon. 85 % merlot. 10 % cabernet-franc. *Production* : 60 000 bouteilles en M.D.C. *Visite des chais* : tous les jours. Tél. 57 24 73 75. *Vente au château et par correspondance* : en France et à l'étranger : Belgique, Allemagne, Etats-Unis, Angleterre.

Le grand-père de Jean Feytit était le domestique de la propriété qui se composait alors de trois hectares. En ce temps-là, la vie d'un domestique était partagée entre le travail de la vigne et du chai, et le plaisir de fumer son paquet de gris tandis qu'il bourrait ses sabots de paille. Tour Grand Faurie est formé de trois parcelles dont une est située au centre de Saint-Emilion. Tout au long de la dernière guerre, cette parcelle fut entretenue par la belle-fille qui, aussi bien, taillait la vigne et vendait le vin. Comme son père, Jean Feytit est né sur la propriété où il a toujours travaillé. En 1969, il agrandit le vignoble. En 1973, sa femme reçut la parcelle de Saint-Christophe-des-Bardes en héritage. Et, en 1974, Jean Feytit racheta la part de sa sœur pour devenir propriétaire à part entière. Le vin possède un joli bouquet. Son style est un peu austère au bénéfice de la longévité, quoique les récents millésimes aient gagné en souplesse. Les petites années peuvent être remarquables.

Tour Monrepos (Château)

Commune : Libourne. *Propriétaire :* Christian Manuaud. Œnologue conseil : M. Legendre. *Superficie du vignoble :* 82 a. *Age moyen du vignoble :* 40 ans. *Encépagement :* 5 % cabernet-sauvignon. 75 % merlot. 20 % cabernet-franc. *Production :* 3 000 bouteilles en M.D.C. *Vente au château et par correspondance :* en France. Christian Manuaud, 37, rue des Réaux, 33500 Libourne. Tél. 57 51 49 53. *Pour Christian Manuaud, la vigne qu'il tient de son père est un passionnant violon d'Ingres.*

Tour Musset (Château) ⚜
→ Tour Saint-Christophe

Tour Peyronneau (Ch.) ⚜ → Côtes Bernateau

Tour Puyblanquet (Château)

Commune : Saint-Etienne-de-Lisse. *Propriétaire :* Daniel Lapoterie. Œnologue conseil : M. Hébrard. *Superficie du vignoble :* 10 ha. *Age moyen du vignoble :* 30 ans. *Encépagement :* 20 % cabernet-sauvignon. 60 % merlot. 20 % cabernet-franc. *Production :* 40 tonneaux. 18 000 bouteilles en M.D.C. *Vente au château et par correspondance :* en France. Tél. 57 40 17 11. *Vente par le négoce :* négoce bordelais. *Une bonne preuve de qualité : la clientèle particulière s'est agrandie toute seule, sans autre publicité que le bouche à oreille.*

Tour Saint-Christophe (Château)

Grand Cru

Commune : Saint-Christophe-des-Bardes. *Propriétaires :* M. et Mme Henri Guiter. Chef de culture : Max Itei. Maître de chai : Claude Cubillier. Œnologue conseil : M. Pauquet. *Superficie du vignoble :* 19 ha. *Age moyen du vignoble :* 30 ans. *Encépagement :* 50 % merlot. 50 % cabernet-franc. *Production :* 100 000 bouteilles en M.D.C. *Visite des chais :* du lundi au vendredi de 8 h à 12 h et de 14 h à 18 h. Le samedi et dimanche sur rendez-vous. Tél. 57 24 77 15. *Vente au château et par correspondance :* en France.

Henri Guiter, âgé de quatre-vingt-dix ans, est propriétaire de Tour Saint-Christophe depuis juillet 1940. Ancien propriétaire d'un château à Pacy-sur-Eure, il s'installa dans le Saint-Emilionnais afin d'échapper aux Allemands. « J'ai toujours dirigé le travail » dit-il d'une voix ferme malgré l'âge. « Je ne suis pas un manuel, je ne suis même pas foutu de planter un clou. » M. Henri Guiter a toujours partagé son temps entre Paris et Saint-Emilion. Aujourd'hui encore, derrière son bureau, une valise est prête. Le millésime 81 a été cité au Chapitre des Honneurs de 1984. Le millésime 82 a reçu le 1er prix au VIIe salon européen de la vigne et du vin en 1984.

Tour Saint-Pierre (Château)

Grand Cru

Commune : Saint-Emilion. *Propriétaire :* Jacques Goudineau. *Superficie du vignoble :* 10 ha. *Age moyen du vignoble :* 25 ans. *Encépagement :* 5 % cabernet-sauvignon. 90 % merlot. 5 % cabernet-franc. *Production :* 57 000 bouteilles en M.D.C. *Vente au château et par correspondance :* en France et à l'étranger. Tél. 57 24 70 23.

Tour Vachon (Château)

Grand Cru

Commune : Saint-Emilion. *Propriétaire :* René Rebinguet. Fermier, chef de culture et maître de chai : Jean-Paul Soucaze. Œnologue conseil : M. Hébrard. *Superficie du vignoble :* 3 ha 53 a. *Age moyen du vignoble :* 20 ans. *Encépagement :* 10 % cabernet-sauvignon. 70 % merlot. 20 % cabernet-franc. *Production :* 20 000 bouteilles en M.D.C. *Visite des chais :* sur rendez-vous. Tél. 57 24 70 27. *Vente au château et par correspondance :* en France et à l'étranger.

Tour Vachon appartient à M. René Rebinguet, adjoint au maire de Saint-Emilion. Mais c'est son gendre, Jean-Paul Soucaze, qui exploite la propriété. Le vignoble est planté sur des terres fortes, riches en argile. Son orientation est plein nord. Les gelées de 1985 ont laissé des séquelles. Les vendanges sont traditionnelles. Vinifié dans des cuves en béton, le vin vieillit en fûts.

Touzinat (Château)

Grand Cru

Commune : Saint-Pey-d'Armens. *Propriétaires :* MM. Seguinel. Œnologues conseils : M. Tabouy et M. Plomby. *Superficie du vignoble :* 8 ha. *Encépagement :* 75 % merlot. 25 % cabernet-franc. *Production :* 40 tonneaux. 28 000 bouteilles en M.D.C. *Visite des chais :* tél. 57 47 15 32. *Vente au château et par correspondance. Vente par le négoce.*

Mais oui, c'est promis, l'on vous accueillera avec un tapis rouge. D'ailleurs, il est déjà en place au cas où vous passeriez demain. Le tapis vous conduira vers une sainte table soutenue par deux vis de pressoir et abritant un fameux tabernacle en l'espèce d'un tonneau, chef-d'œuvre d'un compagnon tonnelier. Puis l'on vous conduira au chai où règnent l'ordre, le calme et la propreté et l'on vous dira : « Ici le vin est un culte... il n'est pas seulement le jus de la vigne, mais une personnalité que l'on reconnaît, que l'on salue, que l'on encourage. » Le perfectionnisme de l'ambiance se retrouve dans la bouteille. Ah, que j'aime la tradition quand elle prend ce maintien ! Fi donc des barriques mal briquées et des fioles poussiéreuses ! La mise en scène est-elle prétentieuse ? Non, monsieur, elle est sincère. Et la musique est celle d'une superbe opérette.

Trapaud (Château)

Grand Cru

Commune : Saint-Etienne-de-Lisse. *Propriétaire :* André Larribière. Œnologue conseil : C.B.C. Libourne. *Superficie du vignoble :* 12 ha. *Age moyen du vignoble :* 40 ans. *Encépagement :* 30 % cabernet-sauvignon. 60 % merlot. 10 % cabernet-franc. *Production :* 50 000 bouteilles en M.D.C. *Visite des chais :* sur rendez-vous. Tél. 57 40 18 08. *Vente au château et par correspondance :* en France et à l'étranger. *Vente par le négoce :* négoce Descas & Fils.

De 1400 à 1807, les Trapaud de Colombe sont de riches propriétaires terriens. Ils habitent le manoir du Bois, une propriété viticole faisant partie de l'A.O.C. « Côtes de Castillon ». Les guerres de religion ont séparé les frères Trapaud de Colombe. C'est ainsi qu'après la bataille de Castillon, l'un partit en Angleterre, l'autre au Danemark, et le dernier en Allemagne. En 1967, M. André Larribière, propriétaire du Château Liamet, était fermier de quatre hectares du vignoble Trapaud. Son père, Gaston Larribière, en tenait la propriété mais il était trop dépensier. C'est pourquoi, en 1977, André Larribière prit les affaires en mains. Mais, aujourd'hui encore, Gaston Larribière, à plus de soixante-dix ans, conserve un bon hectare de vigne qu'il travaille avec son propre tracteur. Château Trapaud est situé au couchant de Saint-Etienne-de-Lisse. La vigne est labourée à l'ancienne. Elle est rechaussée avant la vendange.

En 1910, Château Trapaud fut répertorié comme second cru de Saint-Emilion. A l'époque, il annonçait des rendements à l'hectare époustouflants. Maintenant, ils apparaissent plutôt faibles, sans doute à cause de l'âge moyen du vignoble.

Trianon (Château)

Commune : Saint-Emilion. *Propriétaire :* Mme Hubert Lecointre. Œnologue conseil : M. Chaine. *Superficie du vignoble :* 6 ha 50 a. *Age moyen du vignoble :* 25 ans. *Encépagement :* 65 % merlot. 35 % cabernet-franc. *Production :* 25 tonneaux. *Visite des chais :* tél. 57 51 42 63. *Vente par le négoce :* négoce bordelais.

Trimoulet *(Château)*

Grand Cru classé

Commune : Saint-Emilion. **Propriétaire** : Michel Jean. **Superficie du vignoble** : 20 ha. **Age moyen du vignoble** : 40 ans. **Encépagement** : 10 % cabernet-sauvignon. 60 % merlot. 25 % cabernet-franc. 5 % malbec. **Production** : 120 000 bouteilles en M.D.C. **Visite des chais** : sur rendez-vous. Tél. 57 24 77 54. **Vente par correspondance** : en France et à l'étranger. **Vente par le négoce** : Ets Pierre Jean S.A.

« Au nom de Dieu soit amen. Je, Jean Trimoulet, ancien jurat de Saint-Emilion, reconnaissant la certitude de la mort et que l'heure est incertaine, désirant pourvoir au salut de mon âme et à la disposition de mes biens, j'ay fait mon testament et ordonnance de ma dernière volonté... » Le testament de Jean Trimoulet, daté du 15 juillet 1713, contient huit feuillets couverts d'une écriture serrée. Ce document a traversé les siècles jusqu'à nous parvenir dans un parfait état de conservation. J'en retiens surtout l'esprit de patriarcat qui animait le testateur, divisant tous ses biens aussi équitablement que possible entre ses six enfants vivants (il en avait eu huit de son mariage avec Catherine Jourdan). On voit qu'il compte les surfaces de terres en journaux et en brasses. Si la mesure en journaux était fréquente (un journal équivaut à 32 ares environ), celle en brasses semble particulière au Libournais (en Médoc, par exemple, la plus petite unité de surface agricole était le sadon, soit environ 1/12e d'hectare). La brasse (brace quarrée au Moyen Age) représentait à peu près 1 are et 33 centiares, c'est-à-dire qu'il fallait 24 brasses pour faire un journal. Cette mesure très réduite illustre bien, à mon sens, le parcellement du vignoble de Saint-Emilion, principalement dans les côtes. En additionnant les différents lots qu'il attribue à ses enfants, on voit que le domaine terrien de Jean Trimoulet représentait à peu près 37 journaux, soit environ 12 hectares. Jean Trimoulet semble parfaitement distinguer les « vignes » des « terres labourables ». Si la destination des différents terrains a été mentionnée de façon exacte sur le testament, le vignoble de Trimoulet, au début du XVIIIe siècle, devait couvrir 4 à 5 hectares : la propriété contenait, en outre, des bois et taillis que le testateur désigne par le terme vague de « lopins ».

Il est intéressant de voir que si Jean Trimoulet tient à léguer des biens-fonds à chacun de ses enfants afin qu'ils possèdent chacun en propre une terre, il souhaite préserver la communauté familiale. Il distingue les coffres à linge, les meubles et ustensiles en nommant leurs légataires mais il déclare expressément que « la maison sera commune afin que mes enfants l'habitent tous ensemble dans une bonne paix et union, comme le pressoir et vaisseaux vinaires seront aussi communs pour leur service, s'il faut les raccommoder chacun fournira sa quote-part des frais... » Il stipule également la copropriété de la fontaine et de la « fournière » (le four à pain) : « Sans former d'arrêt de querelle les uns aux autres, pourront faire cuire leur pain dans ladite fournière, un par un, entretenant les feux conjointement avec leurs sœurs. » Le père de famille pensait aussi au petit qui était au régiment : « Au cas que mes enfants se comportent bien et qu'ils vivent d'intelligence, paix et union, je veux et prétends qu'ils jouissent de la portion de Janot leur frère pendant le temps qu'il sera au service du Roi, sans lui en rendre compte, cela s'entend qu'ils ne se séparent pas et qu'ils mangent leurs revenus ensemble conjointement comme ils font avec moi. » L'histoire ne dit pas ce qu'il advint mais chacun des héritiers était prévenu : « Voulant que le tout soit observé sous peine d'être déshérités s'ils s'opposent à ma volonté. »

C'est vers 1800 que la famille Jean apparaît comme propriétaire du Château Trimoulet. Les descendants actuels retracent bien leur arbre généalogique jusque vers la fin du XVIIIe siècle, mais ils ne peuvent pas établir de certitude quant à une alliance entre eux et les Trimoulet aux environs de la Révolution. Tout de même, c'est une belle filiation directe qui amène aujourd'hui Michel Jean et son épouse au bas de la côte du Cadet, sur la partie nord de la commune de Saint-Emilion. La pérennité du patrimoine est assurée. Mais il faut aussi dire que les vins de Trimoulet se tiennent dans le peloton de tête de leur classe : assez gras et tanniques avec un joli fruit, ce sont le plus souvent des vins de garde qu'il fait bon laisser vieillir. Les années récentes apparaissent en progrès.

Trimoulet (Clos)

Grand Cru

Commune : Saint-Emilion. **Propriétaire** : Guy Appolot. **Superficie du vignoble :** 7 ha. **Age moyen du vignoble :** 30 ans. **Encépagement** : 10 % cabernet-sauvignon. 80 % merlot. 10 % cabernet-franc. **Production** : 35 tonneaux. **Visite des chais :** les jours ouvrables. Tél. 57 24 71 96. **Vente au château et par correspondance** : en France et à l'étranger. *Propre, net et pimpant, ce cru accueillera toujours le visiteur avec une exquise gentillesse et des vins agréables.*

Troplong Mondot (Château)

Grand Cru classé

Commune : Saint-Emilion. **Propriétaire** : Claude Valette. Directeur : Christine Fabre. Maître de chai : Jean-Pierre Taleyson. Œnologue conseil : Michel Rolland. **Superficie du vignoble** : 30 ha. **Age moyen du vignoble** : 40 ans. **Encépagement** : 15 % cabernet-sauvignon. 65 % merlot. 10 % cabernet-franc. 10 % malbec. **Production** : 120 000 bouteilles. **Visite des chais** : tous les jours sauf le dimanche, de préférence sur rendez-vous. Tél. 57 24 70 72. **Vente au château et par correspondance** : en France. **Vente par le négoce.**

« Qu'un homme qui a mangé à un festin de tous les plats et en grande quantité n'ait plus faim et cherche à réveiller son palais endormi par les mille flèches des épices ou des vins irritants, rien n'est plus facile à expliquer ; mais qu'un homme qui ne fait que s'asseoir à table, et qui a à peine goûté des premiers mets, soit pris

Christine Fabre, dans la bibliothèque de Troplong Mondot.

déjà de ce dégoût superbe, ne puisse toucher sans vomir qu'aux plats d'une saveur extrême et n'aime que les viandes faisandées, les fromages jaspés de bleu, les truffes et les vins qui sentent la pierre à fusil, c'est un phénomène qui ne peut résulter que d'une organisation particulière ; c'est comme un enfant de six mois qui trouverait le lait de sa nourrice fade et qui ne voudrait téter que de l'eau-de-vie. »
Est-ce à Troplong Mondot que Théophile Gautier trouva en partie l'inspiration de son œuvre ? Cet extrait de *Mademoiselle de Maupin* ne le laisse pas directement supposer. Mais, au point de vue littéraire, il est dans le droit fil de la recherche de l'écrivain insatisfait vers un idéal d'équilibre proche pour lui de la perfection. Au point de vue historique, Théophile Gautier ne connaissait pas encore le sénateur Raymond Troplong lorsqu'il écrivit son premier roman. Ils se lièrent d'amitié dans les années cinquante du siècle dernier et le père des parnassiens trouva souvent asile dans la propriété du président du Sénat. Il appréciait la bonne chère et sa verve poétique s'enflammait au contact du bon vin. Après le dîner, c'était une conversation à l'infini. Plus d'une fois, à Mondot, Théophile Gautier et Raymond Théodore Troplong refirent le monde. Puis on soufflait les chandelles du bureau et le poète baillait avant de bougonner son jeu de mots favori : « Les Troplong discours sont les moins courts ! »
Au XVIIIᵉ siècle, le domaine de Pavie-Mondot appartenait en propre à l'abbé de Sèze, frère de l'un des défenseurs de Louis XVI. Le cru était déjà bien connu à la cour et tenait rang dans le commerce parmi les vignobles de qualité. Mais c'est le jurisconsulte Raymond Troplong qui fit son unité actuelle en groupant plusieurs 289

parcelles autour d'un noyau central afin de constituer une exploitation de 30 hectares de vignes regardant le château. Edouard Troplong, son neveu, lui succéda. C'était un gestionnaire économe jusqu'à l'avarice. Au tout début de ce siècle, il advint que les vendangeurs en colère firent irruption dans la salle à manger du patron pour déverser sur son tapis d'Aubusson leurs gamelles de lentilles immangeables. Le sieur Troplong, qui n'avait pas bien digéré la lecture, pourtant diététique, de Waldeck-Rousseau, eut un haut-le-cœur si violent qu'il vomit sa propriété en la vendant pour une bouchée de pain au premier quidam venu. Il venait de Belgique, c'était le père Thienpont, illustre négociant en vins à Etikhove et futur propriétaire du Vieux Château Certan à Pomerol : « Troplong Mondot, c'était pour le plaisir, une fois. Vieux Certan, c'est pour les affaires, sais-tu ? »

C'est Claude Valette qui règne aujourd'hui sur la « butte de Mondot », culminant à 106 mètres d'altitude comme une bosse de dromadaire. Le sol d'argile mêlée de débris meuliérisés apporte au vin une concentration qui peut atteindre la violence d'un extrait dans les années très chaudes. Récemment, la vinification a fait des progrès sensibles. Beau témoin du passé, il semble que Troplong-Mondot soit redevenu une valeur sûre pour l'avenir. A partir des 82 dont j'espère qu'ils attendront encore quelques années avant de déboucher leur impatiente et magnifique jeunesse.

Trotte Vieille (Château)

1er Grand Cru classé

Commune : Saint-Emilion. **Propriétaire :** Emile Castéja. Administrateur : Philippe Castéja. Régisseur, chef de culture et maître de chai : Jean Brun. **Superficie du vignoble :** 10 ha. **Age moyen du vignoble :** 40 ans. **Encépagement :** 10 % cabernet-sauvignon. 50 % merlot. 40 % cabernet-franc. **Production :** 30 000 bouteilles en M.D.C. **Vente par correspondance :** tél. 57 24 71 34 ou 56 48 57 57. **Vente par le négoce :** Borie-Manoux, 86, cours Balguerie-Stuttenberg, 33300 Bordeaux.

Par une belle matinée d'automne, l'an de grâce 1948, Marcel Borie et son gendre Emile Castéja décidèrent de s'en aller promener jusqu'à Saint-Emilion. Accompagnés du courtier Déjean, un milord bordelais habillé à la Brummel et porteur des plus belles moustaches cirées du département, ils avaient rendez-vous à Troplong Mondot pour y conclure un achat de vins. Chemin faisant, ils passèrent devant Trotte Vieille, propriété semi-abandonnée dont le vignoble était tombé en déshérence pour les trois-quarts de sa superficie. Devant le chai, quelqu'un s'employait à décrasser de vieilles barriques. Les visiteurs engagèrent la conversation et, par curiosité, achetèrent deux bouteilles du vin nouveau millésimé 1947. Après avoir mené leurs affaires à Troplong Mondot, ils allèrent déjeuner à l'auberge du village qui, à l'époque, n'offrait guère de vins de crus. Ils offrirent l'une des bouteilles de Trotte Vieille au patron et dégustèrent l'autre. Un vin superbe. Magnifique. Somptueux. « Dites-moi, monsieur Déjean, cette propriété serait-elle à vendre ? » C'est ainsi que Borie acheta Trotte Vieille, ancien relais de diligences, dont la réputation d'excellent cru était déjà établie au XIXe siècle. Depuis, le vignoble a été reconstitué et maintenu à l'âge

Trotte Vieille : un cru au nom poétique pour un vin enchanteur.

moyen de 40 ans, âge optimal dans une politique de qualité. Les chais ont fait l'objet d'un remodelage complet et leurs colonnades carrées sont du plus bel effet. La charmante chartreuse qui servait autrefois d'habitation de maître n'a pas encore été restaurée après avoir été entièrement pillée en 1964. C'est dommage. Emile Castéja annonce son intention d'y veiller très prochainement. Il serait également possible d'aménager les nombreuses galeries souterraines en caves de vieillissement mais la configuration topographique rend leur accès difficile. Sans élevage troglodytique, les vins de Trotte Vieille sont bien typiques du terroir argilo-calcaire des meilleurs crus de Saint-Emilion et méritent tout à fait leur classement avec les Premiers.

Truquet (Château)

Commune : Saint-Emilion. **Propriétaire :** Jean Maison. Œnologue conseil : Mlle Cazenave. **Superficie du vignoble :** 6 ha. **Age moyen du vignoble :** 16 ans. **Encépagement :** 65 % merlot. 35 % cabernet-franc. **Production :** 30 tonneaux. 20 000 bouteilles en M.D.C. **Vente au château :** tél. 57 51 04 81. **Vente par le négoce.**

Union de Producteurs ♀♀♀♀♀
de Saint-Emilion (Cave coopérative)

Communes : Toutes les communes de l'appellation. *Président :* M. Claude Tribaudeau.
Vice-Présidents : MM. Jean Catusseau et Alain Robin. Directeur : M. Jacques-Antoine Baugier.
Chef de cave : M. Pierre Chaumet. Conseiller agricole : M. Claude Pérès. *Superficie du vignoble :*
1 000 ha. *Encépagement :* 70 % merlot. 20 % cabernet-franc. 10 % cabernet-sauvignon. *Capacité
de stockage :* 217 000 hectolitres. *Stock moyen de vieillissement :* 400 barriques et 7 000 000
de bouteilles. *Production moyenne annuelle en bouteilles :* 3 500 000. *Vente directe :* environ
500 000 bouteilles. *Vente par le négoce :* en vrac et en bouteilles. *Magasin de vente au détail :*
à Saint-Emilion, Pl. Général de Gaulle. Tél. 57 24 71 80. Ouverture de 9 h 30 à 12 h 30 et
de 14 h à 19 h, tous les jours sauf le mercredi. *Bureaux et cave :* Haut-Gravet, 33330
Saint-Emilion. Tél. 57 24 70 71. Visites de 8 h à 12 h et de 14 h à 18 h, tous les jours sauf
dimanche et jours fériés.

« Saint-Emilion fera de vous un poète de riche sève ! » L'Union de Producteurs
de Saint-Emilion ne néglige aucun détail pour se montrer à la page. Le dynamisme
sympathique de cette institution se vérifie par des attitudes commerciales « dans
le vent » : dossiers de presse, réceptions de clients et de représentants, relations
publiques, formules attractives, étiquettes esthétiques, etc. font partie du travail
coopératif, aussi bien que la vinification, l'élevage, le conditionnement et la mise
en marché, le tout asservi par un équipement informatique à l'avant-garde de la
technique. Conçue en 1930 et née en 1932, cette dame d'âge mûr est devenue l'une
des plus importantes du département. Elle règne actuellement sur un millier
d'hectares à l'intérieur de l'ancienne juridiction de Saint-Emilion et sa grande famille
compte 386 viticulteurs-coopérateurs. A elle seule, la dimension témoigne du sérieux
de l'affaire. Au départ, c'est Robert Villepigue qui fédéra une poignée d'exploitants

L'Union de Producteurs s'inscrit résolument dans le paysage viticole de Saint-Emilion.

et leur communiqua sa foi dans un avenir soudé par la solidarité. Malgré les aléas inhérents à ce genre d'aventure, la croissance fut régulière et, si l'on peut applaudir au succès économique de l'entreprise, on doit surtout reconnaître que l'esprit directeur de la Cave a toujours développé une politique de qualité. Dès l'origine, les responsables avaient délimité trois zones viticoles correspondant à trois catégories de vins. Naturellement, les apporteurs de vendanges étaient rémunérés en fonction du terroir d'extraction et la commercialisation des vins reflétait rigoureusement cette hiérarchie. Aujourd'hui, les clivages de qualité sont encore mieux établis pour avoir été rodés au cours d'une longue expérience. Les différentes étiquettes qui habillent les vins de Saint-Emilion Grand Cru représentent cinq étages où le consommateur peut aisément se situer en fonction de son porte-monnaie. Quant aux « vins de châteaux », ils sont respectés dans l'authenticité de leurs diverses provenances. La capacité de la cuverie et son fractionnement permettent en effet les vinifications séparées de quelque 50 crus. En voici la liste :

Château et propriétaire	Superficie	Production moyenne
Saint-Emilion Grand cru		
Arcie (Ch. d') Baugier, Jacques	4 ha 71 a	28 tx
Basque (Ch. du) Lafaye, Elie	10 ha 13 a	65 tx
Bel-Air Ouÿ (Ch) G.F.A. Bel Air Ouÿ	5 ha 50 a	33 tx
Destieux Berger (Ch.) Cazenave, Alain	10 ha 15 a	60 tx
Franc Lartigue (Ch.) C. et M. Lafourcade	7 ha 86 a	48 tx
Grangey (Ch.) Araoz, Félix	6 ha 20 a	36 tx
Haute-Nauve (Ch.) S.C.E. Haute-Nauve	8 ha 51 a	35 tx
Haut-Montil (Ch.) Vimeney, André	4 ha 30 a	23 tx
La Boisserie (Ch.) Boisserie, Louis	7 ha 84 a	37 tx
La Bonnelle (Ch.) Sulzer, François	6 ha 50 a	36 tx
Lamartre (Ch.) Vialard, C.	10 ha 55 a	65 tx
Le Loup (Ch.) Garrigue, Patrick	6 ha 27 a	40 tx
Mauvinon (Ch.) G.F.A. Mauvinon	14 ha 18 a	70 tx
Paran Justice (Ch.) Barbier, Odette	10 ha 25 a	60 tx
Peyrouquet (Ch.) Cheminade, Maurice	16 ha 28 a	104 tx

Château et propriétaire	Superficie	Production moyenne
Piney (Ch.) S.C.E. Piney	8 ha 58 a	54 tx
Viramière Dumon, Pierrette	9 ha 85 a	57 tx
Saint-Emilion		
Barail du Blanc (Ch.) Ellies, Jean-Jacques	5 ha 55 a	32 tx
Benitey (Ch.) Simon, Guy	5 ha 67 a	35 tx
Billerond (Ch.) Robin, Alain	10 ha 15 a	60 tx
Capet-Pailhas (Ch.) Duverger, Michel	6 ha 77 a	41 tx
Cazenave (Ch.) Champagne, Maxime	7 ha 81 a	48 tx
Côte de Tauzinat (Ch.) Bernard, Alain	5 ha 89 a	36 tx
Despagnet (Ch.) Faure, Paule	6 ha 2 a	33 tx
Franc Jaugue Blanc (Ch.) Borde, Michel	7 ha 48 a	32 tx
Franc Le Maine S.C.E. Franc Le Maine	11 ha 13 a	66 tx
Francs Bories (Ch.) Roux, Jean	8 ha 15 a	53 tx
Gombaud Ménichot (Ch.) Piccolo, Bernard	10 ha 33 a	65 tx
Grand Bouquey (Ch.) Robles, Joseph José	8 ha 73 a	53 tx
Haut-Bruly (Ch.) Héritiers Cante	6 ha 83 a	40 tx
Hautes Versannes (Ch.) Lacoste Père & Fils	10 ha 98 a	67 tx

Haut-Lavergne (Ch.)		
Macaud, Yves	4 ha 93 a	27 tx
Haut-Moureaux		
G.A.E.C. Courrèche	9 ha 1 a	55 tx
Jauma (Ch.)		
G.F.A. Larcis Jauma	8 ha 92 a	49 tx
Juguet (Ch.)		
Landrodie, Maurice	8 ha 77 a	55 tx
Labrie (Ch.)		
Baylan, Michel	10 ha 9 a	61 tx
Larguet (Ch.)		
S.C.E. Larguet	8 ha 12 a	49 tx
La Rouchonne (Ch.)		
Lapelletrie, Claude	9 ha 21 a	52 tx
La Tonnelle (Ch.)		
Arnaud Père & Fils	12 ha 1 a	75 tx
Lavignère (Ch.)		
Vallier, Dominique	11 ha 87 a	70 tx
Les Graves d'Armens (Ch.)		
G.A.E.C. Dubuc		
Père & Fils	4 ha 55 a	40 tx

Lisse (Ch. de)		
Nebout, Germaine	4 ha 50 a	28 tx
Mazouet (Ch.)		
Pouillet, Jean-Claude	6 ha 59 a	36 tx
Mondou Mérignan (Ch.)		
Danglade, Georges	6 ha 44 a	26 tx
Moulin de la Chapelle (Ch.)		
Indivision Magontier	4 ha 78 a	29 tx
Pagnac (Ch.)		
Pagnac, Jean	6 ha 21 a	40 tx
Queyron Patarabet (Ch.)		
Itey, François	9 ha 48 a	47 tx
Rastouillet Lescure (Ch.)		
Duvergt, Régina	8 ha 24 a	50 tx
Vieux Garrouilh (Ch.)		
Servant Père & Fils	8 ha 5 a	40 tx
Vieux Labarthe (Ch.)		
G.A.E.C. de		
Labarthe	7 ha 38 a	45 tx
Yon (Ch.)		
Quenouille, Jean	4 ha 10 a	25 tx

Lorsque le directeur, Jacques-Antoine Baugier, déclare que ses vins sont la forte et juste expression de Saint-Emilion, on a le droit de se laisser convaincre. Dans cette cave coopérative, quantité et qualité sont judicieusement arbitrées. Il aurait été facile de pratiquer un certain nivellement débouchant sur des produits plus ou moins standardisés. Ce concept est resté au seul niveau de l'appellation de base improprement appelée « générique » mais, sur cette base, a été construite une pyramide aisément identifiable. A la fois l'Union de Producteurs est en mesure de fournir au négoce des volumes importants aux cuvées différenciées et à la fois elle peut offrir la plus vaste palette de vins individualisés qu'on puisse espérer trouver dans la coopération viticole girondine. Par ailleurs, on observera le bon équilibre

Un embouteillage avant la lettre : la procession des apporteurs à la coopérative.

Ces messieurs du conseil d'administration.

de cette production au sein de l'appellation tout entière, équilibre se traduisant par un rôle non négligeable de régulateur du marché, alors que, si les mêmes volumes étaient contrôlés par plusieurs caves, d'inévitables hiatus de commercialisation viendraient à se produire. On dit que les peuples ont les gouvernements qu'ils méritent. On peut aussi affirmer que Saint-Emilion méritait une telle cave coopérative.

**Conseil d'administration de la cave
coopérative « Union de Producteurs de Saint-Emilion »**

Président	Claude Tribaudeau	*Membres*
Vice-présidents	Jean Catusseau	Guy Arnaud
	Alain Robin	Alain Bernard
		Michel Borde
Secrétaire	François Sulzer	Maurice Cheminade
		Jean Dumon
Trésorier	Maurice Landrodie	Michel Duverger
		Charles Lafourcade
		Patrick de Lesquen
		Dominique Vallier
		Claude Vialard

Val d'Or (Château du)

Grand Cru

Commune : Vignonet. *Propriétaire :* Anne-Marie Bardet. Chef de culture et maître de chai : Philippe Bardet. Œnologue conseil : M. Hébrard. *Superficie du vignoble :* 23 ha. *Age moyen du vignoble :* 25 ans. *Encépagement :* 5 % cabernet-sauvignon. 80 % merlot. 15 % cabernet-franc. *Production :* 138 000 bouteilles en M.D.C. *Visite des chais :* sur rendez-vous. Tél. 57 84 53 16. *Vente au château et par correspondance. Vente par le négoce :* négoce bordelais.

Orval, petite commune de la Dordogne d'où était originaire M. Henri-Gabriel Bardet, devint Val d'Or. Roger Bardet, le fils, a porté son effort sur la construction d'un chai. Trois imposantes cuves en inox élèvent, de chaque côté du cuvier, leurs rondeurs vers une charpente en bois. Le vin est vieilli dans des cuves verrées souterraines.

Vallon de Fongaban (Clos)

Commune : Saint-Emilion. *Propriétaire :* Roger Roberti. Œnologue conseil : M. Pauquet. *Superficie du vignoble :* 7 a 50 ca. *Age moyen du vignoble :* 30 ans. *Encépagement :* 60 % merlot. 40 % cabernet-franc. *Production :* 250 bouteilles en M.D.C. Roger Roberti, 12, avenue de l'Epinette, 33500 Libourne. Tél. 57 74 01 22. *Sans aucun doute, le vin de Saint-Emilion le plus rare, foulé dans une presse à bras et vieilli dans « sa » barrique.*

Veyrac (Château)

Commune : Saint-Etienne-de-Lisse. *Propriétaire :* Jean-Robert Bellanger. Œnologue conseil : M. Chaine. *Superficie du vignoble :* 13 ha 50 a. *Age moyen du vignoble :* 30 ans. *Encépagement :* 10 % cabernet-sauvignon. 80 % merlot. 10 % cabernet-franc. *Production :* 72 000 bouteilles en M.D.C. *Vente au château et par correspondance :* en France et à l'étranger : Suisse, Angleterre. Tél. 57 40 18 37. *Vente par le négoce :* C.V.C.B. Joanne. *« Le seul outil de travail, c'est la terre, dit-il, et vivre indépendant c'est mieux mais ça pose des problèmes quand on est vieux. »*

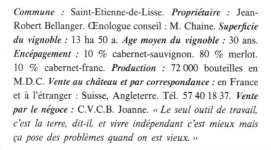

Vieille Tour la Rose (Château)

Commune : Saint-Emilion. *Propriétaires :* MM. Jean Ybert et Fils. Œnologue conseil : laboratoire de Grézillac. *Superficie du vignoble :* 5 ha. *Age moyen du vignoble :* 20 ans. *Encépagement :* 5 % cabernet-sauvignon. 80 % merlot. 15 % cabernet-franc. *Production :* 25 tonneaux. 20 000 bouteilles en M.D.C. *Visite des chais :* Daniel Ybert. Tél. 57 24 73 41. *Vente au château et par correspondance :* en France. *Vente par le négoce. Daniel Ybert aime que l'on attende quelques années avant de bien déguster son vin. Il a raison.*

Vieux Cantenac (Château)

Grand Cru

Commune : Saint-Emilion. *Propriétaire :* Marcel Rebeyrol. *Maître de chai :* Alain Rebeyrol. Œnologue conseil : C.B.C. Libourne. *Superficie du vignoble :* 5 ha 22 a. *Age moyen du vignoble :* 30 ans. *Encépagement :* 10 % cabernet-sauvignon. 70 % merlot. 20 % cabernet-franc. *Production :* 35 tonneaux. 20 000 bouteilles en M.D.C. *Vente au château et par correspondance :* en France et à l'étranger. Tél. 57 51 35 21. *Vente par le négoce. Des rendements très élevés et une très faible acidité fixe. Ce vin a un style moderne qui se consomme jeune et frais.*

Vieux Château Bois Grouley
→ Perey-Grouley

Vieux Château Carré

Grand Cru

Commune : Libourne. *Propriétaire :* Yvon Dubost. Œnologue conseil : M. Callède. *Superficie du vignoble :* 3 ha. *Age moyen du vignoble :* 15 à 20 ans. *Encépagement :* 25 % cabernet-sauvignon. 50 % merlot. 25 % cabernet-franc. *Production :* 24 000 bouteilles en M.D.C. *Visite des chais :* tél. 57 51 74 57. *Vente au château et par correspondance :* M. Dubost, Catusseau, 33500 Pomerol. *Vente par le négoce.*

« Le Vieux Château Carré est situé aux portes de Libourne. Proche des Châteaux Tailhas et Taillefer de Pomerol, il bénéficie du prolongement des sous-sols de cette appellation. Le sol est un sable ferrugineux très chaud permettant des vendanges précoces. Le sous-sol est un lit de « crasse de fer » apportant au vin un riche bouquet. » Yvon Dubost, maire de Pomerol, définit ainsi son domaine saint-émilionnais. Il accueillera très volontiers le visiteur chez lui, à Catusseau, et chacun appréciera autant la qualité de ses productions que la chaleur de son hospitalité.

Vieux Château Croix de Figeac

Grand Cru

Commune : Saint-Emilion. **Propriétaire :** Georges Meunier. Œnologue conseil : M. Pauquet. **Superficie du vignoble :** 3 ha 50 a. **Age moyen du vignoble :** 35 ans. **Encépagement :** 10 % cabernet-sauvignon. 60 % merlot. 30 % cabernet-franc. **Production :** 18 000 bouteilles en M.D.C. **Vente par le négoce :** Villars & Salin (Bordeaux).

Vieux Château des Moines ⚲ → Plaisance

Vieux Château Haut-Béard

Commune : Saint-Laurent-des-Combes. **Propriétaire :** Jean Riboulet. **Superficie du vignoble :** 4 ha 24 a. **Encépagement :** 5 % cabernet-sauvignon. 95 % merlot. **Vente au château et par correspondance :** en France. Jean Riboulet, 23, route de Saint-Emilion, 33500 Libourne ou Les Grandes Plantes, 33330 Saint-Laurent-des-Combes. Tél. 57 24 62 71 ou 57 51 36 40. M. Jean Riboulet est également propriétaire du Vieux Château Hautes Graves Beaulieu à Pomerol.

Vieux Château l'Abbaye

Grand Cru

Commune : Saint-Christophe-des-Bardes. **Propriétaire :** Françoise Lladères. Œnologue conseil : M. Chaine. **Superficie du vignoble :** 75 a. **Age moyen du vignoble :** 25 ans. **Encépagement :** 70 % merlot. 30 % cabernet-franc. **Production :** 4 800 bouteilles en M.D.C. **Vente au château et par correspondance :** Françoise Lladères, Le Cauze, 33330 Saint-Christophe-des-Bardes. Tél. 57 24 77 01. Mouchoir de poche nouvellement repris en main pour le retailler en pochette de luxe.

*étiquette
non
communiquée*

Vieux Château la Demoiselle

Commune : Saint-Christophe-des-Bardes. **Propriétaire :** Jean-Roland Macaud. Œnologue conseil : Gilles Pauquet. **Superficie du vignoble :** 2 ha. **Age moyen du vignoble :** 20 ans. **Encépagement :** 5 % cabernet-sauvignon. 90 % merlot. 5 % cabernet-franc. **Production :** 8 tonneaux. 1 900 bouteilles en M.D.C. **Vente au château et par correspondance :** tél. 57 24 77 24. **Vente par le négoce.** M. le maire de Saint-Christophe-des-Bardes est amoureux de sa vieille Demoiselle qui fait partie de la famille depuis plus d'un siècle.

Vieux Château Mazerat 🛡 → Haut-Mazerat

Vieux Château Montlabert

Commune : Saint-Emilion. **Propriétaires :** M. et Mme Mouli-net. Tél. 57 24 74 27. Œnologue conseil : M. Rolland. *Superficie du vignoble :* 76 a. *Age moyen du vignoble :* 12 ans. *Encépagement :* 65 % merlot. 35 % cabernet-franc. *Production :* 4 tonneaux. *Vente par le négoce :* en vrac Belgique.

Vieux Château Pelletan

Grand Cru

Commune : Saint-Christophe-des-Bardes. **Propriétaire :** Marc Magnaudeix. Œnologue conseil : M. Chaine. *Superficie du vignoble :* 8 ha. *Age moyen du vignoble :* 30 ans. *Encépagement :* 5 % cabernet-sauvignon. 60 % merlot. 35 % cabernet-franc. *Production :* 45 000 bouteilles en M.D.C. *Visite des chais :* toute l'année. Tél. 57 24 77 55. *Vente au château et par correspondance :* en France et à l'étranger. *Le morcellement du vignoble apporte une diversité de sols produisant un vin au caractère bien personnalisé.*

Vieux Château Peymouton

Commune : Saint-Christophe-des-Bardes. **Propriétaire :** Joseph Hecquet-Milon. Œnologue conseil : C.I.V.R.B. Bergerac. *Superficie du vignoble :* 8 ha 50 a. *Age moyen du vignoble :* 15 ans. *Encépagement :* 20 % cabernet-sauvignon. 60 % merlot. 20 % cabernet-franc. *Production :* 43 tonneaux. 20 000 bouteilles en M.D.C. *Vente au château et par correspondance :* Joseph Hecquet-Milon. Les Petities, Saint-André-et-Appelles, 33220 Sainte-Foy-la-Grande. Tél. 57 46 00 52. *Vente par le négoce :* A. Quancard ; Johnston. *Des méthodes modernes pour un vieux château.*

Vieux Château Vachon

Commune : Saint-Emilion. **Propriétaire :** Michel Lavandier. Chefs de culture et maîtres de chai : Thierry et Michel Lavandier. Œnologue conseil : laboratoire de Grézillac. *Superficie du vignoble :* 5 ha. *Age moyen du vignoble :* 25 ans. *Encépagement :* 85 % merlot. 15 % cabernet-franc. *Production :* 30 000 bouteilles en M.D.C. *Visite des chais :* tél. 57 24 71 14. *Vente au château et par correspondance.* *Vente par le négoce :* Maison Sichel & Cie.

Vieux Clos Saint-Emilion (Ch.) ♟♟♟♟♟

Grand Cru

Commune : Saint-Emilion. *Propriétaire :* G.F.A. Le Hénanff-Terras. Administrateur : Michel Terras. Œnologue conseil : C.B.C. Libourne. *Superficie du vignoble :* 6 ha. *Age moyen du vignoble :* 30 ans. *Encépagement :* 20 % cabernet-sauvignon. 50 % merlot. 25 % cabernet-franc. 5 % malbec. *Production :* 36 000 bouteilles en M.D.C. *Visite des chais :* tél. 57 24 60 91. *Vente au château et par correspondance. Vente par le négoce :* négoce bordelais. *Culture et vinification modernes mais 30 % de la récolte sont élevés en barriques neuves.*

Vieux Faurie (Château) ♟♟♟♟♟

Commune : Saint-Emilion. *Propriétaire :* Daniel Giraud. Chefs de culture : Daniel et Sandrine Giraud. Œnologue conseil : C.B.C. Libourne. *Superficie du vignoble :* 6 ha. *Age moyen du vignoble :* 25 ans. *Encépagement :* 10 % cabernet-sauvignon. 80 % merlot. 10 % cabernet-franc. *Production :* 36 000 bouteilles en M.D.C. *Visite des chais :* tél. 57 24 75 45. *Vente au château et par correspondance. Vente par le négoce :* Jean-Pierre Moueix. *Au décès de son père, en 1967, Daniel Giraud avait 19 ans. Depuis lors, il exploite tout seul la propriété familiale, maintenant aidé par sa fille Sandrine.*

Vieux Fortin (Château) ♟♟♟♟♟

Grand Cru

Commune : Saint-Emilion. *Propriétaire :* Marie-Thérèse Tomasina. Métayer : S.C.I. Georges Bigaud et Matignon. Chef de culture et maître de chai : Georges Bigaud. Œnologue conseil : Gilles Pauquet. *Superficie du vignoble :* 5 ha 40 a. *Age moyen du vignoble :* 40 ans. *Encépagement :* 60 % merlot. 20 % cabernet-franc. 20 % pressac. *Production :* 22 000 bouteilles en M.D.C. *Vente au château et par correspondance :* en France. Georges Bigaud, 150, av. du Général de Gaulle, 33500 Libourne. Mme Tomasina, 31 rue Manin, 75019 Paris. *Vente par le négoce :* négoce bordelais. *Petite enclave entre les Châteaux Figeac et Cheval Blanc, ce terroir a de bonnes prédispositions pour la qualité.*

Vieux-Garrouilh (Château) ⌂

→ Union de Producteurs

Vieux Grand Faurie (Château) ⚲
→ Champion

Vieux-Guadet (Château)

Grand Cru

Commune : Saint-Emilion. **Propriétaire :** Jean-François Carrille. Maître de chai : J.-P. Regrenil. Œnologue conseil : M. Rolland. *Superficie du vignoble :* 2 ha 50 a. *Age moyen du vignoble :* 30 ans. *Encépagement :* 10 % cabernet-sauvignon. 70 % merlot. 20 % cabernet-franc. *Production :* 14 000 bouteilles en M.D.C. *Visite des chais :* sur rendez-vous. Tél. 57 24 74 46. *Vente au château et par correspondance :* en France et à l'étranger. Maison d'Aliénor, place du Marcadien, 33330 Saint-Emilion. *Vente par le négoce :* Société Producta, 24130 La Monzie Saint-Martin. *C'est dans un ancien bâtiment du cru que l'on découvrit le testament du père du « Girondin » Guadet.*

Vieux Guillou (Château)

Commune : Saint-Emilion. **Propriétaire :** Paul Menguy. Œnologue conseil : C.B.C. Libourne. *Superficie du vignoble :* 70 a. *Age moyen du vignoble :* 50 ans. *Encépagement :* 30 % cabernet-sauvignon. 40 % merlot. 30 % cabernet-franc. *Production :* 4 500 bouteilles en M.D.C. *Vente au château et par correspondance :* Paul Menguy, Saint-Georges, 33570 Lussac. Tél. 57 74 62 09.

Vieux-Guinot (Château du)

Grand Cru

Commune : Saint-Etienne-de-Lisse. **Propriétaire :** Jean-Pierre Rollet. Chef de culture : Marcel Zamparo. Maître de chai : Luca Zamparo. Œnologue conseil : François Maurin. *Superficie du vignoble :* 10 ha. *Encépagement :* 20 % cabernet-sauvignon. 55 % merlot. 25 % cabernet-franc. *Production :* 59 000 bouteilles en M.D.C. *Vente au château et par correspondance :* en France et à l'étranger. Vignobles Rollet, B.P. 23, 33330 Saint-Emilion. Tél. 57 47 15 13.

« Un vin aussi séduisant dans sa fringante jeunesse aromatique que dans les bouquets de sa maturité épanouie. » Les Rollet sont viticulteurs-poètes de père en fils depuis la majorité de Louis XV. Quant au vin, sa robe est de velours dense et son bouquet revendique une subtile féminité. Mais, selon ses auteurs, le corps est d'une virile fermeté. Tout jeunes, les vins de Vieux-Guinot ont des arômes de griottes qui, avec le temps, évoluent vers la figue sèche et le fruit confit.

Vieux Jean-Marie (Château)

Commune : Saint-Emilion. **Propriétaire :** Georges Fauchier. **Superficie du vignoble :** 1 ha 37 a. **Age moyen du vignoble :** 25 ans. **Encépagement :** 10 % cabernet-sauvignon. 80 % merlot. 10 % cabernet-franc. **Production :** 7 000 bouteilles en M.D.C. **Visite des chais :** tél. 57 51 46 07. **Vente au château et par correspondance :** en France. *On peut faire confiance au Vieux Jean-Marie pour fournir des vins honnêtes.*

Vieux Labarthe

→ Union de Producteurs

Vieux Larmande (Château)

Grand Cru

Commune : Saint-Emilion. **Propriétaire :** Marc Magnaudeix. Œnologue conseil : M. Chaine. **Superficie du vignoble :** 4 ha. **Age moyen du vignoble :** 30 ans. **Encépagement :** 70 % merlot. 30 % cabernet-franc. **Production :** 20 000 bouteilles en M.D.C. **Visite des chais :** toute l'année. Tél. 57 24 77 55. **Vente au château et par correspondance :** en France et à l'étranger. *Je ne suis pas certain qu'une fermentation du raisin en présence de la rafle soit la meilleure des traditions. C'est plutôt une mauvaise habitude.*

Vieux Lartigue (Château)

Commune : Saint-Sulpice-de-Faleyrens. **Propriétaire :** S.C.I. Vieux Lartigue. Administrateur : Claude Mazière. **Superficie du vignoble :** 6 ha. **Age moyen du vignoble :** 20 à 30 ans. **Encépagement :** 30 % merlot. 70 % cabernet-franc. **Production :** 36 000 bouteilles en M.D.C. **Vente par le négoce :** S.A.R.L. Mazière & Cie. Tél. 57 24 70 42.

« Je me connais bien » dit Claude Mazière avec un sourire malicieux. « Le Français est un individu curieux qui sait faire le meilleur vin mais aussi du moins bon. En tout cas, on n'est pas fainéant pour tourner le tire-bouchon. Le vin, ça ne se collectionne pas, ça se boit. Avant nous, y avait les Romains, et puis les Espagnols. On les a concurrencés. Demain : les Américains. Après-demain : les Russes. Nous, on vit sur nos lauriers. Le vin : on le fait, on le vend, on le boit et on le pisse ! » Après ces propos libératoires, j'accorde au Château Vieux Lartigue deux verres avec palme de l'Histoire et citation à l'ordre de Bacchus.

Vieux Lescours (Château) ⚱

→ *Carteau Côtes Daugay*

Vieux-Maurins (Château)

Commune : Saint-Sulpice-de-Faleyrens. *Propriétaires :* M. et Mᵐᵉ Michel Goudal. *Superficie du vignoble :* 8 ha. *Age moyen du vignoble :* 25 ans. *Encépagement :* 22 % cabernet-sauvignon. 55 % merlot. 20 % cabernet-franc. 3 % malbec. *Production :* 55 tonneaux. *Visite des chais :* tél. 57 24 62 96. *Vente au château et par correspondance :* en France et à l'étranger. *Vente par le négoce :* 75 % vendus au négoce.

Créée voici trente ans par les parents de Michel Goudal, cette propriété se situe dans la plaine de Saint-Emilion, entre le coteau et la Dordogne. Elle était autrefois entièrement consacrée à la culture des céréales mais on s'est rendu compte que le vin nourrissait mieux que le pain. Michel Goudal et sa femme ont pris cette terre en exploitation depuis janvier 1984 et ils veulent améliorer chaque année les conditions de culture, de vinification et d'élevage. Leur millésime 1985 apparaît très réussi. Je pense que cette marque devrait faire une bonne percée commerciale et que le Négoce pourrait encourager la généralisation de la mise en bouteilles au Château pour en faire un Saint-Emilion Grand Cru.

Vieux Moulin du Cadet (Ch.)

Grand Cru

Commune : Saint-Emilion. *Propriétaire :* Gilbert Gombeau. Œnologue conseil : M. Chaine. *Superficie du vignoble :* 4 ha. *Age moyen du vignoble :* 28 ans. *Encépagement :* 22 % cabernet-sauvignon. 70 % merlot. 8 % cabernet-franc. *Production :* 24 000 bouteilles en M.D.C. *Vente au château et par correspondance :* en France et à l'étranger. Tél. 57 74 47 16. *La même troupe de gitans vient faire les vendanges chaque année depuis 22 ans. L'origine du vignoble remonte à 1870.*

Vieux Pineuilh (Clos)

Commune : Saint-Christophe-des-Bardes. *Propriétaires :* Mᵐᵉ Veuve Moreau & son fils François. Œnologue conseil : Alain Routurier. *Superficie du vignoble :* 78 a. *Age moyen du vignoble :* 20 ans. *Encépagement :* 30 % cabernet-sauvignon. 35 % merlot. 35 % cabernet-franc. *Production :* 2 tonneaux. *Vente au château :* tél. 57 24 77 61. *Vente par le négoce.*

303

Vieux Pourret (Château)

Grand Cru

Commune : Saint-Emilion. Propriétaire : S.C. du Château Vieux Pourret. Administrateur : Michel Boutet. Œnologue conseil : Remi Cassignard. Superficie du vignoble : 4 ha. Age moyen du vignoble : 35 ans. Encépagement : 80 % merlot. 20 % cabernet-franc. Production : 24 000 bouteilles en M.D.C. Visite des chais : sur rendez-vous. Tél. 57 24 70 86. Vente au château et par correspondance : en France.

Vieux Rivallon (Château)

Grand Cru

Commune : Saint-Emilion. Propriétaire : Charles Bouquey. Superficie du vignoble : 12 ha. Age moyen du vignoble : 35 ans. Encépagement : 10 % cabernet-sauvignon. 50 % merlot. 35 % cabernet-franc. 5 % malbec. Production : 60 000 bouteilles en M.D.C. Visite des chais : sur rendez-vous. Tél. 57 51 35 27. Vente au château et par correspondance : en France et à l'étranger : Belgique, Suisse, Angleterre. Vente par le négoce.

En pied de côte, Vieux Rivallon est situé à l'ouest du plateau de Saint-Emilion. Il voisine avec les vignes des Châteaux Le Grand Mayne et le Couvent des Jacobins. Son propriétaire, Charles Bouquey, est un homme de terrain qui connaît son affaire. « Je suis un viticulteur de racine », lance-t-il avec fierté. Issu d'une longue filiation de vignerons, Charles Bouquey exploite aussi le Château Le Grand Faurie et le Château du Roy. Son vin et lui méritent d'être rencontrés.

Vieux Sarpe (Château)

Grand Cru

Commune : Saint-Christophe-des-Bardes. Propriétaire : Jean-François Janoueix. Chef de culture : Max Chabrerie. Maître de chai : Paul Cazenave. Œnologues conseils : M. Legendre et M. Pauquet. Superficie du vignoble : 6 ha 50 a. Age moyen du vignoble : 20 ans. Encépagement : 10 % cabernet-sauvignon. 70 % merlot. 20 % cabernet-franc. Production : 48 000 bouteilles en M.D.C. Visite des chais : sur rendez-vous. Jean-François Janoueix, tél. 57 51 41 86 ou Max Chabrerie, tél. 57 24 70 98. Vente au château et par correspondance : en France et à l'étranger. Jean-François Janoueix, 37, rue Pline Parmentier, 33500 Libourne.

Le moulin de Sarpe date de 1732. Il a été restauré avec soin. Les vignes s'intercalent entre Haut-Sarpe et Trotte Vieille. On a récemment découvert les sillons creusés dans le calcaire par les Romains qui préparaient ainsi leurs plantations. Au cours des vingt dernières années, les vins du Château Vieux Sarpe ont collectionné les médailles d'honneur. Les clients de la maison sont invités chaque année à venir faire les vendanges. Le cru est bien introduit dans la grande restauration et se prévaut d'une présence quasi institutionnelle à la présidence de la République : les présidents changent, le Vieux Sarpe demeure.

Ville des Maures (Château) ⚱
→ Cardinal-Villemaurine

Villemaurine (Château)   ♟♟♟♟♟

Grand Cru classé

Commune : Saint-Emilion. *Propriétaire :* Robert Giraud. *Œnologue conseil :* M. Guimberteau. *Superficie du vignoble :* 8 ha. *Age moyen du vignoble :* 40 ans. *Encépagement :* 30 % cabernet-sauvignon. 70 % merlot. *Production :* 45 000 bouteilles en M.D.C. *Visite des chais :* du mardi au samedi de 8 h à 12 h et de 14 h à 18 h. Mᵐᵉ Ramos, tél. 57 74 46 44. *Vente au château :* Robert Giraud, Château Timberlay, 33240 Saint-André-de-Cubzac. Tél. 57 43 01 44. *Vente par le négoce :* Robert Giraud S.A., B.P. 31, Domaine de Loiseau, 33240 Saint-André-de-Cubzac.

« Parmi les soixante-douze grands crus, on en trouve deux excellents qui pourraient prochainement mériter une promotion : le Château Villemaurine et le Château Balestard-la-Tonnelle... Au cours des vendanges de 1977, alors que je parcourais les caves spectaculaires de Villemaurine, j'avisai une niche où les anciens propriétaires avaient rangé de vieilles bouteilles. M. Giraud se tenait derrière moi. J'en soulevai doucement une, couverte de moisissures et de toiles d'araignées. C'était un Villemaurine 1899. J'offris à M. Giraud de l'inviter à déjeuner à la condition d'ouvrir cette bouteille. Nous allâmes aussitôt *Chez Germaine* manger un jambon de Bayonne avec du fromage. Après avoir tiré le bouchon qui tombait en poudre, Giraud et moi dégustâmes un vin inoubliable. Un mois plus tard, connaissant désormais cette cachette, nous emportâmes une bouteille du même millésime à l'*Hôtel de Plaisance*, proche de Villemaurine. Notre déjeuner consista en une lamproie à la bordelaise, c'est-à-dire cuite dans une sauce au vin rouge. Cette seconde bouteille de 1899 était bonne et même excellente, mais bien moins mémorable que celle du mois précédent. Nous comprîmes alors comment des vins identiques, du même cru, du même millésime, peuvent différer après un long vieillissement. »
C'est le pape du vin, Alexis Lichine, qui raconte ainsi l'un de ses pèlerinages en Terre sainte... émilionnaise. Je reconnais qu'il a le sens des bonnes affaires car j'échangerais volontiers deux repas à plus de mille francs le couvert contre deux verres de Villemaurine 1899 ! A mon avis, l'aimable Robert Giraud s'est fait avoir. Il aurait au moins pu exiger que Michel Guérard en personne fût aux fourneaux ! En tout cas, cette anecdote vous fait juger de l'exquise simplicité du maître des lieux et des exigences parfois excessives du maître des cérémonies. Les lieux s'appellent Villemaurine – c'est bien connu – depuis l'occupation des Maures qui en firent un camp retranché.
Le château lui-même fut construit au milieu du siècle dernier. L'architecte fut heureusement sobre. Mis à part les vignes vénérables, plantées sur le haut plateau calcaire à l'est de la ville, le site le plus remarquable est constitué par les caves 305

Villemaurine est la seule ville maure où le vin fasse partie de la religion locale.

souterraines, certainement les plus vastes du pays. Elles s'étendent, incroyable mais vrai, sous la quasi-totalité du vignoble et abritent notamment la plus prestigieuse collection de millésimes qu'on puisse rêver, de 1865 à nos jours. Imaginez que les récentes récoltes peuvent y « vieillir » parfaitement à l'aise sans qu'il soit besoin « d'encarrasser » les barriques, c'est-à-dire les empiler les unes sur les autres et que mille cinq cents visiteurs peuvent écluser le vin du cru (rude soutirage !) dans une parfaite unité de temps, de lieu et d'action. Oui, Villemaurine est un grand classique de Saint-Emilion. Aujourd'hui, Robert Giraud exporte directement dans plus de quarante pays. C'est surtout Philippe qui fait le globe-trotter. Tenez, il a rapporté du Venezuela un excellent article rédactionnel sur Villemaurine. On dirait une traduction du Féret : « *Entre los excelentes vinos disponibles en el mercado con buena relacion de callidad-precio, el Château Villemaurine aporta la distinción de su clase que ha merecido los elogios de los catadores más exigentes.* » La prochaine fois, je tâcherai de vous procurer la version en arabe littéral du VIIIᵉ siècle. Villemaurine oblige. Mais, s'il l'avait connu, Mahomet n'aurait pas interdit de boire du vin. Les prophètes, parfois, n'ont pas de clairvoyance.

Viramière (Château)

→ Union de Producteurs

Grand Cru

Viramon (Château)

Commune : Saint-Etienne-de-Lisse. *Propriétaire :* G.A.E.C. Vignobles Lafaye Père & Fils. Administrateur : Joël Lafaye. Régisseur : Michel Lafaye. Œnologue conseil : Ets Chaine & Cazenave. *Superficie du vignoble :* 6 ha. *Age moyen du vignoble :* 25 ans. *Encépagement :* 30 % cabernet-sauvignon. 70 % merlot. *Production :* 42 000 bouteilles en M.D.C. *Visite des chais :* sur rendez-vous. Tél. 57 40 18 28. V*ente au château et par correspondance :* en France. *Vente par le négoce :* places de Bordeaux et Libourne. *Joël Lafaye est un érudit qui ne refuse jamais de faire goûter son cru.*

Vray Petit Figeac (Château)

Commune : Saint-Emilion. *Propriétaires :* MM. Raymond et Jean-Claude Pateau. *Superficie du vignoble :* 1 ha 72 a 85 ca. *Age moyen du vignoble :* 12 ans. *Encépagement :* 10 % cabernet-sauvignon. 75 % merlot. 15 % cabernet-franc. *Production :* 8 tonneaux. *Vente au château :* MM. Pateau, tél. 57 24 76 56. *Vente par le négoce.*

La grande parcelle cadastrale du Petit Figeac couvre une superficie de presque huit hectares. Elle est partagée entre plusieurs propriétaires dont le principal est Thierry Manoncourt du Château Figeac. Les autres ayants droit sont : Dumon, Pateau, les domaines Prats, Signiska et les époux Viaud-Gimberteau. Toute autre utilisation du nom de Petit Figeac que par les viticulteurs ci-dessus désignés serait abusive. La vigne de Raymond et Jean-Claude Pateau se trouve à l'est du lieu-dit. Elle est protégée des vents du secteur nord-ouest par la garenne du Château Figeac. Depuis 1974, on fait la mise au Château. Les merlots sont aujourd'hui en plein rendement.

Yon (Château)

→ Union de Producteurs

Yon-Figeac (Château)

Grand Cru classé

Commune : Saint-Emilion. **Propriétaire :** G.F.A. du Château Yon-Figeac. Administrateur : Bernard Germain. Chef de culture et maître de chai : Pierre Meunier. Œnologue conseil : Jean-François Gadeau. **Superficie du vignoble :** 22 ha 80 a. **Age moyen du vignoble :** 25 ans. **Encépagement :** 80 % merlot. 20 % cabernet-franc. **Production :** 120 000 bouteilles en M.D.C. **Visite des chais :** tous les jours. Tél. 57 74 47 58. **Vente par le négoce :** place de Bordeaux.

« Le vin du Château Yon-Figeac, Grand Cru classé, se recommande par ses qualités de finesse et de moelleux qui le font rechercher des gourmets. A son bouquet très apprécié des connaisseurs, qui provient de la composition géologique du sous-sol, s'ajoute l'agrément de sa couleur nette et brillante, sûr témoignage des soins assidus et compétents qu'on lui prodigue à la propriété, pour assurer sa parfaite pureté. » C'est ainsi que le *Bordeaux et ses vins* de Féret décrit les grandes particularités de ce cru.

Yon-La-Fleur (Château)

Commune : Saint-Christophe-des-Bardes. **Propriétaire :** Jean Menozzi. Œnologue conseil : C.B.C. Libourne. **Superficie du vignoble :** 3 ha. **Age moyen du vignoble :** 30 ans. **Encépagement :** 70 % merlot. 30 % cabernet-franc. **Production :** 14 000 bouteilles en M.D.C. **Vente par le négoce :** Maison Vins de France. *Depuis 1965, Jean Menozzi a succédé à son beau-père sur ce petit vignoble.*

Yon Lavallade (Château) ☖ → Lavallade

Yon Tour-Figeac (Château)

Commune : Saint-Emilion. **Propriétaire :** Raymond Dusseaut. Œnologue conseil : C.B.C. Libourne. **Superficie du vignoble :** 5 ha. **Age moyen du vignoble :** 23 ans. **Encépagement :** 65 % merlot. 35 % cabernet-franc. **Production :** 25 tonneaux. 14 000 bouteilles en M.D.C. **Visite des chais :** tél. 57 24 73 92. **Vente au château et par correspondance. Vente par le négoce :** Maison Lebègue.

L'arbre généalogique des Dusseaut s'enracine au plus profond du terroir libournais, à Saint-Emilion comme en Fronsadais. Pour cette famille vigneronne, la simplicité fait partie de la joie de vivre et la sincérité peut aussi s'appeler amour du métier. Pour le visiteur, la salle de réception c'est la cuisine. Pas de clin d'œil au rustique touristique mais une grande et vraie noblesse, celle que Mauriac nommait l'honnêteté.

Palmarès de l'exposition universelle de 1867 (où 37 crus de Saint-Emilion obtinrent la grande médaille d'or du jury)

Douze années après le fameux classement des crus du Médoc, les meilleurs crus de Saint-Emilion furent également récompensés. Mais ce palmarès ne fut pas officiellement homologué. Cette liste constitue néanmoins un document historique pouvant servir de référence formelle et aussi de délimitation des meilleurs terroirs sur le fondement d'une expérience objective.

Nom du cru	Propriétaire
MONDOT	S. Exc. le président Troplong
L'ARROSÉE	Requier, conservateur des hypothèques
AUSONE	Cantenat
BALESTARD LA TONNELLE	Du Courrech
BEAUSÉJOUR	Ducarpe junior
BÉLAIR (ANCIEN CRU DE CANOLLE)	Baron de Marignan
BELLEVUE	Gaston Lacaze
CADET	Albert Piola
CADET	Duperrieu
CADET	Justin Bon
CANON	Comte de Bonneval, docteur-médecin
LA CARTE	Martineau
CHAPELLE-MADELEINE	Bon Barat
CLOS FOURTET	Emile Leperche
LA CLUSIÈRE	Amédée Thibeaud
CÔTE BALEAU	Le commandant Coste-Cotty
LA COUSPAUDE	Le commandant Lolliot
DAUGAY	Alezais
FONPLÉGADE	Comtesse de Galard
GAUBERT	Corre
LES GRANDS MURAILLES	Malen, commissaire de surveillance à la gare
LARCIS	Ducasse
LA MADELEINE	Domecq-Cazaux
PAVIE	Adolphe Pigasse, docteur-médecin
PEYGENESTOU	Comte Léo de Malet-Roquefort
PIMPINELLE	Fayard
PIMPINELLE	Chapus
SARPES	Ducarpe l'aîné
SARPES	Comte de Carles
SOUTARD	Madame Barry-Berthomieux d'Allard
SAINT-GEORGES	Henri Gourssies
SAINT-JULIEN	Lacombe-Guadet
LES TROIS MOULINS	Duplessis-Fourcaud
TROTTEVIEILLE	Georges Isambert
LAROQUE	Marquis Maurice de Rochefort-Lavie
FOMBRAUGE	Ferdinand de Taffard Saint-Germain
FERRAND	Fornerod de Mons

Les 30 derniers millésimes de Saint-Emilion

Année	Note	Commentaire
1956	8	Année des terribles gelées. Cheval Blanc récolta un seul tonneau.
1957	11	Des vins un peu durs et acides qui ne s'ouvriront jamais.
1958	11	Légers et délicats. Des vins à boire s'il en reste en cave.
1959	16	Au-dessous de leur réputation mais encore très bons dans les grands crus.
1960	10	Année pluvieuse. Soutard fut particulièrement réussi.
1961	19	Réussite générale pour le plus glorieux millésime du demi-siècle
1962	15	Des vins fermés au départ qui ont digéré leur acidité. Excellents aujourd'hui.
1963	0	Pas de récolte déclarée en A.O.C. Saint-Emilion.
1964	13	Des vendanges plus hâtives qu'en Médoc ont sauvé la récolte de la pluie.
1965	0	Pas de récolte déclarée en A.O.C. Saint-Emilion.
1966	13	Bonne année. Des vins vite développés qui commencent à faiblir.
1967	15	Bons vins charpentés et tanniques. Magdelaine et Figeac : remarquables.
1968	3	Moins du quart de la récolte a été déclarée en A.O.C. Saint-Emilion.
1969	12	Année qui n'a pas tenu ses promesses. Quelques bouteilles charmantes.
1970	17	Très belle moyenne de qualité. Des vins d'avenir qu'on peut garder.
1971	15	Un millésime sous-estimé. Vins parfaits aujourd'hui, surtout en côtes.
1972	10	Ne gagneront rien à attendre. Vins dilués sans grande consistance.
1973	14	Réussites irrégulières à Saint-Emilion. Les « graves » sont les meilleurs.
1974	12	Année moyenne. Sans vice ni vertu.
1975	18	Superbes et généreux. Des vins longs à se faire. A léguer aux petits-enfants.
1976	16	Année de surmaturité. Tous les premiers crus de côtes sont magnifiques.
1977	8	Comme en Médoc, année très décevante. Des vins très durs et acides.
1978	16	Souples et équilibrés, des vins floraux et charmants qui sont prêts à boire.
1979	16	Certains les préfèrent aux 78. Ils sont plus corsés mais un peu moins fins.
1980	11	Année très irrégulière. Plusieurs crus ont déclassé tout ou partie.
1981	14	Evolution rapide et favorable. Qualité à peu près constante.
1982	15	Belles vendanges. Quantité et qualité. Des vins très mûrs sans acidité.
1983	17	Excellent millésime. Déjà « buvable » mais qui se gardera longtemps.
1984	12	Peu consistants, des vins mieux réussis en graves qu'en côtes.
1985	18	Millésime de grand avenir s'il tient toutes ses promesses.

Autres déclarants de récolte sur l'A.O.C. Saint-Emilion

Le répertoire qui suit recense des viticulteurs dont les caractéristiques peuvent se résumer ainsi : la plupart sont de petits exploitants ne vivant pas exclusivement du produit de leur vignoble. Ils ne font pas ou très peu de mise en bouteilles et vendent en vrac au négoce. Ils peuvent posséder une marque, généralement issue du cadastre, mais ne pas avoir créé une étiquette. Dans ce cas, le négociant qui achète le vin a le droit de faire imprimer des étiquettes portant la marque d'origine et sa propre raison sociale, sans la mention « Mis en bouteilles au château ». Mais il doit pouvoir présenter à tout contrôleur officiel la facture du fournisseur (éventuellement le bordereau du courtier) portant la mention du cru.

Barail du Maréchal 66 a
Pierre Barre. Barraud,
33330 Vignonet

Belle-Nauve (Ch.) 4 ha 75 a
Carmen Castan. La Nauve,
33330 Saint-Laurent-des-Combes

Bois de l'Or (Ch.) 1 ha 50 a
M. et Mme R. Lenne Ch. du Bois,
33350 St Magne-de Castillon

Cantemerle (Dom. de) 1 ha
André Chatonnet,
33570 Montagne

Castel (Château) 85 a 42 ca
Marcelle Castel-Sartron.
5 rue Dumas, 33500 Libourne

Côtes Bagnol 15 a
Louis Fontaniol.
Franc-Patarabet, 33330 Emilion

Ferrandat (Ch.) 1 ha 39 a 92 ca
Pierre Martin. 33330 Saint-Laurent des Combes

Fine Grave (Château) 3 ha
Patrick Picaud. La Grave,
33330 Vignonet

Fleurus (Château) 1 ha 56 a
Raymond Barraud. Fleurus,
33330 St Sulpice de Faleyrens

Font-Froide (Château) 4 ha
Achille Chagneau
Gueyrosse, 33500 Libourne

Franc-Rozier 2 ha 25 a 29 ca
(Château)
M. André Joussamme.
33330 Saint-Laurent-des-Combes

Fumet Peyroutas 2 ha
(Château)
Jean Valadier. Fumet,
33330 Vignonet

Gerbaud (Château) 5 ha 50 a
Ginette Chabrol.
33330 Saint-Pey-d'Armens

Grand-Nauve (Château) 5 ha
Joseph Castan. La Nauve,
33330 Saint-Laurent-des Combes

Grave d'Artus (Ch.) 1 ha 90 a
Jean Corbière. Dartus,
33330 Vignonet

Guerin Bellevue (Ch.) 2 ha
Marie-Christine Rambaud. La Croix, 33330 Saint-Pey-d'Armens

Haute-Rouchonne 6 ha 15 a
(Château)
Jean Couder. La Rouchonne,
33330 Vignonet

Haut-Guillot (Château) 50 a
Claude Castan. Jean Guillot, 33330 Saint-Christophe-des-Bardes

Jean-Marie (Château) 4 ha
Michel Nicoulaud.
33330 Saint-Emilion

Jehan du Mayne 1 ha 3 a
(Château)
Gérard Mie. Jehan du Maynes
33330 Saint-Emilion

Joly (Château) 3 ha
Marc Vergniol.
Le Canton, 33570 Lussac

La Croix d'Arthus
(Château) 3 ha 71 a 35 ca
Gilles Roux.
Fumet, 33330 Vignonet

La Croix du Merle 2 ha
(Château)
Alain Coustillas.
33330 Saint-Hippolyte

La Mouleyre (Château) 6 ha
Beaucousin. 30 rue des Cordiers,
59400 Cambrai

La Nauve (Château) 3 ha 37 a
M. et Mme Courriere-Simard.
Saint-Aignan, 33126 Fronsac

L'Ancien Manège 67 a
(Domaine de)
Denis Dubois. Chemin de Verdet,
33500 Libourne

La Rose d'Artus 6 ha
(Château)
Jean-Claude Arnaud. Brisson,
33330 Vignonet

Le Roudey 4 ha 45 a
(Château)
Raymond Arnaud. Lara,
33240 Saint-André-de-Cubzac

Lerville (Château) 90 a
Dominique Nicoletti. Le Bourg,
33570 Montagne

Le Sable (Clos) 1 ha 50 a
Michel Batard. Le Sable, 33330 Saint-Christophe-des-Bardes

Les Trois Ormeaux 2 ha 90 a
(Château)
Max Desgal. Le Bert, 33330 Saint-Sulpice-de-Faleyrens

Ligadey (Clos du) 44 a
M. et Mme Paul Pallaro. Ch. Rouzerol, 33350 Sainte-Colombe

Perey (Château) 6 ha
Jean-Claude Faure. Perey,
33330 Saint-Sulpice-de-Faleyrens

Petit-Bert (Château) 10 ha
S.C. Ch. Le Couvent 33330 Saint-Emilion

Peymouton (Château) 60 a
Pierre Dussol. Peymouton, 33330 Saint-Christophe-des-Bardes

Pont (Domaine du) 50 a
Jean-Paul Feyzeau.
Condat, 33500 Libourne

Rol (Domaine de) 1 ha 50 a
Françoise Vivien. Petit-Gontey,
33330 Saint-Emilion

Roucheyron (Château) 4 ha
M. et Mme Pierre Cazenave. Roucheyron, 33330 Saint-Christophe-des-Bardes

Rouy (Clos du) 50 a
Hector Chenard.
Le Bourg, 33330 Vignonet

Saint-André (Château) 1 ha 50 a
Pierrette Arpin. 33570 Montagne

Saint-André (Clos) 60 a
André Desmarty. Grand Mouliney, 33500 Pomerol

Sommeliers (Domaine des)   75 a
Lilaine Blanchet, 28 chemin de
Barreau. 33500 Libourne

Tertre de la Mouleyre
(Château)   4 ha 80 a
Jeanne Guilhon. Moulin du Villet,
33330 Saint-Etienne-de-Lisse

Treilles de Fonzarade   65 a
(Château)
Achille Chagneau. Gueyrosse,
33500 Libourne

Vachon (Château)   1 ha 50 a
Félicien Barfige.
Vachon, 33330 Saint-Emilion

Vieilles Versannes
(Château)   1 ha 15 a
Michel Huck. Les Grandes Ver-
sannes, 33330 Saint-Emilion

Vieille Tour Lescours   20 a
(Château)
Justin Arnaud. La-Chapelle-Les-
cours, 33330 Saint-Sulpice-de-
Faleyrens

Vieux Chantecaille   1 ha 20 a
(Domaine du)
Jean-Marie Estager. 55 rue des
4 Frères Robert, 33500 Libourne

Vieux Peyrouquet   2 ha 33 a
(Château)
Jean-Jacques Cruchet. Boulezon,
33350 Castillon-La-Bataille

Vieux Pin Figeac   80 a
(Château)
La Fleur des Prés, 33500 Pomerol

Dattas, Roger   38 a
126 avenue de l'Epinette,
33500 Libourne

Fonteneau, Armande   15 a
Rue Masson, 33000 Caudéran

Fredont, Rolland   32 a
Les Vergnes, Carré,
33500 Libourne

Gagnaire, Joël   1 ha 50 a
Le Garrouil, 33330 Saint-Sulpice-
de-Faleyrens

Guimberteau, Claude   50 a
Arrialh, 33570 Lussac

Hervé, Jean-Claude   4 ha 50 a
Daugay, 33330 Saint-Sulpice-de-
Faleyrens

Laudu, Pierre   80 a
Binet, Montagne, 33570 Lussac

Paris, Francis   75 a
Résidence le Verdet, 5 allée du
Grand Chêne, 33500 Libourne

Paulin, Moïsette   56 a
Cantenac, 33330 Saint-Emilion

Privat, Robert   63 a
12 chemin des Réaux,
33500 Libourne

Ricco, Francis   30 a
81 avenue Louis Didier,
33500 Libourne

Roux, Jean-André   60 a
Le Pontet, 33330 Vignonet

Sarlat, Henri   50 a
Rue Porte Ste Marie,
33330 Saint-Emilion

Liste des 268 membres de l'Union des Producteurs

AMBLARD Marcel
15 rue Georges Guyemer, 33500
Libourne
AMBLEVERT Guy
33350 Sainte-Florence
ARAOZ Félix
Grangey, 33330 Saint-
Christophe-des-Bardes
ARBOUET Henri
33350 Saint-Magne-de-Castillon
ARNAUD Bernard
Pont Neuf, Sainte-Terre, 33350
Castillon-la-Bataille
ARNAUD Jean-Pierre
Merlande, Sainte-Terre, 33350
Castillon-la-Bataille
ARTEAU Roger
S.C.E. Ch. Larguet, rue de Mme
Bouquey, 33330 Saint-Emilion
AUDIGAY Michel
Bellerive, 33330 Saint-Sulpice-de-
Faleyrens
BABEAU Georges
Rés. Parc Saint Amand, 3 allée
Ronsard, 33200 Bx Caudéran
BALLUE Robert
La Grave, 33330 Vignonet
BARBIER Odette
Malus, 33270 Bouliac
BARTCHIES Bruno
Lagrange, 33330 Vignonet
BAUGIER Jacques-Antoine
Chantegrive, 33330 Saint-
Emilion

BAYLAN Françoise
Labrie, 33330 Vignonet
BEL AIR OUY (G.F.A.)
33330 Saint-Etienne-de-Lisse
BELY Robert
32 rue du Pradas, 33700
Mérignac
BENEYTOUT Josette
Darthus, 33330 Vignonet
BENTHENAT Thérèse
(Indivision)
Le Bourg, 33330 Saint-Pey-
d'Armens
BERGADIEU Jeanne
La Coste de Papey, Sainte-Terre,
33350 Castillon-la-Bataille
BERGERIE Yvon
Le Bidon, 33330 Saint-Sulpice-
de-Faleyrens
BERNARD Alain
Port de Branne, 33330 Saint-
Sulpice-de-Faleyrens
BERTHOUMEYROUX
Christian, 33350 Sainte-Colombe
BERTIN Pierrette
Darthus, 33330 Vignonet
BION Claude
Carteau, 33330 Saint-Emilion
BIRET Jean
La Coste de Papey, Sainte-Terre,
33350 Castillon-la-Bataille
BOISSERIE Louis
Guérin, 33330 Saint-Pey-
d'Armens

BONNEFON Abel
33330 Saint-Sulpice-de-Faleyrens
BONNEFON Georges
33330 Saint-Sulpice-de-Faleyrens
BONNEMAISON Marie-Claude
Mondu, 33330 Saint-Sulpice-de-
Faleyrens
BONNET Jean-Marc
Lartigue Ouest, 33330 Saint-
Sulpice-de-Faleyrens
BONNIN Jean-Claude
Pichon, 33570 Lussac
BORDAS Roland
33330 Saint-Hippolyte
BORDE Denise
Le Bourg, Sainte-Terre, 33350
Castillon-la-Bataille
BORDE Michel
Le Bourg, Sainte-Terre, 33350
Castillon-la-Bataille
BORDIER Alain
route de Branne, 33330 Saint-
Sulpice-de-Faleyrens
BORDIER Jean-Pierre
route de Branne, 33330 Saint-
Sulpice-de-Faleyrens
BORDRON Eric
Petit-Bouquey, 33330 Saint-
Hippolyte
BORDRON Pierre
Petit Bouquey, 33330 Saint-
Hippolyte
BORTOLUSSI Jeanne
Au Panet, 33330 Saint-Emilion   313

BOST Henri
Monturon, 33330 Saint-Laurent-des-Combes
BOULADOU Guy
La Grange, 33330 Vignonet
BOULADOU Michel
33330 Vignonet
BOUQUEY Guy
rue de la Petite Fontaine, 33330 Saint-Emilion
BOUTHE Marc
Mède, 33330 Saint-Emilion
BOUYER Irène
Haut-Piney, 33330 Saint-Hippolyte
BRUGEILLE André
33330 Saint-Sulpice-de-Faleyrens
CANTE Catherine
33420 Saint-Jean-de-Blaignac
CANTE Roger
Fampeyre, 33350 Saint-Magne-de-Castillon
CANTIN Yvan
Lavergne, 33330 Saint-Pey-d'Armens
CARREAU Jean
Pey du Prat, 33420 Grézillac
CARRIERE Annie
37 rue Charles Domercq 33000 Bordeaux
CASTAING Charles
Sainte-Terre, 33350 Castillon-la-Bataille
CASTAING Pierre
Lavagnac, Sainte-Terre 33350 Castillon-la-Bataille
CASTANET Jean
Le Bourg, 33330 Saint-Pey-d'Armens
CASTANET Michel
Le Bourg, 33330 Saint-Pey-d'Armens
CASTEL Jean
Biquet, 33330 Saint-Hippolyte
CASTEL Gilbert
Biquet, 33330 Saint-Hippolyte
CAZENAVE Alain
Destieux, 33330 Saint-Sulpice-de-Faleyrens
CHAMPAGNE Maxime
Clos Cazenave, 33330 Vignonet
CHAMPEAU Moïse-Georges
Le Garrouilh, 33330 Saint-Sulpice-de-Faleyrens
CHANTUREAU Arlette
Pey de Prat, 33420 Grézillac
CHARRIER Albert-Arnaud
Bicot, 33330 Saint-Sulpice-de-Faleyrens
CHARRIER Patrick
33330 Saint-Pey-d'Armens
CHARRON Andrée
Résidence Pierre Ier, 20 av. Victor Hugo, 33110 Bouscat
CHAUMET Guy
19 route des Castors, Le Barp, 33830 Belin
CHAUMET Pierre
Bord, 33330 Saint-Emilion
CHEMINADE Maurice
Peyrouquet, 33330 Saint-Pey-d'Armens
CHEVAL Christiane
Monturon, 33330 Saint-Laurent-des-Combes
CLAMENS Raymond
33330 Vignonet
COCETTA Terzo
Micouleau, 33330 Vignonet
COIFFARD Pierre
La Pierre du Maréchal, 33330 Saint Christophe-des-Bardes

CORBIERE Christian
Merlande, 33330 Vignonet
CORBIERE Jean
Darthus, 33330 Vignonet
COURCELAS René
Pinson, 33330 Saint-Sulpice-de-Faleyrens
COURRECHE Père & Fils (G.A.E.C.)
Les Moureaux, 33330 Saint-Etienne-de-Lisse
CROIZET Jean
Les Billaux, 33500 Libourne
CRAMAIL Pierre
Sainte Terre, 33350 Castillon-la-Bataille
DANGLADE Georges
Clos Lardit, 33940 Barsac
D'ANTHOUARD
198 bis, av. Charles de Gaulle, 92200 Neuilly-sur-Seine
DATAS
35 chemin de Roudet, 33500 Libourne
DELAHAUT Pierre
La Grave, 33330 Vignonet
DELPECH Charles
Les 4 Chemins, 33330 Vignonet
DELPECH Simon
Les 4 Chemins, 33330 Vignonet
DESCUBES Pierre
Ferrandat, 33330 Saint-Emilion
DUBUC Père & Fils (G.A.E.C.)
Le Bourg, 33330 Saint-Pey-d'Armens
DUCAS Yves
141 ter avenue Georges-Clémenceau, 33500 Libourne
DUCHAMP Jacques
La Glaye, 33330 Saint-Pey-d'Armens
DUMIGRON Pierre
La Roseraie, 33500 Libourne
DUMIGRON Yvette
33330 Saint-Laurent-des-Combes
DUMON Pierrette
Le Bourg, 33330 Saint-Etienne-de-Lisse
DUTASTA Gérard
33330 Vignonet
DUVERGE Raymonde
33330 Saint-Sulpice-de-Faleyrens
DUVERGER Michel
Pailhas, 33330 Saint-Hippolyte
DUVERGT Régina
Pailhas, 33330 Saint-Hippolyte
DUVIGNAUD Serge
33350 Mérignas
ELLIES Jean-Jacques
Sainte-Terre, 33350 Castillon-la-Bataille
ESCAICHE Claude
Sainte Terre, 33350 Castillon-la-Bataille
EYMAUZIE Michel
Gombeau, 33330 Saint-Pey-d'Armens
FABERES Jeanne
La Glaye, 33330 Saint-Pey-d'Armens
FAURE Chantal
Le Cloux, 33330 Saint-Emilion
FAURE Henri-Arnaud
Bicot, 33330 Saint-Sulpice-de-Faleyrens
FAURE Jean-Michel
33330 Vignonet
FAURE Paule
6 rue Berthelot, 33130 Bègles
FAURE Robert
La Croix, Sainte-Terre, 33350 Castillon-la-Bataille

FAURIE Christian
Les Cabannes, 33330 Saint-Sulpice-de-Faleyrens
FAURIE Jacques
33330 Saint-Pey-d'Armens
FAURIE Pierre
Moulon, 33420 Branne
FENOUILLAT Louis
Les 4 Chemins, 33330 Vignonet
FORT Pierre
Le Sourd, 33330 Saint-Sulpice-de-Faleyrens
FORTIN Maurice
Labrie, 33330 Vignonet
FOURCADE Serge
Pailhas, 33330 Saint-Hippolyte
FRANC LE MAINE (S.C.E. Château)
Place du Marché, 33330 Saint-Emilion
FRETIER Jean-André
Les Bigaroux, 33330 Saint-Sulpice-de Faleyrens
FRITEGOTTO Mario
Cazenave, 33330 Vignonet
FUGIER Dominique
Billerond, 33330 Saint-Hippolyte
GADRAT Eugénie
Le Bourg, 33330 Saint-Sulpice-de-Faleyrens
GARDRAT Jean
Les Pintey, 33500 Libourne
GARRIGUE Georges
Le Thibeaud, 33330 Saint-Etienne-de-Lisse
GARRIGUE Henriette
Thillet, 33330 Saint-Christophe-des-Bardes
GARRIGUE Patrick
Le Loup, 33330 Saint-Christophe-des-Bardes
GAURY Pierre
Lavallade, 33330 Saint-Christophe-des-Bardes
GEMON Jean-Georges
La Nauve, 33330 Saint-Laurent-des-Combes
GILLOD Juliette
Darthus, 33330 Vignonet
GINTRAC Gilberte
Micouleau, 33330 Vignonet
GIPALOUX Jean
Le Bourg, 33330 Saint-Christophe-des-Bardes
GOINEAU (succ.)
Le Bourg, 33330 Saint-Christophe-des-Bardes
GOUIDON Micheline
Bigaroux, 33330 Saint-Sulpice-de-Faleyrens
GOUREAU René
33480 Castelnau-du-Médoc
GRANDET Henri
Peyrouquet, 33330 Saint-Pey-d'Armens
GUERIN Daniel
Mézieres, 33350 Saint-Magne-de-Castillon
HAAG André
33330 Saint-Sulpice-de-Faleyrens
HAUTE NAUVE (S.C.E. Ch.)
33330 Saint-Laurent-des-Combes
HERNANDEZ Martine
Guérin, 33330 Saint-Pey-d'Armens
ITEY François
33420 Lugaignac
JACQUIER Séraphine
Labrie, 33330 Vignonet
JAMET Lucien
Rabion, 33330 Saint-Pey-d'Armens

JARJANETTE Paul
Pierrefitte, 33330 Saint-Sulpice-de-Faleyrens
JOLLE Jeanne
Les Maurins, 33330 Saint-Sulpice-de-Faleyrens
JOLLE Yvan
Les Maurins, 33330 Saint-Sulpice-de-Faleyrens
JOURDAIN Marthe
12 rue Amanieu, 33130 Bègles
LA BARTHE (G.A.E.C. de)
La Grave, 33330 Vignonet
LABONNE Henri
La Croix, 33330 Saint-Pey-d'Armens
LABRUGERE René
33330 Saint-Pey-d'Armens
LACOSTE Jean-Paul
Pierrefitte, 33330 Saint-Sulpice-de-Faleyrens
LACOSTE Jean-Pierre
Pierrefitte, 33330 Saint-Sulpice-de-Faleyrens
LACOSTE Pierre
Pierrefitte, 33330 Saint-Sulpice-de-Faleyrens
LACROIX Arlette
9 rue Marteau, 33420 Branne
LAFAGE Simone
Matras, 33330 Saint-Emilion
LAFAYE Elie
Le Basque, 33330 Saint-Pey-d'Armens
LAFAYE Jean-Pierre
Picot, 33330 Saint-Pey-d'Armens
LAFOURCADE Charles
Lartigue, 33330 Saint-Sulpice-de-Faleyrens
LANAU Jean-Claude
Lartigue, 33330 Saint-Emilion
LANDRODIE Maurice
Juguet, 33330 Saint-Pey-d'Armens
LAPELLETRIE Claude
La Rouchonne, 33330 Vignonet
LARCIS JAUMA (G.F.A.)
Larcis, 33330 Saint-Christophe-des-Bardes
LARGUILLON Robert
Le Bourg, 33330 Saint-Pey-d'Armens
LASTOUILLAT Huguette
33330 Saint-Pey-d'Armens
LAUTRETTE Arsène
Villemaurine, 33330 Saint-Emilion
LAVIGNAC Michel
33330 Saint-Sulpice-de-Faleyrens
LEDOUX Gisèle
Pierrefitte, 33330 Saint-Sulpice-de-Faleyrens
LE MENN Raymond
33330 Saint-Laurent-des-Combes
LESPINE (S.C.E.)
Place du Marché, 33420 Branne
LESQUEN Marie de
159 Bd Bineau, 92200 Neuilly-sur-Seine
LOISEAU Renée
13 rue F. Dalat, 33500 Libourne
MACAUD Frédéric
Lavergne, 33330 Saint-Pey-d'Armens
MACAUD Yves
Merlande, Sainte-Terre, 33350 Castillon-la-Bataille
MADILLAC Yannick
Maison-Neuve, 33330 Saint-Etienne-de-Lisse
MAGADOR Jean
Darthus, 33330 Vignonet

MAGADOR Jérome
Darthus, 33330 Vignonet
MAGARDEAU Monique
rue Vienne Y Vienne, 33350 Castillon-la-Bataille
MAGONTIER Jean (Indivision)
Pierrelongue, 33330 Saint-Laurent-des-Combes
MALLO Christian
33330 Saint-Hippolyte
MARTIN Jacky
Labrie, 33330 Vignonet
MARTY Elie
Pierrefitte, 33330 Saint-Sulpice-de-Faleyrens
MARTY Irène
33330 Saint-Christophe-des-Bardes
MARTY Martin
Ferrachat, 33330 Saint-Pey-d'Armens
MAUVINON (G.F.A. du Château)
33330 Saint-Sulpice-de-Faleyrens
MAYE Raymond (Sté)
Mérignas, 33350 Castillon-la-Bataille
MAZOLENNI Noël
33330 Saint-Pey-d'Armens
MEYNIER Henri
Doulezon, 33350 Castillon-la-Bataille
MICHELET Simone
Lescure, 33330 Saint-Hippolyte
MIE André
Merlande, Sainte-Terre, 33350 Castillon-la-Bataille
MINARD Didier
Laubier, 33420 Saint-Jean-de-Blaignac
MODET Huguette
rue Guadet, 33330 Saint-Emilion
MONSALUT Elisée
La Garelle, 33330 Saint-Emilion
MOULIN Georges
La Glaye, 33330 Saint-Pey-d'Armens
MOULINIE Antoinette
33570 Saint-Georges
MOURGUET Jean
Micouleau, 33330 Vignonet
MOYRAND Jean Yves
Lamothe, Montravel, 24230 Velines
NAULET Gisèle
105 avenue Louis Didier, 33500 Libourne
NEBOUT Germaine
Le Bourg, 33330 Saint-Etienne-de-Lisse
NICOT René
Le Bourg, 33350 Saint-Genès-de-Castillon
NIOTEAU Maurice
Gontey, 33330 Saint-Emilion
NOUVEL Jean-Jacques
Fontfleuri, 33330 Saint-Emilion
NOUVEL Josette
Porte Bouqueyre, 33330 Saint-Emilion
NOUVEL-GROS Françoise
Porte Bouqueyre, 33330 Saint-Emilion
OUVRET Jean
Chemin de la Bordette, 33500 Libourne
PAGE Michel
Rotebœuf, 33330 Saint-Laurent-des-Combes
PAGES Robert
La Chapelle-Lescours, 33330 Saint-Sulpice-de-Faleyrens

PAGNAC Jean
La Glaye, 33330 Saint-Pey-d'Armens
PAGNAC Léopold
Le Fraiche, 33330 Saint-Pey-d'Armens
PALLARO Denis
Justice, 33330 Saint-Etienne-de-Lisse
PALLARO Jean
Parsac, 33570 Lussac
PALMERI Charles
33330 Saint-Sulpice-de-Faleyrens
PALMERI Gérard-Jean-Marie
33330 Saint-Sulpice-de-Faleyrens
PAPILLAUD René
Saint Quentin de Chalais 16210 Chalais
PAVAGEAU Loïc
Thillet, 33330 Saint-Christophe-des-Bardes
PENARD Suzanne
Rue de la Fontaine, 33330 Saint-Emilion
PENCHAUD Guy
Bigaroux, 33330 Saint-Sulpice-de-Faleyrens
PERRIER Joëlle
33330 Saint-Christophe-des-Bardes
PETIT-GRAVET (S.C.E. Ch.)
Porte Bouqueyre, 33330 Saint-Emilion
PEYRAT Michel
Lartigue, 33330 Saint-Emilion
PICCOLO Bernard
33330 Saint-Hippolyte
PIERRE Jean
203 rue de Lossegrand, 75014 Paris
PINAUD Michel
Brisson, 33330 Vignonet
PINEY (S.C.E. Château)
33330 Saint-Hippolyte
POUILLET Jean-Claude
33350 Saint-Magne-de-Castillon
QUENOUILLE Jean
Yon, 33330 Saint-Christophe-des-Bardes
QUINSAC Jean
Brisson, 33330 Vignonet
QUINTANA
Micouleau, 33330 Vignonet
REDON Denis
Cuzor, 33330 Vignonet
RIBOULET Jean
Haut-Béard, 33330 Saint-Laurent-des-Combes
RIPES René
Le Garrouilh, 33330 Saint-Sulpice-de-Faleyrens
RIVIERE René
Résidence de la Croix Rouge n° 7, 33230 Coutras
ROBIN Alain
Billerond, 33330 Saint-Hippolyte
ROBIN Joëlle
Darthus, 33330 Vignonet
ROBISSOUT Andrée
130 rue du Président Doumer, 33500 Libourne
ROBLES Joseph
Petit-Bouquey, 33330 Saint-Hippolyte
ROCHE Jean
Le Grand Sable, 33330 Saint-Hippolyte
ROCHEREAU Roger
Le Cros, 33330 Saint-Emilion
RODHAIN François
Les Bigaroux, 33330 Saint-Sulpice-de-Faleyrens

ROLAIT Serge
Courpiac, 33119 Frontenac
ROUSSELOT Daniel
Micouleau, 33330 Vignonet
ROUX Gilles
Darthus, 33330 Vignonet
ROUX Jean-André
Darthus, 33330 Vignonet
ROY Jean
Sainte-Terre, 33350 Castillon-la-
Bataille
SABY Marie Françoise
Rue Pline Parmentier, 33500
Libourne
SABY Roger
Rue Pline Parmentier, 33500
Libourne
SAHUNET Jean Claude
Grande Rue, 33420 Branne
SAUJON Jeanne
Le Bourg, 33330 Saint-Sulpice-
de-Faleyrens
SUSZKA Conrad
Le Bourg, 33330 Saint-Sulpice-
de-Faleyrens
SEGONZAC Michel
6 Impasse François Mauriac,
33500 Libourne
SERRE Jean
Caperot, 33330 Saint-Sulpice-de-
Faleyrens
SERRE Pierre
33330 Saint-Sulpice-de-Faleyrens

SERVANT Elisée
Pierrefitte, 33330 Saint-Sulpice-
de-Faleyrens
SERVANT Patrick
Le Garrouilh, 33330 Saint-
Sulpice-de-Faleyrens
SIMON Guy
Le Gueyrot, 33330 Saint-
Laurent-des-Combes
SINSOU André
Lavallade, 33330 Saint-
Christophe-des-Bardes
SOULAS Jean-Pierre
Les Dagueys, 33500 Libourne
SOULET Henri
Le Bourg, 33330 Saint-Sulpice-
de-Faleyrens
SOUPRE Pierre
La Glaye, 33330 Saint-Pey-
d'Armens
SOUPRE Roger
33330 Saint-Pey-d'Armens
SULZER François
La Bonnelle, 33330 Saint-Pey-
d'Armens
TABBACCHIERA (S.D.F.)
Bourret, 33330 Saint-Pey-
d'Armens
TARIS-LOIRY Michel
Les Alizées, 33560 Carbon blanc
THILLET Gabriel
Sainte-Terre, 33350 Castillon-la-
Bataille

TRIBAUDEAU Marc
Mauvinon, 33330 Saint-Sulpice-
de-Faleyrens
VALADE Francis
Charlot, 33330 Saint-Emilion
VALADE Philippe
Le Bourg, 33330 Saint-Sulpice-
de-Faleyrens
VALADIER Michel
33330 Saint-Hippolyte
VALADIER P. et M. et Mme
DUFAGET (S.D.F.)
Fonrazade, 33330 Saint-Pey-
d'Armens
VALLADE Albert
Petit-Bigaroux, 33330 Saint-
Sulpice-de-Faleyrens
VALLIER Dominique
La Michelette, 33330 Saint-
Laurent-des-Combes
VERGNE Michel
19800 Rouffiat-de-Sarran
VIALARD Claude et Colette
(S.D.F.)
25 rue Brochand, 75017 Paris
VIMENEY André
Le Bourg, 33330 Saint-Sulpice-
de-Faleyrens
VIROL Simone
Cazenave, 33330 Vignonet
XANS Roger
Le Jonc, 33330 Saint-Sulpice-de-
Faleyrens

Index des propriétaires

316

318

Crédits photographiques
Toutes les photographies de cet ouvrage ont été réalisées
par Luc Joubert, Bordeaux
à l'exception de celles dues
à Claude Hervé, Libourne (61)
et Douglas Metzler, Paris (jaquette, 16, 72, 134, 155)

GRAHAM CHAPMAN   PAUL BUTTERFIELD

HRAN   NAT KING COLE   ROBERTO CLEME

DARIN   JAMES DEAN   JOHN COLTRANE

LLIS   BRIAN EPSTEIN   DIVINE   DOMINI

LD   JUDY GARLAND   RAINER WERNER FAS

N   BILLIE HOLIDAY   LOU GEHRIG   LOW

DY   JACK KEROUAC   BUDDY HOLLY   BR

CE LEE   JOHN LENNON   MARTIN LUTHER

RPE   BOB MARLEY   CAROLE LOMBARD

D   MARILYN MONROE   CHRISTA MCAULI

MUNSON   RICK NELSON   KEITH MOON

E PARKER   SYLVIA PLATH   PHIL OCHS

NER   OTIS REDDING   ELVIS PRESLEY

STEVIE RAY VAUGHAN   JESSICA SAVITCH

ILSON   NATALIE WOOD   FATS WALLER

TOO YOUNG TO DIE

MALLARD
PRESS

An imprint of BDD Promotional Book Company, Inc.

Mallard Press and its accompanying design and logo are trademarks of BDD Promotional Book Company, Inc.

First published in the United States 1991 by The Mallard Press.

All rights reserved.

ISBN 0-7924-5449-9

Library of Congress Card Catalog Number 91-65675

Contributing Writers:

Dan Kening, a regular contributor to the *Chicago Tribune,* is a pop music writer for *Chicago Magazine* and has written for many other entertainment publications.

David O'Shea is a free-lance writer whose work appears regularly in *American Film Magazine, US,* and *TV Guide.*

Jay Paris, a former editor of *Ohio Magazine,* is a free-lance writer whose work appears frequently in *Reader's Digest, Yankee Magazine,* and the *Boston Globe.*

■ CONTENTS ■

During a bleak November weekend, a stunned nation united in front of millions of television screens to mourn John Kennedy, the dashing young president cruelly struck down by an assassin's bullets. On a cold winter afternoon in Central Park's Sheep Meadow, thousands of men and women gathered silently to remember John Lennon in a place that had often pulsed with the super-amplified sounds of be-ins and rock concerts. For many years her doting ex-husband kept fresh red roses in a vase on Marilyn Monroe's crypt, expressing an undying love that is shared by millions of people who knew her only through movies and photographs. Most of us never shook hands with Jack, John, or Marilyn, but when they died young, we mourned them as if they were family and we go on missing their presence in our lives as though they had been dear friends.

The death of any young person is especially poignant, but when a famous person dies young, we feel the loss keenly. A career pointing toward greatness will never come to fruition. The unfulfilled potential of Janis Joplin, Thurmon Munson, Jim Henson, or Martin Luther King Jr. leaves us with wistful thoughts of what might have been.

We will always remember what we were doing when we heard that Elvis had died or that Bobby Kennedy had been shot. We continue to ask ourselves how could Superman kill himself? Why would anyone want to murder Sal Mineo? Why was Natalie Wood swimming alone? Couldn't James Dean simply slow down? Why didn't Jim Henson go to the hospital sooner?

We can guess at the answers. We can speculate about what might have happened if Malcolm X had become a national leader or if Gilda Radner had recovered from cancer. We also can honor the accomplishments of these young people. Putting aside wistful musings about what might have been, this book celebrates the successes of short lives lived to the fullest. The accomplishments of these 74 men and women in sports, civil rights, movies, country, jazz, blues, soul, and rock music, art and literature, television, and politics speak for themselves.

They may have died young, but they are remembered for their courage and their commitment to the vigorous pursuit of life.

On Christmas morning in 1960, 14-year-old Howard Duane Allman was given his first motorcycle. His little brother, Gregg, got a guitar. Gregg soon learned to make music; Duane wrecked his cycle, but he salvaged parts from the broken bike and traded them for a guitar of his own. Within a year the Allman brothers were playing at sock hops in Daytona Beach, Florida, and calling themselves the Kings. They played with other local bands until 1965, when they formed the Allman Joys. The group toured the South, cut a single, but failed to impress anyone.

Duane drifted out to Los Angeles with a new band called Hour Glass. After recording two albums for Liberty Records, Duane returned to Florida. He started playing with the Second Coming in Jacksonville but also traveled frequently to Muscle Shoals, Alabama, home of Rick Hall's Fame Studios. Backing up such greats as Aretha Franklin, King Curtis, and Percy Sledge, Duane made a name for himself as an extraordinary session guitarist. At Duane's suggestion Wilson Pickett recorded Lennon and McCartney's "Hey Jude," with Allman's guitar giving credence to the performance.

In 1969 Duane got the break he had been hoping for. Jerry Wexler, vice-president of Atlantic Records, offered him a solo contract. Allman pulled together a new band with drummers Jai Johanny Johanson and Butch Trucks, guitarist Dickey Betts, bassist Berry Oakley, and brother Gregg on keyboards. Once assembled, the Allman Brothers Band settled in Macon, Georgia, where Phil Walden was setting up Capricorn Records.

The band's first album blends strains of blues, soul, rock, and country into the electrifying sound that launched Southern rock music. As their second album, *Idlewild South*, climbed the charts, the Allman Brothers were tapped to play at New York's Fillmore East, the rock mecca of moment. During their concert there in March 1971, the band recorded a double album. It was released in July and eventually reached the top ten, but Duane did not live long enough to see his band regularly called America's best rock 'n' roll group.

On October 29, 1971, Duane Allman was riding his motorcycle down Macon Street when a tractor trailer pulled in front of him. He lost control of the bike, trying to avoid a collision. The band played at Duane's funeral. Only a year later, they gathered somberly again to bury Berry Oakley, who had been killed in a motorcycle crash just three blocks from the site of Duane's fatal accident.

1946-1971

Duane Allman shaped the engaging new sound of the early Allman Brothers Band with his masterful slide work, which interacted powerfully with Dickey Betts' forceful technique.

1951-1991

Republican party strategist Lee Atwater played a significant role in shaping the tactics George Bush used during his presidential campaign in 1988.

Not long after he was appointed chairman of the Republican National Committee, Lee and the president accompanied the band during a blues concert in Washington.

Few men in politics have been equally celebrated and reviled to the same extent as political strategist Lee Atwater. As manager of the Republican presidential campaign, he organized the dirty but successful strategy George Bush used against Michael Dukakis in the 1988 election. Bush's victory was the crowning achievement of Atwater's career.

Lee was born on February 27, 1951, into a middle-class South Carolina family. He was a poor student in high school but began to flourish intellectually at the state's Newberry College. After his freshman year, his mother got him a job as an intern for Senator Strom Thurmond. Lee traveled throughout South Carolina with Thurmond, learning the basics of Republican politics. After graduating from college, Lee became the executive director of the College Republicans in Washington, D.C. There he first met George Bush, who was then the chairman of the Republican National Committee. Bush won Lee's lifelong friendship when he lent Lee his boat to impress a date, Sally Dunbar, who eventually married Atwater.

In early 1974 Lee returned to South Carolina, where he managed the ill-fated GOP gubernatorial primary campaign of the former Vietnam War commander General William Westmoreland. In 1978 Lee's mentor Strom Thurmond hired him to manage his Senate reelection campaign. Lee's "dirty tricks" tactics against challenger Charles Ravenal earned him national notoriety.

Glib, candid, and colorful, Lee quickly moved up through the political ranks, serving as the Southern coordinator for the 1980 Reagan-Bush campaign. He was the deputy national manager for their equally successful 1984 campaign. His specialty was converting disgruntled Democrats to the GOP by using such issues as crime, school prayer, gay rights, and abortion. In 1988 he managed the Bush-Quayle campaign. His infamous exploitation of the case of Massachusetts murderer-rapist Willie Horton helped defeat Massachusetts governor Dukakis. After the election Bush rewarded Atwater by choosing him to head the Republican National Committee.

In March 1990 Lee was hospitalized following a seizure. He was diagnosed as having brain cancer. After battling his illness for a year, Lee died on March 29, 1991, at a Washington, D.C. hospital. He was 40 years old.

Motown Records achieved phenomenal success during the 1960s, and the label's top group, the Supremes, with Diana Ross, Florence Ballard, and Mary Wilson, were among the era's biggest stars. While Diana went on to succeed as a solo star, Flo's life after she left the Supremes was filled with heartbreak and tragedy.

Flo was born on June 30, 1943. She grew up with Diana and Mary in Detroit's Brewster public housing project. In 1959 the trio began singing together as the Primettes. A few years later, when Motown's president Berry Gordy discovered them, they were already calling themselves the Supremes.

1943-1976

Under Gordy's watchful eye, the girls became stars. After "Where Did Our Love Go" hit the top of the charts in 1964, the Supremes racked up an amazing record of 12 number-one hits. During those heady times, lead singer Diana was the group's focal point, but Flo was the crowd pleaser, who was known for her humorous ad libbing.

By 1967 Diana's ambition could no longer be ignored, and the group was now billed as Diana Ross and the Supremes. Gordy repeatedly called Flo on the carpet for her drinking and her ballooning weight. Late in 1967, he finally fired her from the group. A heartbroken Flo briefly attempted a solo career, but she was barred from billing herself as a former Supreme and got few bookings. Cut off from Diana, Flo occasionally contacted Mary Wilson, who kept the Supremes going after Diana left the group in 1969.

For Flo the beginning of the end was losing her house in Detroit in 1974. She went on welfare and was forced to move with her three daughters back into the Brewster project. Later that year, Mary flew her out to Los Angeles, where she was introduced at a Supremes' concert and received a standing ovation. Shortly after this, $50,000 was mysteriously deposited in her bank account. Some people say Diana was her benefactress. Flo immediately bought a new house and a new Cadillac, and splurged on expensive Christmas presents for her daughters. But her happiness was short lived. She died of cardiac arrest on February 22, 1976, at the age of 32. Her mother, Lurlee, felt that she knew the true cause of Flo's early death: "I think she really died of a broken heart."

During the good times, while the original Supremes were still together, Diana Ross (right) and Mary Wilson (center) always credited Florence Ballard (left) with founding the dynamic trio.

This publicity photograph was taken in 1965 at the height of the Supremes' fame.

1949-1982

In 1978 John Belushi starred in *National Lampoon's Animal House*, a tasteless but funny movie set in a small college town in the early 1960s.

The comic genius of John Belushi lives on in the samurai butcher from *Saturday Night Live*, the rhythm-and-blues-loving hipster Joliet Jake Blues from *The Blues Brothers*, and the frat boy from Hell, Bluto, in *National Lampoon's Animal House*. A larger-than-life talent with a self-destructive streak to match, John's aggressive "take no prisoners" style has influenced the generation of comedians and actors who grew up watching him on *Saturday Night Live*. John's younger brother, Jim Belushi, carries on the family name, but watching his talent develop and mature, you cannot help wondering what new heights John Belushi might have reached if he had had more time.

The son of an Albanian immigrant restaurant owner, Adam Belushi, and his wife, the vivacious Agnes, John was born in Chicago. He grew up in suburban Wheaton, where the family moved when John was six. Perhaps he was overcompensating for his status as the first male Belushi born in America, but John became the perfect all-American boy during his high-school years. The cocaptain of the Wheaton Central High School football team, he was elected his school's homecoming king his senior year. He also developed an interest in acting and appeared in the high school variety show.

Encouraged by his drama coach, John put aside his plans to become a football coach and decided to pursue acting. After graduation in 1967, he joined a summer stock theatre troupe in rural Indiana. That summer John played a variety of roles from Cardinal Wolsey in *Anne of a Thousand Days* to a hipster jazz man in *The Tender Trap*.

In the fall John started his freshman year at the University of Wisconsin at Whitewater. He grew his hair long and started attending more anti-Vietnam War rallies than classes. Dropping out of Wisconsin, John spent the next two years at the College of DuPage, a junior college a few miles from his parents' Wheaton home. His father was pressuring him to become a partner in his restaurant, but John stuck to his guns about acting.

While he was attending DuPage, John helped found the West Compass Players, an improvisational comedy troupe patterned after Chicago's famous Second City ensemble. By 1971 he made the leap to Second City itself, where he joined a cast that included Harold Ramis (*Ghostbusters*), Joe Flaherty (*SCTV*), and Brian Doyle-Murray (*Saturday Night Live*).

In this scene from *Saturday Night Live*, John hides his signature samurai butcher's pigtail with a baseball cap and visits a psychiatrist's office, where he finds no solutions to his emotional problems.

John and Judy Belushi were married in 1977. They had been high-school sweethearts and were still married at the time of John's death, even though Judy was worried and angered by John's constant heavy drug use.

John loved his life at Second City. He performed six nights a week, perfecting the physical "gonzo" style of comedy he made famous on *Saturday Night Live*. Soon, he was ready to move on, and within a year, John and his high-school sweetheart, Judy Jacklin, were living in New York. John had joined the cast of *National Lampoon's Lemmings,* an off-Broadway rock musical revue that was originally booked for a six-week run but played to capacity audiences for 10 months. John's performance was singled out by a reviewer for the *New Yorker,* who labeled him "a real discovery."

In 1973 John was hired as a writer and actor for the syndicated *National Lampoon Radio Hour.* Along with the *National Lampoon Show* staged the following year, the radio show was a prototype for the Not Ready for Prime Time Players on *Saturday Night Live.*

The Lampoon spinoffs brought John many fans, but in 1975 the groundbreaking television series *Saturday Night Live* made him a star. The aggressively physical style of humor he had begun to develop at Second City flowered on SNL, where Belushi portrayed an angry killer bee with the same intensity he brought to his impressions of Marlon Brando or Joe Cocker.

In 1978 John had a small part in the movie *Goin' South,* directed by and starring Jack Nicholson. That part was just a warmup for his classic role as the beer-swilling Bluto in *National Lampoon's Animal House,* the year's top-grossing comedy. John's performance stole the movie, which portrays fraternity house shenanigans at a small college in the early 1960s. Bluto's rallying cry, "Toga, Toga, Toga," became the anthem of John's growing legions of fans. That year, he also had a smaller and more serious role in another movie, *Old Boyfriends.*

In 1979, after four years in the cast, John quit SNL to devote himself to making movies. He and his best friend Dan Aykroyd appeared as pilots in Steven Spielberg's relatively unsuccessful *1941*. Around this time John's drug use escalated. Cocaine, which was ubiquitous in show-business circles in the late 1970s, was John's drug of choice. His recurrent cocaine binges became a source of friction between John and Judy, whom he had married in 1977.

John's love for blues and soul music inspired the Blues Brothers. He and Aykroyd first appeared as Joliet Jake and Elwood Blues, a pair of white soul men dressed in black suits with skinny ties, pork-pie hats, and Rayban sunglasses, in a skit on SNL. Backed by some of the best musicians in the business, their recreations of 1960s soul classics by Sam and Dave, Otis Redding, and James Brown rocketed the first Blues Brothers album, *A Briefcase Full of Blues,* to the top of the record charts in 1980.

Building on the success of the album, John made the movie *The Blues Brothers,* directed by John Landis. Filmed on location in John's home territory, Chicago, the movie gave him a chance to feature some of his musical heroes, including Ray Charles, Aretha Franklin, and James Brown. Belushi also opened a private club, the Blues Bar, for the duration of the shooting. This gave him, Aykroyd, and the rest of the cast a place to blow off steam at the end of a long day of shooting. Landis said of John at the time, "If he doesn't burn himself out, his potential is unlimited."

John's reputation as an off-screen party animal is legendary, but his generous side is less well known. He bought his father a ranch outside San Diego, where the senior Belushi could realize his lifelong dream to be a cowboy. John helped set up some of his Chicago buddies in their own businesses and kept a close eye on brother Jim, who had followed his path through both Second City and *Saturday Night Live.*

John got good reviews in his next two movies, but neither one did great business at the box office. In *Continental Divide* he played a hard-boiled Chicago newspaper columnist who finds romance in Colorado with eagle expert Blair Brown. He and Aykroyd appeared together once again in the 1981 movie *Neighbors,* which gave them a chance to reverse roles: John was the stable family man whose life is turned upside down when wild man Aykroyd moves in next door.

In 1982 John began work on the screenplay for his next movie, *Noble Rot.* In early March he checked into a bungalow at the Chateau Marmont, a popular celebrity hotel in Los Angeles. His steady use of cocaine in recent weeks had alarmed his family and friends, but he continued to promise his wife that he would quit drugs once and for all.

John Belushi was found dead in his room on March 5, 1982. The Los Angeles coroner's office gave the cause of death as a lethal injection of both cocaine and heroin. Several years later, his companion during his last few days, Cathy Smith, was sentenced to three years in prison for injecting him with the drugs. Close friend James Taylor sang "That Lonesome Road" at a service at the Martha's Vineyard cemetery where John is buried. He was 33 years old.

Roaches, land sharks, and other animals found their way into SNL sketches, but the killer bees were a regular feature of the program, with John portraying the angriest bee of them all.

In the 1980 movie *The Blues Brothers*, John as Joliet Jake Blues and Dan Aykroyd as Elwood Blues attempt to raise $5,000 for an orphanage and cause about $50 million in property damage.

1925-1966

Lenny Bruce was detained for two hours at the airport when he arrived in London on April 8, 1963, and then sent back to Idlewild Airport in New York.

Some people feel that Lenny Bruce was a pioneer comedian who lampooned society's problems. Other people feel he was a foul-mouthed exponent of "sick" humor. Either way, the controversial comedian became a legend after his death, inspiring books, plays, and a feature film about his life and times.

Lenny Bruce started life as Leonard Alfred Schneider on October 13, 1925, in Mineola, Long Island. His English-born father, Myron, was a podiatrist. His mother, Sadie, was a dancer who used the stage name Sally Marr. Lenny's parents divorced when he was five. To support herself and her child, Sadie continued her dancing career, sending Lenny to stay with various aunts, uncles, and grandparents. Later, he wrote in his autobiography, *How to Talk Dirty and Influence People:* "My childhood wasn't exactly an Andy Hardy movie."

Although he dropped out of high school, Lenny was an avid reader and largely educated himself. He enlisted in the Navy in 1942, but he won a discharge by convincing a team of Navy psychiatrists that he was a homosexual. With some help from his mother, Lenny began doing impressions, one liners, and movie parodies in nightclubs. In 1948 he was "discovered" on the television show *Arthur Godfrey's Talent Scouts.* In 1951 the budding comedian married Honey Harlowe, a red-haired stripper. The marriage broke up five years later, and after Honey was busted for a narcotics violation, Lenny raised their daughter, Kitty, by himself.

Lenny began to work his way up from seedy strip joints and jazz clubs. In his act he was a dark, slender, and intense figure who prowled the stage like a caged animal and spoke into a hand-held microphone. His monologues were peppered with four-letter words and Yiddish expressions. Lenny lampooned racism by forcing his audiences to examine their own racial prejudices. In one famous routine, he asked, "Are there any niggers here tonight?"

Toward the end of his life, Lenny spent most of his time alone in his apartment writing. This photograph was taken during those bleak days.

Lenny Bruce directed his considerable wit and humor against the hypocrisy of the times in which he lived. Unfortunately, the hypocrisy he hoped to debunk eventually destroyed first his career and then Lenny himself.

and then proceeded to count the number of "kikes, spics, and guineas" in the house. Another of his favorite targets was organized religion. In "Religions, Inc." he acted out a conversation between Oral Roberts and the pope, with both men talking in the vernacular of glib show-business personalities.

Through his nightclub appearances and record albums, Lenny became the hipster saint of the comedy world, crossing the line of propriety where others feared to tread. By the early 1960s, he began to take on the persona of a prophet as much as a standup comedian. "Sometimes I see myself as a profound, incisive wit, concerned with man's inhumanity to man," he once said. "Then I stroll to the next mirror, and I see a pompous, subjective ass."

In 1964 Bruce was arrested on an obscenity charge following a New York club appearance. As he listened to a police inspector read from his notes about his performance, Lenny said, "Listen to him. He loves doing my act." Despite testimony on his behalf by noted writers, critics, educators, and politicians, Lenny was found guilty.

Continually harassed by the police, Lenny became depressed and paranoid. Further prosecutions for obscenity and narcotics charges drove him closer to instability. By 1965 he was broke and $40,000 in debt. He claimed that every time he got a gig the police would threaten to arrest the club owner if he let Lenny go onstage. In February 1966 Lenny played Los Angeles for the first time in several years. Bearded, flabby, and haggard, he performed for a small crowd that included several hecklers and some vice-squad detectives. His performance centered on his current obsessions: his constitutional right of free speech, free assembly, and freedom from unreasonable searches and seizures. When a friend asked him why he had turned his back on comedy, he said, "I'm not a comedian anymore. I'm Lenny Bruce."

On August 3, 1966, Lenny was found lying naked on the bathroom floor of his Hollywood home, with a hypodermic needle stuck in one arm. He was dead from a narcotics overdose at the age of 40.

British authorities felt it was in the public interest to refuse Lenny Bruce permission to enter Great Britain. The comedian's V-sign salute was his ironic response.

1942-1987

Growing up in Chicago, Paul Butterfield learned to play flawless blues harmonica by jamming with some of the all-time great blues men.

Paul Butterfield and Mike Bloomfield, along with other members of Paul's band, backed Bob Dylan at Newport for his controversial first electric performance.

Paul Butterfield was a Chicago blues man whose band renewed interest in the kind of American music known as the blues in the years following the British Invasion of the music scene in the United States. He was born on December 17, 1942, and studied classical flute for 10 years. During high school Paul took up the harmonica, and by the time he was 16, he was playing in some of Chicago's best South Side blues clubs. Such blues legends as Howlin' Wolf and Little Walter let Butterfield jam with them. His fiery solos awed the audience. How could a skinny white kid play the blues with the same fervor as an old-time black blues man from Mississippi?

Paul attended the University of Chicago, where he met Elvin Bishop. Together they formed the six-member Butterfield Blues Band. In the mid 1960s, they were one of the most popular and controversial bands in Chicago. The controversy centered around the belief of blues traditionalists that using amplification and blending folk, jazz, and rock with the blues was heresy. Butterfield's band was not a blues band according to traditionalists, but the kids who flocked to the group's concerts could have cared less.

The record companies also took notice. In 1965 *Butterfield Blues Band* was released on the Elektra label. Guitarist Mike Bloomfield joined the group for the recording sessions. At the Newport Folk Festival in Rhode Island, Butterfield's band blew the house down, stealing the show from Bob Dylan. The band was gaining a good reputation, but they were not yet nationally known stars.

In 1967 the band was transformed by the addition of horns. Charles Dinwiddie on tenor sax, Keith Johnson on trumpet, and David Sanborn on alto sax made up the expanded lineup. This version of the band released two albums. They were critically well received but did not sell especially well. Bishop left the group in 1968, and Butterfield attempted to reorganize his band. By 1971 only Sanborn and Dinwiddie were left. Playing with this band, Butterfield achieved a large cult following.

In 1972 Paul decided to make a serious attempt to appeal to the largest possible audience. The Butterfield Blues Band became Paul Butterfield's

Better Days. From 1972 until 1981, the group recorded for the Bearsville label. The band made several albums but none was very successful, so Paul again changed his lineup.

In 1981 Paul was stricken by an attack of diverticulitis, which caused his intestines to burst. His serious illness kept him away from playing for four long years. When Butterfield tried to return to the studio, he encountered financial problems. Bearsville would not fund his project. Eventually, he found backing from Amherst Records of Buffalo, New York. *Paul Butterfield Rides Again* was released in 1986.

Paul Butterfield was found dead in his North Hollywood apartment on May 4, 1987. His friends felt that he had died because there was just no more fight left in him. "His music was all he ever had," said Bishop. Although Butterfield did not reach the kind of audience he would have liked, he influenced several great blues men, including Robert Cray and Stevie Ray Vaughan. Butterfield may have never sold a million records, but he honed his craft and passed it along to other musicians.

In 1972 Paul moved to Woodstock, New York, where he formed Paul Butterfield's Better Days, shown here at a recording session.

1950-1983

Karen Carpenter's remarkably
clear voice blended with her
brother's mellow tones to
create a unique sound that was
well suited to the excellent
material the duo recorded.

The song title chosen as the name for the 1971 television variety series Karen Carpenter hosted with her brother expresses the theme of Karen's short career, *Make Your Own Kind of Music.* Bucking current trends to join rock and pop, the Carpenters created a densely layered sound that was entirely their own.

Karen was born in New Haven, Connecticut, on March 2, 1950. In 1963 her family moved to Downey, California. Before the move her brother Richard, who had begun playing piano when he was nine, had been taking lessons at Yale. In California the music in the Carpenter household was dominated by what Karen called "the three Bs": the Beatles, the Beach Boys, and Burt Bacharach. Karen wanted to be a drummer, and the only formal training she ever received was with her high school's marching band.

In 1965 Richard decided to put together an instrumental trio, with Karen on drums and their friend Wes Jacobs on bass and tuba. Karen was only 16 years old when the group competed in a battle of the bands at the Hollywood Bowl. She was really reluctant about playing, but as often happened, Karen's parents and brother urged her to go ahead and perform. The group won first place and a recording contract with RCA.

After cutting two LPs that were never released, the trio broke up. Karen formed a band of her own with four other students from Cal State. The group called itself Spectrum, sang harmony very well, and played several local gigs before disbanding.

Karen and Richard made several demo tapes in a friend's garage. Richard overdubbed the tapes creating a unique sound, which eventually came to the attention of Herb Alpert. He liked what he heard and offered the Carpenters a contract with A&M. Borrowing from their three Bs, the Carpenters' first hit was a reworking of the Beatles' "Ticket to Ride." Then they recorded Bacharach's "Close to You"; it sold a million copies in 1970. Add to an ever-increasing list of hit singles an Academy Award, a world tour, and a television series, and the Carpenters became one of the most successful groups of the early 1970s. For Karen the high point of those heady years was an invitation to the White House. President Nixon asked the Carpenters to perform at a state dinner honoring West German leader Willy Brandt on May 1, 1974. The president told them they were "young America at its very best."

To the president and her other fans, Karen may have looked as though she were on top of the world. But she was suffering from anorexia nervosa, a mental illness characterized by obsessive dieting. In 1975 the Carpenters were forced to cancel a European tour because Karen was too weak to perform. Struggling to take control of her life, at the age of 26 (in 1976), Karen moved out of her parents' home and into a nearby apartment.

In 1980 she married a real estate developer named Thomas J. Burris. The next year she and her brother were back in the recording studio. Their 1981 LP, *Made in America,* had several hit singles, including "Touch Me

Although she had little formal training, Karen became a strong drummer, who seemed at home behind her kit.

Karen was not a natural performer. From her first appearance in competition at the Hollywood Bowl throughout her career, she needed a lot of encouragement from her brother and parents to urge her onto the stage.

When We're Dancing." But Karen was unable to shake her deepening depression. She spent most of 1982 in a New York City hospital undergoing treatment. By then her marriage had fallen apart, and Karen began divorce proceedings.

Karen started 1983 with renewed hope. She had gained weight and was planing to return to the studio. For the first time in several years, she was making public appearances. This was one of the few times since she became a professional recording artist that Karen felt really good about herself.

On February 4, 1983, Karen went over to her parents' house to sort through the wardrobe she kept there. Karen was in a walk-in closet when, without warning, she collapsed from cardiac arrest. Karen Carpenter was pronounced dead later that same day. The doctors said that her long battle with anorexia nervosa had stressed her heart.

1942-1981

A tireless performer, Harry Chapin booked 200 concerts a year, more than half of which were charity gigs that raised millions of dollars for worthy causes.

Unlike many folk-rock stars, Harry Chapin continued to play acoustic guitar throughout the 1970s.

Without the hard work of Harry Chapin, the Presidential Commission on Hunger might never have been created. For several years Chapin lobbied on Capitol Hill and barraged the president with requests that he do something about America's hungry people. Finally, in 1978, Jimmy Carter agreed to establish the commission, but he insisted that Chapin continue to be actively involved. The president also requested that the activist performer report directly to him, which naturally Chapin was only too glad to do.

Harry cared deeply about people. He liked ordinary folks and did not pal around with other stars. He sang about the things he believed and the people he cared about. Most of Chapin's folk ballads recount the stories of regular people, from taxi drivers and factory workers to estranged lovers.

Chapin was born on December 7, 1942. His family was not working class, as you might expect from his music. His dad was the jazz drummer "Big Jim" Chapin, and his grandfather was the noted philosopher and literary critic Kenneth Burke. Chapin's family was close-knit and musical. When he was just a little kid, Harry played trumpet and guitar with his brothers, Steve and Tom, around their Brooklyn Heights neighborhood in New York City. The family act disbanded temporarily when Harry decided to attend the Air Force Academy. When that did not work out, he completed his college education with a semester at Cornell University, where he studied filmmaking.

Music may have been Harry's first love, but he always had many other interests. He flew airplanes, played pool like an expert, and made movies. *Legendary Champions,* a documentary about boxing, earned a 1969 Oscar nomination. That same year, Harry also directed and wrote the score for another documentary, *Blue Water, White Shark.*

While he was making movies, Harry was also playing in Greenwich Village with a band that included his brothers and sporadically his father. For a short time, he also appeared with his brother Tom in a group called Brothers and Sisters, along with Carly and Lucy Simon. His debut album, *Heads and Tales,* was released in 1972. With his album on the charts and his song "Taxi" in the top 40, Harry was nominated for a Grammy for Best New Artist.

Chapin produced 10 albums during the 1970s, but this multitalented performer was never content to repeat past successes. In 1975 he wrote and

starred in a multimedia Broadway show, *The Night That Made America Famous.* That same year, he also wrote a book, *Looking . . . Seeing.* Along with everything else he was doing, for five years Harry also coproduced and coauthored some of the music for his brother Tom's children's television series, *Make a Wish.* Most important to Chapin were his tireless efforts toward helping the world's poor. He served on the boards of directors of many not-for-profit organizations. Harry also gave much of the income from his album sales and his 200 yearly concert appearances to charity.

In 1981 he had released his eleventh album, *Sequel,* and was planning to produce a ballet set to his music. On July 16 Harry was traveling along the Long Island Expressway on his way to a business meeting. An erratic driver, whose license had been suspended several times, slammed into his car. Harry Chapin was killed instantly.

Thirteen members of the House of Representatives eulogized him for his contributions as a humanitarian. Consumer activist Ralph Nader suggested that Chapin allowed his generosity and good will to impede his own career: "People in the music business often condescend to those who sing too much for free." Nader went on to call Harry a modern-day hero. If he were alive today, Harry would have participated in We Are the World and other projects that help hungry people. Without his early efforts, these events, which the music industry now considers fashionable, might never have taken place.

1941-1989

In one of his hilarious roles on the Monty Python television series, Graham Chapman dons a military uniform and proceeds to act nutty.

Even in the company of the five other eccentrics who made up Monty Python, Graham Chapman stood out—all six feet four inches of him. A medical doctor with a degree from Cambridge, he was openly gay long before it was socially acceptable. Graham was always uniquely himself, always his own man. On the Monty Python television series, he often portrayed poker-faced upper-class twits, who were the brunt of the other Pythons' jokes. John Cleese and Eric Idle usually got the funnier parts and most of the glory, but as Cleese said later, Chapman was "probably the most talented actor of us all."

Graham was born in Leicester, England, on January 8, 1941, while a Nazi blitz was in full swing over the town. His father was a police inspector and probably inspired the constables Graham so often portrayed in Python sketches. Graham studied medicine in college and earned an M.D., but he never tried to earn a living as a doctor. At Cambridge he took part in a series of comedy revues, and by the time he graduated, he knew what he wanted to do with his life.

In 1969, along with Cleese, Idle, Michael Palin, Terry Jones, and Terry Gilliam, Graham formed the comedy group Monty Python. Their BBC television series, *Monty Python's Flying Circus,* was an instant hit. Their off-kilter, inherently English style of humor was delightfully original but completely accessible. For Graham and the rest of the Pythons, there were no sacred cows—not politicians, not the royal family, and certainly not Britain's imperial past. Before the show appeared on public television, many people assumed that Americans would find Monty Python much too British to be funny. But PBS had never had a larger audience than when stations began to rerun the old Python shows beginning in the mid 1970s. The classic Python routines have become standard college humor. People know entire sketches, such as the "Pet Shop," "Argument Clinic," or "Crunchy Frog," and almost every student knows a chorus of the lumberjack or Spam songs.

The Pythons' movies, which did very well at the box office when they were first released, are also cult favorites. Graham played the title role in the 1979 movie *The Life of Brian* in which he is delightfully sweet and simple minded. He is also a not-so-masterful King Arthur in the group's earlier movie, *Monty Python and the Holy Grail.*

It may seem ironic that Graham was part of a comedy troupe that often made jokes about "queers" and "pooftahs," but Python's humor was always genuinely funny and not homophobic. Chapman never tried to hide his homosexuality and was open about his long-term relationship with writer David Sherlock. They were together for 24 years, including all the time Chapman was with Monty Python. Graham was a cofounder of Britain's *Gay News.* He also adopted and raised a teenage runaway, John Tomiczek.

By the late 1970s, most of the Pythons were pursuing independent projects. In 1983 Graham wrote and starred in the movie *Yellowbeard,* which received largely negative reviews. In 1988 with his companion, David

In the 1983 movie *Monty Python's the Meaning of Life*, John Cleese is the headmaster, and from left to right, Eric Idle, Michael Palin, Graham Chapman, and Terry Jones are his students.

Sherlock, he cowrote and starred in the short-lived CBS-TV series *Jake's Journey*. In the show he played a wizard who takes a young boy on fantastic adventures in time.

A longtime alcoholic, who suffered liver damage before he stopped drinking in 1977, Graham's health went into decline in 1988. A routine visit to his dentist revealed a tumor on his tonsil. Another tumor on his spine later confined him to a wheelchair. Graham underwent a series of operations as well as radiation therapy. Whenever he was hospitalized, he had to deny rumors that his illness was the result of AIDS.

In his wheelchair Chapman attended the September 1989 taping for the Monty Python twentieth-anniversary television special. But in early October he was hospitalized after suffering a massive hemorrhage. Graham Chapman died of throat and spinal cancer on October 13, 1989. Some of his last visitors were his old friends and partners, Cleese and Palin. Ironically, in an interview promoting *Jake's Journey* in late 1988 Graham had said, "I really feel now that I'm about to start on my life."

1934-1972

At the end of the 1972 season, Roberto Clemente joined the exclusive 3,000-hit club. But a plane crash three months later robbed him of hit 3001.

Roberto Clemente was one of major league baseball's all-time greats. His .317 lifetime batting average is impressive, as was his daring on the base paths and cannon of an arm in right field. But he is best remembered as the first Latin American baseball superstar. He has become a model for kids, showing them a way to rise above poverty by following the path he blazed to the major leagues.

Roberto was born on August 18, 1934, in Carolina, Puerto Rico. He was the youngest of seven children. His dad, Melchor, was a foreman on a sugarcane plantation, and his mom, Luisa, ran the plantation's grocery store. He had a happy childhood and later said, "My mother and father worked like racehorses for me." Most kids growing up in Puerto Rico play baseball, and Roberto was just like everyone else—an avid fan and a serious player. When he was 17 years old, Roberto was drafted by a Puerto Rican team, the Santurce Cangrejeros (Crabbers). He played three seasons for them. After batting .356 in 1953, he was signed by the Brooklyn Dodgers for a $10,000 bonus. At the time this was the largest bonus ever given to a Latino ballplayer.

The Dodgers assigned Roberto to their Montreal farm team in the International League. Brooklyn managers had so much faith in Roberto's potential that they instructed his manager to use Roberto sparingly so that scouts from other teams would not notice him. In the 1950s one team could draft another team's minor league players. Of his time in Montreal, Roberto later said, "If I struck out, I stayed in the lineup. If I played well I was benched. I didn't know what was going on, and I was confused and almost mad enough to go home."

Despite their precautions, the Dodgers lost Roberto to the Pittsburgh Pirates. The team drafted him in 1954. Given the chance to be the Pirates' everyday right fielder, Clemente responded immediately, batting .255, .311, .253, .289, and .296 in his first five seasons with the team. Roberto was a major factor in Pittsburgh's 1960 World Series championship. That year he hit .314 during the regular season and .310 in the World Series against the New York Yankees. He was disappointed to come in only eighth in the balloting for that year's Most Valuable Player award. Years later he told a reporter, "I was bitter. I still am." The longer he spent in the major leagues, the more vocal Roberto became about the lack of recognition given to Latin- and African-American ballplayers.

Despite his achievements on the field, the press began to portray Roberto as a malingerer. He was injured frequently. His teammate Bill Mazeroski excused Roberto. "When he was hurt he had trouble explaining himself because of the language problem, and everyone thought he was jakin' (malingering). I don't think he ever jaked."

From 1961 to 1965, Roberto consistently batted more than .300. In 1966 he had his career's best records in home runs and RBIs: He hit 29 home runs and batted in 119 runs. That year the nation's sportswriters made up for their past omissions by naming him baseball's Most Valuable Player. Roberto

A hard-hitting slugger, Roberto
Clemente won four batting
titles, compiling a .317 lifetime
batting average.

had another banner year in 1967, leading the National League in batting with a .357 average. When *Sport* magazine polled baseball managers that year, they named Roberto Clemente as the game's top player. One manager said, "He's not only the best today—he's one of the best that's ever played baseball."

After suffering a series of back injuries in 1968 and batting only .291, Roberto briefly considered retiring from baseball. Luckily, he reconsidered. In 1969 he batted .345, only three points behind National League batting champion Pete Rose of the Cincinnati Reds. Clemente hit well despite suffering a shoulder injury.

The Pirates became a major force again in 1970, winning the National League East division with the considerable help of Roberto's .352 average. He had become such a hero in Puerto Rico that when the Pirates held Roberto Clemente Night to honor him about 300,000 Puerto Ricans signed a salutary telegram to him. The following year, the Pirates went all the way, winning the 1971 World Series against the Baltimore Orioles four games to three. Roberto was the hero of the series, batting .414 and hitting two home runs.

Following that season, Roberto Clemente, now 37 years old, seemed to be a changed man. He had largely forgotten earlier slights and misun-

Roberto Clemente, number 21 for the Pittsburgh Pirates, warms up his arm during spring training in 1958.

Before an exhibition game, Roberto Clemente receives one of the many awards for outstanding play that he won during his career in the major leagues.

derstandings from the press. His wounded pride was almost healed. After 17 years in the major leagues, he knew he was a great ballplayer and so did everyone else. Through it all Roberto never forgot his roots. With his wife, Vera, and their three sons, Roberto Jr., Luis, and Enrique, Roberto continued to live in Puerto Rico during the off-season.

At the beginning of the 1970s, Roberto was making just over $100,000 a year. When he demanded a $160,000 salary after the 1971 season, he had more than his own family's benefit in mind. Always proud of his home country, Roberto was very active in Puerto Rican causes. On his own he built a sports city for disadvantaged youth. "They spend millions of dollars for dope control in Puerto Rico," he said. "Why don't they attack it before it starts? You try to get kids so they don't become dope addicts, and it would help to get them interested in sports."

In December 1972 Roberto helped organize relief efforts for victims of a major earthquake in Nicaragua. On December 31 he was aboard a plane carrying supplies bound for Nicaragua when it crashed shortly after takeoff. The 38-year-old superstar, Roberto Clemente, was killed instantly.

Roberto once said, "Anybody who has the opportunity to serve their country or their island and doesn't, God should punish them. If you can be good, why should you be bad?" Puerto Ricans were devastated by the loss of their hero. The inaugural ceremonies for the island's governor were canceled out of respect for Clemente. Just 11 weeks after his death, Roberto Clemente was enshrined in baseball's Hall of Fame—the first Latino player to be so honored.

Today's country women singers owe a lot to Patsy Cline. Before she hit the airwaves, country women were rarely heard on the radio. At concerts women were valued more for their looks than their musical talents. While men had plenty of opportunities to wail about lost romances, broken dreams, and missed opportunities, the women were expected to sing low-key gospel tunes. Then along came Patsy.

She was born Virginia Patterson Hensley on September 8, 1932, in Winchester, Virginia. At the age of four, Patsy won her first talent prize, tap dancing in an amateur contest. By the time she had entered grade school, she was impressing her family with her musical ability. To encourage her talent, Patsy's mother presented her with a new piano on her eighth birthday. Piano lessons helped Patsy learn the basic music patterns. On Sundays she sang with the church choir. By the time she was 14 years old, Patsy was singing regularly on the radio. She got the gig on her own by walking fearlessly into the station and asking for an audition.

When Patsy was 15, her parents divorced, reportedly because of her father's heavy drinking. Without her dad around to pay the bills, music became even more important to Patsy. In the evenings she earned money for her family by singing in clubs. During the day she worked behind the counter at a drugstore. With so much to do, she let her schoolwork slide, and by the end of the year, she officially dropped out.

In 1948 the determined and resourceful Patsy maneuvered herself backstage when Wally Fowler brought his show to her hometown. She persuaded the country gospel singer to listen to her sing. Fowler, who was a regular at the Grand Ole Opry, was sufficiently impressed by her voice to arrange an audition for Patsy with the Opry in Nashville. Confident that she would pass the audition with flying colors, Patsy made plans to settle in Nashville. To her disappointment, the Opry said she was not yet ready for big-time country radio. Despondent, Patsy returned to Winchester, where she continued to hone her talent.

Throughout the early 1950s, Patsy tried to make her mark in the music world. She also fell in love and married Gerald Cline. In 1952 she was the featured vocalist in Bill Peer's Melody Playboys of Brunswick, Maryland. Peer helped Patsy land her first recording contract with 4 Star Records in 1954. She returned to Nashville for the recording sessions, but her early recordings for 4 Star had little effect on her career. Patsy continued to earn her living with live performances, including several appearances at the Opry. In late 1955 Patsy became a regular on *Town and Country Time*, a show hosted by Jimmy Dean in Washington, D.C. She still was not a big star, but she was determined to become one. As often happens to women intent on success, Patsy's fierce determination earned her a reputation for being tough, argumentative, and assertive.

In January 1957 Patsy finally got her big break. She appeared as a contestant on *Arthur Godfrey's Talent Scouts*. For her first network television

1932-1963

Patsy Cline may have sung about one heartache after another, but onstage and off she did not have a victim's personality. She was one tough gal.

Patsy Cline served her apprenticeship as a singer in rough-and-tumble barrooms, where she learned to belt out a tune over the din.

appearance, Patsy selected a torch song that she had recorded a year earlier, "Walkin' After Midnight." When she finished singing, the audience went wild. Patsy won first prize and became a regular on Godfrey's show for the next two weeks. "Walkin' After Midnight" rose quickly on both the country and pop charts. After nine years of struggle, experimentation, and hard work, Patsy Cline had become a star. Unfortunately, her success came with a price she had not anticipated. Patsy's drive and ambition put a tremendous strain on her marriage. Soon after her first appearances on national television, she and Gerald filed for divorce.

In the late 1950s, Patsy briefly shifted her focus away from her career and concentrated on her personal life. She married Charlie Dick, and they soon had two children. Patsy's intense interest in singing could not be kept on a back burner for very long, and when Patsy resumed her career with her usual intensity, her second marriage also felt the strain.

In 1960 Patsy was invited to join the Grand Ole Opry and soon scored her second hit, "I Fall to Pieces." Her record producer, Owen Bradley, took advantage of Patsy's rich voice and backed her with lush string arrangements rather than the twangy sound of a steel guitar, which was heard on

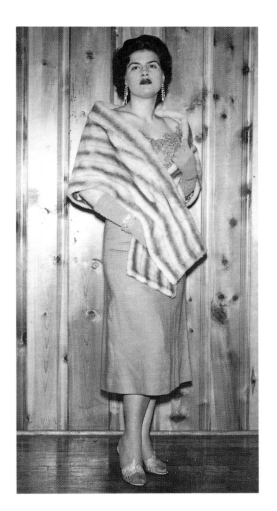

Some country singers are jealous of one another's success, but Patsy, who was fearlessly aggressive about her career, was a good friend to everyone in the business.

Patsy worked hard to achieve success, and she was never ashamed to flaunt what she had whether it was her powerful voice or a new fur stole.

most country-and-western records made at that time. Patsy's sound is a unique blend of emotional hillbilly vocal arrangements and understated pop instrumentation. Her style of music came to be known as the Nashville Sound. Ironically, Cline was not pleased with either "Walkin' After Midnight" or "I Fall to Pieces." Anxious to stay true to her roots, she often expressed a desire to yodel and growl on her records. But she understood that the Nashville Sound was giving her career a major boost and used it during the next two years on several more records, which also become big hits.

On March 5, 1963, Patsy traveled from Nashville to Kansas City, where she appeared in a benefit concert for the family of disc jockey Jack McCall, who had been killed in a traffic accident. Immediately following the performance, she boarded a small plane along with country-Western performers Cowboy Copas and Hawkshaw Hawkins, and Copas's son-in-law Randy Hughes, who piloted the aircraft. Eighty-five miles west of Nashville, the plane encountered some turbulence and crashed. There were no survivors. Shortly before her death, Patsy had been confident that her most recent release, "Sweet Dreams," also would become a hit. It reached number five on the country charts after Patsy Cline died.

1938-1960

A talented guitarist and an energetic performer, Eddie Cochran was one of the first rock musicians to recognize the potential of overdubbing. He performed all the parts on many of his hits.

The first time Eddie Cochran picked up a guitar he was 12 years old. Playfully strumming its strings, the young man felt like he was creating magic. The following Christmas Eddie's parents gave him his first guitar. From then on, mastering his guitar became Eddie's primary focus. When he was not at home practicing, he was at a music store listening to the latest records. Eddie soon became so adept on the guitar that his friends often asked him to play at parties. His music had a particular effect on the young partygoers. It made them want to swerve their hips in rhythm to Eddie's pulsating sounds.

Eddie was born in Oklahoma City on October 3, 1938, and grew up in Minnesota. When Eddie was 14 years old, his family moved to Bell Gardens, California. The kids in Eddie's new neighborhood were intrigued by the sounds they heard coming through his open bedroom window. Word of the new teenager's musical talents quickly spread through the small suburb, and before long Eddie was enjoying his newfound status as a local celebrity.

Songwriter Jerry Capehart was particularly impressed with Eddie when he heard him sing. In 1956 Jerry had formed Ekko records. He recorded Eddie and a friend, Hank Cochran, who was no relation. They called themselves the Cochran Brothers, and their records were not big hits.

At this time Elvis Presley was taking the country by storm with his soulful singing and gyrating hips. Si Waronker, an executive at Liberty records, heard Eddie's music and thought he might be able to make Eddie into Liberty's answer to Elvis. Waronker arranged a meeting with Eddie to discuss his recording solo for Liberty. Since Hank had already left California for Nashville, where he planned to write and record his own material, Eddie decided the timing was right and hoped that Liberty had the know-how to deliver what he wanted most—a hit record.

To launch Eddie's solo career, Liberty records arranged for him to make a brief appearance in a feature film, *The Girl Can't Help It*, starring Jayne Mansfield. Eddie sang "Twenty Flight Rock." Liberty intended to release the song as Eddie's first single but substituted "Sittin' in the Balcony." The record shot to number 18 on the charts, but Eddie was determined to succeed with his own identity. He turned to his buddy Jerry Capehart for help. In the spring of 1958, they collaborated on "Summertime Blues," experimenting with different arrangements for the song until they hit upon what would become known as Eddie's signature sound, a combination of acoustic guitars, hand clapping, and a hard driving beat. "Summertime Blues" scored big with teenage listeners and quickly became one of Liberty's biggest successes. Suddenly, the label was no longer interested in making Eddie sound like Elvis.

In 1959 Eddie met Sharon Sheeley, who had written Ricky Nelson's hit "Poor Little Fool." The couple exchanged opinions about various groups and discovered that their tastes were similar. Eddie asked Sharon if she would write

The stance, the clothes, and the slicked-back hair were de rigueur for a teen idol, but Eddie Cochran's considerable musical talent made him more than just another cool kid with a guitar.

Eddie's unique style and the way he tuned his Gretsch semi-acoustic guitar changed the direction of rock music, especially in England, where he was a major influence on Peter Townshend as well as many New Wave guitarists.

a song with him. Their collaboration produced "Somethin' Else," which Liberty released in September 1959.

In early 1960 Eddie toured England for 10 weeks. Recognizing that the road could be lonely, he invited Sharon to join him. The tour closed with a week's engagement in London. The next day, Eddie and Sharon were scheduled to return to the States on an early-morning flight. During the chauffeur-driven ride to the airport, Eddie and Sharon enthusiastically exchanged ideas about the new songs they wanted to write together. On a lonely stretch of road near Chippenham, Wiltshire, one of the tires suddenly blew out. The driver tried to steer the swerving car off the road and out of the way of an oncoming vehicle, but he collided with the other car. Sharon's back was permanently injured. Eddie Cochran sustained severe head injuries and died several hours later on April 17, 1960.

1919-1965

Nat "King" Cole's unique voice
could transform the most
ordinary tune into a masterful
jazz number

In the 1940s the line between black music and white music was clearly drawn. Nat "King" Cole crossed that line with a soft, sure step that opened the way for other musicians, including his own daughters Carol and Natalie. Cole faced down prejudice without flamboyance, relying on his incredible integrity to see him through every crisis.

Nathaniel Adams Coles, the youngest son of Rev. Edward and Perlina Coles, was born in Montgomery, Alabama on March 17, 1919. His family soon moved to Chicago, and along with his brothers, Nat received his first musical training at the True Light Baptist Church, where Edward was the pastor and Perlina was the choir director. Before he ever took a music class in school, Nat could improvise jazz tunes on the piano. With some formal training, he had become the church's organist by the time he was 12.

While he was still in high school, Nat put together his first band. When he was 17 years old, Nat got his first professional gig as the arranger and conductor of a road show called *Shuffle Along.* During the tour he married one of the chorus girls, Nadine Robinson. When the show disbanded in Los Angeles, the young couple put down roots and began performing in local clubs. Nat soon got a trio together with Oscar Moore on guitar and Wesley Prince on bass. He dropped the *S* from his last name and was dubbed the King by a nightclub manager who asked Cole to wear a gold paper crown as a promotional gimmick.

In the late 1930s, the group was playing the hottest New York and Hollywood nightclubs. Shy and insecure about his quiet singing voice, it never occurred to Nat to step in front of the microphone as a vocalist until his trio almost lost a club date because it did not have a singer. Reluctantly, he accepted the advice of his friend, veteran composer Phil Moore, and began to sing.

Capitol records decided to risk promoting a middle-of-the-road black artist and released Cole's classic "Straighten Up and Fly Right." (Nat claimed that one of his dad's sermons inspired the song's lyrics.) Capitol's risk paid off with a half million sales in 1943 and 1944. On later releases he strayed further from his jazz roots, and soon Cole was appearing with full-sized orchestras, sometimes with the trio and other times solo. In 1946 the King Cole Trio replaced Bing Crosby on the Kraft Music Hall Show. Nat became the first African-American musician to host his own network radio program.

This suave, easygoing performer was plagued with controversy he did not create and could not control. The press criticized his style because it made "white girls swoon," but other black musicians thought that Cole didn't have enough soul. In 1948 he and his second wife, Marie Ellington, bought a home in the fashionable Hancock Park suburb of Los Angeles. Homeowners protested the sale of the property to an African American, but the Supreme Court defended his right to own the home.

In 1953, when this photo was taken, Cole often played piano, but by the late 1950s, he was known primarily as a singer.

The King Cole Trio, with Wesley Prince on bass, Oscar Moore on guitar, and Nat on piano, was joined by a drummer in the early 1950s.

The versatile performer made four major movies: *Breakfast in Hollywood* (1946), *China Gate* (1957), *St. Louis Blues* (1958), and *Cat Ballou* (1965). But with the advent of rock 'n' roll, Cole sold fewer records. His recording company asked him to change his style, but Cole steadfastly refused. Even though his record sales were off, Nat was always popular on tour. He made several sweeps through Europe, played Carnegie Hall, and was a frequent guest on television variety shows. In 1956 he got a show of his own and used it to present other African-American musicians to the television audience. Unfortunately, the American public wasn't ready to hear what Cole had to offer, and the series was cancelled in 1957. During the season the show aired, Cole was attacked onstage during a concert by six men.

Nat's self-assurance and belief in his music never wavered, but his health did. On February 15, 1965, he lost his struggle with lung cancer. His music lives on. Twenty-five years after his death, Christmas would not be Christmas without Nat "King" Cole singing "The Christmas Song."

1926-1967

In 1964, when this photograph was taken, John Coltrane recorded *A Love Supreme*, a four-movement suite expressing Trane's feeling that music is a form of meditation or prayer.

In the annals of jazz, only a handful of musicians are recognized worldwide by their nicknames alone. There is Duke (Duke Ellington), Pres (Lester Young), and Bird (Charlie Parker). Then there is Trane—John Coltrane. Just as Parker's advanced playing set the jazz world on its ear in the late 1940s, Coltrane's further progressions on the saxophone kept things hopping in the 1950s and 1960s.

Coltrane was born in Hamlet, North Carolina, on September 23, 1926. His father was a tailor and amateur musician, who died when John was 12. While he was growing up, the serious young man usually had his nose in a book, but at night John was entranced by the sounds of jazz on the radio. He started to play clarinet in elementary school, but switched to alto saxophone in high school. John continued studying music after graduation, when he and two buddies moved to Philadelphia. The move also put him closer to his mother, Alice, who had gone to live in Atlantic City in search of a better job. John was drafted into the Navy in 1945 and assigned to play in dance and marching bands in Hawaii.

After the service John signed up for music school, but he soon joined a touring band. He played with many of the great dance bands, including those led by Eddie "Cleanhead" Vinson, Dizzy Gillespie, Earl Bostic, and Johnny Hodges. By the late 1940s, Coltrane had an obvious weight problem, he began drinking heavily, and like many jazz men of his time, he became addicted to heroin.

Despite his addiction, 1955 was an important year for John. He married his first wife, Naima, and began to make a national reputation for himself playing and recording with trumpeter Miles Davis. Now living in New York, John began to record for the Prestige and Blue Note record labels. In 1957 he quit heroin and alcohol cold turkey. That same year he said he experienced a spiritual awakening and returned to the study of Eastern religions, philosophies, and music that he had begun in the early 1950s.

One critic writing in 1958 described John's harmonically complex style as "sheets of sound." But not everyone found the dense texture of his music appealing. The critics remained evenly split on John Coltrane: Some people felt he was a musical genius; others labeled his music antijazz. Debates between critics aside, Coltrane had a fanatical following. When one fan played back one of his solos on a 50-cent kazoo, Trane was so touched that he treated the man to dinner. For another fan who arrived at a club just as Coltrane was walking off the bandstand, John returned to play him a 15-minute unaccompanied version of "My Favorite Things." His home became a refuge for young musicians, who idolized him for both his music and his quiet, generous manner. One college jazz teacher compared the impact of Coltrane's music on other musicians with Bach and Brahms.

Soon after forming the John Coltrane Quartet, John signed with Impulse Records. His music remained controversial. When *A Love Supreme* was

After Trane cleaned up his life in the late 1950s, he became a serious student of music theory. Instead of relaxing with the band, he often continued to practice between sets at clubs.

Trane taped his last record at the studios of the Village Vanguard. This photograph may have been taken at that recording session.

released *Down Beat* magazine assigned two writers to review it. One critic awarded the LP five stars; the other gave it only one.

Divorced from Naima and married to Alice McLeod, a jazz pianist, John Coltrane had three sons in quick succession. John's fame spread worldwide. Landing at Tokyo's airport for a tour of Japan in 1966, he was amazed to find a crowd of several thousand fans to greet him. His music grew more adventurous each year, taking in Indian and African influences.

In 1967 John's health began to fail; he was beset by headaches and stomach problems. Rushed to a Long Island hospital in excruciating pain, he died the next day, July 11, 1967, from the effects of liver cancer. A memorial service in New York a few days later attracted hundreds of friends and fans. At age 40, the mighty Trane had run out of steam.

1931-1964

At home in the recording studio
and onstage, Sam Cooke was
a talented musician who
translated the gospel music he
sang as a child into bluesy
ballads that climbed the charts.

His gospel roots were deep, but Sam Cooke grafted them to secular themes and came up with the first successful sounds of soul music. Sam's life-long love of gospel music was totally authentic. He was the son of a Baptist minister, born on January 2, 1931, in Clarksdale, Mississippi. Along with his seven brothers and sisters, he grew up in Chicago singing in the choir at his father's church. When he was only nine years old, Sam organized the Singing Children, a music group that included one of his brothers and two of his sisters. The group sang at churches in his neighborhood.

Sam was always a good kid and a fine student, and he was deeply committed to his religion. After graduating from high school, he sang for a short time with the Highway QC's, a gospel group. The quartet had heard about Sam, but they had never heard him. Until one day, when the group was walking past Sam's house, they heard him practicing. They knocked on his door and hired him on the spot.

Since he had been singing in churches for most of his life, Sam jumped at the chance to join the Soul Stirrers as their lead vocalist. The Soul Stirrers were a popular gospel group that had been singing together since the 1930s. Nineteen-year-old Sam was thrilled to replace the retiring star R.H. Harris and was soon in the groove of touring the country and performing for large audiences.

During a gig at the Los Angeles Shrine Auditorium in 1957, a record company executive noticed Sam's sweet, clear voice and asked him to record a single. Sam was no novice in the recording studio. He had already recorded several gospel hits with the Soul Stirrers. But he was nervous about recording a secular song and wanted the Soul Stirrers to know nothing about the record. Sam recorded the single under the name Dale Cook, but despite his precautions, the Soul Stirrers found out that Sam had ventured out on his own. They immediately found themselves a new lead singer, and Sam was out of a job.

Sam's single went nowhere. He was distraught but not because his song flopped. He felt disloyal to gospel music. Producer Bumps Blackwell spent months attempting to sway Sam to give secular music one more try. Desperate and still out of work, Cooke finally relented and recorded a tune he coauthored with his brother L.C. called "You Send Me." It sold two and a half million copies for Keen Records.

Sam Cooke's suave good looks
coupled with his pure, clear
voice were the original image
and sound of soul.

The label only wanted to turn Sam into a black teen idol, but his talent far exceeded their expectations. Recording for Keen, Sam had hits with all kinds of music, including "Everybody Likes to Cha Cha Cha" (1959), "Only Sixteen" (1959), and "Wonderful World" (1960). Cooke switched to a major label, RCA Records, in 1960. He and Harry Belafonte were RCA's only black recording stars, and the company had definite plans for the young performer. He was encouraged to add a harder edge to his music and to be as soulful as he wanted to be. Sam had been pushing for this direction because he still felt guilty about moving away from his gospel roots. The swift rise of "Chain Gang" to the number two spot on the charts let Sam and RCA know that the world really was ready for soul.

Sam's career shifted into high gear. He appeared frequently on network television and played to capacity audiences in large arenas throughout the country. He also became one of the first successful African-American record company executives, organizing his own company, Sar/Derby, to develop black recording artists. While Sam continued to record for RCA, he was producing "Lookin' for a Love" by Bobby Womack and the Valentinos and "When a Boy Falls in Love" by Mel Carter. He also gave such artists as Johnnie Taylor and Billy Preston their first recording contracts.

Sam's luck seemed to have run out in 1963. He was almost blinded in a car accident that killed a close friend. Then his infant son drowned in a freak accident. But worse was yet to come. No one could have predicted the events that took place on December 11, 1964. Despite his being a major star and constantly under the watchful eye of the press, Sam maintained his untarnished image as a clean-cut good kid, who had remained loyal to his religious roots. Everyone's belief that Sam Cooke was practically a saint made the events of that terrible night especially shocking. Even today it seems impossible that what happened could actually have happened.

The pieced-together story goes something like this: Sam met a 22-year-old woman at a party. She says that he forced her to ride with him to a Los Angeles motel. While Sam was in the bathroom, the young woman ran off with his clothes. Clad in only a sports shirt and shoes, Sam ran out of the room after her. He began pounding on the door of the motel's manager, who says he went berserk and broke the door open. The manager and Sam scuffled. She grabbed her pistol and shot Sam Cooke three times. Unsure that he was dead, she then beat the mortally wounded singer with club. A coroner's jury ruled that the motel manager's actions were justifiable homicide. Sam had not yet celebrated his thirtieth birthday.

Following his death, RCA released "A Change Is Gonna Come." The song was briefly top 40, but fans were too shocked by the sordid details of Sam's death to make it a hit. The sweet soul sound that Sam Cooke made famous lives on in the music of many popular performers: The Animals, Aretha Franklin, Dr. Hook, Otis Redding, Rod Stewart, and Cat Stevens to name but a few of the artists who have recorded his work.

When Sam Cooke stepped in front of an audience, he was always suave and sophisticated.

Singer-songwriter Jim Croce's public life was brief, but his star burned brightly. His direct style and genius for writing both story songs and sensitive ballads keep his name and his music alive.

Jim was born on January 10, 1943, in a working-class section of Philadelphia. His Italian-American family wanted him to learn to play the accordion, but he was 18 before he got serious about playing music. Putting aside the accordion, he bought a 12-string acoustic guitar and taught himself to play it.

After a short stint in the Army, where he met the character who inspired "Bad, Bad Leroy Brown," Jim enrolled at Villanova University in his hometown. He worked on a degree in psychology, but he also spent a lot of time playing music, performing solo gigs and working with bands. "While everyone in my senior class was going out on job interviews," he said, "all I wanted to do was play my guitar." After graduation Jim ended up working in construction. On the job he broke one of his fingers with a sledgehammer. Playing the guitar was so important to Jim that he practiced for long hours so he could pick without using the damaged finger. In 1966 Jim married his girlfriend Ingrid. She was also a singer. The following fall Jim began teaching at a junior high school in South Philadelphia, but he still felt that he wanted to be a singer.

In 1967 Jim and Ingrid moved to New York to try their luck as a folk duo in the city's clubs and coffeehouses. Capitol Records signed them to a recording contract and released their spectacularly unsuccessful album, *Jim and Ingrid Croce*. Today, it is a treasured collector's item. Feeling like total failures and ready to give up on the music business, the couple returned to the Philadelphia area. They lived in a farmhouse, and Jim took odd jobs to pay the rent. With a baby on the way, the couple's financial situation grew so bad that Jim was forced to pawn his guitars to pay their bills. When their son, Adrian, was born in 1970, Jim got a job driving a truck. At the time it seemed like the perfect job for Jim because he could compose songs in his head while he was on the road.

One of Jim's old college buddies, Tommy West, was part of a successful New York singing duo, Cashman and West. He encouraged Jim to record some of his newer songs and again start courting the record companies. In 1971 Jim recorded some songs with his new musical partner Maury Muehleisen on second guitar. (Maury later accompanied him on all his greatest hits.) The following year, ABC Records signed Jim and released *You Don't Mess Around with Jim*. The title song and "Operator" both became top 20 hits.

After years of struggling, Jim Croce suddenly could do no wrong. Within in a short time, he was a regular on television and performed in more than 250 concerts a year. His 1973 album, *Life and Times*, included his first number one hit "Bad, Bad Leroy Brown." Jim always wrote about the kind of people he met in bars and when he was working construction.

1943-1973

Jim Croce was not an overnight sensation. He spent many years working construction and driving a truck before his musical genius was recognized.

He claimed that if he had to go back to driving a truck or a bulldozer, it would not make much difference to him.

On September 20, 1973, Jim and Maury boarded a private plane in Natchitoches, Louisiana. They were on their way to a gig in Texas. The plane crashed during takeoff, killing everyone on board. Jim Croce was dead at 30, but his hits continued. "I've Got a Name," "Time in a Bottle," and "I'll Have to Say I Love You in a Song" were posthumous releases. In the lyrics to the wistful "Time in a Bottle," Jim left his own best epitaph: "There never seems to be enough time to do the things you want to do."

Within a few months after Jim's death, three of his LPs were in the top 20: *I've Got a Name* and *You Don't Mess Around with Jim* were both number one, while *Life and Times* was number seven.

Bobby Darin's ambition was to become a legend by the time he was 25, and he did. He was born Walden Robert Cassotto on May 14, 1936. (Darin found his stage name on the broken neon sign of a Mandarin restaurant.) Growing up in a tough section of the Bronx, he barely survived several serious bouts with rheumatic fever and learned to think of life as a fight he wanted to win. He taught himself to play drums, piano, and guitar. In his late teens, Bobby met fledgling publisher Don Kirshner in a candy store. The two collaborated on commercial jingles. Kirshner helped arrange a trial run at Atco records. In 1958, after several forgettable recordings, Bobby came up with a big winner, a song called "Splish Splash" that he had spent 20 minutes writing. Darin's biggest single success, "Mack the Knife," climbed the charts the following year.

Wanting it all, Bobby went to Hollywood in 1960, where he starred with his future wife, Sandra Dee, in *Come September* and received an Oscar nomination for *Captain Newman, M.D.* As rock 'n' roll swept the nation, Bobby scaled down his career. He performed in clubs and on college campuses, as well as in Las Vegas. His recording of Tim Hardin's "If I Were a Carpenter" was number eight on the pop charts in 1966.

Bobby worked tirelessly for Robert Kennedy's presidential campaign. After Kennedy was killed in Los Angeles, Darin retreated from the entertainment world. He sold his possessions and lived in seclusion in a mobile home in Big Sur. After a year away from the music business, Bobby started his own company, Direction Records, and brought out an album, *Born Walden Robert Cassotto*.

He married for a second time and returned to the Vegas stage. At his last performances, Darin was less driven than he had been. He did not have to work to win over the crowds; he knew they were his fans before he even walked onstage. He usually made his entrance to a standing ovation. Now, he truly was a legend.

In December 1973 Bobby checked in to Cedars of Lebanon Hospital for open-heart surgery. After six hours on the operating table, he finally lost the fight.

1936-1973

In 1958, when this photograph was made, Bobby Darin scored his first big hits with "Splish Splash" and "Queen of the Hop."

1931-1955

This picture of James Dean was taken when he was four years old and living in Indiana with his parents.

James Dean was born on February 8, 1931, in Marion, Indiana. He was the only child of Winton Dean, a dental technician, and Mildred Wilson Dean, a farm wife. When James was five years old, his family moved to Santa Monica, California. Four years later, Mildred died suddenly from cancer. Winton decided to stay on in California, but he sent James back to Indiana, where he was raised by his aunt Hortense and his uncle Marcus Winslow on their small farm in Fairmount.

Hortense and Marcus decided that the best way for them to help James recover from his loss was to offer the boy an all-American childhood. They enrolled him in 4-H Club and encouraged his artistic nature with dance classes and drawing lessons. When James was 11 years old, Marcus taught him how to use a BB gun. On his next birthday, his aunt and uncle gave him a motorbike. By the time James reached high school, he was actively involved in sports. Despite his being only five feet seven inches tall, he was accepted on the basketball team. He also ran track. But his favorite activity was drama. The school's drama teacher, Adeline Nall, was particularly impressed by James's talent and encouraged him to audition for productions. In his senior year, James competed in a statewide dramatic speaking event. His highly charged performance included yelling and a physical collapse onstage. To Adeline Nall's delight, he came in first place. Several months later he repeated his performance in a nationwide contest but lost on a technicality: He would not cut his 12-minute speech to fit the allotted 10 minutes.

Following his high school graduation, James hoped to study theatre in college. But his father, who had kept in steady contact with James from California, convinced him that his idea was impractical. Winton encouraged his son to study law. In the summer of 1949, James moved in with Winton and his new wife in Santa Monica. That fall James enrolled in a prelaw program at Santa Monica City College. The many years that they had been separated contributed to an uneasy relationship between father and son. They bickered constantly. Winton was especially peeved when James transferred to UCLA in his sophomore year. He understood that James was attracted to the school because of its nationally renowned theatre department, but he felt his son was making a mistake. The situation worsened when James was cast in his first play at UCLA. He played Malcolm in Macbeth. Although James received only mediocre notices for his performance, a talent agent who had seen the

On location for *Rebel Without a Cause*, Jimmy relaxes with a cigarette between takes.

Natalie Wood seeks to inspire Jimmy's courage before the chicken run in *Rebel Without a Cause*.

production was impressed and signed James as a client. A few weeks later, James landed his first professional job, appearing in a Pepsi-Cola commercial.

Realizing life with his father was never going to be easy, James left home and moved on campus. But the rowdiness of campus life turned him off, and a few months later, he was sharing a small apartment with a fellow theatre arts major, William Bast. Determined to succeed as a professional actor, James often cut classes to audition. He supported himself working as a parking-lot attendant. In the spring of 1951, he was cast in his first dramatic television role as John the Baptist in *Hill Number One*. A group of high school girls who had seen the program were so smitten by James that they formed his first fan club.

In the summer of 1951, James met Rogers Brackett, an account supervisor and television director. Impressed with Dean, Brackett became his mentor and recommended the younger man to his friends for parts in their television productions. A few months later, James moved in with Brackett.

Bored and frustrated with the small roles he was attracting in Hollywood, James moved to New York, where he hoped to work exclusively in theatre. To pay the rent, he used his connection with Brackett to land a job rehearsing contestants for the game show *Beat the Clock*. Occasionally, he also appeared in minor parts on such live television shows as *Studio One* and *Kraft Theater*. James's acting style moved in a completely new direction when he became a member of the Actors Studio, which was headed by Lee Strasberg, who also taught such talented students as Marilyn Monroe, Marlon Brando, and Shelley Winters.

Once James became a member of the Actors Studio, it was the only thing that remained a constant in his life while he was living in New York. He was always changing apartments; either staying with friends or sharing Brackett's studio when he was in town. He dated frequently and established a particularly close romantic relationship with Elizabeth Sheridan, a struggling dancer.

In October 1952 Brackett introduced James to Lemuel Ayers, who was preparing to produce Richard Nash's play *See the Jaguar*. The introduction led to James's winning the lead role. Unfortunately, the play opened and closed within a week. But Walter Kerr, a highly respected and influential critic, saw the show and hailed Dean's performance as extraordinary. This caused several producers and casting directors suddenly to take notice of the young actor. A string of roles in television dramas soon followed.

Even though his career had begun to take off, James was developing a reputation for being difficult. He arrived at rehearsals late, quarreled with directors over stage notes, missed cues, and frequently fell asleep. Dennis Stock, a photographer who was Dean's friend, recalled, "Jimmy was an insomniac—so at odd times and in odd places he would simply pass out, for a few minutes or a few hours, then wake up and set out again. He lived like a stray animal; in fact, come to think of it, he was a stray animal."

In November 1954 Dean was cast as Bachir, the homosexual Arab houseboy in Andre Gide's *The Immoralist*. Geraldine Page and Louis Jourdan received star billing. Ruth Goetz, who also appeared in the production, did not enjoy working with Dean: "The little son of a bitch was one of the most unspeakably detestable fellows to work with I ever knew in my life." Despite the unfavorable notices he received from his costars, Dean's performance in *The Immoralist* won him the Daniel Blum Theater Award that season as "the best newcomer of the year." Dean celebrated by buying himself a motorcycle. Shelley Winters, who first met Dean while they were studying together at the Actors Studio, recalled that he was a reckless driver who pulled unnecessary and dangerous stunts when he was behind the wheel.

Midway through the production's run, Dean gave the required three-week notice. He was returning to Hollywood to star in his first motion picture, *East of Eden*. Elia Kazan, the movie's director, was aware of the dangerous stunts Dean pulled and forbade him to drive his motorcycle while the film was being shot. To keep a close eye on Dean, Kazan assigned him a lavish dressing room on the lot next door to his office. Years later, Kazan told a reporter that he had never thought Dean was anything more than a limited actor who could work hard and that he was a very neurotic young man. He was perfect for the part of the boy in *East of Eden*, Kazan said, but even at that time the director felt that he was deeply troubled and that later Dean just got worse.

In *Rebel Without a Cause*, the three teenagers, Sal Mineo, James Dean, and Natalie Wood, form a family outside the control of adult authority.

Just two weeks before he died, at about the time this photo was taken, Jimmy made a 30-second commercial for the National Highway Committee in which he warned everyone to drive safely "because the life you save may be . . . mine."

Jimmy would avail himself of any opportunity to wear a costume. For this publicity shot, he adopted a Wild West look.

During the filming Dean became romantically involved with starlet Pier Angeli. Dozens of stories cropped up in fan magazines promising "intimate" details about their relationship. The affair ended suddenly after a few months, when Pier gave in to pressure from her disapproving family. A short while later, she married pop singer Vic Damone. Dean pretended not to care, but his close friends could see that he was hurt by the news of their wedding.

The world premiere of *East of Eden* was held in New York City on March 10, 1955. Dean chose to stay in Hollywood and missed out on the festivities. The critics hailed him as "the screen's most sensational male find of the year." His off-screen activities also entertained the press, and reporters had a field day writing about his often self-destructive exploits. Ezra Goodman, a reporter for *Life* magazine, wrote about Dean's impossible behavior in restaurants, reporting that if he thought he was not getting enough attention, "he would beat a tom-tom solo on the tabletop, play his spoon against a water glass with a boogie beat, pour a bowl of sugar into his pocket, or set fire to a paper napkin."

By the time *Variety* listed *East of Eden* as the country's top-grossing film, Warner Bros. had already signed Dean to a new contract. He was to star in nine films over a six-year period with a minimum salary of $15,000 per picture. Dean's first big purchase upon signing of the contract was a $4,000 Porsche Speedster, which he immediately entered in a race in Palm Springs. Dean had never before driven a race car in competition, but he won the

Dean's riveting performance in *East of Eden* caused the movie to become an internationally popular film.

On the set of the movie *Giant*, Jimmy practices his rope tricks.

amateur class. He also placed third in the professional class. Winning a car race was exactly the kind of encouragement James did not need. A reporter who questioned him about his potentially dangerous new hobby received this response: "Racing is the only time I feel whole."

On March 28, 1955, the cameras rolled on Dean's next movie, *Rebel Without a Cause*, directed by Nicholas Ray and costarring Natalie Wood and Sal Mineo. Dean was cast as Jim Stark, a rebellious teenager. His character had an unhappy relationship with his parents, and he also had trouble fitting in with his classmates at his new high school. As soon as *Rebel* had finished shooting, Dean started work on his third starring role as Jeff Rink in *Giant*, directed by George Stevens and costarring Elizabeth Taylor and Rock Hudson. Dean's role, in which he ages from 25 to approximately 45 by the story's end, challenged the actor to stretch his talents to the maximum. Like Kazan, Stevens forbade Dean to drive during the time the movie was being shot. Stevens even took the extreme step of having the studio confiscate the car it had lent to Dean. The principal shooting for *Giant* was completed in September 1955. With two movies waiting to be released, Dean's career was moving at a smooth pace, but he was anxious to return to his favorite pastime, race-car driving.

On September 30, 1955, Dean and his mechanic Rolf Wuertherich headed to Salinas for a race. Several weeks earlier Dean had traded in his Speedster for a new Porsche Spyder, and he was anxious to see how it performed on the open road. During the long drive, he was stopped by a traffic officer and given a ticket for driving 65 MPH in a 45-MPH zone. Unfortunately, the ticket did not deter James Dean from speeding. Shortly before 5:45 P.M., he was once again speeding. Dean was on a narrow strip of roadway when he lost control of his car and crashed into an oncoming car. James Dean was killed on impact. He was 24 years old. The posthumous releases of *Giant* and *Rebel Without a Cause* have guaranteed that Dean will forever remain a romantic symbol of youth.

1945-1988

Harris Glenn Milstead dressed somewhat conservatively when he was not in character as Divine. Director John Waters said recently that he had always wanted to produce the musical *Oklahoma* with Milstead cast in all the parts.

Mother and daughter, Divine and Ricki Lane, challenge their archrivals at the television studio in this scene from *Hairspray*.

Movie actor Harris Glenn Milstead, better known as Divine, happily epitomized bad taste. Divine was the outrageous 300-pound star of several of director John Waters's low-budget, comically shocking movies, including *Pink Flamingos*, *Female Trouble*, and *Polyester*. The two men grew up together in Baltimore, where neither was ever considered to be just an ordinary kid. Milstead, who was born on October 19, 1945, became notorious in high school. He felt that he could not play sports and was forced to take girls' gym. His fellow students taunted Milstead, and eventually, a police car was assigned to escort him to school every morning. Waters felt an immediate rapport with his overweight classmate and struck up a friendship. They often fantasized about making movies together. In 1966, when Waters directed his second film, *Roman Candles*, he tapped Divine to be his star.

Although Milstead frequently played women's roles, he took exception with being called a female impersonator. "I don't do Judy Garland or Mae West," he told a reporter in 1976. "I'm an actor." Theater audiences enjoyed his performances in *Women Behind Bars* and *The Neon Woman*. In 1986 critics praised his performance as a man in Alan Rudolph's movie *Trouble in Mind*. In early 1988 Milstead played two roles in Waters's first mainstream hit, *Hairspray*. His performances as both a tawdry housewife and a bigoted television-station owner were singled out by critics.

In March 1988 Milstead traveled to Los Angeles to guest star in an episode of *Married . . . with Children*. During a break from rehearsals, he said he was tired and returned to his hotel, where he planned to rest. Several hours later, Milstead was found dead, the apparent victim of heart failure. He was 42 years old.

Tab Hunter, who costarred with Divine in *Polyester* and *Lust in the Dust*, described him as being "like Annette Funicello gone bananas in a pasta factory. Outside of his drag, he was a wonderful, kind, lovely human being."

The defense attorney argued that it was a crime of passion. The judge who heard the trial disagreed. He ruled, "It was a case, pure and simple, of murder, murder with malice." On October 30, 1982, 26-year-old John Thomas Sweeney, arrived at the home of his former girlfriend, 22-year-old actress Dominique Dunne, to attempt a reconciliation. Several weeks earlier, following a violent quarrel, she had demanded that Sweeney move out of the house they had shared. When Dominique refused to reconcile with him, Sweeney became angry and started strangling her. A short while later, police arrived to find Dominique unconscious in the driveway. Sweeney, who worked as a chef at Ma Maison, a trendy Los Angeles restaurant, allegedly told an officer, "I killed my girlfriend." Dominique was rushed to Cedars-Sinai Hospital, where she died six days later. The cause of her death was strangulation.

Dominique Dunne was the daughter of Dominick Dunne, who was a television and movie producer while his daughter was growing up but is now a best-selling novelist and a regular contributor to *Vanity Fair* magazine. Her uncle, John Gregory Dunne, was also a noted writer. Her brother, Griffin Dunne, is a Hollywood movie producer and actor.

Dominique was on her way to becoming a successful movie actress when she was murdered. Her best-known role was Dana Freeling, the oldest daughter in *Poltergeist*, which was released in 1982. Steven Spielberg cowrote and coproduced the movie. Dominique also guest starred on several television shows including, *Family Ties*, *Fame*, and *Lou Grant*.

Immediately following Dominique's death, John Sweeney was charged with murder and assault. Several weeks later, after hearing a detective testify that he had admitted choking Dunne, Sweeney attempted suicide by slashing his wrists with a disposable razor. A year later, he was convicted of strangling Dunne and sentenced to six years in prison. Dominique's grieving father and her many friends were outraged by his light sentence.

Coincidentally, Heather O'Rourke, who played Dominique's little sister in *Poltergeist,* is buried not far from Dunne's grave in a Los Angeles cemetery. She died of a gastrointestinal problem at the age of 13, just six years after Dominique.

1960-1982

Dominique Dunne was an up-and-coming young star when her life ended in tragedy.

Dominique (far right) and other members of the Freeling family await the next terrible thing that will befall them in the 1982 movie *Poltergeist*.

1941-1974

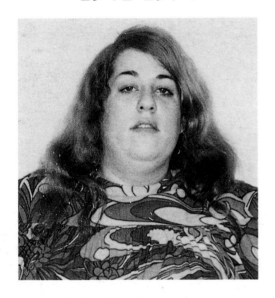

Cass Elliot hoped to free
herself from the flower-power
image she joyfully embraced in
the mid 1960s and become
known as a ballad singer.

The life of singer and actress Cass Elliot is a perfect example of talent and sheer force of will overcoming physical shortcomings. Her burnished contralto vocals with the Mamas and the Papas and her self-directed sense of humor made Mama Cass a much-loved star of pop culture in the 1960s and 1970s.

Cass Elliot was born Ellen Naomi Cohen in Baltimore, Maryland, on September 19, 1941. When she was 19 years old, she moved to New York City, where she changed her name to Cass Elliot. By the early 1960s, Cass had made herself a home in the Greenwich Village folk-music scene. She sang with a group called the Mugwumps, which also included future Lovin' Spoonful members John Sebastian and Zal Yanovsky. Another member of the group was singer Denny Doherty. He and Cass created the Mamas and the Papas along with John and Michelle Phillips.

After struggling in New York for a few years, the group moved to Los Angeles, where their glorious four-part harmonies and bohemian look immediately caused a stir. Signed to ABC-Dunhill Records, the Mamas and the Papas exploded across the radio airwaves in 1966, chalking up four top 10 hits: "California Dreaming," "Monday Monday," "I Saw Her Again," and "Words of Love." Mama Cass sang the lead on "Words of Love." The Mamas and the Papas never repeated their 1966 success, but they had two more hits the following year, "Dedicated to the One I Love" and the autobiographical "Creeque Alley," with its famous line, "And no one is getting fat except for Mama Cass."

John, who wrote most of their songs, was the group's musical leader, but Cass was their spiritual leader. She was always the earth mother, weighing more than 200 pounds and usually clad in a tentlike muumuu. "I feel hipbones are overrated," she once said, with typical humor. Cass's house in bucolic Laurel Canyon near Los Angeles became a popular place for pop stars to hang out. Although she was never considered to be even remotely beautiful, her friends were enchanted by her inner beauty. Graham Nash remembers his first encounter with Cass at a Mamas and Papas recording session. "I wanted to check out Michelle Phillips, the beautiful one," he said. "But I totally fell for Cass. Her sense of humor and her mind floored me." Cass ended up playing a significant role in creating the group Crosby, Stills, and Nash, when she introduced Graham to her friends David Crosby and Stephen Stills.

When the Mamas and the Papas split up in 1968, Cass struck out on her own. Switching from rock to ballads, she had her biggest hit with "Dream a Little Dream of Me" in 1968. She was a regular on television talk and variety shows, and hosted her own special in 1969. The show was called "Don't Call Me Mama Anymore." She recorded a poorly received duet album with British singer-songwriter Dave Mason in 1971, and then turned her full energies toward acting. She was a fantastically evil Witch Hazel in the movie version of the television series *Pufnstuf.*

During the mid 1970s, Cass seemed content with her life. She gave birth to a daughter, Owen Vanessa, but even her best friends had no clues to the identity of her little girl's father. While Cass was in London for two concerts at the Palladium, she died in her hotel room on July 29, 1974. She had choked to death on the sandwich she was eating when she suffered a heart attack. Cass Elliot was 32 years old. Michelle Phillips had talked to Cass by phone the night before she died. Michelle remembers that Cass was elated by the standing ovations that she received after both shows. "To her it was the ultimate success, to have done it on her own," said Michelle. "I know that when she died she felt that she'd made the jump from Mama Cass to Cass Elliot."

The Mamas and the Papas in 1966 were, from left to right, Denny Doherty, Mama Cass, Michelle Phillips, and John Phillips.

1940-1986

Perry Ellis helped begin an
enduring trend toward
comfortable, classic clothes.

Perry Ellis was born in Portsmouth, Virginia, in 1940. Until he was nine years old, his family lived with his grandmother in her huge old house that was filled with vintage clothing, which had belonged to Perry's aunts. Ellis, who was an only child, spent many afternoons rummaging through closets and trunks, marvelling at the clothes. In the evening, before bedtime, he leafed through his mother's copies of *Vogue* magazine.

Following graduation from high school, Perry majored in business at the College of William and Mary in Williamsburg, Virginia. Later, he attended New York University, where he earned a master's degree in retailing. In 1963 Perry returned to Virginia to begin his first job as a sportswear buyer for Miller & Rhoades, an upscale department store based in Richmond, where Ellis had often shopped for clothes and gifts when he was a teenager.

Ellis stocked the college department exclusively with preppie clothes designed by John Meyer of Norwich, Connecticut. Each year, Ellis spent nearly $1,000,000 on Meyer's designs, making Miller & Rhoades one of the company's largest accounts. Impressed by the selections Ellis made, the designer began grilling him about style trends. In 1967 Ellis became a merchandiser for John Meyer and moved to New York.

In 1974 John Meyer died of cancer, and Ellis moved to the Vera Companies, where he worked as sportswear merchandiser. Vera specialized in designing polyester double-knit pantsuits. This offended Ellis's aesthetic, and he tried to upgrade the company's image by introducing natural fabrics. In 1975 the company allowed Ellis to produce his own line under the Portfolio label. He was given only $5,000 to work with, but Ellis made the most of his opportunity. He designed 33 pieces and held a fashion show in the Vera showroom. Retailers and fashion critics were astonished by what Ellis had accomplished. The designs were eclectic, walking a fine line between being slightly conservative and slightly wild. Ellis's picture appeared on the front page of *Women's Wear Daily*, where he was touted as one of the year's up-and-coming designers.

In 1978 Perry Ellis Sportswear began production. Ellis opened his own showroom in an old bank on the corner of Seventh Avenue and 41st Street. By 1982, 75 employees were working for Perry Ellis Sportswear. But Ellis's health had begun to falter. He came down with hepatitis and was forced to lie low for six weeks. Once the hepatitis cleared up, he was struck by other maladies. Ellis kept his health problems a secret from his employees, many of whom believed that he was letting the business fall apart. "It was very hard to get excited about the line when everybody was so depressed," observed a saleswoman who worked for the company. "You'd try to be enthusiastic, but inside you were feeling like you were on the Titanic."

While battling constant health problems, Ellis was also preoccupied with fathering a child. In 1984 he had a daughter, Tyler, with Barbara Gallagher, an old friend who lived in Los Angeles. Ellis's business partner, Laughlin Barker, died in January 1986. The cause of the 37 year old's death

Holding hands with his friend Mariel Hemingway at a black-tie reception, Perry Ellis looks well dressed in his trademark preppie clothes.

Perry Ellis and Richard Haas, of Levi Strauss and Co., prepare to meet the press to announce a new collection of active sportswear, Perry Ellis America.

was listed as lung cancer. By this time Ellis's health was also rapidly deteriorating.

Five months later, a gaunt Ellis unveiled his latest line. People who attended the show believed it would be Perry's last. When the show ended, the audience rose and gave Ellis an emotional, heartfelt standing ovation. Although he was too frail to make the traditional walk down the runway, Perry appeared briefly in the doorway of his showroom. "There was a real surge of emotion," said designer Brian Bubb, "and Perry just wanted to move toward it, to grab it. We had to pull him back, because he couldn't make it. Finally, we had to tell him, 'Okay, Perry, okay. It's time to go.'" Moments after the applause died down, Ellis collapsed and was rushed to New York Hospital. Two weeks later, he slipped into a coma. A week later, on May 30, 1986, Perry Ellis died.

1934-1967

Brian Epstein decided to check out the Beatles at the Cavern after his record store received requests for a German single, "My Bonnie," which the boys had recorded in Hamburg.

It might not be fair to say that without manager Brian Epstein the Beatles would never have become the all-time top pop music group. But his astute guidance and single-mindedness were factors in their success as much as their own talent.

Brian Samuel Epstein was born on September 19, 1934, in Liverpool, England. His family was upper middle class and Jewish. Brian was close to his mother, Queenie, who encouraged him to become an artist. He wanted to pursue art or acting. He wanted any career that kept him from going into the family-owned furniture business. But he had no success in the arts, and by his late teens, Brian was working at the family business. When his father decided to add a record department to his flagship store in Liverpool, Brian jumped at the chance to manage it. Largely because of his skill at running the business, the Epstein empire eventually included nine NEMS record stores.

A savvy predictor of future pop hits, Brian was intrigued by requests for a German record made by a local group, the Beatles. He saw them perform for the first time on November 9, 1961, at the soon-to-be-legendary Cavern Club. Electrified by their raw, energetic rock 'n' roll style, he was chagrined to find out that John Lennon, Paul McCartney, George Harrison, and the Beatles' original drummer, Pete Best, were the same lads in leather jackets who spent hours listening to new releases at NEMS without ever buying a single record.

The Beatles signed a five-year management contract with Brian on January 24, 1962. Brian had no practical experience managing a pop group, but he was sure that he would succeed. He immediately began grooming the boys for success, replacing their scruffy leather jackets with ultramodern collarless suits and curtailing their liberal use of profanity onstage. In June 1962, after several months of being turned down, Brian finally secured a record contract for the Beatles with EMI Records. Their first release, "Love Me Do," hit number 17 on the British pop charts. Beatlemania was sweeping Britain, and by late 1963 the Beatles were causing near riots wherever they performed.

In the first months of 1964, Brian's campaign to duplicate the group's success in the United States shifted into high gear. He convinced their American record label, Capitol Records, to invest $20,000 to promote "I Want to Hold Your Hand." The song reached number one on the charts in January. He booked three February appearances on the influential *Ed Sullivan Show* on CBS-TV. This all but insured the Beatles' superstar status in America.

After the Beatles became world famous, Brian outwardly lived a happy life. He had several expensive cars, including a maroon Rolls Royce, and several stately homes. He ate at the finest restaurants and gambled at the best casinos. Brian was always generous to a fault. A dedicated follower of fashion, he was voted one of Britain's ten best-dressed men in 1964, the same year he published his autobiography, *A Cellarful of Noise*.

Brian was known as the fifth Beatle, and even though he and the band were from widely different backgrounds, Epstein truly enjoyed their company. It was not all business with him.

Epstein was always glad to spend time with George, but he eventually grew closer to John than any of the other Beatles.

Beneath his glittering facade, Brian was a lonely man. He was a homosexual who entered into one disastrous relationship after another. He said he was never so happy as when he and John, Paul, George, and Ringo were in the same room. But as the Beatles matured they found themselves less frequently in need of Brian's advice. Even in the best of times, he was moody and erratic, and subject to frequent, lingering bouts of depression. His mood swings were exacerbated by his liberal use of alcohol and a growing dependence on amphetamines and barbiturates.

On August 27, 1967, his Spanish butler found Brian Epstein dead in his bed at his London home. At his side was a pile of correspondence, with a number of medicine vials within arm's reach. A coroner's inquiry returned a verdict of accidental death, caused by an overdose of the drug Carbrital. In just a few weeks, Brian would have been 33 years old.

1945-1982

Rainer Werner Fassbinder was intent on making films that were politically committed and uncompromisingly antiestablishment.

Rainer Werner Fassbinder, who was born in 1945, deserves much of the credit for rebuilding German filmmaking to the level international prestige that it had attained before World War II. Ironically, his application to Berlin's prestigious film institute was rejected, but Fassbinder was determined to be a filmmaker and produced many films on shoestring budgets of only $25,000. Fassbinder often wore many different hats when he was working on a movie. For many of his early films, he served as director, writer, producer, and actor. Between 1969 and 1982, Fassbinder directed 37 movies, including *Lola*, a remake of *The Blue Angel*. This movie cost $10,000,000 to produce, and at the time it was Germany's most expensive film. In addition to directing, Fassbinder was a prolific writer. He wrote 37 screenplays, 15 plays that he also directed, and countless radio scripts.

Filmmaking was Fassbinder's passion, and his personal life floundered as a result. His parents had divorced when he was five years old, and he felt that this had left him permanently scarred and incapable of truly loving another person. Immediately following his parents' breakup, Rainer lived with his mother, but when she remarried, his new stepfather insisted Fassbinder move in with his father, a wealthy landowner and slumlord. When Fassbinder was a teenager, his father gave him the job of collecting outrageously high rents from the poverty-stricken Turkish tenants who lived in his buildings. When his mother's second marriage ended in divorce, Fassbinder returned to her home. A short while later she took a new lover; he was a domineering 17 year old who foolishly tried to play the role of stepfather to the teenage Fassbinder.

Fassbinder's romantic relationships were usually destructive. Armin Meier, with whom he shared a home in Munich for several years, was overly dependent on Fassbinder and accused him of neglect. While Fassbinder was on a trip to Paris, which he visited frequently, a despondent Meier hanged himself in their home. Rainer's mother discovered the body. Several years earlier, Hedi ben Salem, another of Fassbinder's lovers, also hanged himself, after going on a rampage in Berlin and stabbing three people. Swiss movie director Daniel Schmid, an early lover of Fassbinder, told an interviewer that "Rainer was an unhappy man who hurled himself into his work but had a low personal opinion of himself. He could not believe people could love him. All his life, Rainer thought he was ugly. The basis for his new friendship was always: You are a pig, and I am a pig."

Rainer's personal habits were extremely self-destructive. He abused alcohol and frequently used such mood-altering drugs as LSD, uppers, downers, and cocaine. Friends reported that he often smoked as many as four packs of cigarettes a day. Despite his suicidal behavior, Rainer would often tell his friends that he was afraid of dying.

On the last night of his life, June 10, 1982, Fassbinder phoned Daniel Schmid in Paris and claimed that he had flushed his entire cache of drugs down the toilet, except for one last line of cocaine. After the phone call, Fass-

On the set of *Querelle* in 1982, Fassbinder drinks a toast with Jeanne Moreau and Brad Davis.

binder spent the rest of the evening sitting in bed, making notes on his next film project. A videotape of the movie *20,000 Years in Sing Sing* played on the bedroom television.

The following morning, when friends were unable to contact Fassbinder, they called the police to investigate. Entering his home, they found Fassbinder's body in bed. He had apparently died from a heart attack. On the nearby nightstand were cocaine, pills, and whiskey.

Discussing his work in an interview with writer Boze Hadleigh, Fassbinder said, "My work is what I love, but the subjects are today, they are German, continental. Not love stories with pretty music. When I make films about hope, it is love stories I am making. Because I do not make pretty, long-to-make films, it does not mean I am not romantic. I try for romance, but usually in today's world, one fails here."

1896-1940

Before his first novel was published, F. Scott Fitzgerald was unable to place any of his short stories in magazines. The enormous popularity of *This Side of Paradise* changed this almost overnight.

F. Scott Fitzgerald was born in St. Paul, Minnesota, on September 24, 1896, and named for his famous ancestor Francis Scott Key, the author of "The Star-Spangled Banner." As a young boy, Scott was coddled by his strong-willed mother who placed all her hope for the family's future in her only son. Scott's father was a dreamer who struggled to make ends meet and was constantly criticized by his wife for his failures. Even though his family was far from wealthy, Scott attended the toniest Catholic schools in St. Paul, where he tried to compensate for his ineptitude in athletics and his working-class background by studying hard and affecting a superior air. He developed an early love of acting and wrote several plays. His poems and stories were often published in school magazines.

When Scott was ready for college, his mother's sister offered to pay for his tuition if he would attend Georgetown University in Washington, D.C. His mother wanted Scott to stay at home and go to the University of Minnesota. During the spring of 1913, Scott's grandmother died, leaving his family a large inheritance. Scott could now choose any school he wanted, and he decided on Princeton because it had the best student theater company in the country.

At Princeton Fitzgerald wrote musicals for the Triangle Club, which toured the country with as much fanfare as a Broadway show. The critics applauded Fitzgerald's lyrics, but in his daily studies, he fared poorly. He wrote to his mother that his English professors were dull and insipid. They thought he was arrogant and disinterested. By the end of his sophomore year, he was told that his grades were too low for him to continue.

After spending some time in St. Paul, Scott returned to Princeton for the fall term in 1916, but in October 1917 he joined the Army. Fitzgerald was commissioned a second lieutenant in the infantry, but he was never sent overseas. Scott first reported to Fort Leavenworth, Kansas, then to Camp Taylor, Kentucky, then Camp Gordon, Georgia, and finally to Camp Sheridan, Alabama. As an officer, he wore high boots and spurs that appealed to his sense of grandeur. They also appealed to a young woman named Zelda Sayre whom he met at a country club dance in Montgomery. Zelda and Scott fell passionately in love, and memories of their first summer together form the heart of much of Fitzgerald's writing.

After the Armistice was signed, Fitzgerald moved to New York City without his fiance. There he gathered 122 rejection slips for his stories and

In 1926 Scott, Scottie, and Zelda sailed for France, where many American writers and artists were living to escape taxes, prohibition, and provincialism.

wrote billboard slogans for the Barron Collier Advertising Agency. Scott continually pleaded with Zelda to marry him, but she hesitated because she was unsure of his reliability. Finally, after a three week bender and more rejection slips, Zelda broke off the engagement, and Fitzgerald fled to his parents' home in St. Paul to revise the novel that he had started at Princeton. In 1920 Scribners published *This Side of Paradise,* the first American novel to portray the pleasure-seeking generation of the Roaring Twenties. Scott experienced a meteoric rise in New York literary circles that also brought about the sudden acceptance of his short stories.

Fitzgerald was now able to convince Zelda to come to New York and marry him. They became the darling couple of high society and spent money lavishly. To pay the bills, Fitzgerald began to write stories for the pulp press. Although he had less time for serious writing, Scott published his second novel, *The Beautiful and the Damned,* in 1922. Scribners also brought out two collections of Fitzgerald's short stories, *Flappers and Philosophers* and *Tales of the Jazz Age.* The Fitzgeralds' daughter, Frances, whom they called Scottie, was born in 1921.

The Great Gatsby, the story of a wealthy bootlegger caught up in the moral emptiness of American society in the 1920s, was published in 1925. By that time the Fitzgeralds were deeply in debt and battling constantly with each other. Zelda flirted dangerously with Scott's friends. He felt distracted in her presence but did not trust her when she was away from him. The emotional seesaw drove him to excessive drinking. Hoping a change of scene would improve their situation, the Fitzgeralds went to Europe, where they partied with Ernest Hemingway and scores of other American expatriates.

During the nine stressful years after *Gatsby* was published, Fitzgerald watched his popularity ebb and his wife become institutionalized for manic depression, but in 1934 Fitzgerald completed *Tender Is the Night,* the second of his three major works. The book is a beautifully written account of the gradual but tragic decline of several glamorous Americans in Europe. For all its remarkable descriptive passages, *Tender Is the Night* was a commercial failure. During the Depression, American readers were too much mired in the harsh realities of survival to want to spend time reading about the excesses of the Jazz Age.

Disappointed in the novel's reception, the Fitzgeralds returned to America. Scott went to Hollywood where he earned money writing scripts. There, he fell in love with gossip columnist Sheilah Graham and lived quietly with her for the rest of his life. Zelda's mental illness worsened, and she went from one institution to another without any relief. In 1940 Fitzgerald made a last courageous effort to write a novel. He was debilitated by alcoholism and depressed by the loss of his popularity, but his work on *The Last Tycoon* is masterful. He never completed the novel about a would-be tycoon who always played harder than he worked, so Fitzgerald never regained the acclaim he had lost. On December 21, 1940, F. Scott Fitzgerald was visiting a friend in North Hollywood, when he fell over dead from a heart attack. In 1948 Zelda Fitzgerald died in a fire at Highland Hospital in Asheville, North Carolina, where she was being treated for her mental illness.

This photograph of Scott Fitzgerald was taken in 1928 while he was living in Paris and working on *Tender Is the Night.*

From the day she was born, June 10, 1922, show business was Judy Garland's life. She was named Frances Ethel Gumm by her parents, Frank and Ethel. The Gumms were a vaudeville team who operated the New Grand, the only theater in their hometown, Grand Rapids, Minnesota. Between double features they performed their act, which included Frances's two older sisters, Virginia and Mary Jane.

At the age of three, Frances, billed as Baby Gumm, made her debut singing "Jingle Bells," accompanied by Ethel, who played the piano. The audience was immediately captivated by the small child's big booming voice. Sensing their delight, Frances remained on stage, repeating chorus after chorus of "Jingle Bells." Finally, her father appeared and dragged her off the stage. The following day Frances was back, repeating "Jingle Bells," the only song she knew. Standing in the wings, Frank watched the magic that transpired between Baby Gumm and the audience and realized it would be pointless ever to drag her off the stage again.

In 1927 the Gumms moved to Lancaster, California, a small town north of Los Angeles, to run the town's only theater. Ethel and Frank frequently took their young daughters to Los Angeles, where they found work on radio programs and in stage shows. By the time she was 10 years old, Frances was appearing solo at the Coconut Grove. When the Gumms' marriage broke up in 1933, Ethel moved to Los Angeles, where she registered Frances and Virginia in a school for performing children. Mary Jane remained in Lancaster with Frank. The separation hit Frances the hardest. At night she always included a special prayer for her bickering parents.

During the summer of 1934, Ethel toured the country with her three daughters. While performing at the Oriental Theater in Chicago, Ethel met

1922-1969

In 1962 Judy Garland was the voice of Mewsette in the animated musical feature *Gay Purr-ee*. At that time Warner Bros. released this publicity photo.

Judy's performance in the 1954 movie *A Star Is Born* is a classic. She was nominated for an Oscar but lost to Grace Kelly for *The Country Girl*.

In 1937 Judy was cast opposite Mickey Rooney for the first time in *Thoroughbreds Don't Cry.* They made nine moves together before Judy starred in *The Wizard of Oz.*

Judy Garland, the little girl with the big voice, was featured on broadcasts of *Jack Oakie's College* over the WABC-Columbia network.

Opposite:
A studio portrait from the late 1930s promotes the image of Judy Garland as a wholesome girl next door.

entertainer George Jessel. Impressed by the Gumm sisters, Jessel suggested they that they change their name, and the Garland sisters were born. Frances also acquired a new first name: Judy. Soon, the Garland sisters were being represented by William Morris, a leading talent agency. A review of the trio in *Variety* in November 1934 singled out Judy's incredibly loud voice as the act's best aspect.

In August 1935 the Garland sisters performed their last show together. Judy was branching out on her own. Several weeks earlier she had auditioned for Louis B. Mayer, the president of MGM. Her performance of "Zing Went the Strings of My Heart" wowed Mayer, who quickly arranged a screen test for her. Judy was signed as a contract player, earning a starting salary of $100 a week. Judy's success was marred by tragedy when her father died suddenly.

On the MGM lot, Judy attended classes with other young performers, including Mickey Rooney, Lana Turner, Ava Gardner, and Ann Rutherford. They became her close friends and substitute family. Louis Mayer took on the role of patriarch, but his methods of handling his youngsters were unorthodox. Noticing that Judy was gaining weight, he ordered a studio doctor to prescribe diet pills, beginning Judy's lifelong battle with drug dependency.

Judy's weight problem also made Mayer reluctant to cast her in movies. By 1937 she had only three screen credits: a short, *Every Sunday,* and two features, *Pigskin Parade* and *Thoroughbreds Don't Cry.* Her career took an

In her most famous role as Dorothy in *The Wizard of Oz*, Judy wipes the tears of the Cowardly Lion, played by Bert Lahr, who is sad because he has no heart.

upward swing when she was cast as Sophie Tucker's daughter in *Broadway Melody of 1938*. Her engaging, heartfelt performance of the sentimental tune "Dear Mr. Gable" was praised lavishly in the press. Critics were not Judy's only fans. People everywhere flooded the studio with letters demanding to see more of "that teenager with the crush on Clark Gable." Judy was suddenly in demand. She appeared in a string of Andy Hardy movies, which starred Mickey Rooney, as well as several other MGM pictures. But Judy continued to struggle with her weight and began to rely heavily on diet pills.

In 1938 Judy landed a role that was originally intended for Shirley Temple. She was cast as Dorothy in *The Wizard of Oz*, MGM's big-budget musical adaptation of Frank Baum's children's novel. The movie's release the following year elevated Judy to superstar status. Newspapers reported that fans were returning to theaters dozens of times to hear Judy sing "Over the Rainbow." She became so closely associated with the role that late in her career she revealed to an audience she had performed "Over the Rainbow" 12,380 times.

The magnitude of her success following *The Wizard of Oz* overwhelmed Judy. Besides constantly struggling to maintain her weight, Judy began suffering from insomnia. Once again, the studio doctor supplied the remedy. A quick scribble on a prescription pad was all it took for uppers and downers to become part of Judy's drug regimen. She also attempted to alleviate the stress in her life with frequent visits to a psychiatrist.

In 1940 the Academy of Motion Picture Arts and Sciences presented Judy with a special Oscar for her performance in *The Wizard of Oz*. MGM acknowledged her success by raising her salary to $2,000 a week. Gossip columnists gushed about her romances with young actors Jackie Cooper and Robert Stack. They were unaware that Judy had begun an affair with Tyrone Power, who was nine years her senior. Concerned about a scandal, Mayer laid down the law and Judy had to stop seeing Power. But in 1941 19-year-old Judy eloped with David Rose, a 31-year-old musician. Mayer disapproved of the union and saw to it that Judy was kept busy with work. Besides embarking on an extensive USO tour, Judy also starred in *Meet Me in St. Louis*. A year and a half after they eloped, Judy and Rose separated. In 1945 they divorced.

One week after the divorce, Judy married film director Vincent Minnelli. A year later, she gave birth to their daughter, Liza. Now that Judy was a mother, Minnelli made her promise to stay away from pills. In 1947 she began work on *The Pirate*, directed by Minnelli. Judging by her erratic performance, it soon became clear to a disheartened Minnelli that Judy was unable to keep her promise and had slipped back into relying on pills. She often arrived late at the studio, and some days she did not show up at all. Realizing that Judy was out of control, Minnelli had her admitted to a sanatorium in Los Angeles. A short while later, she was transferred to the Riggs Foundation in Massachusetts.

In 1948 a recovered Judy returned to the MGM lot to star in *Easter Parade* with Fred Astaire. By the start of her next movie, *The Barkleys of Broadway*, Judy was back on drugs. She was prone to mood swings and regularly arrived late at the studio. Unable to tolerate Judy's habitual tardiness, Mayer had her dismissed from the film. In 1949 she was tapped to star in *Annie Get Your Gun*, but shortly after filming began, she was replaced by Betty Hutton. Before beginning work on her next project, *Summer Stock*, Judy was admitted to a Boston hospital for treatment. Following her release from the hospital, the studio decided she was overweight and ordered her to lose 15 pounds. Once again, Judy turned to diet pills, which affected her behavior, causing her again to be labeled temperamental. In 1950 she was slated to star in *Royal Wedding*, but Judy was in no condition to work, and the studio suspended her on June 17. To make matters worse, she was totally broke. Three days later, Judy attempted suicide by slashing her neck with a piece of glass. MGM released Judy from her contract, and at the same time Minnelli divorced her.

After her movie career came to a screeching halt, Judy shifted gears and moved to New York. Producer Sid Luft encouraged her to concentrate on live performances. Acting as her manager, he booked her at the Palladium in London. Judy earned rave reviews and played to sold-out houses for four weeks. Luft then booked her into the RKO-Palace Theater in New York. Judy opened on October 16, 1951. When the show closed on February 24, 1952, it had broken the Palace's attendance record. Once again, Judy was back on top. She was also falling in love with Luft. In early 1952 Judy and Sid Luft married. The following December, her second daughter, Lorna, was born. A month later, Judy's mother died. Sensational accounts of Ethel's

In 1963 CBS gave Judy her own television variety show, but the series was canceled during its first season when it failed to gain a large enough audience.

death speculated that Judy had abandoned her mother, leaving her to spend her last years toiling in a factory.

In 1953 Luft negotiated Judy's return to Hollywood. Warner Bros. signed her to star in its remake of *A Star Is Born*. Judy's powerful performance in the movie netted her an Academy Award nomination for best actress. Judy did not win the Oscar, but that spring she gave birth to her son, Joey. Despite her success with *A Star Is Born*, Judy received no offers for other movie roles. Instead, Luft arranged for her to star in her first television special, which aired in 1955.

Judy was photographed with her 20-year-old daughter Liza in London in 1966.

Judy was again struggling with her weight and resumed taking pills. Audiences at her shows were not pleased with the results. Rather than giving top-notch performances, Judy's voice faltered and she forgot lyrics and appeared spacey onstage. Finally, in the late 1950s, Judy booked herself into a New York hospital for treatment. "I went to pieces," Judy candidly revealed to an interviewer. "All I wanted to do was eat and hide. I lost all my self-confidence for 10 years. I suffered agonies of stage fright. People had to literally push me onto the stage."

In early 1961 Judy felt that she had recovered enough to return to the stage. The Palladium Theater in London was her first stop. On April 23, 1961, she kicked off a 16-city tour of the United States with a one-night performance at New York's Carnegie Hall. The audiences responded to Judy's splendid performance with a rousing, emotional standing ovation. That same year director Stanley Kramer cast Judy in a supporting role as a Jewish housewife in *Judgment at Nuremberg*. Despite a second Oscar nomination, the Hollywood studios continued to ignore Judy, and she went back on the road, performing live.

By 1963 the stress of constant touring was beginning to affect Judy's performances. When CBS offered her her own weekly television series, she jumped at the opportunity. For the first time in years, she would be able to spend her evenings at home with her children. Judy taped 26 episodes of her series, before receiving yet another blow. CBS dropped the show because she had not garnered a large enough audience in a time slot that pitted her against NBC's top-rated *Bonanza*.

Judy's marriage to Luft ended in 1965. A concert she performed in Australia was so disastrous the audience reportedly booed her off the stage. She was married briefly to Mark Herron, a struggling actor, who was 14 years her junior. In 1967 Judy was cast in the movie version of Jacqueline Susann's novel *Valley of the Dolls*, but shortly before filming began, she was abruptly replaced by Susan Hayward. In 1968 she was evicted from the St. Moritz because she was unable to pay her $1,800 hotel bill.

In 1969 Judy married for the fifth time. Referring to her new husband, Mickey Deans, a 35-year-old restaurant manager, Judy said, "Finally, finally, I am loved." Although her health had deteriorated, a gallant Judy made a brief concert tour of Scandinavia. On June 22, 1969, Mickey Deans discovered his wife dead in the bathroom of their cottage on Cadogan Lane in London. An autopsy determined that her death was accidental, the result of a barbiturate overdose.

Marvin Gaye was Motown's duet king, performing joyous love songs with the label's best female vocalists. He was sensuous and shocking, and he was always socially relevant. No one could ever predict what he would sing about next. Marvin was always unpredictable.

He was born on April 2, 1939, in Washington, D.C. Even as a young boy, he wasn't afraid to stand out from the crowd. He enjoyed singing solos with the choir at the Pentecostal church where his father was the minister. In high school he studied drums and piano. When he heard that singer Harvey Fuqua was going to judge the high-school talent contest, Marvin figured he would get the judge's attention by singing "The Ten Commandments of Love," a song Fuqua had made popular. Marvin's audacity paid off; he did not win the contest, but his group impressed Fuqua anyway.

To please his father, Marvin joined the United States Air Force. He would have preferred to get on with his music career after high school. Marvin stayed in the Air Force less than a year; he was discharged for psychological reasons. This was the first acknowledgement of his problem with the mood swings that was to plague him throughout his life.

As soon as he got back to Washington, Marvin joined a vocal group called the Marquees. When Fuqua's group, the Moonglows, needed new singers, he hired the Marquees. Marvin can be heard on the Moonglows' 1959 release "Mama Loocie." In 1960 Fuqua disbanded the group and went to Detroit, where Berry Gordy signed him for his new label, Motown. Marvin followed Fuqua to Motown. Fuqua married Gordy's sister Dawn and produced many Motown hits. Marvin married Gordy's other sister, Anna.

Gaye was content as a session drummer at Motown, but after hearing Marvin's voice bring life to a party, Gordy signed his brother-in-law to a recording contract. After three misses Marvin scored in 1962 with "Stubborn Kind of Fellow," which is backed by Martha and the Vandellas. After a string of successes, it was clear that Marvin could effectively add his signature to any style, but Motown's marketing strategy typecast the label's artists. Marvin was told to team up with Mary Wells and warble love songs. After a pair of modest hits, Wells quit the label, and Marvin was paired briefly with Kim Weston.

The third time around, Gaye got the perfect partner, Tammi Terrell. They toured together and recorded one hit after another. In 1967 Tammi was onstage singing with Marvin when she suddenly collapsed in his arms. Three years later, she was dead from a brain tumor. Marvin's next release was the poignant "The End of Our Road."

Marvin stopped performing for a year and made no public appearances. With virtually no fanfare, he resurfaced to present a vastly different kind of music. Motown executives thought his new stuff would never sell, but Marvin used his still-considerable influence to get the label to record the introspective and socially relevant "What's Going On," "Mercy Mercy Me (The Ecology)," and "Inner City Blues (Make We Wanna Holler)." He also

1939-1984

During the 1970s Marvin Gaye shifted the focus of his music first to impassioned protest songs about Vietnam and the environment and then to purely erotic songs.

Marvin Gaye was first and foremost a tenor with a three-octave range. During the 1960s he preferred romantic ballads, but he also recorded upbeat tunes and dance hits.

took a new partner, his old and trusted friend Diana Ross. But musically, Marvin's heart was elsewhere. He hit number one in 1973 with "Let's Get It On," a song that many radio stations refused to play because of its suggestive lyrics.

Gaye's marriage fell apart in the mid 1970s. He was frequently moody and often disappeared to Europe for months at a time, ignoring any commitments that would have kept him at home. Marvin went bankrupt, but the judge who was handling his divorce instructed him to record an album to raise the $600,000 he owed in alimony. With his personal life in shreds, Marvin left Motown and began recording for Columbia.

With the release of *Midnight Love* in 1982, Marvin was back on tour, playing to packed houses. On April 1, 1984, he visited his 70-year-old father at his home in Los Angeles. Marvin's life ended abruptly with two shots from his father's gun. There had been an argument and a fistfight, and suddenly the unpredictable Marvin Gaye was dead.

Fifty years after his death, Lou Gehrig, baseball's "Iron Horse," still holds a major league record for the 2,130 consecutive games that he played for the New York Yankees between 1925 and 1939. He also has a .340 career batting average, making him one of the greatest hitters of all time. Sadly, Lou's life story is tragic. He was a clean-living, enormously successful athlete, who was admired by both his teammates and the opposing players, but he was cut down in the prime of life.

Henry Louis Gehrig was born in the Yorkville section of Manhattan on June 19, 1903. His parents, Heinrich and Christina, were German immigrants. Of their four children, Lou was the only one who survived to adulthood. Growing up, Lou was something of a mama's boy. He lived with his parents until he married, when he was 30 years old. Lou attended New York public schools, where he excelled as an athlete. When he was only 11, Lou swam across the Hudson River. He went to the city's High School of Commerce, where he starred in baseball, football, and swimming.

In his senior year, Lou's school won New York's public school baseball championship. They played Chicago's best high school team, Lane Tech, in Chicago's Wrigley Field in 1920. The game was a portent of what was to come: With the bases loaded and two outs in the ninth inning, Lou crushed a 3-2 pitch over the right field wall to win the game.

To fulfill his parents' dream, Lou enrolled at New York's Columbia University in 1922. Because he had briefly played for a professional baseball club the preceding summer, Lou was barred from athletic competition at Columbia for a year. After sitting the year out, Lou starred on the college's baseball and football squads, earning the nickname Columbia Lou.

When his father lost his job and his mother fell ill, Lou decided to leave college for a professional baseball career. In June 1923 the New York Yankees signed him to a minor league contract. He was assigned to the team's Hartford, Connecticut, farm club, where he played for two seasons as a power-hitting first baseman. That was just what the parent team was looking for, and Lou was inserted into the starting Yankee lineup on June 1, 1925, substituting for their regular first baseman, Wally Pipp. For the next 14 years, Lou did not miss a single game.

Even though Lou made an immediate impression in the majors, leading the American League with 20 triples in his second season, it was in 1927 that the six-foot, 210-pound left-hander blossomed as a slugger. Hitting cleanup in Murderer's Row, as the Yankee lineup was called, he challenged teammate Babe Ruth for the league's home-run title. By the end of the season, Lou had hit 47 homers to the Babe's 60. That year Lou hit .373 and set a major league record by racking up 175 RBIs. Not surprisingly, Lou was voted the league's Most Valuable Player. He also helped the 1927 Yankees—arguably the best team ever to play the game—to sweep the Pittsburgh Pirates in the World Series. True to form, Lou had almost decided to sit out the entire series to stay at his ill mother's side.

1903-1941

This photograph was taken in June 1925 when Columbia Lou first reported to the New York Yankees. The team's manager, Miller Huggins, told an interviewer that he was delighted with his new prospect.

For 13 consecutive seasons, Lou knocked home more than 100 runs, and he slugged 46 home runs with 184 RBIs in 1931. On June 3, 1932, Lou hit four home runs in one game against the Philadelphia Athletics, setting another major league record.

Lou was a quiet man, who was less flamboyant than his teammate Ruth. Lou was always modest about his talents. This quality made him a hero to millions of impressionable kids. In 1933 he married Eleanor Twitchell. She helped him withstand the rigors of professional baseball. On the eve of consecutive game 2,000 in 1938, Eleanor suggested that Lou was getting compulsive about the streak and advised him to end it at 1,999 games. Despite his wife's good intentions, Lou would not be deterred.

During spring training in 1939, Lou began to experience weakness and problems with coordination. To sportswriters following the Yankees, it seemed that Lou couldn't hit the ball and couldn't play defense anymore. On May 2 his consecutive game streak finally ended when he removed himself from the lineup. "It's tough to see your mates on base, have a chance to win a ball game, and not be able to do anything about it," he said.

While newspaper reporters were speculating that the streak had worn Lou out, he knew something else was causing his problems. He entered the Mayo Clinic in Rochester, Minnesota, for tests. On his 36th birthday, he was diagnosed as suffering from a rare muscular disorder, amyotrophic lateral sclerosis. The disease causes the motor neurons to degenerate, resulting in atrophying muscles, which in turn cause paralysis and ultimately death. Eleanor asked the doctors to withhold that fact about his disease from her husband.

Lou stayed with the team as the nonplaying captain for the rest of the 1939 season, receiving standing ovations from the crowd every time he took the team's lineup card to home plate before a game. On July 4, 62,000 fans crowded Yankee Stadium to honor him on Lou Gehrig Day. In his well-remembered speech to the crowd, Lou said that he considered himself "the luckiest man on the face of the earth." On his retirement from baseball at the end of the season, Lou was voted into baseball's Hall of Fame.

New York mayor Fiorello LaGuardia named Lou the city's parole commissioner. He held the job until his declining health confined him to bed. Before the Iron Horse died at home on June 2, 1941, at the age of 37, he had become so weak that he was unable to swallow a mouthful of water. His universal renown was so great that after his death amyotrophic lateral sclerosis became known as Lou Gehrig's Disease.

Lou Gehrig slugged a total of 23 grand-slam home runs, topped the .300 batting mark for 12 straight seasons, and established an American League record of 184 RBIs in 1931.

Lou Gehrig was so popular with fans that in 1934, when Goudey Gum Company released its second set of baseball cards, the Iron Horse was pictured on every one of them.

1945-1979

As a child, Lowell George played harmonica. In high school he switched to flute, then oboe and baritone saxophone. Finally, he found rhythm guitar and stuck with that instrument throughout his career.

His friend Jackson Browne once dubbed Lowell George the Orson Welles of rock, and he was not just talking about Lowell's considerable girth. As the founder and leader of the rock group Little Feat, Lowell's bizarre sense of humor, matched with his peerless musicianship, made the group one of the most critically acclaimed acts of the 1970s. Orson Welles was considered a genius by almost everyone who ever worked with him, so was Lowell George.

The son of a wealthy Los Angeles furrier, Lowell was born April 13, 1945, into a world of glamor. Movie star Errol Flynn was the family's next-door neighbor in Laurel Canyon. W.C. Fields dropped by the house on frequent visits. Lowell's privileged childhood helped to produce the absurd sense of humor that was one of his most endearing traits.

Lowell's first musical instrument was a harmonica, and he appeared with his brother on Ted Mack's *Original Amateur Hour* in a harmonica duet. At Hollywood High School, George played the flute. He developed an early interest in jazz, and because he was underage, he had to sneak into clubs to hear his jazz idols, especially saxophonists Sonny Rollins and Roland Kirk. He also could play oboe and baritone saxophone, and once joined in on a Frank Sinatra recording session. Lowell started college at Valley Junior College, but he dropped out to form a rock band after attending a Byrds' concert and hearing the group play "Mr. Tambourine Man." Years later, the Byrds recorded one of Lowell's songs, "Truck Stop Girl."

George switched from wind instruments to guitar, attributing the change to the influence of blues musicians Howlin' Wolf and Muddy Waters. After he started playing guitar, Lowell went through a series of Los Angeles bands before hooking up with Frank Zappa and the Mothers of Invention. His brief stint with the group ended when Zappa suggested Lowell would be better off leading his own group. He even suggested a name for the band—Little Feat.

As Little Feat's main singer, songwriter, and guitarist, Lowell fused his funky rhythm-and-blues rock style with memorable lyric images. The critics adored the group, and they also built a strong following of loyal fans. Singing with Little Feat, Lowell developed into one of rock's finest vocalists, while his slide guitar style was so unique that many people recognize it after hearing just one or two notes.

The group's albums *Sailin' Shoes, Dixie Chicken,* and *Feats Don't Fail Me Now* sold well, but Little Feat made a go of it only by nonstop touring. Constantly being on the road produced a lot of friction between Lowell and some of the other members of the group who resented his authority. His solution was to step out of the limelight on the next few Little Feat albums. During this time he produced albums for such artists as Bonnie Raitt and the Grateful Dead. Lowell also began work on a solo album that was to occupy him on and off for the next few years, while he remained with Little Feat.

In 1978 Little Feat's double live album, *Waiting for Columbus*, finally made them major rock radio stars. Unfortunately, the group's internal dissension came to a head, and they broke up not long after the album's release. Lowell's solo album, *Thanks I'll Eat It Here*, came out in March 1979. It is an esoteric collection that showcases his singing more than his guitar playing or songwriting, much to the disappointment of some of his fans. Lowell put together a new band and toured later that year to help promote the album.

The night after playing a concert in Washington, D.C., Lowell experienced chest pains. His wife, Elizabeth, summoned paramedics. Lowell George was dead on arrival at the hospital on June 29, 1979, the victim of heart failure. He left behind his wife, four children, and an enduring body of work that attests to his greatness. Nine years after Lowell's death, the remaining members of Little Feat re-formed the group with a new lead vocalist who sounds uncannily like Lowell.

Lowell George shaped the music of Little Feat with his bluesy voice, slide guitar, and playful lyrics.

1942-1970

Jimi Hendrix picked up a lot of
tricks from T. Bone Walker,
Johnny Guitar Watson, and
other black musicians who
turned him on to playing guitar
behind his back, with his teeth,
and in any other outrageous
way he could dream up.

When he was born on November 27, 1942, in Seattle, Washington, Jimi's mother named him John Allen Hendrix. His father was away at war; his mother was too ill and alcoholic to care for her baby, so he was sent to live with relatives in Berkeley, California. When his dad returned home, he renamed him James Marshall Hendrix, divorced his wife, and took on the task of raising his son alone.

One day Al Hendrix noticed his 13-year-old son holding a broom and strumming its imaginary strings. He found an old ukulele for him to play and eventually replaced it with a five-dollar Silvertone acoustic guitar. Jimi was left handed and found the new guitar hard to play until he reversed the strings. Al couldn't afford guitar lessons, but he never discouraged his son from pursuing something he obviously loved. Even when Hendrix could afford left-handed guitars, he always used a modified right-handed instrument.

In 1959 Jimi dropped out of high school and enlisted in the Army, but he soon became disenchanted with military service. His unit, the 101st Airborne Division, was stationed in Ft. Campbell, Kentucky, and Hendrix spent all his free time hanging out in nearby Nashville, where he discovered the blues. After hurting his back on a training jump, Hendrix was honorably discharged from the Army. He immediately got work as a side man on the rhythm-and-blues circuit, honing his craft but making little or no money. Jimi's first big break came in 1963, during a stay in Vancouver. He met Richard Penniman, better known as Little Richard, who taught the inexperienced musician the value of showmanship.

Hendrix eventually grew tired of fronting for the singer and moved on to New York City, hoping to get a break. Through his friend Curtis Knight, Hendrix discovered Greenwich Village and its hip music scene. The Who, Bob Dylan, and the Yardbirds left indelible impressions on Jimi. At this time he began experimenting with LSD and marijuana.

In 1966, while he was fronting his own band, Jimmy James & the Blue Flames, at the Cafe Wha?, John Hammond Jr. approached Hendrix about the Flames playing backup for him at the Cafe Au Go Go. Hendrix agreed and during the show's finale, Hammond let Jimi cut loose on Bo Diddley's "I'm a Man." Jimi played with his teeth, behind his back, on his head, and in any other position he could think of. The sounds emanating from his Stratocaster were none anyone had ever heard before. The crowd went wild. A star was born.

The raw power of Jimi Hendrix
on his Fender Stratocaster
redefined the way in which rock
guitar should be played.

Linda Keith, the girlfriend of the Stones' lead axe man, Keith Richards, was one of Hendrix's biggest fans. She told her friend Chas Chandler, an aspiring band manager, about Hendrix. When he heard Jimi play, Chandler asked Hendrix to come with him to London. In England, not America, Hendrix found his home. After auditioning members for his band, Hendrix and Chandler decided on Noel Redding, bass, and John "Mitch" Mitchell, drums. Chandler made a quick change in Hendrix's first name. Enter the Jimi Hendrix Experience.

Hendrix took England by storm, and by the summer of 1967, he was ready to return to the United States. At the Monterey International Pop Festival, a mixup backstage forced Hendrix to follow the Who onstage. The mayhem that ensued is a rock legend. After a superb set by the Who, Hendrix took over and tore up the house. He used every nuance, trick, and ploy he knew. Townshend smashed his guitar; Hendrix burned his. Rock music had a new prince of chaos.

Hendrix's career skyrocketed. The Experience's first two albums, *Are You Experienced?* and *Axis: Bold As Love,* catapulted him to the top of the charts and made him the highest-paid rocker in the business. Hendrix was doing more and more acid and slowly losing touch with the friends that had helped him the most. In February 1968 Chas Chandler quit in disgust, selling out to his partner Mike Jeffrey for $300,000. In September 1968 the Experience released their most successful album to date, *Electric Ladyland.*

On August 18, 1969, Woodstock happened. The Jimi Hendrix Experience was to be the closing night's headliner. Because of the immense crowd and logistical problems, Hendrix ended up playing on the morning of the fourth day. Only 30,000 people had stayed on in the mud and rain, but they were treated to musical history. Hendrix's searing rendition of "The Star-Spangled Banner" became the anthem of the counterculture. Hendrix's music perfectly captured the volatility of the times.

After Woodstock the Experience broke up, and a new lineup featuring Hendrix's old friends Billy Cox, bass, and Buddy Miles, drums, recorded his last album, *Band of Gypsys,* released in May 1970. Jimi was preparing to collaborate with Chas Chandler and jazz arranger Gil Evans on a release tentatively titled *First Rays of the New Rising Sun.* On the night of September 17, 1970, in London Hendrix took some sleeping pills that had been prescribed for his girlfriend Monika Danneman. Sometime during the night, Hendrix threw up, but Danneman, thinking he was all right, left to get cigarettes. When she returned, she could not wake Hendrix. Monika called an ambulance and then watched helplessly as they took Jimi Hendrix away. He never regained consciousness.

Jimi's life was brief, but his impact on rock guitar is still being felt. Hendrix was a true success story, earning every bit of fame that came to him. He struggled against impossible odds and won. His tunes, particularly "Purple Haze," "Foxy Lady," and "Fire," not only helped define a generation, but they set the course for a new era of rock music. Vernon Reid, lead guitar for Living Colour, said it best: "Jimi helped define the colorlessness of the artist and the colorfulness of the music."

Jimi Hendrix spent the early 1960s playing backup for B.B. King, Ike and Tina Turner, Solomon Burke, Jackie Wilson, Tommy Tucker, Sam Cooke, Little Richard, Wilson Pickett, the Isley Brothers, and King Curtis.

Jim Henson, a tall, soft-spoken man, gave the world the precious gift of love and laughter with his Muppets. Miss Piggy, Big Bird, Bert and Ernie, Oscar the Grouch, and Kermit the Frog are the dear friends of children and grownups around the world. Through his pioneering work on public television's *Sesame Street*, Jim's characters have helped teach millions of preschoolers their ABCs, and *The Muppet Show* proved that Kermit and his friends were just as appealing to adults.

Jim was born on September 24, 1936, in Greenville, Mississippi. His dad was an agronomist who worked for the United States Department of Agriculture. When Jim's father was transferred to the bureau's Washington, D.C., headquarters, the Henson family moved to Hyattsville, Maryland, where Jim discovered puppetry. Between high school and college at the University of Maryland, Henson got a job as a puppeteer at NBC's Washington affiliate, WRC-TV. His five-minute show was called *Sam and His Friends*, and when the program won an Emmy in 1958 for the best local entertainment show, Jim began seriously to consider making a career out of his Muppets. "All the time I was in school, I didn't take it seriously," he later admitted. "I mean, it didn't seem to be the sort of thing a grown man works at for a living."

In 1959 Jim married his college sweetheart, Jane Nebel. She became his first puppetry partner and continued to assist him for many years. The couple had five children, Lisa, Cheryl, Brian, John Paul, and Heather, and some of the kids have also worked for Jim, although each of them eventually chose separate careers.

After graduating from college, Jim began making television commercials. For many years this lucrative enterprise financed his experiments in reinventing puppetry. One character he created for a commercial, Rowlf the Dog, launched Jim's career on network television. The philosophizing Rowlf, with Jim working him and providing his voice, became a popular guest on such programs as *The Ed Sullivan Show* and *The Tonight Show*. From 1963 to 1966, Rowlf was a regular character on *The Jimmy Dean Show*.

Bernie Brillstein, Jim's agent for 30 years, recalled their first meeting. "I didn't want to see him, but up came this young Abe Lincoln wearing some kind of hippie arts-and-crafts clothes." As Brillstein was about to dismiss Henson as a nobody, his boss called and asked the agent if he had ever heard of Jim Henson and the Muppets because someone wanted to book him into Radio City Music Hall. Brillstein quickly changed his opinion of Jim Henson.

Year by year Jim's stock in the show biz world soared. In 1965 he wrote, produced, directed, and starred in *Timepiece,* an experimental film short with no Muppets that was nominated for an Academy Award. In 1968 he produced "Muppets on Puppets" for National Education Television, which named the program the year's outstanding children's show. When the ground-breaking children's program *Sesame Street* premiered on 160 educational television stations the following year, Jim and his Muppets were a

1936-1990

Jim Henson, the creator of the Muppets, and his alter ego, Kermit the Frog, cuddle three of the Muppet Babies, who have their own animated television series.

major factor in the program's success. Soon-to-be famous Henson creations including Kermit the Frog, Bert and Ernie, and Oscar the Grouch introduced film and live-action segments and taught kids their numbers and letters in creative and entertaining ways. "Kids love to learn," Henson said. "And the learning should be exciting and fun. That's what we're out to do." *Sesame Street* and the Muppets were a huge success. By the early 1970s, almost half of America's 12 million preschoolers were *Sesame Street* viewers.

Columbia Records released a series of Muppet albums, as well as the novelty single, "Rubber Duckie," which featured Jim in the guise of Ernie. In the 1970s the Muppets seemed to be everywhere. Jim and his growing support staff did a "Muppet Valentine Special" for ABC-TV, as well as "Out to Lunch" for the Children's Television Workshop, in which Kermit and his pals take over a television station.

Despite his growing fame, Jim remained as self-effacing as ever. He was self-conscious about his appearance and wore a beard to hide the scars of adolescent acne. According to his coworkers, he was an easy boss to work for. Carroll Spinney, who played Big Bird and Oscar the Grouch for 20 years, said, "Jim would never say he didn't like something. He would just go, 'Hmmm.' That was famous. And if he liked something, he would just say, 'Lovely.'" Along with critical acclaim came enormous personal wealth, which paid for the Henson family's large homes in Connecticut, Malibu, Orlando, and London. Jim also had a penchant for exotic cars and enjoyed such diversions as hot-air ballooning in France or camel riding in Egypt.

In the fall of 1976, *The Muppet Show* made its television debut. With a regular audience of 235 million, it became the most successful syndicated television series in history. Duncan Kenworthy, the head of the London production facility where the show was filmed, remembers that "Jim was as famous in the rest of the world as he was in America. In Japan he's as well known as Steven Spielberg."

The Muppet Show featured Henson's characters interacting with real-life stars. The indefatigable Miss Piggy danced "Swan Lake" with ballet star Rudolf Nureyev and sang opera with diva Beverly Sills. Jim's genius was in making his characters transcend the limitations of puppetry. Everyone loved the temperamental Miss Piggy and the woebegone Fozzie Bear. While warding off the advances of Miss Piggy and soothing the egos of dozens of other Muppet characters, Kermit the Frog was the most human of all. In 1979 Kermit starred in *The Muppet Movie*, Henson's first full-length feature film.

Henson Associates, Jim's company, had its headquarters in Manhattan. The executive suite was just down the hall from a two-story workshop where a half dozen assistants created Muppets out of 15 basic body shapes, swapping eyes, noses, and mouths to create new characters.

Miss Piggy and Kermit the Frog
rehearse a scene for *The
Muppet Show*, which was
filmed in England and shown
on televisions all over
the world.

Behind the scenes at the
workshop where Muppets are
created, Jim Henson and his
assistants give life to a new
creature.

Jim poses happily with members of the cast of *Fraggle Rock*, a syndicated cable television show.

In 1981 Jim pulled the plug on *The Muppet Show*. "I wanted to quit while I was ahead," he said. "I didn't want to get stale." He returned to the big screen in 1984 with *The Muppets Take Manhattan*, in which Kermit and Miss Piggy were finally wed. In 1986 the Muppets celebrated their thirtieth anniversary, but Jim thought he had lost his golden touch when his fantasy film *Labyrinth* was a box office flop. Jane Henson said that the failure of *Labyrinth* was a great blow for Jim. He couldn't understand what he had done wrong. That same year the Hensons were legally separated, although they had lived apart for the past two years.

In 1989 Jim began negotiations to sell Henson Associates and his creative services to the Walt Disney Company for an estimated $150,000,000. His intention was to provide greater longevity for his Muppet characters. The sale also would free him to concentrate on other projects. In the spring of 1990, Jim was putting the finishing touches on plans for the June premiere of the Muppets at Disney World in Orlando, Florida. In early May he developed a respiratory infection that went untreated until it forced him into the New York Hospital emergency room on May 15. He died the next day following a severe attack of pneumonia. His doctors said that if Jim had sought medical treatment just six hours earlier, he probably would have survived.

He once said, "My hope is to leave the world a little bit better than when I got here." Millions of children and adults agree that Jim Henson did just that.

Jazz singer Billie Holiday, the beloved Lady Day, amazed her fans during her 25-year recording career with her ability to squeeze every bit of emotion out of a song's lyrics with a voice that was anything but conventional. During the late 1950s, Frank Sinatra said, "Lady Day is unquestionably the single most important influence on popular singing in the last 20 years." Unfortunately, the joy her music brought to others was largely missing from her own life.

She was born Eleanora Fagan in Baltimore, Maryland, on April 7, 1915. Her mother, Sadie Fagan, was 13 years old and unmarried. Billie never knew her father, but when Sadie married Clarence Holiday a few years later, Billie was given her stepfather's last name. Clarence was a professional musician, who soon abandoned his new family, but not before giving the future jazz singer the nickname Bill for her tomboy ways. Later, Bill became Billie.

Billie did not have much of a childhood. When she was 10 years old, she was raped by a man who lived in her mother's boardinghouse. She was consequently sent to a Catholic reform school because a judge felt that she looked "too provocative" for her age. Later, Billie followed her mother to New York, where she worked briefly as a prostitute. She was arrested for solicitation when she was only 14 years old and never returned to prostitution.

To earn her way, Billie began working as a dancer in Harlem. When her employer at the Log Cabin Club asked her if she could sing, which she had been doing all her short life, a new world opened for 15-year-old Billie Holiday. Singing for $2 a night, she quickly began to attract the attention of the city's black musicians, who were impressed by her already unique sound.

Her voice was a thin soprano in which nuance and subtlety took precedence over lung power. Her early idols were Louis Armstrong and blues singer Bessie Smith. "I always wanted Bessie's big sound and Armstrong's feeling," she once said. "But I found it didn't work with me, because I didn't have a big voice. Between the two of them I got Billie Holiday."

John Hammond, a talent scout for Columbia Records, discovered Billie at a New York club called Monette's in 1933. He later introduced her to another one of his discoveries, the up-and-coming bandleader Benny Goodman. He led the pick-up band that backed Billie on her first two record sides for Columbia, "Riffin' the Scotch" and "Your Mother's Son-In-Law."

The record sold only modestly, and Billie received a grand total of $35 for her effort. But having a record release enabled Billie to begin working in classier nightclubs. In 1935 Hammond paired Billie with pianist and bandleader Teddy Wilson. During the next five years, she recorded nearly 200 songs with Wilson's group, cementing her growing reputation as one of America's top young jazz singers.

Thanks to her friendship with saxophonist Lester Young, Billie was hired to replace Helen Humes as the featured vocalist in Count Basie's band in 1937. During her brief stint on the road with Basie, she encountered intense racism wherever she went. Things were even worse when Billie

1915-1959

Billie Holiday was given the name Lady Day by Count Basie's side man Lester Young.

jumped ship to work for Artie Shaw, becoming the first black vocalist to sing with an all-white big band. She quit the band after a New York club owner refused to let her sit on the bandstand and forced her to use a freight elevator to reach her dressing room. In 1939 Billie made her first public statement about racism with the song "Strange Fruit," a thinly veiled reference to the still-common lynchings of black men, especially in the South.

Her first husband, Jimmy Monroe, introduced Billie to heroin. "It wasn't long before I was one of the highest paid slaves around," she later wrote in her autobiography. "I was making a thousand a week, but I had about as much freedom as a field hand in Virginia a hundred years before." Billie's heroin habit dogged her for the rest of her life.

In the early 1940s, resplendent in her trademark satin gowns, Billie took center stage on her own at such upscale New York clubs as the Cotton Club. After a felony conviction for drug possession in 1944, Billie was refused a cabaret license and could not work at New York nightclubs that served alcohol. She began giving concerts instead. In 1944 Billie signed with Decca Records and recorded "Lover Man," which became one of her biggest hits. For Decca she also recorded the enduring classics "God Bless the Child" and "Them There Eyes."

Despite her success, Billie could not overcome her drug habit. She was busted again in 1947 on a narcotics charge and sentenced to one year at a prison in West Virginia. When she sang at Carnegie Hall after her release, she was convinced that more people came to see the needle scars on her arms than to hear her sing.

Billie switched to Verve Records in the early 1950s. Although she continued to record, her drug and alcohol use was beginning to take its toll on her voice. In 1957, when Billie appeared with her old friend Lester Young on a CBS-TV special, she looked much older than her age. By the end of the decade, she was living alone in New York, with a chihuahua that she fed from a baby bottle as her sole companion. Her health began to fail from years of abuse, and she was hospitalized in 1959. Even in the hospital Billie could not get any peace: She was arrested in her bed at New York's Metropolitan Hospital for possession of heroin. Billie Holiday acquired a kidney infection while she was still in the hospital and died there on July 17, 1959.

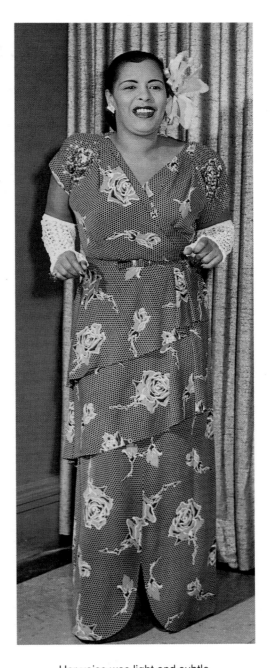

Her voice was light and subtle, and when Lady Day sang, she almost always sang with a blues feeling even though she rarely sang the blues.

During the height of her popularity in the top New York nightclubs, Billie wrote "God Bless the Child," a moving song about poverty's devastating effect on children.

After a narcotics conviction resulted in the loss of her cabaret license, Billie could no longer sing in nightclubs so she sang in concert halls, some less glamorous than others.

1921-1965

In 1950, when this photograph was taken, Judy Holliday starred in the Columbia production *Born Yesterday*, recreating her Broadway role.

Hollywood legend maintains that Judy Holliday's scene-stealing role in *Adam's Rib* was purposefully enhanced and expanded by director George Cukor, scriptwriter Garson Kanin, and star Katharine Hepburn. Their goal was to ensure that Holliday would win the starring role of Billie Dawn in the film version of *Born Yesterday*. Judy had received rave reviews for her kooky Billie Dawn in the smash Broadway comedy three years earlier, but studio head Harry Cohn was not convinced she could successfully bring the role to the screen.

Holliday's big scene in *Adam's Rib* is an interview with her attorney, Katharine Hepburn. Judy's character has shot her husband because of his infidelities. The long scene emphasizes Holliday's mastery of comic timing. Hepburn underplayed her part, giving Holliday the edge with her quirky voice and fussy gestures. The blonde newcomer stole the scene from the acclaimed star, and Cohn was persuaded to cast her as Billie Dawn, a role coveted by many actresses. Also in *Adam's Rib,* Holliday first exhibited the characteristics that would define her screen image. As the sympathetic wife of a two-timing husband, she is honest, naive, and deceptively simple-minded but never really dumb.

Born Judith Tuvim in 1921, Holliday began her show-business career when she signed on as a switchboard operator for Orson Welles's Mercury Theatre while she was still a teenager. In 1939 she formed a comedy-sketch group called the Revuers with writers Betty Comden, Adolph Green, and John Frank. Appearances in nightclubs and stints on the radio with the Revuers led to a short-lived association with 20th Century-Fox in 1944. Holliday appeared in minor roles in three forgettable movies before returning to New York to replace an ailing Jean Arthur in the stage version of *Born Yesterday.*

Billie Dawn, as she is played by Holliday, is more than the dumb blonde girlfriend of a power-hungry gangster. She is a dynamic character capable of growth and change. Cohn never regretted giving the movie role of Billie Dawn to Judy, who won an Academy Award for her performance. The movie *Born Yesterday* made Holliday a star, and the actress and the character became inextricably intertwined. The press and the movie industry oversimplified Judy's image, labeling her a dumb blonde. If Holliday seemed to play one bubbly, kooky blonde after another, at least she meticulously built each of her characters through gesture, facial expression, and vocal inflection.

In 1952, just as her movie career was taking off, Holliday was brought before the Senate Internal Security Subcommittee. She had been active in liberal organizations that later were called "communist." Postwar red-baiting hit the Hollywood film industry hard. People found to have "communist sympathies" were unofficially blacklisted by the studios. Cohn, unwilling to have his newest star ruined, hired lawyers and consultants to help clear Judy's name. It is likely that when Holliday was questioned, she adopted a persona not unlike Billie Dawn, thwarting the committee's attempts to pin

On March 29, 1951, Judy received news that she had won an Oscar for *Born Yesterday*. She met the press in a New York nightclub, wiping tears of happiness from her eyes.

Judy Holliday and Dean Martin attempt a little soft-shoe routine down by the East River in this scene from the movie *Bells Are Ringing*, which is set in Manhattan.

her down by humorously twisting the meaning of their questions. Eventually, she was cleared.

Holliday returned to Broadway in 1956 in *Bells Are Ringing*, written by her friends and former associates Comden and Green, and choreographed by Bob Fosse. Written especially for her, the story involves an operator for an answering service who gets too involved with the personal lives of her clients. Although Holliday was not a dancer, Fosse was able to use her flair for physical comedy as a basis for her dance numbers. The film version of *Bells Are Ringing*, directed by Vincent Minnelli, kept the essence of Holliday's character but unfortunately left out Fosse's dance numbers.

Judy Holliday retired in 1960, after making *Bells Are Ringing*, and succumbed to cancer in 1965. In just a handful of feature films, she fashioned a unique twist on the dizzy blonde stereotype. As the simple-minded but sensitive innocent, she had the uncanny knack for speaking the truth in her quirky, piping voice.

1936-1959

Buddy Holly was popular with a wide audience. He appeared on television variety shows and was one of the first white acts to appear at Harlem's Apollo Theatre.

Looking at his thick glasses and boyish face in old publicity photos, Buddy Holly seems to be an unlikely rock star. But his hiccuping vocal style and ringing electric guitar heard on such all-time hits "Peggy Sue," "Rave On," and "Maybe Baby" are as fresh and exciting today as they were in the 1950s. Buddy's sound has been a major influence on the rock stars who have followed him into the limelight, including the Beatles, Eric Clapton, and Creedence Clearwater Revival. The great appeal of Buddy's music is that it speaks directly to his audience: teenagers. As one writer put it, "He was an Everyteen, mirroring the dreams and frustrations of anonymous small-town kids everywhere."

Charles Hardin "Buddy" Holley was born on September 7, 1936, in Lubbock, Texas. (He dropped the *E* from his last name after it was accidentally left off his first record contract.) Buddy was the youngest of four children in a conservative Baptist family. His parents were country music fans who encouraged him to learn to play the guitar, and as a kid he began to soak up the lonesome Western sounds he heard on the family's radio.

When he was barely into his teens, Buddy began singing in high school country music groups. Although it now seems almost laughably ironic, he once wrote in a sophomore composition class, "I have thought about making a career out of Western music if I am good enough, but I will just have to wait to see how that turns out."

By 1954 Buddy was beginning to make a name for himself, singing country music in small clubs in Lubbock and the surrounding area. Within a couple of years, the young singer had exchanged such country influences as Hank Williams, Jimmie Rodgers, and Bill Monroe for the more exciting sounds of rock 'n' roll played by Elvis Presley, Chuck Berry, and Little Richard.

Decca Records signed Buddy in 1956. He recorded several singles for the label in Nashville with his group, the Three Tunes, but he was quickly dropped when his music failed to make an impact. Returning home to lick his wounds, Buddy formed a new group, the Crickets, with guitarist Niki Sullivan, bassist Joe Mauldin, and drummer Jerry Allison. With the Crickets Buddy's unique musical style began to come together.

The group soon came under the wing of record producer Norman Petty, who owned a recording studio in Clovis, New Mexico. Petty used his connections to get "That'll Be the Day" picked up by Decca's Brunswick subsidiary. Once the record hit number one on September 14, 1957, the label signed Buddy and the Crickets as a group to one contract and Buddy Holly as a solo artist to another subsidiary, Coral Records. "They kicked us out the front door, so we went in the back door," joked Buddy. "That'll Be the Day" introduced Buddy's famous hiccuping style that became his signature. The hits came in quick succession with "Oh, Boy!" in 1957 and "Maybe Baby" and "Think It Over" in 1958. As a solo Buddy also recorded the 1957 megahit "Peggy Sue." Later, he recorded a sequel, "Peggy Sue Got Married."

As a little kid growing up in Łubbock, Texas, Buddy Holly probably dreamed of becoming a cowboy. By the time he was in high school, he hoped to become a country-Western singer.

Buddy posed with two of the Crickets in matching suits for this 1957 photograph. The group included Joe Mauldin on bass, Niki Sullivan on guitar, and Jerry Allison on drums.

The group took part in a number of cross-country tours with other recording artists, including Chuck Berry. He and Buddy liked to shoot craps in the back of the tour bus. Buddy was also friends with the flamboyant Little Richard. During one tour Buddy invited Richard to his home in Lubbock for dinner. At the time Lubbock was a conservative Southern town where racial segregation was the norm. When Buddy's father saw whom his son had brought home, he wouldn't let Richard in the door, but Buddy told his dad that if he didn't invite Richard to dinner, Buddy would never come home again. Richard joined the family for dinner, but they were not happy about it.

In 1957 the Crickets appeared on *The Ed Sullivan Show*, and they also toured England, making a big impact on the future of British rock music. Buddy's "brush and broom" picking style on his Fender Stratocaster electric guitar was scrutinized by such young guitarists as John Lennon and Eric Clapton.

Buddy eventually broke with both the Crickets and his producer Petty, and began to work as a solo artist. For his new backing group, Buddy assembled guitarist Tommy Allsup, drummer Charlie Bunch, and bassist Waylon

The Fender Stratocaster was an unknown commodity in the music world when Holly made it his instrument of choice in the mid 1950s.

Jennings, who would later go on to achieve great fame as a country singer. His last recording session took place on September 21, 1958, where he recorded "True Love Ways" and "It Doesn't Matter Anymore."

By 1959 Buddy was living in New York's Greenwich Village. The previous summer he had married Puerto Rican-born Maria Elena Santiago to whom he had proposed on their first date. He was also branching out musically, exploring pop styles and singing with orchestral backing. In the early winter of 1959, Buddy and his group took part in a cross-country tour with the Big Bopper (J.P. Richardson) and Mexican-American rocker Ritchie Valens. The musicians usually traveled by bus, but Buddy and his group decided to charter a private plane to take them from Mason City, Iowa, to Fargo, North Dakota, for their next show. At the last minute, the Big Bopper, who was ill, got Jennings to give up his seat, and Valens won a coin toss with Allsup for the other seat. Pilot Roger Peterson took off in a heavy snow storm on February 3, 1959, and crashed the plane. Everyone on board was killed, including 22-year-old Buddy Holly. His death stunned the music world. For one heartbroken fan, young Don McLean, it was "the day the music died," as he later put it in his 1971 hit "American Pie."

Brian Jones was an accomplished musician, who played clarinet, saxophone, and guitar. When he was first introduced to Mick Jagger and Keith Richard in 1962, Jones was sitting in with Britain's first real blues band, Alexis Korner's Blues Incorporated, at a small club in Ealing. Impressed by his talent, they invited him to join their new band. Jones came up with a name for the group, the Rolling Stones, which he based on a song by blues musician Muddy Waters.

Jones, who was born on February 28, 1942, grew up in a working-class community. His father was a factory worker and his mother taught piano. Jones had difficulty relating to his parents and spent most of his time listening to jazz records and dating. By the time he was 16, Brian had fathered two illegitimate children.

During the 1960s the Rolling Stones benefited from the phenomenal worldwide success of the Beatles. With their long hair and a street-wise attitude, the Stones were packaged as "the group parents love to hate." In 1963 the Stones released their first record, a cover of Chuck Berry's "Come On." In the summer of 1965, the Rolling Stones had a number-one hit: "Satisfaction."

That same summer, Jones began a tumultuous affair with Anita Pallenberg. Within a few weeks of meeting her, Jones abandoned his girlfriend Linda and their young son to move in with Pallenberg. She was also responsible for introducing Jones to LSD. Before long, scoring dope became Jones's number-one priority. Other members of the Stones also experimented with drugs. While Richard and Jagger were on trial for drug charges, the police raided Jones's apartment and charged him with possession of cocaine, Methedrine, and cannabis. All three Stones succeeded in having the charges against them dropped, but by 1969 Jones was so heavily addicted to heroin that his fellow band members felt they had no other choice but to fire him.

On July 3, 1969, Jones reportedly spent the evening guzzling vodka and swallowing downers. At midnight he decided to go swimming and dove into the pool. A few moments later, Brian Jones was discovered dead on the pool's bottom.

1942-1969

In 1964, when this photograph of Brian Jones was taken, the Stones released their first album, toured the United States for the first time, and topped the British charts for the first time with "It's All Over Now."

The original Rolling Stones were, from left to right, Bill Wyman, Brian Jones, Keith Richard, Mick Jagger, and Charlie Watts.

1943-1970

Always more hippie than hip,
Janis Joplin was moments
away from superstardom when
she tragically overdosed.

Janis Joplin was born in Port Arthur, Texas, on January 19, 1943. Her father worked for the Texaco Canning Company, and her mom had a job at the local college. Janis grew up in a comfortable middle-class home, but very little of the easy normalcy of her childhood home rubbed off on the restless young girl who was eager to get out and experience life.

At the age of 14, Janis became determined to be different from the other kids. She withdrew from her classmates whose tastes in music, clothes, and everything else she no longer shared. She read poetry, painted, and listened to folk music and the blues. Leadbelly and Bessie Smith were her favorites. Janis continued to live at home in Port Arthur until she was 17, when she finally struck out on her own.

Hanging out in Houston and Austin, Texas, Janis sang in honky-tonk saloons. Country-western music had never been her thing, but she found she could belt out a tune as well, if not better, than other country vocalists. After five years of singing and doing odd jobs, Janis had scraped together enough money to head out to San Francisco. She tried college but found that grooving on life was much more interesting and dropped out permanently after four attempts at higher education.

During 1965 Janis was singing regularly in folk and blues bars in San Francisco and Venice, California. Her voice had matured and she was beginning to develop her unique style. By this time Janis had already created the tough but vulnerable image of herself as a white blues mama. Even though she attracted some attention as a singer, she never made enough money and lived off unemployment checks. She went back to Austin in 1966 to sing with a country-western band, but Janis had not been there long before her friend Chet Helms told her about a new San Francisco band that was looking for a singer. Janis immediately returned to California and joined Big Brother and the Holding Company.

This time, everything came together for Janis. Big Brother allowed her to delve deeply into her pent-up emotions and express them through her folk and blues influences in a burst of dynamic energy. Her performances were explosive. As the band's popularity grew, Janis earned her reputation as the most powerful female voice in rock music.

Janis was a tough blues mama
on the outside, but when she
sang "Little Piece of My Heart,"
her vulnerability was made
painfully obvious.

Onstage with Big Brother and the Holding Company, Janis came alive with a raw energy that pulled her audience out of their seats.

In the summer of 1967, the Summer of Love, Janis was poised to blast to the heights of the rock scene. She found her launch pad at the Monterey International Pop Festival. Big Brother and the Holding Company stopped the show. Janis's performance was riveting. Her frenetic stage manner and thundering voice left the audience near hysteria. A star was born, and Albert Grossman, who managed Bob Dylan, became her agent and set out to make Janis a superstar.

Janis and the band made their first East Coast appearance at the Fillmore East in New York in February 1968. The press could not stop praising Janis, but there were few positive endorsements of Big Brother. This pattern was repeated almost every time the group appeared until the Holding Company finally broke up. After their second LP, *Cheap Thrills*, took off and Janis's single "Piece of My Heart" became a hit, she decided to split with the band and formed her own group.

Along with success in the music world came a slide into heavy drinking and drug use. Janis just could not seem to get her personal life together. Men came and went. She had affairs with women, but no one seemed to stay around long enough to give Janis what she wanted. She was almost always despairing over someone.

After splitting from Big Brother, Janis toured almost constantly. She was the television guest of Ed Sullivan, Dick Cavett, and Tom Jones. Even though she was quickly developing a heroin habit that compounded the physical devastation of her other abuses, Janis was achieving a level of fame that was way above the status of any other woman in rock music. In 1969 she released her first solo album. *I Got Dem Ol' Kozmic Blues Again Mama!* went gold. The diverse album includes songs by Rodgers and Hart, the Bee Gees, and Janis herself. She was back in the studio in the fall of 1970 to record *Pearl*, an album that she gave her own nickname. Her life seemed to be taking a turn for the better. Janis had a new band, Full Tilt Boogie, that she liked, and she was engaged to be married.

On October 4, 1970, it all came to an end. Janis Joplin was found in her room at Hollywood's Landmark Hotel, face down on the floor with needle marks on her arm. The coroner ruled her death an accidental heroin overdose. Janis didn't want a funeral. Her ashes were scattered and her friends gathered one last time for a big blast that was paid for by Janis's estate.

Pearl was released posthumously. The album went platinum. One track is the number-one hit version of Kris Kristofferson's song "Me and Bobby McGee," and another track, "Buried Alive in the Blues," is missing the vocals that Janis would have recorded had she lived.

On May 29, 1917, Rose Fitzgerald Kennedy gave birth to the second of her nine children, John Fitzgerald Kennedy. His grandfather Patrick Kennedy was an East Boston saloon keeper who served six terms in the Massachusetts legislature and controlled the vote in East Boston. John's other grandfather, John Fitzgerald, became the mayor of Boston in 1910. Honey Fitz or the Little Napoleon, as he was called by friends and detractors, was a bundle of energy, blarney, and song, who charmed or riled everyone who crossed his path. When Joseph Kennedy married Honey Fitz's daughter Rose, two of Boston's most powerful political families merged.

John's father, Joseph P. Kennedy, was a taskmaster who had high expectations for his children. In his eyes politics was an esteemed profession, and he let it be known that he wanted at least one of his sons to become president of the United States. Although his older brother, Joe, seemed a natural for politics, John most often accompanied Honey Fitz on his rounds, listening to his speeches and his famed rendition of "Sweet Adeline." John was quiet but quick-witted, and he often amused his grandfather by mimicking his speeches.

In 1923, when John was six years old, Joe Kennedy moved his family from Brookline, Massachusetts, to Greenwich, Connecticut. John attended local private schools and then went to Choate, where he was better known for practical jokes than outstanding grades. At Choate he contracted double pneumonia. This kept him out of sports but gave him time to focus his attention on other things. In 1935 he graduated 64th in a class of 112, with no varsity letters, but he had the distinction of being voted most likely to succeed. His classmates were aware of qualities in John Kennedy that his high school record did not reveal. He was always able to say the right thing at the right time. He had a charming, self-deprecating sense of humor, but he was also tenacious and kept his word.

1917-1963

John Kennedy was often photographed in the Oval Office sitting in his Appalachian rocker, which gave him some relief from the back pain he constantly suffered.

In 1933 all the Kennedys, except Joe Junior, lined up for a family portrait: From left to right, they are Ted, Jean, Robert, Pat, Eunice, Kathleen, Rosemary, Jack, Rose, and Joseph P. Kennedy.

Unlike his brother Joe who obeyed his father's wishes by attending Harvard University, John chose Princeton. Joseph Senior agreed to this plan if John spent the summer studying at the London School of Economics. During the Atlantic crossing, he contracted jaundice and returned to Hyannis Port to convalesce. John went to Princeton that fall but had to withdraw because of his recurring illness. When he entered college a year later, John transferred to Harvard, graduating in 1940 with a degree in government.

Kennedy took post-graduate courses in business at Stanford University for six months before deciding to enter military service. He wanted very much to fight but had suffered a broken vertebra while playing junior-varsity football at Harvard and was a dubious prospect. John was unable to pass the Army physical and also failed to get into the Navy. In his determined way, he spent months doing strengthening exercises for his back until he was accepted by the Navy and assigned to work in the Pentagon. In 1941, after a year in Washington, he applied for combat duty. Late in 1942 Lieutenant Kennedy was sent to Portsmouth, New Hampshire, to complete torpedo boat training. Six months later he was in command of PT 109 with a crew of 10 men and two officers, based at Rondava in the Solomon Islands.

Under Kennedy's leadership, PT 109 carried out 30 attack and strafing missions without incident. On August 2, 1943, she was the lead ship on a night patrol when a Japanese destroyer rammed the boat in half, killing two of Kennedy's crew and injuring several others. Kennedy pulled his men together around the floating wreckage, knowing that if they could wait until dawn, he might be able to lead them to an unoccupied island three and a half miles away. The following morning, the sailors swam toward shore behind their commander, who pulled a badly injured crewman the entire distance. Several days later they were rescued. Kennedy was decorated for heroism and given the Purple Heart. He was then promoted to instructor at the PT boat school in Miami.

In 1944, with his spine injured again during the war, Kennedy entered the hospital in Hyannis to have a disk removed. His recovery was slow and torturous. While he was laid up, Joe was killed during a bombing mission over Belgium. Joe had talked of someday becoming president, and now Joseph Senior made it clear to John that he expected him to achieve this goal.

At the age of 28, John Kennedy entered politics. He returned to Boston to run for the eleventh congressional seat, which was the same Italian and Irish district that his grandfather Patrick Kennedy had once controlled. John fought hard and won. In Congress he promoted public housing for his dis-

This picture of 26-year-old Navy Lieutenant John Kennedy was taken on January 10, 1944, just after he returned to Los Angeles from duty in the Pacific.

New York turned out en masse to welcome John Kennedy with a ticker-tape parade.

Kennedy met with Nikita Khrushchev in Vienna in June 1961. Following the summit, Khrushchev had the Berlin wall built and threatened to sign a separate peace treaty with East Germany. In a successful show of strength, the president called up the National Guard and the Russians backed away from the treaty.

Television made Americans equally familiar with the casual image of John Kennedy as a physically fit young father and the presidential image of a thoughtful world leader.

trict, and two years later, Kennedy won reelection by a five-to-one margin. In 1952, after completing his third term in Congress, John Kennedy announced that he would run for the United States Senate against Henry Cabot Lodge, who was a popular liberal Republican and had held his seat since 1936. His grandfather, the first Henry Cabot Lodge, had defeated Honey Fitz for the same Senate seat. The political experts did not give young Kennedy a chance.

The Kennedy family rallied to support John. His brother Robert became his campaign manager. John's sisters left their jobs and families to help, and his parents became active in the chase for votes. Public relations experts were hired. Advertising experts were hired. Kennedy money, influence, and backing were used at every step, and Massachusetts rang with Kennedy slogans. In the presidential election, Massachusetts went Republican for the first time in modern history, but John F. Kennedy defeated Henry Cabot Lodge by 30,000 votes.

Beginning his term in January 1953, Senator Kennedy espoused the same liberal causes that he had put forth as a congressman. He voted for public housing, a higher minimum wage, and the protection of the country's natural resources. In September John married Jacqueline Lee Bouvier, and the couple planned to live in a Virginia estate called Hickory Hill. Just after they moved into their new home, Kennedy's back problems worsened until he was forced to have a double fusion of his spine. The operation took place in October 1954, and he was still recovering in the spring of 1955. He ran his senate office from his bed and also found time to research and write a book about courageous men in American history. *Profiles in Courage* was published in 1956 and dedicated to his wife. It soon won the Pulitzer Prize for biography.

In the Senate, despite his time away, Kennedy was becoming an important figure. In 1956 he was asked to deliver the nominating speech for Adlai Stevenson. Even though Kennedy just missed the nomination for vice-president himself, he traveled widely for the Democratic ticket, giving 150 speeches in 26 states in five weeks. The party lost, but Kennedy seemed to gain. Many journalists remarked about the Kennedy smile, the Kennedy wit, the Kennedy charm, and the Kennedy courage. In 1958 he was reelected to the Senate by the widest margin of any candidate that year.

In October 1959 Kennedy invited 17 carefully selected men to a meeting in his Hyannis Port living room. They included his brothers, key members of his staff, his father, a public-opinion expert, a press-relations man, and the Kennedy in-laws. John spoke to them about the strategy for his presidential campaign. Robert Kennedy was again named his campaign chairman.

Kennedy announced his intention to become president of the United States on January 2, 1960. His strategy was to win the primary elections in carefully identified key states, beginning with Wisconsin. He immediately established his thorough and arduous style of working day and night, shaking as many hands as possible. After weeks of stumping in factories and small towns, he beat Senator Hubert Humphrey in Wisconsin by a small margin. In West Virginia Kennedy swept the primary, as he did in Indiana, Nebraska, Maryland, and Oregon. At the Democratic Convention in Los Ange-

John Kennedy, his wife, Jackie, and Vice-President Johnson prepare to greet state visitors to the White House.

les in 1960, Kennedy had formidable opponents in Lyndon Johnson and Hubert Humphrey, but the senator from Massachusetts beat them both. Then he named the second highest vote getter, Lyndon Johnson, as his running mate.

The campaign between John Fitzgerald Kennedy and Vice-President Richard Nixon was tense from the beginning. They were opposites in style and on the issues. While Nixon was stiff and earnest, Kennedy's easy smile and quickness emphasized his youth and charm. The turning point came when the two candidates appeared on live television for a series of debates. Kennedy's relaxed style won the day, and Nixon never fully recovered, although he lost the election by only 112,000 votes—the smallest percentage in American history.

John Kennedy was the youngest man to be inaugurated president. His term in office got off to a poor start when his anti-Castro invasion of Cuba failed. Later, a summit with Soviet Premier Nikita Khrushchev, on which President Kennedy had placed high hopes for world peace, was ineffectual. But in 1962, when the USSR attempted to move missiles into Cuba, Kennedy ordered a blockade. After five tense days, the Soviets gave in and agreed to remove their nuclear weapons from the region. On the domestic front, Kennedy attempted to actualize his campaign promise of a New Frontier, including increased federal aid to education, medical care for the aged, better housing laws, and new civil rights legislation. But Congress did not pass most of these measures.

In a special message to Congress in March 1962, President Kennedy proposed an eight-year program to acquire new federal lands for conservation and recreation. He asked for nine new national parks and for increases in the open spaces held by the states. He was committed to keeping mountains, plains, waterways, and forests as unspoiled as possible.

John Kennedy had wanted to be president and loved being president. His deep appreciation of the power and responsibility of the office showed in his bearing and action. By speaking of the possibilities for America, he had an ennobling effect on many American citizens. His presidency was alive with the spirit of youth and high resolve. The man who traveled to Dallas with his wife in late November 1963 was not only an accomplished legislator but a great inspirational leader whose best days seemed to be ahead of him. When he stepped into the back of a black limousine on November 22, he ordered the Secret Service to leave the cockpit open so he could make himself available to the crowd. The purpose of his trip was to heal a split in the Texas Democratic party before the 1964 presidential campaign. Texas Governor John B. Connally and his wife rode in jump seats near the Kennedys, and Vice-President Lyndon Johnson and his wife rode in a separate limousine behind the president's car.

At 12:30 P.M. the cars approached an expressway in Dallas for the last leg of the motorcade and drove past a seven-story building, the Texas Book Depository. Lee Harvey Oswald, a former Marine and an admitted Marxist who had once tried to become a Russian citizen, was at a sixth-floor window. He had an Italian rifle that he had bought from a mail-order company for $12.78, and he aimed it at the president's limousine. Witnesses heard three shots. The president was struck in the neck and head. Governor Connally was shot in the back. As the car sped toward nearby Parkland Hospital, Mrs. Kennedy cradled her husband's dying body, crying out for help. Doctors worked desperately to save the president's life, but he died without regaining consciousness.

At the family's vacation compound in Hyannis Port, Massachusetts, the Kennedy brothers carry on with the business of government.

Jacqueline Kennedy, John-John, and Caroline attend the burial of John F. Kennedy in Arlington National Cemetery.

Robert Francis Kennedy was born in Brookline, Massachusetts, on November 20, 1925, eight years after the birth of his brother John. Because of their age difference, the two brothers grew up without much contact. John went off to prep school when Bobby was entering first grade.

A frail child whose weakness worried his mother, Bobby turned out to be the most openly aggressive and competitive Kennedy. As a little boy, he insisted on dressing like a sailor and broke several of his sisters' dolls. While his father said that Robert was the son most like himself, his mother appreciated his sincere religious beliefs. He served as an altar boy and considered becoming a priest. Bobby very much wanted to attend a Catholic prep school. His mother arranged for him to attend the St. Paul's School in New Hampshire, but when Bobby found out it was a Protestant school, he transferred to the Portsmouth Priory School, a Benedictine school in Rhode Island. His father insisted that Bobby attend a nondenominational prep school, and before the year was out, Bobby entered Milton Academy.

At Milton Bobby worked hard to get good grades and played football. During his senior year, in 1943, with his brother Joe flying bombing sorties in Europe and his brother John recuperating from his PT 109 injuries, Bobby insisted that he too should join the armed forces. He got his father's permission, and in March 1944 he reported to the Navy V-12 training school at Harvard. On the promise that he would see action if he accepted the rank of apprentice seaman, Bobby signed onto the U.S.S. *Joseph P. Kennedy, Jr.*, the ship named for his brother who had been killed in Europe. But his ship toured the Caribbean until the war ended.

In 1946 Bobby was discharged from the Navy and returned to Boston, where John was running for Congress. Family and friends had rallied to support his campaign. Joseph Kennedy turned to his 20-year-old son and asked him to campaign in the toughest and poorest section of East Cambridge, where the former mayor was expected to win five to one over all his opponents. If Bobby could cut that margin to four to one, it would be a great gain. Bobby started out ringing doorbells and speaking at spaghetti dinners, but one afternoon he saw some neighborhood children playing softball in a park near his office and decided to join them. They invited him back and soon the word got around that Kennedys were not too high class to play ball in East Cambridge. When the votes were in, John Kennedy was amazed to learn that half the votes cast in East Cambridge were for him.

The following year Bobby entered Harvard as a junior, after he and a friend had spent several months traveling in South America, where he was stunned by the abject poverty of so many people. He also became aware of the extent of poverty in America while working in tenement neighborhoods as a rent collector for Columbia Trust, a bank his father had once headed. After graduating from Harvard with mediocre grades, he was rejected by Harvard Law School but accepted late by the University of Virginia. To fill his time before he could start law school, Bobby got a job as a foreign corre-

1925-1968

Robert Kennedy was a visionary statesman who did much to advance the cause of civil rights, to end the tyranny of organized crime, and to make ending the war in Vietnam a mainstream issue.

When Joseph Kennedy was appointed ambassador to the Court of St. James's, the family moved to London, where this photograph was taken: From left to right, they are Kathleen, Joseph, Ted, Rose, Patricia, Jean, and Robert Kennedy.

Going back for a pass, Robert Kennedy comes close to being touch-tackled by his son during a family football game.

spondent for the *Boston Post* to report on the war between the Arabs and the newly created state of Israel.

Bobby started law school in the fall of 1948. He did not study hard, preferring to spend his time on community activities. He was elected class president and created the Law School Forum that brought nationally renowned speakers to the campus. At the end of his second year, Bobby married Ethel Skakel. She is a devout Catholic and became a friend to all the Kennedy sisters and her mother-in-law. Everyone agreed that the outgoing Ethel was the perfect match for Bobby.

After law school Bobby decided to become a $4,200-a-year attorney for the Internal Security Division of the Justice Department, but a few months later was transferred to the Criminal Division in Brooklyn, New York. His job was to investigate corrupt government officials, which he enjoyed, but when John asked him to manage his Senate campaign, Bobby left the Justice Department. He was 26 years old and not very experienced in politics, and he stepped on many people's toes. Bobby refused to honor the unspoken rules of conduct toward local political bosses and chose instead to reward campaign workers for their integrity and efficiency. To his credit the Kennedy campaign was one of the best-run political organizations in the country. When Bobby discovered that Massachusetts had many unregistered voters, his workers launched a major voter registration drive. On election day 70,000 new Democratic voters went to the polls, and his brother won the election.

Five years later, in 1956, John Kennedy again called his brother back from public service to help him become Adlai Stevenson's running mate for the upcoming presidential election. The fight was close, and even though Bobby stayed up all night attempting to swing delegates, too many stayed with Senator Estes Kefauver. Bobby gained further experience when he campaigned for Stevenson through the summer, working quietly in the background and filling notebooks with ideas about how to run a successful political campaign.

Many people were critical of President Kennedy's appointment of his brother as attorney general, but Bobby brought new status to the post, turning the Justice Department into an aggressive defender of civil rights.

Senator Kennedy and his wife, Ethel, were received warmly by the citizens of Alberta, Canada, during a good-will trip in 1966.

In 1957 Bobby became the executive director of the Senate's Labor Rackets Committee. With a staff of more than 100, Bobby was ruthless in prosecuting corruption in several major labor unions, especially the Teamsters. In 1959 he resigned to manage his brother's presidential campaign. During the race Bobby worked harder than anybody; some days he hardly slept and on one day he ran up a long-distance phone bill of $10,000. He again pushed hard for voter registration, bringing 5,000,000 Americans to the polls for the first time. On election eve in 1960, he arrived in Hyannis Port, thin, pale, and exhausted, but Bobby stayed up all night to hear the returns.

Between the election and the inauguration, John Kennedy decided to make his brother attorney general. At first Bobby refused, insisting that cries of nepotism would never stop. John said he didn't care. As always Bobby complied. As attorney general, he hired the best lawyers he could find. He wanted to create an aggressive team that could strengthen the rights of African Americans. He hired 40 black attorneys, and in 1963 he helped prepare the major civil rights bill that his brother sent to Congress. He also began work on legislation to establish free legal aid for poor people.

Robert Kennedy walks beside his brother's widow, Jacqueline Kennedy, at the president's funeral. Ted Kennedy is on Jackie's left and President Johnson walks behind other members of the family and Secret Service agents.

Robert Kennedy campaigned vigorously for the presidential nomination in 1968, and won five of the six primaries he entered.

After his brother's assassination, Bobby showed great courage at the funeral but a deep sadness soon overcame him. He had trouble working, relaxing, and even sleeping. He considered leaving government, but President Lyndon Johnson insisted that he stay on. He remained in his post until 1964, when he decided to run for the Senate from New York. Soon after renting a home on Long Island and with the Democratic party of New York overwhelmingly supporting him, Bobby began to travel through the state at his usual brisk pace. In November 1964 Kennedy easily won his Senate seat, as did his brother Teddy, who at 30 was the youngest person to be elected to the chamber.

From then on, the press assumed that Robert Kennedy would run for president. Bobby and Ethel were expecting the ninth of their 10 children, and his family entourage was often photographed. As the 1968 election approached, Kennedy vowed not to oppose President Johnson in the primaries, even though he was critical of many of his policies. When Johnson announced that he would not run, Kennedy threw his hat into the ring. Senator Eugene McCarthy had already surprised the nation by taking the New Hampshire primary. Kennedy knew that he would have to carry Indiana. He did win, but McCarthy took Oregon. This meant that the California primary scheduled for June 4, 1968, would be very important.

Kennedy conducted an exhausting campaign in California. He worked tenaciously for 14 hours a day, losing his voice and looking increasingly tired. On June 3 he came to the Ambassador Hotel in Los Angeles to rest. At midnight he spoke to a crowd of joyous campaign workers. The group was so enthusiastic that their candidate could not pass through the ballroom to exit. Instead, he was guided out through the kitchen. Sirhan Bishara Sirhan was waiting near a stairwell with a .22-caliber pistol. He shot and fatally wounded Robert Kennedy.

▪ JACK KEROUAC ▪

For Jack Kerouac the beat generation had a "sort of furtiveness with an inner knowledge that there is no use flaunting on that level, the level of the public, a kind of beatness, a weariness with all the forms, all the conventions."

Jack was born on March 12, 1922, and named Jean Louis. His parents were French Canadians. When Jean was five years old, his older brother Gerard died of rheumatic fever. Filled with guilt for just being alive, Jean took to the Catholic faith. He felt that he could never be free of sin and never become what his anti-intellectual father or his strong-willed mother wished him to be.

Jack changed his name when he started junior high in Lowell, Massachusetts. He played football and excelled in school. At his high school graduation, Jack announced that he was stopping his education to become a novelist. But his parents pushed him to accept a football scholarship from Columbia University. After two years, he dropped out and went to sea with the Merchant Marine.

Jack was soon back in New York City, where he would go wild and then write about everything he had done in graphic form. He had affairs with men and women, drank excessively, experimented with drugs, and did whatever he wanted to do whenever he wanted to do it. The men in his life were a loose group of friends who wrote and called themselves "New Vision." The group included Allen Ginsberg, William S. Burroughs, and David Kammerer.

In 1949 Jack finished his first novel, *The Town and the City*. It was accepted by Harcourt and Brace. That year Jack met Neal Cassady, his true partner, and together they began to travel the roads of America and explore the inner frontiers of their minds. Both men had a fearless preference for benzedrine. They also consumed enormous quantities of alcohol. At the beginning of the summer, Cassady would arrive at Kerouac's door, and they would set out for the open road. By October, which was Kerouac's self-appointed month of "breezy absolution and cleansing," he would return to his mother, wherever she happened to be, to hibernate and write until Neal knocked on his door the next year.

In April 1951 Jack began to type *On the Road* at 100 words per minute on pages of paper taped together into one long roll. Twenty days and 175,000 words later, he completed the novel, which tells about being lost in America with Neal. Viking finally published the book in 1957. Its success made Kerouac famous, and he filled his life brimful with drugs; homosexual adventures; affairs with women, including Neal Cassady's wife, Carolyn; explorations into Zen Buddhism; and writing.

Kerouac discovered that when he encountered a writer's block, the spoken word could be just as exciting as writing usually was for him. He began doing readings with musicians and booking talk shows. In 1960 Warner Brothers offered him $1,000,000 for the movie rights to *On the Road*, enhancing his popularity as a speaker. In his lectures Jack often spoke of the

1922-1969

During the 1960s, when this photograph was taken, Jack Kerouac was the self-appointed spokesman for the by-then defunct beat generation.

This photograph was taken during the late 1950s in New York. The woman behind Jack is Joyce Glassman, his on-again-off-again girlfriend of the time.

During World War II, Jack went to sea as a merchant seaman, but this yachting cap was just something Kerouac picked up on the road.

paradoxes of life. His poetic nature was soothing but confusing. He fascinated audiences, but many people left his lectures believing that Kerouac was crazy. He was suffering from vascular problems because of his overdoses of speed and had begun to drink more heavily. When he started to show up drunk for most of his speaking engagements, his career as a lecturer quickly went down the tubes.

Kerouac was floundering. He was a lonesome mystic, displaced in time and out of sync with American life. His drinking was constant, and he battled with delirium tremens. In the fall of 1961, he convalesced with his mother and wrote *Big Sur* in 10 days before returning to New York City. The following year he wrote *Visions of Gerard,* a sentimental memoir, which was not well received. For all his talk of inner peace, he actively and publicly supported the Vietnam War.

In 1969 Kerouac was living with Stella, his third wife; his mother; and his cats in St. Petersburg, Florida. He spent most days in front of the television. On October 21, 1969, Jack was watching *The Galloping Gourmet* and munching on a tuna sandwich, when his years of reckless self-abuse took their toll. A vein ruptured, hemorrhaging in his stomach. He called to his wife for help. By the time she reached him, he was in a fatal coma. Jack Kerouac died a few hours later; he was 47 years old.

For Martin Luther King Jr., the civil rights movement began one summer morning when he was six years old. Two of his friends did not show up to play ball, and Martin decided to go find them. He probably felt a little scared to leave his neighborhood to go to his friends' house several blocks away. The boys' mother met Martin at the door and told him that her sons would not be coming to play with him that day or any other day. They were white; he was black. Martin ran home crying. Years later, he admitted that those cruel words altered the direction of his life.

Martin Luther King Jr. was born on January 15, 1929. His father was a community leader and pastor of the Ebenezer Baptist Church in Atlanta, Georgia. His mother had been one of the first black women in Georgia to graduate from college and become a certified teacher. She filled the King home with books and taught Martin and his older sister to read long before they went to school. She also taught them about the politics of race and prejudice, explaining time after time that the end of slavery did not mean that blacks were truly free.

As a teenager, Martin sailed through school with great distinction. He skipped ninth and twelfth grades, and excelled on the violin and as a public speaker. One evening after taking the top prize at a debate tournament, Martin and his teacher were riding home on the bus, discussing the event, when the driver ordered them to give up their seats to two white passengers who had recently boarded. Martin was infuriated. "I intended to stay right in the seat," he recalled. But his teacher convinced him to obey the law, and they stood for the 90-mile trip. "That night will never leave my memory. It was the angriest I have ever been in my life."

Martin entered Morehouse College, his father's alma mater, when he was fifteen, planning to become a doctor or lawyer. He continued to be a brilliant student but also gained a reputation as one of Atlanta's best jitterbuggers. His friends nicknamed him Tweed for his stylish dress. After graduating from Morehouse, at the age of 19, he rethought his career plans and decided to enter Crozer Theological Seminary in Chester, Pennsylvania. This private nondenominational college had just 100 students, and only six were black. It was the first time that Martin had been in a community that was mostly white. He viewed the seminary as an opportunity to represent the cause of black scholarship and won the highest class ranking and a $1,200 fellowship for graduate school. In 1951 Martin entered Boston University School of Theology to pursue a Ph.D.

King's experience in Boston represented several milestones to him: He learned about urban life in a major northern city; he met and married his wife, Coretta Scott, who was a fine pianist studying at the New England Conservatory of Music; and he honed his philosophy of nonviolent resistance. While he was at Crozer, Martin had attended a lecture by Howard University president Mordecai Johnson, who spoke on Mohandas Gandhi, India's spiritual leader. Martin sat on the edge of his chair, listening to Johnson

1929-1968

In his last speech in Memphis, Dr. King said, "I don't know what will happen now, but it really doesn't matter to me. Because I've been to the mountaintop. . . . I may not get to the promised land with you, but I want you to know tonight that we as a people will."

Martin Luther King and Ralph Abernathy briefly visited London in 1964 to promote King's book *Why We Can't Wait.* He spoke hopefully of the progress the United States was making in civil rights and warned the British people to guard against race hatred.

On December 15, 1966, Dr. King testified before the Senate Government Operations Subcommittee in Washington, D.C.

Opposite:
On August 28, 1963, Martin was the last speaker to address the huge crowd of protesters that had gathered in front of the Lincoln Memorial to make the government aware of their support for pending civil rights legislation.

speak about the life and teachings of the man whose nonviolent protests had helped free his country from British rule. Gandhi's idea of Soul Force (the power of love, exercised through fasting, prayer, and demonstrating) gave Martin a basis for positive change. He arrived at Boston University determined to explore the philosophical underpinnings of nonviolent protest.

In 1954 Martin accepted a call to the Dexter Avenue Baptist Church in Montgomery, Alabama. Coretta had grown up in Alabama, where she witnessed her father's successful lumberyard burned down, set afire by jealous white merchants. It would be difficult for her to feel safe in racist Alabama, but she cautiously accepted her husband's choice.

Many local black ministers attended Martin's first sermon in his new church. Ralph Abernathy stepped forward after the service to congratulate Dr. King on his thought-provoking method of speaking. The two young Baptist ministers developed an immediate friendship, based on their shared understanding of the challenges of desegregating Alabama. Abernathy warned King that "Alabama would become the last state in the Union to accept desegregation." At first King doubted the native-Alabama preacher, but within a few months, he witnessed a dramatic example of Abernathy's pessimistic statement.

The incident that changed King's mind and altered the course of civil rights forever occurred on the cold night of December 1, 1955. Mrs. Rosa Parks, a seamstress who worked in a downtown Montgomery department store, boarded a bus for home, quietly paying and then sitting in the back. A few stops later, the driver ordered her to give her seat to a white man who was standing nearby. She politely refused. Montgomery bus drivers had a reputation of merciless treatment of Negro passengers, and the city's African-American leaders were looking for a way to challenge them. When Mrs. Parks refused to give up her seat, she was arrested, found guilty, and

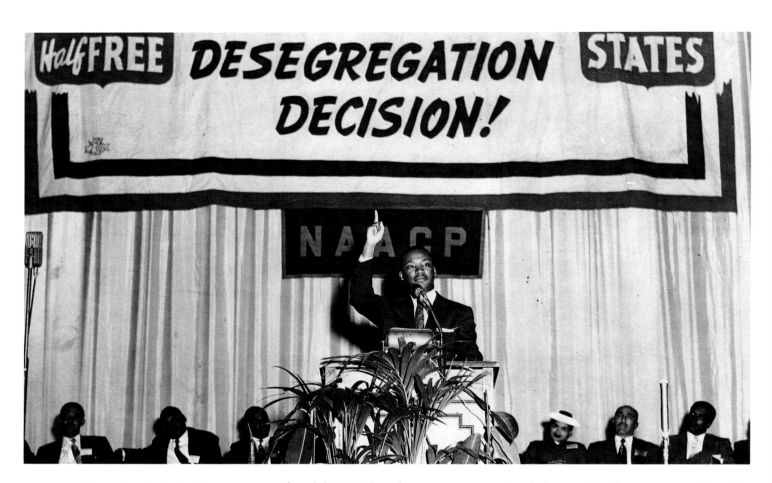

Half FREE **DESEGREGATION DECISION!** **STATES**

NAACP

In 1956 Martin Luther King addressed the convention of the National Association for the Advancement of Colored People, NAACP, in San Francisco.

fined $10. When her attorney received the verdict, he announced to the court that his client would appeal.

In response to Rosa Parks's courage, the town's black leaders formed the Montgomery Improvement Association and elected Martin Luther King its president. The immediate goal of the MIA was to boycott the city's buses until the public transportation laws were changed. Martin Luther King set the tone of the boycott with an often quoted speech: "In our protest," he said in slow cadences, "there will be no cross burnings. No white person will be taken from his home by a hooded Negro mob and brutally murdered . . . We must hear the words of Jesus echoing across the centuries: Love your enemies, bless them that curse you, and pray for them that despitefully use you."

The Montgomery strike was long, bitter, and violent. When the downtown merchants began to complain to city officials that their businesses were suffering, the city responded by pressing charges against King and Abernathy for interfering with the stores' operations. While King was attending a circuit court trial to appeal the charges, he was handed a message on a folded note. The United States Supreme Court had affirmed the decision by the Alabama Supreme Court that local laws requiring segregation on buses were unconstitutional. It was over. The first major civil rights battle had been won. But for King, whose home had been firebombed and looted, it was only the first of many battles.

On November 29, 1959, Martin offered his resignation to the members of the Dexter Avenue Baptist Church. Speaking to the congregation

Martin was always eager to meet with students to encourage them to complete their educations and to become involved in the struggle for their civil rights.

Receiving the Noble Peace Prize in 1964 galvanized Martin to continue speaking out on civil rights and poverty in America.

for the last time he said, "I have come to the conclusion that I can't stop now . . . I have no choice but to free you." Months earlier he had been elected president of a new organization dedicated to resolving injustice, called the Southern Christian Leadership Conference (SCLC). There was no longer time to lead a church.

King moved his family to Atlanta, where he began to establish a regional network of nonviolent organizations. As an adjunct to SCLC, students formed the Student Nonviolent Coordinating Committee (SNCC). In April 1961 King coordinated SCLC, SNCC, and other advocates of desegregation to take two bus loads of white and black volunteers through the South on a "freedom ride." The intention of the tour was to attempt to integrate strategically chosen, segregated lunch counters and rest rooms. In Virginia and the Carolinas, no one was harmed, but in Alabama the freedom ride became a rolling horror that many people witnessed on television. In Anniston, Alabama, one bus was burned and its passengers were beaten with pipes and chains. In Birmingham angry mobs greeted the bus with more violence. Many of the riders had to be hospitalized. The violence shook Martin, and he wanted to abandon the risky freedom rides before one of the passengers was killed. But students from SNCC defied King and insisted that the bus drive to Montgomery. There they and an observer from the Kennedy administration were brutally beaten.

In January 1963 the month King arrived in Birmingham, George Wallace was sworn in as governor, vowing that Alabama would never be integrated. King and Ralph Abernathy organized a freedom march. The city

Martin's parents sit behind his four children and their close friends at Dr. King's funeral.

filed an injunction against them, prohibiting their gathering. The marchers ignored the injunction. Wholesale arrests were followed by an outcry of support for the marchers. Three months later, another march was planned with the intent of "turning the other cheek" to the violence of the city's police force. Children as young as six were among the marchers. As they reached Birmingham's downtown, police and firemen terrified the crowd with high-pressure water hoses and police dogs. Hundreds of the protesters were arrested. The following day, more marchers repeated the walk, which led to more arrests. On the third day, King organized still another march to the city jail, which was now teeming with more than 1,200 protesters, who were locked in small, hot cells, singing "We Shall Overcome." As King approached the jail, the chief of police warned them that his forces would attack. The marchers were undaunted. The police chief ordered his men to attack but nothing happened. He then ordered the fire fighters to turn on their hoses. They also refused. Instead, the men, some with tears streaming down their faces, parted their lines to let the protesters through.

The nonviolent strategy had succeeded. The merchants of Birmingham called for immediate negotiations. After meeting with King and local African-American leaders, they agreed to hire black clerks and integrate lunch counters, fitting rooms, and drinking fountains within 90 days.

Following the victory in Birmingham, Martin Luther King called for a rally in front of the Lincoln Memorial in Washington, D.C. On August 28, 1963, nearly 200,000 people stood in the intense heat listening to the speakers. By the time King came to the podium as the day's final speaker, the crowd was hot and tired. He had prepared his speech for weeks, hoping to define a new direction for peace. As he mounted the steps to the podium, he put his notes aside and decided to speak from his heart. He spoke of freedoms granted and not yet achieved. He then spoke the words that continue to echo throughout the world: "I say to you today, my friends, that in spite of the difficulties and frustrations of the moment, I still have a dream. It is a dream deeply rooted in the American dream. I have a dream that one day this nation will rise up and live out the true meaning of its creed, We hold these truths to be self-evident that all men are created equal. I have a dream."

By mid October 1964, Martin had given 350 civil rights speeches and traveled 275,000 miles. His workday had been 20 hours long for 13 years. He had reached a point of total exhaustion and had just checked into an Atlanta hospital when his wife brought him the telegram announcing that he had won the Nobel Peace Prize. After a brief rest, he went back to work.

In the spring of 1968, King traveled throughout the country, speaking about the need to bring people together in a more unified, peaceful way. In April he stopped in Memphis to meet with two of his advisors, James Bevel and Jesse Jackson, to discuss organizing a poor people's march on Washington. At five-thirty on the evening of April 4, King walked onto the balcony of the Lorraine Motel to speak with Andrew Young. As he stepped through the door, he saw Jesse Jackson and yelled to him to join them for dinner. Jackson agreed, and as King paused, a shot split the air. Martin Luther King fell to the floor.

With his bushy mustache and eyebrows and ever-present cigar, comedian Ernie Kovacs was an unusual prime-time television star even in the 1950s. Using an appealing combination of slapstick humor and a hip surrealistic sensibility, he pioneered a style of television comedy on his network programs that heavily influenced such shows as *Saturday Night Live* and *Late Night with David Letterman*.

Ernie was born in Trenton, New Jersey, on January 23, 1919. As a child he became interested in acting. He starred as the Pirate King in his high school's production of *The Pirates of Penzance*. After high school Ernie attended the New York School of the Theatre. From 1936 to 1939, he acted in stock theatre companies on Long Island. He eventually formed his own stock company, but it failed when he was hospitalized for 19 months with pleurisy and pneumonia.

Even as a young man, Ernie was developing a reputation as something of a renaissance man. He wrote a column for a Trenton newspaper, worked as a disc jockey, created jokes for nightclub comedians, and dubbed voices for cartoons. But the new medium of television appealed most to him. Ernie began his television career as the host of a daytime cooking show on Philadelphia's WPTZ, and later he hosted a combination quiz and talk show.

In 1951 NBC-TV took a chance on Ernie and gave him his own summer replacement series, *Ernie in Kovacsland*. One critic described the show as "wild and casual, witty and foolish, and clever and idiotic." For the next six years, Ernie hosted a series of shows for NBC, CBS, and the DuMont network, including *The Ernie Kovacs Show* and *Kovacs on the Corner*.

Ernie was a master of the blackout sketch. One of his shows might treat viewers to four or five minutes of a man sucking up spaghetti to the tune of Beethoven's Fifth or of a woman enjoying a bubble bath while a procession of midgets emerges from beneath the suds. He became famous for such characters as the lisping poet Percy Dovetonsils and the Nairobi Trio—three well-dressed musical apes who took turns bopping each other over the head in time with the music.

Ernie had a truly off-center sense of humor. He once told a friend, "In the beginning, the network, the sponsor, and all my friends said, 'We dig you, Ernie, but nobody else will.' Now, I get cabdrivers who say, 'I dig you, Ernie, but you oughta see the guys I get in this cab!'"

In 1954 Ernie married Edie Adams, a glamorous singer and actress who appeared on many of his television shows. In 1957 Ernie achieved a number of firsts: He played his first straight dramatic role in a television adaptation of *Topaze*; he published a critically acclaimed novel, *Zoomar*; and he appeared as a stiff-necked Army captain in the movie *Operation Mad Ball*. That year he also appeared as a character who had some of the qualities of Charlie Chaplin in a half-hour special for NBC, which featured no dialogue. No wonder *Time* magazine called Ernie "one of television's few fresh and lasting performers."

1919-1962

Ernie Kovacs was one of the most inventive comedians on television during the 1950s. His humor was almost entirely visual, and although it seemed offbeat, it was accessible to a large audience.

Edith Adams sang on *Ernie in Kovacsland* during the summer of 1951. She later married the show's star and shortened her name to Edie.

Regular comedy features on Kovacs's television shows included "Mr. Question Man," "You Asked to See It," "Percy Dovetonsils," "The Nairobi Trio," and "Clowdy Faire, Your Weather Girl."

Toward the end of the 1950s, Ernie was busy with movie and television projects. He and Edie moved from New York to Beverly Hills, where Ernie shared his workroom with a burro that occasionally chewed up scripts when he left the room. In 1961 he wrote, directed, and starred in several half-hour specials, and in the fall he began a new series of monthly prime-time specials for ABC, *The Ernie Kovacs Show*.

Driving home from a baby shower at the home of Milton Berle on January 13, 1962, Ernie's car skidded on a rain-slick Los Angeles street and broadsided a utility pole. His death at 42 ended a career that had brought laughter and joy to millions of television viewers.

Nearly 20 years after Bruce Lee's death was announced, a tribe of bushmen in Malaysia still believe that the film star is alive. They are convinced his reported death on July 20, 1973, was an outlandish publicity stunt for the movie he was shooting, *The Game of Death*. One day, Bruce will return from the dead to star in a series of new kung fu pictures. In the meantime, along with millions of other Bruce Lee fans worldwide, they are content to sit through repeated viewings of his old movies.

Bruce Lee was born in San Francisco on November 27, 1940. On the night of his birth, his father was 3,000 miles away in New York's Chinatown performing comedy on the stage of the Cantonese Opera, a Chinese vaudeville theatre. Lee's mother, Grace, named him Lee Yuen Kam, which means "protector of San Francisco." One of the nurses decided that the baby needed an American name and dubbed him Bruce Lee.

When Bruce was three months old, his family returned to Hong Kong. Thanks to his father's show-business connections, Bruce starred in 20 films while he was a teenager, using the name Lee Siu Loong. By the time he was 13 years old, he had become a serious student of martial arts. To his parents' dismay, he often got into violent street fights, using techniques he learned from his martial arts classes. Concerned that Bruce was developing into a dangerous punk, his parents sent him to live with relatives in the United States when he turned 18, temporarily halting Lee's movie career.

Eventually, Bruce ended up in Seattle, where he enrolled at the University of Washington. He continued to study martial arts and worked with an instructor who had the unlikely name of Yip Man. Bruce earned his living working as a waiter at a Chinese restaurant. In 1964 he married another martial arts student, Linda Emery. Shortly after their marriage, the couple moved to Oakland, California, and soon Bruce opened a martial arts school. To promote the venture, he gave demonstrations at local tournaments. Hairdresser-to-the-stars Jay Sebring saw Bruce at a tournament in Long Beach and recommended him to producer William Dozier, who was looking for a Chinese-American actor to costar in his new television series, *The Green Hornet*. Dozier obtained films of Bruce in action and quickly signed him to a contract.

Bruce appeared in 30 episodes of *The Green Hornet*. Later, he guest starred on several television shows and had a featured role in the movie *Marlowe*. To supplement his income between acting assignments, Bruce taught private martial arts lessons to some of Hollywood's most prominent movie stars, including Steve McQueen, James Garner, and James Coburn.

In 1971 Bruce returned to Hong Kong, where he filmed a low-budget feature, *Fists of Fury*. He was paid $7,500. *Fists of Fury* became Hong Kong's all-time top-grossing feature, and when it was released in America, Bruce immediately became an international star. Three more films followed, culminating in *Enter the Dragon*, Bruce's first starring role in a Hollywood production.

1940-1973

Bruce Lee was in his mid 20s when he costarred on *The Green Hornet*, but he had already made 20 movies in Hong Kong while he was a teenager.

Bruce Lee began to train seriously in Kung-Fu in Seattle. His master, Yip Man, taught him that the art was not only a means of self-defense but also a way of life.

On July 20, 1973, Bruce went to visit actress Betty Ting Pei in her Hong Kong apartment to discuss a role for her in one of his upcoming movies. When he complained of a headache, Betty offered him a prescription painkiller called Equagesic. While he was waiting for the medication to take effect, Bruce rested in Betty's bedroom. A short while later, she tried unsuccessfully to wake him and phoned for an ambulance. Within the hour, Bruce was rushed to a nearby hospital, where he was pronounced dead. The coroner ruled that Bruce had suffered a fatal reaction to the painkiller.

Shortly after his death, *Return of the Dragon*, the third martial arts film Bruce Lee made in Hong Kong, was released in America. The ads for the movie voiced a sentiment felt by Bruce Lee's millions of fans: "Boy, do we need him now."

From an angry young working-class lad in Liverpool, England, to the peace-espousing spokesman for a generation to a doting New York house-husband, John Lennon has presented many faces to the world. The lasting legacy of his music, his words, and his actions conveys the memory of an honorable man who did his best to make the world a better place to live. Even people who disagree with his viewpoints and methods respect his integrity.

John Winston Lennon was born on October 9, 1940, in Liverpool during a German air raid. His father, Fred Lennon, was a steward on troop ships. He rarely saw his young son and left his wife Julia in 1942. John spent most of his childhood living with Julia's strict but loving sister Mimi and his uncle George. The childless couple doted on their nephew and raised him as a son in their comfortable home in a suburb of Liverpool. John was a bright child, but he was mischievous. He visited Julia as often as he could. She lived with her parents not far from Aunt Mimi's house. Julia inspired John's interest in music, teaching him a few banjo chords on a guitar that his aunt had reluctantly bought him. Mimi didn't think much of John's aspirations to be a musician. Many times she cautioned him, "The guitar's all right as a hobby, John, but you'll never earn a living from it."

Inspired by the folk, or skiffle, craze that was sweeping Britain in the mid 1950s, John formed his first group, the Quarrymen. But the music that really captured his imagination was rock 'n' roll. He listed to early records by Elvis Presley, Buddy Holly, and Little Richard. John once said that after hearing Elvis's "Heartbreak Hotel" for the first time, "Nothing was ever the same for me."

In the summer of 1957, John met 15-year-old Paul McCartney from neighboring Allerton while the Quarrymen were playing at a church fair. At the time Paul was a better musician than John, who immediately drafted him into his group. Later that year, when John began his studies at the Liv-

1940-1980

In 1964 John Lennon was the leader and driving force behind the Beatles.

John was photographed in West Germany in 1960. The ghostly figure in the background is the Beatles' bass player, Stuart Sutcliffe, who died of a brain tumor in 1962 at the age of 21.

TOO YOUNG TO DIE   113

The Beatles' collarless Pierre Cardin suits were a far cry from the scruffy look John had cultivated before the band signed with Brian Epstein.

erpool College of Art, he would often get together at lunchtime to play guitar and sing current rock 'n' roll hits with Paul and his friend George Harrison. They were both students at a high school around the corner from the art college. George soon joined the group as well.

In July tragedy struck. Julia, with whom John was spending more and more time, died after she was run over by a car. His mother's death when he was only 17 haunted John for most of his life, inspiring such songs as "Julia" and "My Mummy's Dead." The tragedy also brought him closer to Paul, whose own mother had died two years earlier.

By 1960 the group had settled on the Beatles as their name and were working steadily in clubs around Liverpool. With a new drummer, Pete Best, the Beatles booked an extended gig at a club in the infamous red-light district of Hamburg, West Germany. There John's anarchic humor ran rampant. He regularly gave the audience mock Nazi salutes, and one night John played an entire show with a toilet seat around his neck.

When the Beatles returned to Liverpool, they began making regular lunchtime appearances at a basement club called the Cavern. Brian Epstein first heard the group there and offered to manage them. Although John's cruel sense of humor was often directed at Brian, who was both a homosexual and a Jew, he eventually grew closer to their manager than any of the other Beatles.

By 1962 the Beatles were one of northern England's biggest draws. When Brian secured a recording contract for them with EMI, they hired their old friend Ringo Starr to replace Best on the drums. John and Paul had become a gifted songwriting team, with John's raw rock 'n' roll sound nicely complementing Paul's more pop-oriented melodic sense. In August John married his art-school sweetheart Cynthia Powell. She was pregnant with their son Julian, who was born the following April.

Beatlemania enveloped England in 1963, but no amount of success could stop John's irreverent sense of humor. Asked to perform at the prestigious Royal Variety Show, which was attended by the Queen Mother and Princess Margaret, he quipped from the stage, "Will the people in the cheaper seats clap your hands? All the rest of you can just rattle your jewelry."

By early 1964 Beatlemania was also sweeping the United States. At one time Beatles records held the top five positions on the pop singles chart. John was beginning have severe problems coping with living his life in the public eye, and he especially detested the show-biz aspects of the music business. To relieve his anxiety and maintain his own voice, John wrote poetry and nonsense prose. When a collection of his writing was published as *In His Own Write*, it hit the British best-seller lists.

The differences between John and Paul became more noticeable with the coming years. By 1965 most of the songs written under the umbrella of Lennon-McCartney were actually written separately. That year, in honor of their incredible success, the Beatles were made Members of the British Empire by the queen. Showing his usual disdain for authority, John smoked marijuana in a Buckingham Palace bathroom before the ceremony. Five years later, he returned his M.B.E. medal to protest Britain's support of the Vietnam War.

At the peak of his Beatles years, John's father came back into his life. He actually showed up on John's doorstep in 1966. John harbored a great deal of resentment toward his father for deserting him and Julia, but he bought his father a house and made sure he received a weekly check to cover his living expenses. Sick of touring and playing to crowds whose screams drowned out their music, the Beatles retired from the road at the end of the year. John's view on this: "Beatles concerts are nothing to do with music any more. They're just bloody tribal rites."

John enjoyed the wealth that being a pop star brought him. He had a home with a swimming pool in the "stockbroker belt" and an art nouveau Rolls Royce. But he was increasingly feeling the need to be more than just a pop singer. Always a man with firm convictions, he began to speak out on issues. To make his views on war perfectly clear, he appeared in an antiwar movie, *How I Won the War*. In 1966, after he met a kindred spirit, Yoko Ono, at a showing of her avant-garde conceptual artwork, a new John Lennon began to evolve. As John's affair with Yoko became increasingly less discreet, she introduced him to an arty crowd in London that reminded him of his happy

John and Cynthia attend the British premiere of *The Knack, and How to Get It* in 1965. John had initially been attracted by Cynthia's reserved manner and blonde good looks, but drifted apart from her when his interests strayed to politics and mysticism.

Until 1967 John was rarely photographed wearing glasses, so this picture, probably from 1965 or 1966, may be from a rehearsal.

Late 1968 brought John's most hirsute look yet. Here, the tastemaker for a generation of young people looks almost antiquarian.

John, Yoko, Kyoko (Yoko's daughter), and Julian (John's son) enjoyed a Scottish holiday in July 1969. Later during this same vacation, the Lennons' car crashed in Sutherland, Scotland. No one was hurt, but all were kept overnight in a hospital for observation.

Opposite:
By early 1969, when *Let It Be* was recorded, the Beatles were no longer a cohesive unit. John had already recorded an avant-garde solo album with Yoko and was eager to branch out further.

art school days in Liverpool. While Yoko was taking John in a new direction and his marriage to Cynthia was ending, the Beatles were releasing their landmark of psychedelia, *Sgt. Pepper's Lonely Hearts Club Band.*

Drifting further and further away from the other Beatles, John began to collaborate on experimental projects with Yoko. The album cover of *Two Virgins* shows John and Yoko naked front and back and caused a storm of controversy. John and Yoko were true soul mates, and their romance has become one of the great all-time love stories. "I've had two partners in my life, Paul McCartney and Yoko," John once said. "That's not a bad record, is it?"

By late 1969 the Beatles were finished as a group. John and Yoko put together the fictitious Plastic Ono Band, and John recorded his first solo hit, "Give Peace a Chance." After legally changing his middle name to Ono, John married Yoko. To celebrate their union, they participated in a series of highly publicized "bed-ins" for peace.

John's childhood insecurities and pain surfaced with a vengeance on his first solo album, recorded in 1970. Under the tutelage of psychologist Arthur Janov, whose book *The Primal Scream* was his bible for a time, John sang such intensely personal songs as "God," "Mother," and "My Mummy's Dead." Feeling free from some of his emotional baggage left over from both the Beatles and his childhood, John moved with Yoko to New York in 1971.

Almost immediately they fell in with such well-known counterculture figures as Abbie Hoffman and Jerry Rubin. Those associations and their antiwar efforts resulted in the Lennons being tailed constantly by the FBI. They were denied permanent residency by the United States government, but they went on living in New York. In 1976 John finally won his fight to remain in America.

In late 1973 the fairy-tale romance between John and Yoko began to sour. Their spending virtually 24 hours a day together for the last seven years had taken its toll. Yoko's solution was for John to move out and go about sowing whatever wild oats he still needed to sow. For a 15-month "lost weekend," John staggered through bars and nightclubs in Los Angeles and New York with his rock star pals, including Ringo, Keith Moon, and Harry Nilsson. Prophetically, one of the songs on his *Walls and Bridges* album, which was released during this period, was "Nobody Loves You (When You're Down and Out)."

Following a well-publicized estrangement from Yoko during 1973-74, John redirected his energies to hearth and home following the birth of his son Sean in 1975.

Although they stayed in touch by phone, John and Yoko did not see each other again until they met at an Elton John concert in late 1974. John was remorseful and begged Yoko to take him back. She invited him to move back into their sumptuous apartment in the Dakota, an apartment building overlooking Central Park. Yoko had suffered at least two miscarriages, and the Lennons were delighted to learn that Yoko was expecting again. On John's 35th birthday, October 9, 1975, Yoko gave birth to their son, Sean. His birth transformed John into a househusband. He handled all the domestic chores of raising Sean for the next five years while Yoko oversaw their many business interests.

As the 1970s turned into the 1980s, John quietly began to return to the limelight. He had been inspired to write several new songs while he was vacationing in Bermuda, and in August 1980 he and Yoko went into a New York studio to record what would be his comeback album, *Double Fantasy*. Featuring such odes to ordinary life and his love for Yoko as "Watching the Wheels," "(Just Like) Starting Over," and "Woman," the album rocketed to the top of the charts when it was released in November. After five years out of the media's eye, John and Yoko began popping up everywhere, doing interviews on radio, TV, and newspapers, and breaking their long silence. "Life begins at 40—or so they say," John told an interviewer. "It's like I'm 21 again and saying, 'Wow, what's gonna happen now?'"

In December John and Yoko were back in the studio working on a follow-up to *Double Fantasy*. Returning home on the evening of December 8, as he and Yoko neared the entrance to the Dakota, John turned when he heard a voice call his name. An emotionally unstable fan, Mark David Chapman, fired five shots at John Lennon's back. He died shortly after at the hospital.

A few days later, all over the world, fans held silent vigils in John's memory. In New York's Central Park, across from the Dakota, nearly 400,000 fans turned up to pay their respects. The voice of a generation may have been silenced, but his spirit would never die.

During much of her Hollywood career, blonde bombshell Carole Lombard was probably better known for her famous Hollywood husbands—William Powell and Clark Gable—than for her own sparkling work. Today, movie critics and fans recognize her as a gifted film comedienne. Her work in pioneering screwball comedies, such as *Twentieth Century*, *My Man Godfrey*, and *To Be or Not to Be*, continue to delight viewers.

Carole was born Jane Peters in Fort Wayne, Indiana, on October 6, 1908. Her parents divorced while she was still a child, and she moved to Los Angeles with her mother. Like many stars, Carole's movie career began as a fluke. According to legend, 13-year-old Carole was playing baseball in her backyard when she caught the eye of director Allan Dwan, who immediately signed her for a small role in his 1921 movie, *A Perfect Crime*.

After taking acting and dancing lessons, Carole was signed by the Fox film company and secured starring roles in *Marriage in Transit* and *Hearts and Spurs*, before an automobile accident resulted in the studio canceling her contract. Two years later she joined Mack Sennett's studio and appeared in many of the comedic shorts for which that production company was famous.

In the late 1920s Carole was best known as a good-looking blonde with great legs, who looked terrific in a slinky evening gown. She had no trouble attracting the attention of several of Hollywood's best-known leading men. In 1931 Carole married actor William Powell, but after two years they divorced.

While she was under contract to Paramount Pictures, Carole's stylish work in such movies as *Fast and Loose*, *It Pays to Advertise*, and *Man of the World* began to show Hollywood's star makers that she was more than just

1908-1942

Carole Lombard was a radiant beauty and an accomplished actress, who knew how to be truly funny when she wanted to be.

Carole Lombard gives John Barrymore what he has coming to him in a compartment on the famous New York-to-Chicago train in this scene from the movie *Twentieth Century*.

Carole's performance in *Made for Each Other* changed her screen image, bringing her much-deserved recognition as a dramatic actress. This photograph was made in the late 1930s about the time that movie was released.

Even on the 20-acre ranch that Lombard and Gable owned in the San Fernando Valley, Carole was often photographed elegantly dressed.

another pretty face. In 1932 she starred with her future husband Clark Gable in *No Man of Her Own*. It was the only film the two ever made together.

In 1934, when director Howard Hawks cast Carole for *Twentieth Century*, opposite John Barrymore, her new image was created. In the movie she played a starlet who was discovered by talent scout Barrymore. He chases her across the country on the train named in the movie's title. The film is the first screwball comedy, and in it Carole shaped a character that was as sexy as she was funny.

Her role in the whimsical farce *My Man Godfrey*, with her ex-husband Powell, netted Carole an Academy Award nomination for best actress in 1936. By the following year, Carole was Hollywood's highest-paid actress, earning close to $500,000. Her work during the late 1930s impressed one critic so much he remarked that "only the need for a dark-haired heroine kept her from getting the Scarlett O'Hara role in *Gone With the Wind*." It was a role that she badly wanted, since she and the movie's male lead, Clark Gable, had been married in 1939.

While Carole made her name in comedies, she also turned in exceptional performances with serious roles in such movies as *Made for Each Other*, with Jimmy Stewart, and Alfred Hitchcock's tale of marital misadventure, *Mr. and Mrs. Smith*, with Robert Montgomery. But Carole Lombard is perhaps best remembered for her last movie role. Along with radio star Jack Benny, she starred in director Ernst Lubitsch's anti-Nazi comedy set in Poland, *To Be or Not to Be*.

Returning from appearances at a series of war bond drives, Carole died in a plane crash near Las Vegas on January 16, 1942. Her death at age 33 stunned America and her husband never really recovered from her loss. President Franklin D. Roosevelt sent his condolences to Gable in a telegram that in part reads, "She brought great joy to all who knew her and to millions who knew her only as a great artist. She is and always will be a star, one we shall never forget nor cease to be grateful to."

Hollywood journalists used to joke that Jayne Mansfield became a movie star just so she could go to the opening of a drugstore or supermarket and be photographed. Her self-promotion antics during the Broadway run of the play *Will Success Spoil Rock Hunter?* are legendary. Show time was eight o'clock, and like the rest of the cast, Jayne was required to be at the theater by seven-thirty. Since she was often being photographed with other celebrities at a movie premiere, Jayne would rush to the theater only seconds before the curtain rose. The absurdity of a stage actress attending movie premieres at the same time she was expected to perform onstage never occurred to Jayne. What mattered to her was getting her picture in the paper.

She was born Vera Jane Palmer in Bryn Mawr, Pennsylvania, on April 19, 1933. She was raised in Phillipsburg, New Jersey, and Dallas, Texas, where she met her first husband, Paul Mansfield. They married when she was 16 years old. After Jayne graduated from high school, the newly married couple enrolled at Southern Methodist University. Later, they moved to Los Angeles, where Jayne hoped to break into movies.

In 1955 Jayne was *Playboy*'s February Playmate. When she was sent to Florida to promote the Jane Russell movie *Underwater*, Jayne managed to attract more attention than the movie's star. Playwright George Axelrod saw a picture of Jayne and immediately cast her in his new play, *Will Success Spoil Rock Hunter?* When the play was adapted for the screen in 1957, Jayne reprised her role. She also starred in *The Girl Can't Help It*, a lively music-filled comedy also written by Axelrod. Later, she starred in *The Wayward Bus* and *Kiss Them for Me*. Unfortunately, Jayne's talent for acting was not as big as her skill for winning publicity, and she soon found herself demoted to small parts in Hollywood movies, although she continued to star in European productions. Despite her loss in stature, Jayne lived like a star in a huge pink mansion on Sunset Boulevard that once belonged to singer Rudy Valee. Since pink was her favorite color, she decorated the house in pink and white. She also built a heart-shaped swimming pool. To pay the bills, Jayne developed a live musical-comedy stage act, which she premiered in Las Vegas. Later, she took the act on the road.

While she was married to Paul Mansfield, Jayne had her first child, Jaynie Marie, on November 8, 1950. Her marriage to Mansfield ended in 1956. A year later, she married Mickey Hargitay, a nightclub performer and onetime Mr. Universe. They had three children, Mickey Jr., Zoltan, and Mariska, before divorcing in 1963. In 1964 Jayne married producer-director Matt Cimber, and they had a son, Antonio. In 1966 Jayne divorced Cimber. She then became involved with her divorce attorney, Sam Brody. Their affair prompted Brody's wife to initiate a divorce suit against him. Mrs. Brody charged that during their 10 years of marriage her husband had been unfaithful to her with 40 women. But Jayne was the only woman she named.

In late June 1967 Jayne traveled to Biloxi, Mississippi, where she performed her act at a small nightclub. She was accompanied by Brody and her three children from her marriage to Hargitay. Following her last perfor-

1933-1967

Jayne Mansfield's fabulous figure brought her fame, but she was also an intelligent and gifted actress who never appeared in public out of character.

Joan Blondell, Jayne Mansfield, and a friend crowd into a berth for a bedtime chat in this scene from *Will Success Spoil Rock Hunter?*

three children from her marriage to Hargitay. Following her last performance in Biloxi, on June 29, Jayne and her entourage headed for New Orleans, where she was scheduled make a television appearance. Ronnie Harrison, a 20-year old law student at the University of Mississippi, was driving them in his 1966 Buick. Just outside New Orleans, a crew was spraying insecticide into the air to kill mosquitos. The driver of a huge truck-trailer rig had difficulty steering his vehicle through the mist and slowed down. On the same stretch of highway, Harrison's car sped around a curve and hit the rear of the trailer. The force of the collision ripped the top off the car instantly killing the three adult passengers in the front seat. Jayne's three children were rushed to a New Orleans hospital, where they survived with minor injuries.

Few artists in this century have been as loved and as hated as Robert Mapplethorpe. He was born on November 4, 1946, in Floral Park in Queens, New York. His father was an electrical engineer and amateur photographer. A devout Roman Catholic, he and Robert's mother insisted that their six children attend parochial school.

Mapplethorpe began looking for ways to change the world around him while he was still in school. He rebelled against his parents and their religious beliefs. His clothes, his art, and his manner of expression were energetic, singular, and offbeat. Robert lived in a traditional lower-middle-class neighborhood, but he was attracted to Manhattan and began to hang out in the city while he was a teenager. He was drawn to the galleries and the city's bizarre array of people. Robert Mapplethorpe also had a quieter side. His mother loved to garden, and he enjoyed helping her tend her flowers.

In high school Mapplethorpe was already defining himself as an artist. He leaned toward abstract art, spurning photography because it interested his father and was too dull and representational for his flamboyant tastes. In 1963, when Robert graduated from high school, he submitted a portfolio of his work to the Pratt Institute and was accepted. Once he was living in Manhattan, Mapplethorpe went wild, experimenting with many kinds of sexual expression. It took him six years to graduate from Pratt, and during that period he never took a picture. In his final year of college, Robert decided to make collages of cutouts from pornographic magazines. His work was considered outlandish and remarkable.

At about the time he left Pratt, Mapplethorpe met a wealthy art collector, Sam Wagstaff. He was 20 years older than Robert, but the two formed a lasting relationship. In 1971 Mapplethorpe convinced Wagstaff to visit a collector in Syracuse, New York, who had a large charcoal drawing of two men in an erotic embrace by Tom Findland. The picture turned out to be only a print, but the same collector also happened to have a series of photographs

1946-1989

The controversy engendered by recent showings of Robert Mapplethorpe's photographs has made the name of this talented New York artist a household word.

Straightforward portraiture that allows the subject to project his own image is a trademark of Mapplethorpe's work.

The range of subject matter Mapplethorpe photographed is much broader than many of his critics, who are often totally unfamiliar with his work, realize.

of young men engaged in sexual activities. Mapplethorpe convinced Wagstaff to buy the photos. Later, with Mapplethorpe's help, Wagstaff became one of New York's premier photo collectors. Robert Mapplethorpe, with Wagstaff's support, became one of the country's leading photographers.

As his collages evolved, Mapplethorpe began taking Polaroid pictures of friends to use in his art. Soon, he found that controlling his own photography worked to his advantage. People who saw his early photos admired their sensitivity to tone and shape. In 1976 Mapplethorpe had a solo exhibition of his work at New York's prestigious Light Gallery.

From Polaroids to prints, Mapplethorpe soon found a form of expression that fitted his artistic sensibilities. He loved black-and-white photography, particularly portraits, and became an outstanding printmaker. By the late 1970s, his work had taken two different directions: His portraits were beginning to be published in fashion magazines around the world, while his sexually bizarre images were frequently displayed in galleries and museums. In 1983 the Robert Miller Gallery began to represent Mapplethorpe, cataloging his controversial photos, his portraits, and his beautiful flower pictures for exhibition and sale.

Mapplethorpe's life was as extraordinary as many of his images. His homosexual excesses became legendary, partly because of his explicit photos and also because he openly admitted to participating in them. In 1986 he was diagnosed as having AIDS. He suffered from the symptoms of the disease for the next three years, but during this period of time, he produced some of his most stunning prints.

By 1989 Robert Mapplethorpe was terribly weakened by his disease. He died on March 9. During his lifetime eight books about his work had been published, and he had started the Robert Mapplethorpe Foundation to fund AIDS research as well as photo exhibitions. When Mapplethorpe died, he was only 42 years old. His foundation and the remarkably diverse body of his black-and-white photographs continue to thrive.

After growing up poor in a Jamaican slum, Bob Marley went on to become not only reggae's most famous musician, but also a figure revered throughout the word for the political and social activism he urged in his music. His group, the Wailers, had a major impact on the direction of rock music in the 1970s. Such major stars as Eric Clapton, Paul Simon, and the Rolling Stones recorded his songs or otherwise sang his praises.

Robert Nesta Marley was born in the village of St. Ann, Jamaica, on February 6, 1945. His father was a British Army captain, Norval Marley, whose wife, Cedella, was only 17 years old when Bob was born. The marriage broke up when Bob was eight, and he and his mother moved to a house in Kingston's Trench Town slum area. Cedella did domestic work to earn enough money to send Bob to private schools.

The Marleys shared their home with the Livingston family. Bob formed a series of singing groups with his best friend Bunny Livingston and another friend Peter Tosh. The group finally settled on the Wailing Wailers as a name. Eventually shortening their name to the Wailers, the group had its first hit in 1964 with "Simmer Down," a song Bob wrote as a warning to rowdy Jamaican youths.

After a brief stay in the United States to be with his mother, who was living in Delaware, Bob returned to Jamaica, where he fell in with the Rastafarian religious sect. Rastas worship the Ethiopian emperor Haile Selassie as a god and draw inspiration from Marcus Garvey's Back to Africa movement. Bob grew his hair in long dreadlocks and started singing about Rastafarian beliefs.

The Wailers' first album was *Catch a Fire*. Released in 1973, its songs decry the evils of Trench Town and the harassing tactics of the Jamaican Army, and promote Rastafarianism. The Wailers' mixture of hypnotic reggae rhythms with serious subject matter influenced rock acts, including the Rolling Stones and Linda Ronstadt, to add elements of reggae to their music. In 1974 Eric Clapton had a major hit with a note-perfect version of Bob's "I Shot the Sheriff."

The Wailers began to tour the world in the mid 1970s, helping to turn reggae from an indigenous Jamaican style of music into an internationally appreciated sound. In 1974 Livingston and Tosh left the group for solo careers after recording *Natty Dread,* but the Wailers continued with Bob as the undisputed star.

On December 3, 1976, gunmen broke into Bob's Kingston house where he and his group were rehearsing for a Smile Jamaica concert sponsored by the Jamaican government. Bob and his wife, Rita, were wounded in the cross fire. A few days later a triumphant Bob Marley appeared in front of 80,000 fans at the concert, showing the world that even a politically motivated attempt on his life could not slow him down.

A string of successful albums, including *Rastaman Vibration* and *Babylon by Bus*, brought the Wailers into the late 1970s. In 1979 Bob was given

1945-1981

In the years since his death, Bob Marley's popularity and powerful influence on other musicians has grown even stronger than it was during his lifetime.

Bob Marley's music captures the full scope of the Jamaican experience in a range of lyrics that express everything from romantic love to left-wing political principles.

a citation by the United Nations for his work on behalf of Third World nations. In April of the following year, the newly created African nation of Zimbabwe (formerly Rhodesia) invited Bob to the state-sponsored independence day ceremonies. Bob called this "the greatest honor of my life."

After collapsing onstage at a Wailers concert in Pittsburgh in the fall of 1980, Bob entered New York's Sloan-Kettering Hospital for cancer treatments. He later transferred to an experimental clinic in West Germany. On his way back to Jamaica to receive the Order of Merit from Prime Minister Edward Seaga, Bob was hospitalized at the Cedars of Lebanon Hospital in Miami. He died there in his sleep on May 11, 1981, from the combined effects of lung, liver, and brain cancer. He was 36 years old.

Jamaica gave Bob Marley a state funeral 10 days later. It was attended by 100,000 people, including the prime minister.

Christa McAuliffe

Until July 1985, 37-year-old Sharon Christa Corrigan McAuliffe led an ordinary life. She was a wife and the mother of two young children. During the day she taught at a high school in Concord, New Hampshire. Then NASA announced that her application to join a space shuttle crew had been accepted. Christa was astounded that she had made it to the final cut. People who knew her understood why. A school official in Concord explained, "To us, she seemed average. But she turned out to be remarkable. She handled success so beautifully."

When Christa appeared on television talk shows and news programs, viewers were usually left with one significant impression: She seemed so down to earth. Christa was the eldest of five children. She grew up in Framingham, Massachusetts, where she attended a Roman Catholic high school. She was a B student, and she participated in several extracurricular activities, sang in the glee club, and played both volleyball and softball. During her high school years, Christa met her future husband, Steven. After graduating from Framingham State College, they married in 1970 and moved to Washington, D.C., where Steven earned a law degree from Georgetown University. While he was attending law school, Christa worked on her master's degree in education at Bowie State College in Maryland. Later, they moved to New Hampshire, where Steven joined the staff of the state's attorney general.

When she learned she was pregnant, Christa immediately began keeping a daily journal in a spiral notebook. A typical entry included a report about her doctor's appointment, news of friends, and the cute things her cats had done. "This was my history for my children," she explained. "I would have loved to know my mother's life that way." Besides teaching full time, Christa led a Girl Scout troop, volunteered at a daycare center, and raised money for the local hospital.

1948-1986

Christa McAuliffe and other members of the Challenger crew stride confidently toward the space shuttle on the morning of the fateful launch.

At home in Concord, New Hampshire, Christa posed for a family portrait with her husband Steven and their children, Scott and Caroline.

Christa joined the Challenger crew that already included Francis R. Scobee, Michael J. Smith, Ronald E. McNair, Ellison S. Onizuka, Judith A. Resnik, and Gregory B. Jarvis.

Christa was a warm, outgoing person who enjoyed the fun and the hard work of being an astronaut. Here, she rides in a parade with her children, Caroline and Scott.

Students at Concord High looked forward to the classes Christa taught. She designed her courses to present the practical aspects of the law and to give a clear view of the positive role American women have played in history. She wanted everyone, including herself, to have a chance to do their best. "What are we doing here? We're reaching for the stars," she said soon after joining the astronaut program. Realizing her celebrity would be temporary, Christa looked forward to returning to Concord. After several months of training, she missed her family as well as her students.

On Tuesday morning, January 28, 1986, at Cape Canaveral, Florida, the Challenger space shuttle prepared to launch. Adverse weather conditions had already canceled the Challenger's trip on four different occasions. Christa's parents, Grace and Ed Corrigan, along with Christa's two children, Scott and Caroline, were at Cape Canaveral to witness the launch. Scott's third-grade class had also flown in from Concord. Christa's students gathered in Concord High's auditorium to watch it on television. As the Challenger lifted off, the crowd cheered. Only 70 seconds later, their mood abruptly changed to quiet disbelief. The Challenger had suddenly exploded. Among the spectators, Ed Corrigan was the first to absorb the impact of what had just happened. Instinctively, he placed an arm around his wife. Grace Corrigan's look of bewilderment dissolved into tears as she rested her head against her husband's shoulder.

That evening, President Ronald Reagan was scheduled to give his annual State of the Union address. It was postponed for a week. Instead, the president appeared on television to address the day's tragedy. In a poignant tribute to the Challenger's crew, the president said, "They had a hunger to explore the universe and discover its truths. They wished to serve, and they did—they served all of us."

Speaking before an audience several months earlier, Christa commented on the journey she was about to make. She said simply, "I touch the future. I teach."

■ CLYDE McPHATTER ■

Singer Clyde McPhatter lives on whenever his pure tenor voice is heard on the Drifters' classic "White Christmas" or his solo hit "A Lover's Question."

Clyde was born on November 15, 1932, in Durham, North Carolina. His father was a Baptist preacher, and his mother played the church's organ. Clyde grew up singing gospel music. During the 1940s his family moved to New Jersey, where Clyde kept singing. He started several gospel groups while he was in high school. After graduation Clyde worked briefly as a clerk, but he also sang with groups in New Jersey and Harlem.

In 1950 17-year-old Clyde joined Billy Ward's Dominoes as the lead vocalist. Ward's group formed an important link between gospel music and rhythm and blues, which was essentially gospel music with the word *Baby* substituted for the word *Lord*. Clyde sang on the Dominoes' hits "Have Mercy Baby" and "The Bells." Eventually, he grew tired of Ward bossing him around and making him pay fines for such offenses as wearing unshined shoes. Clyde quit the Dominoes in 1953 to form his own group with the backing of Atlantic Records' president Ahmet Ertegun.

Clyde's new group became the Drifters, and they recorded many hits including "Money Honey" and "Such a Night" before Clyde was drafted into the Army in 1954. When his stint in the service was completed in 1956, McPhatter decided to launch a solo career. His biggest hits were "A Lover's Question" in 1958 and "Lover Please" in 1962. By the early 1960s, pop music tastes were changing and teen idols were the rage. Even though Clyde was just reaching 30, he was an old man in the record business. His string of hits had come to an end, but his emotion-charged singing style continued to influence such singers as Ben E. King and Smokey Robinson. Clyde never gave up his dream of breaking out of the rhythm-and-blues category into mainstream show business alongside Perry Como and Nat "King" Cole.

He never realized his dream. When he was only 39 years old, Clyde McPhatter was found dead in the dressing room of a nightclub where he was performing. It was June 13, 1972, and Clyde had died from complications of heart, liver, and kidney disease.

1932-1972

Clyde McPhatter was the first lead singer for the Drifters. He recorded only six records with the group before he was drafted in late 1954.

1904-1944

Glenn Miller and his swing band recorded several big hits, including "In the Mood," " Little Brown Jug," "Sunrise Serenade," and Glenn's theme song, "Moonlight Serenade."

Glenn Miller was born in Clarinda, Iowa, on March 1, 1904. When he was five years old, his family moved to Nebraska. Glenn was 13 years old when he purchased his first instrument: a trombone. He earned the money by milking cows for two dollars a week. John Mossbarger, who sold Glenn the trombone, sensed the boy's keen interest in music and encouraged him to learn the fundamentals. The following year Glenn's family moved to Fort Morgan, Colorado. In high school there, Glenn studied music and played football.

Shortly after graduation in 1921, Glenn landed his first professional job with the Boyd Senter orchestra. He played with the band for a year before enrolling at the University of Colorado to study music. In 1923 Glenn left college to be a full-time musician. He moved to Los Angeles, where he played with Max Fisher and Georgie Stoll. Soon, Ben Pollack invited Glenn to play with his band, which included such accomplished musicians as Benny Goodman and Gil Rodin, at the Venice Ballroom. When Pollack's band left for Chicago, Glenn accompanied them. He was still with them in 1928 when they arrived in New York.

Ever since he left Colorado, Glenn had maintained a long-distance romance with Helen Burger, who had also been a student at the university. On October 6, 1928, they married. Their marriage prompted Glenn to settle down in New York, where he was able to study arranging with Joseph Schillinger. He resigned from Pollack's band and managed to find enough work to support himself as a free-lance trombonist and arranger.

By 1932 Glenn had started playing with the Smith Bellew Orchestra. When it disbanded in Denver in early 1934, Glenn returned to New York, where he joined the newly formed Dorsey Brothers band. A year later, he left their band to assist Ray Noble in organizing his first American orchestra. Throughout much of the 1930s, Miller also worked as a sideman and arranger for other bands. He was saving his money in hope of forming a band of his own. "I was tired of arguing about arrangements, of having things come out different from the way I wrote them," he told an interviewer. "I wanted actually to hear my ideas and I figured the only way I could was with my own band." Glenn's desire to launch a band was so strong that he passed on the $350-a-week position MGM offered him.

Glenn Miller plays trombone with his orchestra during a live broadcast from a hotel ballroom in 1940.

Glenn Miller's Orchestra finally became a reality in 1937. Unfortunately, his drummer Maurice Purtill left him for another band the first night his band played at the Hotel New Yorker. In the subsequent months, the band endured many growing pains as Glenn tried to achieve a suitable sound. That same year, Helen was also battling a serious illness. Compounding matters, Glenn's finances were bleak.

By January 1938 Glenn had suspended his band. In a late-night discussion with his wife, he toyed with the idea of returning to free-lance work. Helen, who had absolute confidence in her husband's talent, encouraged him not to make any drastic decisions. The following spring, Glenn reorganized his band. Besides a handful of holdovers from the earlier group, he hired several new members. Si Shribman, who owned half a dozen prestigious ballrooms on the East Coast, had confidence in Glenn and frequently booked his band. In September Glenn Miller's Orchestra added an attractive singer, Marion Hutton.

To keep his band afloat, Glenn often booked the group for one-night stands. One night in early 1939, while the band was making its way through a blizzard, the bus stalled. A farmer graciously invited the band to take shelter in the warmth of his kitchen until morning, when they were able to get the bus started again. For Glenn it was a night of reflection. Looking back on the difficult times his band had experienced, he decided the struggle was worth it. "Taking the bad breaks teaches you to stay together," he commented later. "After that, we weren't just a band—we felt like a band."

By summer Glenn Miller and his orchestra were playing to sold-out houses in New York. Two of his recordings, "In the Mood" and "Tuxedo Junction," were topping the charts. In 1941 Glenn and his band were performing three shows a week on national radio. When a reporter questioned Glenn about his tremendous success, he responded, "It's an inspiring sight to look down from the balcony on the heads of 7,000 people swaying on the dance floor—especially when you are getting $600 for every thousand of them." That year, Glenn earned his first million.

Success had a positive effect on Glenn's demeanor. When he had been preoccupied with making his dream happen, friends nicknamed him Gloomy Glenn. After only a few months on the bandstand with his own orchestra, Glenn learned to smile. He seemed really to enjoy giving people the kind of music they wanted to hear.

In 1942 Glenn registered for the draft. Later that year, he became a captain in the United States Army and was appointed director of bands for the Army Air Force Technical Training Command. In 1944 he was stationed in England. Every Saturday morning, Glenn and his band of musical servicemen performed on the radio. In December Glenn and his band were told to leave for Paris. Glenn departed ahead of the others to make arrangements. "He left before we did—as he usually did," commented band member Peanuts Hucko. "He didn't leave it to anybody; he didn't send out a scout. He was a scout." En route to Paris on December 15, his plane mysteriously disappeared. No trace of it was ever discovered. A year later, Glenn Miller was declared officially dead and awarded a posthumous Bronze Star.

In 1942 Glenn Miller disbanded his popular dance band to join the Army, where he led a large orchestra that broadcast regularly from England to troops stationed throughout Europe and Africa.

The first time Sal Mineo had a switchblade pulled on him he was in the fourth grade. This was exactly the kind of violent scene his parents tried to escape when they moved to the Bronx from Harlem. Unfortunately, by the time Sal, who was born on January 10, 1939, reached grade school, the neighborhood had deteriorated. To help their son realize there was another way to live, his parents sent Sal to acting classes. When he was 11, a theatrical producer visited his class and picked him for a small role in Tennessee Williams's play *The Rose Tattoo.*

In 1952 Sal received critical acclaim for his performance as the crown prince in the Broadway production of *The King and I.* After two years in the play, Sal appeared in his first movie, *Six Bridges to Cross.* A year later, he co-starred in *The Private War of Major Benson.* In 1955 he was cast in a movie that would earn him an Oscar nomination for best supporting actor: *Rebel Without a Cause.* Sal was also nominated for an Emmy for his performance in *Dino* on *Studio One.* In the late 1950s Sal recorded several pop songs. "Start Movin'" sold more than a million copies. In 1960 he received a second Oscar nomination for best supporting actor for his performance in *Exodus.*

By the late 1960s Sal was disillusioned with his life in Hollywood. He sold his big house and decided to concentrate on projects that would bring him personal fulfillment. He was particularly interested in producing a screen version of Charles Graham's novel *McCaffrey.* Sal also acted in and directed plays, most notably *Fortune in Men's Eyes.*

On February 12, 1976, Sal had his second encounter with a switchblade. Following a rehearsal for the play *P.S., Your Cat Is Dead,* Sal headed home to his apartment in West Hollywood. In the building's basement garage, he was confronted by a man wielding a knife. Neighbors heard screams and found Sal lying in a pool of blood. Within minutes Sal Mineo was dead.

Ironically, that same day William Belasco, his producing partner, had finalized a deal with a major studio to start production on *McCaffrey.* A memorial service for Sal was scheduled to be held at Belasco's home. It never took place. The night before the service, Belasco was killed in an automobile accident.

1939-1976

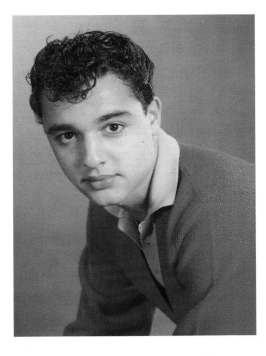

In 1959, when this photograph was taken, Sal Mineo was a popular young actor on stage, scene, and television.

In John Ford's 1964 epic *Cheyenne Autumn,* Mineo played a young man who joins his people in a harrowing attempt to leave their Oklahoma reservation to return to their original home in Wyoming.

1926-1962

This studio portrait of Marilyn Monroe was taken in 1953 while she was working for 20th Century-Fox. She wore the same dress in the photograph on the cover of the premier issue of *Playboy*.

Sexy dumb blonde—these three words come quickly to many peoples' minds when they think of Marilyn Monroe. She was the sex symbol of the 1950s, but the qualities that made Marilyn Monroe an international movie star also kept her from proving she could be more than just another pretty face. No one was more aware of this than Marilyn herself. When she greeted her public, she was all smiles, but in the privacy of her home, Marilyn was a bundle of insecurities. Despite the adoration of millions of fans, she felt misunderstood and fretted that she was nothing but a loser.

She was born Norma Jeane Baker on June 1, 1926, in Los Angeles General Hospital, conceived out of wedlock to Gladys Monroe Baker. Her father was probably C. Stanley Gifford, who had worked with Gladys at Consolidated Film Industries in Hollywood. Gladys eventually relinquished her daughter to the care of state-operated foster homes. The young Norma Jeane escaped the loneliness of her childhood by daydreaming. "I dreamed of myself becoming so beautiful that people would turn to look at me when I passed," she said.

When she was 16 years old, Norma married 22-year-old Jim Dougherty. In 1944 he joined the merchant marine, and she moved in with her in-laws. She spent her days working in a defense plant, inspecting parachutes. A sharp-eyed photographer from *Yank* magazine spotted Marilyn while visiting the factory and asked her to pose for him. It was the beginning of her career as a photographer's model.

Marilyn registered with the Blue Book Model Agency, where she learned how to apply makeup. Following the advice of an agent, she also dyed her brown hair blonde. The transformation had an incredible effect on the way men perceived Marilyn. When she walked down the street, they made no secret of their attraction toward her. Marilyn's modeling assignments led to pictures of her appearing on the covers of several national magazines. It also led to the dissolution of her marriage to Dougherty.

In 1946 Marilyn completed a successful screen test at 20th Century-Fox and was offered a $75-a-month contract. Shortly after signing the contract, she traded in her drab, humble-sounding name for the more glamorous Marilyn Monroe. Her career at Fox got off to a slow start. She landed bit parts in two movies, *Scudda Hoo! Scudda Hay!* and *Dangerous Years*, but her performance in the first ended up on the cutting-room floor and she went unnoticed in the second. In 1947 Fox executives let their contract with

With her brown, kinky hair straightened and dyed blond, Norma Jeane's modeling career took off in 1946 when she began to pose as a pinup for *Laff*, *Peek*, *See*, *Glamorous Models*, *Cheesecake*, and *U.S. Camera*.

In the movie *Some Like It Hot* Marilyn played Sugar Kane, a kooky singer with an all-girl orchestra, who befriends two new girl musicians played by Tony Curtis and Jack Lemmon.

Marilyn entertained more than 100,000 troops in Korea. The temperature was bitter cold, but after 10 shows Marilyn said that she felt only the warmth of the adoring soldiers.

Marilyn lapse, complaining that she was not photogenic enough to become a movie star.

To pay the bills, Marilyn returned to modeling, but she continued building connections in the movie industry. Joe Schenck, a 70-year-old producer who was a cofounder of 20th Century-Fox, turned out to be a powerful ally. He used his influence to help Marilyn win a contract with Columbia Pictures. In 1948 Marilyn costarred in a low-budget musical *Ladies of the Chorus*, but executives at Columbia felt her performance lacked sparkle and unceremoniously dropped her option after six months. Marilyn resumed modeling. When a photographer approached her about posing nude for a pinup calendar, she reluctantly accepted.

A short while later, Marilyn found work in a Marx Brothers' comedy, *Love Happy*. Executives at United Artists enthusiastically hailed her performance as "Mae West, Theda Bara, and Bo Peep, all rolled into one" and immediately sent her on a national tour to promote the movie. Johnny Hyde, a Hollywood talent agent, saw Marilyn in *Love Happy* and was convinced she could become a star. Marilyn turned her career over to Hyde and followed his recommendation to have plastic surgery on her nose and jaw.

Hyde used his influence to win Marilyn small roles in two major Hollywood movies, *The Asphalt Jungle* and *All About Eve*. Marilyn's relationship with Hyde became complicated when he asked the young starlet to marry him. Marilyn refused. Despite the rejection, he continued to be her biggest supporter. Unknown to Marilyn, Hyde suffered from a serious illness. Months before his death, he won his client a seven-year contract with 20th Century-Fox at $750 a week.

Marilyn's return to Fox led to minor roles in several movies produced between 1950 and 1952. In early 1952 she completed *Clash by Night*, produced by RKO. Weeks before the movie's scheduled release, executives at RKO discovered the calendar featuring a nude Marilyn. Rather than deny the model's identity, the executives cannily arranged to have information about the calendar leaked to gossip columnists with quotes from Marilyn claiming she posed for the photographs because she was flat broke. By the time *Clash by Night* opened, Marilyn Monroe was a household name. The notoriety she received inspired theater owners to place her name first on marquees.

Marilyn's career suddenly took off with starring roles in *Don't Bother to Knock*, with Richard Widmark; *Niagara*, with Joseph Cotten; and *Gentlemen Prefer Blondes*, with Jane Russell. Then she starred with Lauren Bacall and Betty Grable in *How to Marry a Millionaire*. These pictures were box office bonanzas, earning millions of dollars for the studio, but Marilyn was only being paid $1,200 a week. When she wanted to negotiate a new contract, the studio turned her down. When she refused to appear in *The Girl in Pink Tights* because she was unhappy with both the script and her role in the picture, Marilyn was placed on suspension.

In 1954 Marilyn married Joe DiMaggio, the beloved Yankee Clipper, after a stormy two-year courtship. DiMaggio believed a wife's place was in the home and wanted Marilyn to give up her career. As a farewell to her pub-

Playing three ambitious women determined to marry millionaires, Marilyn, Betty Grable, and Lauren Bacall showcased their considerable talents in this 1953 movie.

lic, Marilyn interrupted her honeymoon to entertain troops in Korea. She then returned with DiMaggio to his lavish home in San Francisco. The life of a housewife did not suit Marilyn, and she yearned to resume her career. When the studio approached her about starring in *There's No Business Like Show Business*, Marilyn readily accepted the offer. The movie flopped, and Marilyn's marriage to DiMaggio disintegrated.

In 1955 Marilyn's career rebounded with a starring role in *The Seven Year Itch*. The picture's success improved her position in Hollywood, but Marilyn's personal life suffered. She and DiMaggio decided to separate, and Marilyn traveled to New York, where she began studying with Lee Strasberg, the founder of the Actors Studio. Lee's wife, Paula, took Marilyn under her wing and became her personal acting coach. While she was studying at the Actors Studio, Marilyn fell in love with playwright Arthur Miller. Anxious to marry Marilyn, Miller initiated divorce proceedings against his first wife. Marilyn, whose divorce from DiMaggio was already final, began studying Judaism, intending to convert after the marriage.

In early 1956 Marilyn was finally given the opportunity to show her dramatic talent in *Bus Stop*. After completing the picture, she and Miller married in June. They honeymooned in London, where Marilyn was scheduled to begin work on her next picture, *The Prince and the Showgirl*, directed by her costar, Laurence Olivier. Marilyn's working relationship with Olivier was strained. He constantly berated her performance during rehearsals, causing

Marilyn once again to have doubts about her talent. It was as if the positive notices she had received for her work in *Bus Stop* had never happened. Fraught with anxiety, she had trouble sleeping and turned to pills for assistance. The pills often caused her to show up late at the studio. Sometimes, she would not even bother to make an appearance.

After completing *The Prince and the Showgirl*, Marilyn focused her attention on her marriage to Miller. At first, they lived on a farm in Connecticut. Later, they purchased a large apartment in Manhattan. Miller, who believed in Marilyn's dramatic talent, spent his days writing a screenplay for his wife adapted from his short story, *The Misfits*. Marilyn tried unsuccessfully to have a baby.

In 1959 Marilyn starred with Tony Curtis and Jack Lemmon in *Some Like It Hot*. Although the picture is regarded as one of Marilyn's biggest successes, Curtis was particularly dismayed by Marilyn's apparent lack of professionalism. In 1960 Marilyn costarred with French actor Yves Montand in *Let's Make Love*. Dissatisfied with her marriage to Miller, Marilyn reportedly expressed a romantic interest in Montand during the filming.

In 1960 Marilyn began filming *The Misfits* in Reno, Nevada. Clark Gable and Montgomery Clift were signed to costar. Hopes ran high for the movie. Midway through the shooting, it became obvious to everyone involved in the production that Marilyn was too emotionally unstable to be working on a movie. By this time alcohol had joined pills as part of Marilyn's survival strategy. Production was halted for a week, while Marilyn returned to Los Angeles to rest in a hospital. By the time filming was finally completed in November, the picture was millions of dollars over budget, and Marilyn's marriage to Miller was over.

Anxious to resume her acting lessons with the Actors Studio, Marilyn returned to New York. She also admitted herself to a hospital in hopes of treating her depression and dependence on drugs. By the spring of 1962, she was back in Los Angeles, where she was seeing a psychiatrist on a daily basis. Despite this self-imposed break from the pressures of show business, Marilyn still suffered from chronic insomnia. "Nobody's really ever been able to tell me why I sleep so badly, but I know once I begin thinking, it's goodbye sleep," she confided to a reporter. "I used to think exercise helped—being in the country, fresh air, being with a man, sharing—but sometimes I can't sleep whatever I'm doing, unless I take some pills. And then it's only a drugged sleep. It's not the same as really sleeping." To treat her insomnia, Marilyn used an arsenal of prescribed pills, including Librium, Nembutal, and Sulfathallidine.

In 1962 Marilyn began work on *Something's Got to Give*. She was frequently absent from the set, claiming she was suffering from a lingering cold. The gossip columns were filled with stories about Marilyn's friendship with Frank Sinatra. In late May she accepted Sinatra's invitation to fly to New York to sing "Happy Birthday" to President Kennedy at a huge party in Madison Square Garden. While introducing the tardy star, Peter Lawford, the president's brother-in-law, jokingly called her "the late Marilyn Monroe." A few days later she returned to Hollywood and resumed work on *Something's*

Marilyn's performance in *Bus Stop,* the first movie she made after her training at the Actors Studio with Lee Strasberg, is the finest of her career.

The legendary Marilyn Monroe is fixed in our memories in this guise. She is eternally young, effortlessly glamorous, and captivatingly beautiful.

"It's nice, people knowing who you are and all that, and feeling that you've meant something to them."
Marilyn Monroe

Got to Give. On June 1 Marilyn turned 36, and a birthday party for her on the set commemorated the event. A week later, Marilyn was fired from the picture after an unexplained absence of several days. The studio also filed suit against Marilyn, claiming that she had violated her contract.

On August 4, 1962, Marilyn had difficulty sleeping. As usual, she turned to pills. She had also been drinking, and the combination of alcohol and barbiturates proved deadly. The next morning Marilyn's housekeeper, Eunice Murray, was unable to enter Marilyn's locked bedroom. She phoned Marilyn's psychiatrist, who arrived a short while later and discovered her dead body. An autopsy conducted by the Los Angeles County coroner's office ruled that Marilyn Monroe had died from acute barbiturate poisoning. Several years earlier Marilyn had set the stage for her death when she told a reporter, "Yes, there was something special about me, and I knew what it was. I was the kind of girl they found dead in a hall bedroom with an empty bottle of sleeping pills in her hand."

1947-1978

Keith Moon mounts his trusty steed to ride around the grounds of his 30-acre estate near Chertsey in Surrey.

The media chose to focus its attention on Peter Townshend, who wrote many of the Who's songs, and Roger Daltrey, who sang them, but the group's fans understood that drummer Keith Moon was responsible for creating the fun. Onstage and off he was a cutup, and his Moonerisms are legendary. He once nailed a sign to the gateway of his home that read, "Caution—Children at Play." The children were Moon and his friends. Another time he and an accomplice surprised shoppers at a department store, when they walked into a window display featuring a dining room set and ate a meal out of a picnic hamper. "Basically, I'm a frustrated comedian," he once confessed.

Moon enjoyed doing all the crazy things that rock bands on the road are notorious for doing. Partying, wrecking hotel rooms, and throwing television sets out the window were high on Moon's list of fun things to do. The last time the Who played San Francisco, Moon was unable to get the other members of the band to party with him, so he rounded up the stage crew and took over the hotel bar. By the end of the evening, Moonie had smashed everything in the bar that he could get his hands on, including most of the tables and chairs. When it was all over, his assistant laid $2,000 on the bar to cover the damages.

Born on August 23, 1947, Keith Moon was 17 years old when he joined the Who in 1964. At that time the band was known as the High Numbers. A year later, a new management team suggested a different name for the band, which was gaining a reputation for its violent stage antics. The Who were part of the British Invasion that took over American music charts in the mid 1960s. Their first single, "I Can't Explain," was released in early 1965. The song enjoyed moderate success in the United States, but it shot up to the top 10 on British charts. The Who's best known work, their rock opera *Tommy*, was made into a movie in 1975. That year Moon released a solo album, *Two Sides of the Moon*.

Keith Moon died in his sleep on September 7, 1978, from a drug overdose.

The Who were, from left to right, Roger Daltry, Keith Moon, Pete Townshend, and John Entwistle.

Jim Morrison was a legendary figure during his lifetime, and 20 years after his death he remains a legend. While he was the leader of the Doors, Jim worked hard to create his own mythology through his words and actions. Oliver Stone's 1991 movie *The Doors* romanticizes Morrison still further. Jim cut a riveting figure onstage in his skintight leather pants, and when the self-styled Lizard King sang, "No one here gets out alive," he was talking primarily about himself.

James Douglas Morrison was born on December 8, 1943, in Melbourne, Florida. He came from a long line of career military men. Morrison eventually become so estranged from his family that he would claim that both of his parents were dead. Not much is known about Jim's early years, although he claimed that he began writing poetry in sixth grade and continued to fill notebooks with his writings through high school.

Jim fled to Los Angeles in the early 1960s. There he enrolled in film school at UCLA. A classmate described him as "a pudgy kid with hair curling just over his ears, usually dressed in tight wheat jeans and a tight white T-shirt." He read constantly and told his friends that he planned to model his life on that of the hedonistic French poet Rimbaud.

After Jim dropped out of school, he drifted into the hippie scene at Venice Beach, taking LSD freely and sleeping under the boardwalk. One day he ran into an acquaintance from UCLA, Ray Manzarek, who was a keyboardist playing in a struggling rock band. The two shared a six-pack of beer while Jim recited his poem "Moonlight Drive," which later became a song on the Doors' second album. The two decided on the spot to put a group together, even though Jim had no musical experience. Jim later said, "I never did any singing. For the first few songs I wrote I was just taking notes at a fantastic rock concert that was going on inside my head. And once I had written the songs, I had to sing them."

Ray and Jim recruited guitarist Robby Krieger and drummer John Densmore in late 1965 and began calling themselves the Doors. By the following year, the group was paying its dues playing in Sunset Strip dives. Soon, they moved up to more respectable clubs, such as the Troubadour and the Whisky A Go Go. The group quickly became the darlings of the Los Angeles underground. They were known for their hypnotic music and Jim's charismatic stage personality. Although he initially hated the group, Elektra Records president Jac Holzman signed them to a recording contract.

In January 1967 *Doors* was released and received nearly universal acclaim. Many people still consider it the group's best album. Jim was the chief lyricist, and his songs for the album range from the gently flowing "The Crystal Ship" to the explosive "Break On Through" to the Oedipal drama of the 11-minute "The End." "Light My Fire" became the Doors' first hit single, reaching the number-one spot in June.

The group hit the national touring circuit, where Jim's galvanizing stage presence coupled with the rest of the Doors' solid musicianship made

1943-1971

This dramatic image of Jim Morrison in performance was used on the cover of the Doors' album *Live at the Hollywood Bowl*, which was not released until 1987.

The Doors at the height of their fame, from left to right, were Jim Morrison, John Densmore, Robby Kreiger, and Ray Manzarek.

them one of the hottest acts in rock. Their second album, *Strange Days*, was released late in 1967 and features such classics as "People Are Strange," "When the Music's Over," and "Love Me Two Times."

Jim quickly gained a reputation for erratic public behavior. In December 1967 he was arrested onstage at a concert in New Haven, Connecticut, for attempting to incite a riot by telling the audience that police had sprayed him and a friend with mace backstage. The following July the group released *Waiting for the Sun*, which contained the number-one hit "Hello, I Love You." Fueled by drugs and alcohol, Jim's behavior began to get worse. He caused scenes on airplanes, got arrested at airports, and showed up drunk at concerts.

Things came to a head on March 1, 1969, at a concert in Miami, where Jim was arrested for exposing himself to the audience and using public profanity. In Florida these are felony charges and carry a maximum three-year sentence. Because of Jim's legal problems, the group was forced to cancel all their shows for the next five months.

Recorded before the Miami incident, the group's 1969 album *The Soft Parade* kept them on the charts. It features the hit single "Touch Me." The

Jim Morrison, who is better-known for acting out more-sinister fantasies, is assisted by Cathy Christianson in this demonstration of mind over matter.

Throughout his brief life, Jim Morrison walked a fine line between commercialism and art. His wish to be buried in Père Lachaise cemetery in Paris, where most of France's great literary figures are buried, may show the direction in which he would have liked his life to go.

group followed up in 1970 with *Morrison Hotel* and *Absolutely Live*, neither of which sold well. In August 1970 Jim was acquitted on charges of lewd and lascivious behavior, but found guilty of indecent exposure and profanity. He was sentenced to eight months hard labor but was free upon appeal. He later said, "I really think that it was a life style that was on trial more than any specific incident."

The group made a comeback with their 1971 album *LA Woman*, which was praised in the press and featured the top-20 hits "Riders on the Storm" and "Love Her Madly." Jim decided that he was fed up with being a rock 'n' roll star. In March he and his wife Pamela moved to Paris, where he intended to pursue his literary ambitions. A friend said that "for Jim rock 'n' roll was only a means to an end. He really wanted to be a part of the artistic elite in Europe—a writer or a poet."

On July 3, 1971, Jim Morrison was found dead in his bathtub in Paris. He was 27 years old. The police listed the cause of death as a heart attack. But news of his death was withheld for almost a week, which fueled rumors that he had faked his death. Three years later, Pamela Morrison was dead of a suspected heroin overdose.

1947-1979

In the clubhouse locker room, Thurman Munson reads one of his fan letters.

His brief career may have kept Thurman Munson from achieving the stature of New York Yankees legends Babe Ruth, Lou Gehrig, and Joe DiMaggio, but the beloved catcher will always rank as one of the finest players ever to wear the team's pinstripes. Playing his defensive position, he handled pitchers with the care and skill of a psychologist, and five times Munson batted over .300.

Thurman Lee Munson was born on June 7, 1947, outside Akron, Ohio. His father worked as a farmhand. At the age of five, Thurman received his first baseball glove. "After that I started playing baseball every day," he later said. "I was littler than all the rest of the kids, but I played longer every day than any of them." The Munson family later moved to nearby Canton, where in high school Thurman was named all-state in baseball, football, and basketball.

Several major league talent scouts thought Thurman's lack of speed would keep him from ever being a strong prospect to play professionally. But Yankees scout Gene Woodling disagreed. It proved to be one of his more astute observations, and the Yankees selected Thurman as their first choice in the 1968 free agent draft. That same year, Thurman married his childhood sweetheart, Diane Dominick, and dropped out of Kent State University to join the Yankees' farm team in Binghamton, New York, where he batted .301 in 71 games.

Thurman's father was a major influence on the hard-nosed style of Munson's playing. He was also a tough man to please. After his father attended one of Thurman's minor league games, the ballplayer described his dad's reactions: "I think I went five-for-five with a couple of home runs. And after the game he told me I really looked bad behind the plate. To my face he would ridicule me, but to everybody else he would say, 'Hey, that's my son.'"

In 1970, his first full season as a Yankee, Thurman batted .302, and was selected as the American League Rookie of the Year. Like many players, Thurman experienced a "sophomore slump" in his second season, when he batted .251. According to his wife, he spent many of his off-the-field hours "standing in front of the mirror at home, swinging his bat and wondering what he was doing wrong."

Thurman's ability to hit returned, and he batted .280 in 1972 and .301 with 20 home runs in 1973. That same year he won the first of three consecutive Gold Glove Awards for his fielding prowess. Despite this recognition, the unrelentingly competitive catcher was jealous of the attention the press paid to such rivals as Carlton Fisk of the Boston Red Sox. He also began to develop a reputation for surliness with sportswriters.

If he frightened writers, he was popular with his teammates, who made fun of his chunky physique by giving him nicknames like Round Man and Bad Body. Teammate Gene Michael once said, "Everybody likes Thurman

Thurman Munson, Yankee number 15, gets ready to return the ball to the pitcher in a 1970 exhibition game against the Atlanta Braves.

During the 1975 season, the six-time All-Star hit a career high .318, one of five times that he topped the .300 mark in 11 seasons with the Yankees.

and respects him as a ballplayer and a person. Get to know him and he's a friendly, sensitive guy."

In 1975 Thurman had his best season, batting .318 with 102 RBIs—the most by a Yankee in 11 seasons. Before the start of the 1976 season, he was named the first Yankees team captain since Lou Gehrig in 1939. Under their new captain, the team won the American League pennant that year. Thurman hit .302 with 105 RBIs, and won the American League Most Valuable Player Award. He batted .529 against Cincinnati in the World Series, which the Yankees lost.

By the next season, Thurman was beginning to improve his relations with sportswriters. One writer claimed that "he's still no Mr. Congeniality, but he is becoming less the cranky misanthrope that he was." After signing a five-year contract before the 1977 season that made him one of the game's best-paid players, Thurman helped the Yankees defeat the Los Angeles Dodgers for their first world championship in 15 years.

On August 2, 1979, in the middle of the baseball season, Thurman Munson crashed his private plane while trying to land at the Akron-Canton Airport in Ohio. He died on impact.

1940-1985

Ricky Nelson and his older brother, David, joined their mom and dad in the cast of *The Adventures of Ozzie and Harriet* when the show moved from radio to television in 1952.

Child radio and television star, teen idol, and pioneering country-rock singer—Rick Nelson showed many faces to the world. During his teen heart-throb years, Ricky was a tamer version of Elvis, the kind of guy a nice girl could bring home to meet her mom and dad. As he grew up to be a maverick singer-songwriter, his too-good-too-be-true veneer wore away, and even critics who had written him off years earlier began to recognize his talent.

Eric Hilliard Nelson, better known as Ricky, was born on May 8, 1940, in Teaneck, New Jersey, into a popular show-business family. His father, Ozzie, was a bandleader and his mother, Harriet, was the band's singer. Along with his older brother, David, Rick was featured on his mom and dad's radio show. When *The Adventures of Ozzie and Harriet* moved to television, where it ran from 1952 to 1966, the Nelsons became one of America's most famous families.

Jealous of the effect that a young Elvis Presley was having on his girl-friend, Ricky asked his father to help him make a record to impress her. In 1957, after he premiered his version of Fats Domino's "I'm Walkin'" on the family's show, the record sold 60,000 copies in three days and then remained on the charts for five months.

With a guaranteed television audience for his music, Ricky's singles, including "Be-Bop Baby" and "Believe What You Say," were surefire hits. In 1958, when *Life* magazine pictured him on a cover its editors coined a new term to describe him, calling him a teen idol. Fortunately, Ricky was more than just another pretty face. He possessed a softly appealing vocal style. With a top-notch studio band and excellent material, he launched 18 top-10 hits between 1957 and 1964. Among them were such classics as "Poor Little Fool," "Travelin' Man," and "Hello Mary Lou."

When he turned 21 in 1961, Ricky officially became Rick. Recalling his teen idol years, Rick said, "None of that stuff really changed my life much. I was still living at home, and except for a new car, I only got my regular allowance. I didn't even have time for much socializing or parties. I was just too busy with the TV show."

By the time that the Beatles ushered in the British Invasion in 1964, the teen idol phenomenon was on the wane. Luckily for Rick, who had married Kristin Harmon in 1963, the 20-year recording contract that his father had inked for him with Decca Records allowed him to live comfortably for the rest of his life.

Many of Rick's early hits had a country or rockabilly sound, and his work with his Stone Canyon Band in the late 1960s pioneered the country rock style that groups such as the Eagles and Poco would successfully develop. In 1969 Rick scored his first top-40 hit in five years with his version of Bob Dylan's "She Belongs to Me."

An appearance in 1971 at a rock-revival concert in front of an audience of 22,000 at New York's Madison Square Garden helped Rick redefine his career. Because of his long hair and his decision to play his newer material,

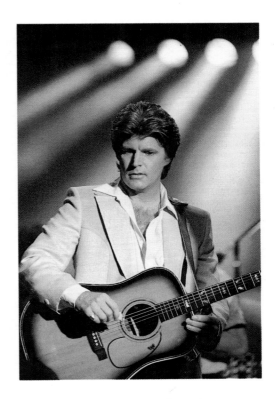

Ricky began singing on television when he was 17 years old. This picture was taken in 1958 at about the time "Poor Little Fool" became a number-one hit.

As a mature country-rock singer, Rick Nelson scored a few hits and toured successfully with his Stone Canyon Band.

Rick was booed by fans who expected to see the old Ricky Nelson. The experience inspired his 1972 hit "Garden Party," in which he sang, "If memories were all I sang, I'd rather drive a truck."

After a five-year separation, Rick and Kristin were divorced in 1982. Kristin won custody of their four children, Tracy, Sam, and twins Matthew and Gunnar. When they turned 18, the twins moved in with Rick at his Hollywood estate. In 1990 as the duo Nelson, Matthew and Gunnar hit the top 10 on their own.

Rick and the Stone Canyon Band tirelessly toured clubs and state fairs, averaging about 200 shows a year. On their way to a 1985 New Year's Eve show in Dallas, their chartered DC-3 caught fire and exploded on landing near De Kalb, Texas. Rick and all the members of the band perished in the crash.

1940-1976

Phil Ochs began his career
singing protest songs and
playing an acoustic guitar.

Phil Ochs was the voice of America's social conscience for almost two decades. Born on December 19, 1940, he grew up listening to Elvis Presley and Buddy Holly, and was a dreamer and loner, who liked to go to the movies two or three times a week. He collected pictures of theater marquees for his scrapbook and knew the winners of every Academy Award that had ever been given. Phil's father decided his son should go to military school and packed him off to Staunton Military Academy, where future Watergate conspirator John Dean was his classmate.

In college, at Ohio State, Phil roomed with Jim Glover, a folk singer, who was a walking manifesto of leftist ideology. He filled Ochs with a sense of empathy for oppressed people, and he lent him his guitar, which Phil took to with ease. Phil wrote articles for the school newspaper denouncing the United States military presence in Vietnam. He tried to publish an essay proclaiming that Fidel Castro was one of the greatest men of the century, but it was refused and he decided to write a song, "The Ballad of the Cuban Invasion." He and Glover performed the number at a local coffee house, and Phil was encouraged to write and sing more songs in his choirboy voice. He figured that because folks liked his music in Columbus, Ohio, they would like it in New York. He dropped out of school and headed for Greenwich Village.

Ochs arrived on the Village scene in 1961. A boom in folk music was underway with the Kingston Trio and Peter, Paul, and Mary singing energized variations of old folk tunes. Ochs and his younger crowd turned their attention to civil rights, banning the bomb, and Vietnam. He was one of the most prolific writers of the group. He came up with a new song every two or three days, and performed them at the Gaslight or the Bitter End, often ending his evenings with Bob Dylan and Tom Paxton, jamming in an Upper West Side apartment.

Phil got his big break at the 1963 Newport Folk Festival. Pete Seeger told him that he was planning to call him onstage to sing a few songs. Ochs was flattered but terrified. He vomited from the rear window of Seeger's car on the way to Rhode Island. By the time he walked onto the stage, Phil had calmed sufficiently to sing "Talking Birmingham Jam," which received a standing ovation. The following year he was invited back as a featured singer.

The times were changing, and songwriters whose lyrics protested traditional values became adored, highly paid culture heroes. Ochs developed a melodramatic flair about his fate now that he had become successful. He was certain that he would be assassinated onstage. At one concert another singer dropped his guitar with a bang. Phil fell to the floor, holding his chest, certain that he had been shot.

In 1967 Ochs released *Pleasures of the Harbor,* his most successful album, with complex musical arrangements that highlighted his maturing talent. Ochs was despondent that the album was not a big hit. The ups and downs

Phil adds his voice and music to one of the large street protests against the Vietnam War.

of his career began to wear on him. His marriage failed, and his wife and daughter moved to California. Ochs claimed he couldn't write anymore, but he experimented with country-Western songs laced with revolutionary philosophy about the significance of Elvis Presley to the workers of the world. His friends tried to bring him through this bad period with therapy and yoga, but nothing seemed to lift his mood. He drank a lot and plotted schemes that never got off the ground.

In 1975, as Christmas approached, Phil asked his sister, Sonny, if he could visit with her and her three children for a few days. He stayed with them in Far Rockaway, New York, for three months, cleaned up his act, and spent time with the kids, who loved to listen to him sing. On the morning of April 9, 1976, his 14-year-old nephew noticed that a kitchen chair was missing from the table and that the door to the bathroom had been shut tight. When he opened it, he found that Phil Ochs had hanged himself.

1950-1988

Christina Onassis lived the kind of life most people can only dream of living. But her all wealth, power, and good looks were unable to give her fairy-tale life a happy ending.

Christina Onassis and Alexandros Andreadis were briefly and unhappily married.

Christina Onassis was born to a life of remarkable luxury. As a child she spent summers on the Greek island of Skorpios, a majestic hideaway, where more than 100 servants cared for life's every detail. In the winter she traveled to the family's lavish chalet in Switzerland. Autumns meant visits to a penthouse in Paris. In spring Christina and her brother shuttled between hotels in London and New York.

During Christina's childhood her father, Aristotle, created a shipping empire that became the world's largest. As she traveled between yachts and homes, anything Christina wanted was immediately available—anything except her parents' attention. Christina was nine when her parents divorced. She became isolated and lonely.

Being a teenager seemed to make everything worse for Christina. She gained weight rapidly and then dieted radically trying to become thin. Her shining eyes and dark Mediterranean features were striking, but she never seemed able to attract a boyfriend. Christina knew that she was less graceful than her mother and could never rival her brother for their father's admiration. As she emerged from school into full adulthood, she struggled to find a place in her family and the world. The cards seemed to be stacked against her. In 1973, when she was 22, her brother was killed in an airplane crash. Two years later, her father died. She attended his funeral with her stepmother, Jacqueline Kennedy Onassis, with whom she barely spoke.

After her father's death, Christina became the first woman to be admitted into the Union of Greek Shipowners. What she most wanted—a happy marriage—remained elusive. Then after three failed marriages in a dozen years, she met Thierry Roussell, the heir to a French pharmaceutical fortune. She was confident that he would bring her happiness. They married and had a daughter, Athina, but Christina discovered that Roussell had a lover and children out of wedlock, and she divorced again.

In 1988 Christina fell in love with an Argentinean businessman, Jorge Tchomlekdjoglou. At last she was ecstatically happy, believing that she had found the right man. On the morning of November 19, while visiting Jorge in Buenos Aires, she was found dead in her bathtub. She had had a heart attack. After three suicide attempts and four marriages, Christina Onassis, one of the world's richest women, died at the age of 37.

Popularly known as Bird, Charlie Parker made music that still mesmerizes jazz fans decades after his death. His innovative flights of fancy on his alto saxophone sound as fresh and daring today as they did in the 1940s and 1950s. Jazz musicians still marvel at his ability to mix amazing speed and dexterity on his instrument with a depth of emotion that even people who do not know jazz cannot help but feel.

Charlie was born on August 29, 1920, in a suburb of Kansas City, Missouri, to Charles Parker and his 18-year-old wife, Addie. When Charlie was seven years old, the family moved to Kansas City proper. At about this time, his father, who had begun working as a Pullman railroad car chef, essentially deserted his family. While he was growing up, music interested Charlie more than school, and when he was 11, his mother bought him an alto saxophone. After spending two consecutive years as a high school freshman, Charlie dropped out to become a musician.

By the time he was 16 years old, Charlie was married and working as a musician in the flourishing Kansas City jazz scene. KC was a wide-open town back then, with gambling and other illicit activities openly taking place in nightclubs while officials turned a blind eye. Living in this kind of environment, Charlie soon began drinking heavily and using drugs. Music was still his main love, and Charlie became a regular at jam sessions, learning from more experienced jazz musicians. He had a lot to learn. At one famous session, drummer Jo Jones became so dissatisfied with Charlie's performance that the drummer stopped playing long enough to throw one of his cymbals at Charlie's feet, "gonging" him off the bandstand in shame.

By the time he was 18 years old, Charlie was living in New York, where he washed dishes at a Harlem restaurant and scrounged music gigs wherever he could. In late 1939 he reached a major breakthrough in his playing that was to revolutionize the jazz world. Tired of playing the same scales when he was playing a solo, Charlie discovered that if he used a higher interval of the chords to a popular song as a melody line, with a pianist or guitarist adding the appropriate new chords, he finally could play the sound that he had always been hearing in his head. Essentially turning the melody line inside out, Charlie began experimenting with this new style that was later called bebop.

Back in Kansas City, he joined the popular Jay McShann band. Thanks to remote broadcasts of the band, musicians all over the country heard his revolutionary playing—even if they did not know his name. Around this time Parker began to be known as Yardbird or more often Bird. He played with McShann until 1942, when he left for brief stints in the big bands of pianist Earl Hines and singer Billy Eckstine. By 1945 Charlie was back in New York and leading his own small groups. He had remarried but continued to live like a nomad, moving from one hotel or boarding house to another. Still a junkie, he also had a prodigious appetite for food. Once he reportedly devoured 20 hamburgers in a single sitting. He was known for his unpre-

1920-1955

Charlie Parker, the best-known author of bebop, created many of the melodies that have become the standard songs of modern jazz, including "Now's the Time" and "Yardbird Suite."

dictable behavior and occasionally tossed his saxophone out of the window of his hotel room.

Charlie took part in what is considered to be the first bebop recording session in 1945. With Dizzy Gillespie and Miles Davis, he recorded "Now's the Time" and "Koko" for Savoy Records. Not long after that he recorded such classics as "A Night in Tunisia," "Yardbird Suite," and "Moose the Mooche" for another small label, Dial Records. These sides polarized the jazz community. For every bebop fan, there was a critic. Band leader Cab Calloway once likened bebop to "Chinese music."

One night in 1946, Charlie went berserk and set fire to his Los Angeles hotel room. He was first taken to the psychiatric ward of the Los Angeles County Jail then later committed for six months to the Camarillo State Mental Hospital. There he wrote one of his best known tunes, the sardonic "Relaxing at Camarillo."

After his release Charlie toured Europe, where he was received like visiting royalty. In the late 1940s, he began experimenting with large string sections and Afro-Cuban rhythms. After a few years of relative stability, he began a downward slide. Parker was back on heroin, nodding out on bandstands, getting into fights, and pawning his saxophones for drug money. Ironically, he always chastised younger musicians who emulated him by using heroin.

Charlie was selected for the *Metronome* magazine All-Stars in 1948. Joining the group marked the beginning of the most successful phase of Bird's career.

Charlie Parker appeared at Birdland for the last time in 1955 just four days before he died. The club, which was named for him, opened in 1948.

    By the early 1950s, Bird's self-abuse finally began to infringe on his musical ability. During this time Charlie was befriended by a wealthy European baroness. She was living in New York and loved jazz music and jazz musicians. In 1955, on his way to a gig in Boston, he stopped off at her apartment. Concerned by his apparent ill health, which he blamed on stomach ulcers, she had her doctor examine him. The doctor recommended immediate hospitalization, but Charlie would not even consider it. The baroness got him to agree to rest up at her place for a few days. A few nights later, on March 12, she found him slumped over in an easy chair in front of the television. Charlie Parker was dead at the age of 34. The official cause of his death was listed as lobar pneumonia, and the doctor who performed the autopsy estimated that Charlie was at least 50 years old.

    Parker's legend grew even larger after his death. Fans scrawled "Bird Lives!" on the walls of jazz clubs from New York to Los Angeles to Paris. Thirty-five years after his death, Bird remains jazz's single most venerated figure.

1932-1963

Sylvia Plath was an outstanding
American writer, whose novel
The Bell Jar became required
reading for emerging feminists
in the early 1970s.

Like many women of her generation, Sylvia Plath tried desperately to squeeze her extraordinary talents into an ordinary life. Unlike most others, she brought her struggle to the public consciousness through the torturous images of her poems and her novel, *The Bell Jar*. Born in Boston on October 27, 1932, to Aurelia and Otto Plath, Sylvia took her first steps and spoke her first words under the watchful eye of her perfectionist father, who died when Sylvia was five.

She was a brilliant student and always worked hard to exceed the requirements of every assignment. Despite her excellent school record, she feared failure. Attending public school in Wellesley, Massachusetts, Sylvia was always at the top of her class. She published articles and poems in *Mademoiselle* and the *Christian Science Monitor* before she was 18 years old. Sylvia was offered a full scholarship to Wellesley College, but she opted for Smith.

At Smith Sylvia continued to excel. She was elected Phi Beta Kappa in her junior year and named the guest managing editor for *Mademoiselle*'s August 1953 issue. Following a rejection by a summer writing program at Harvard, which she felt was essential to her success as a writer, Sylvia attempted suicide.

Hiding in a cubbyhole in her mother's basement, Sylvia swallowed sleeping pills. Two days later, after the police had made several unproductive searches of the neighborhood, her brother heard a groan from the basement and found Sylvia comatose. Her first lucid words were "Oh no, I've failed!" After a month of electroconvulsive therapy at a mental hospital near Boston, Sylvia returned to Smith and became the valedictorian of the class of 1954. Despite her remarkably quick recovery, the emotional scars of her suicide attempt and the shock treatments are apparent in all Plath's writing.

Sylvia's next triumph was to win a Fulbright fellowship to study abroad. She enrolled at Cambridge University in England and immediately met Ted Hughes, a student writer whose talent was almost equal to hers. Throughout college, vivacious and attractive Sylvia had held off a long string of admirers, but the darkly handsome Hughes captured her heart. They were married on June 16, 1956.

Looking back on Sylvia Plath's life, it is easy to point out this juncture as the place where she went wrong by sacrificing her plans to write to bring about her husband's success as a writer. In her journals she seems clear that this was exactly what she wanted to do, and with Sylvia's help Hughes's book of 40 poems won the 1957 New York Poetry Center Competition for the best first book. That year, Sylvia also gave birth to her first child, Frieda. Initially, she loved the role of mother and caretaker, but the pleasures of caring for a home and a child soon wore thin.

One evening in 1960, Ted Hughes had an interview with a woman who was a BBC producer. He returned home late, and Sylvia became so enraged she tore up his works in progress. To keep the marriage together after

this disaster, Hughes agreed to take over the household chores in the morning so Sylvia could write. *The Colossus*, a collection of her poems, was published in 1960 and hailed as the work of a major poet. Sylvia completed *The Bell Jar* in 1961 while pregnant with her second child, Nicholas.

Before Sylvia had recovered from the birth, she discovered that Hughes was having an affair and decided on a separation. The London winter of 1962-1963 was the most severe in 60 years, and stuck at home with two small children, Sylvia sensed that she was about to have a nervous breakdown. Her physician gave her antidepressants, and for weeks she medicated herself into a stupor that at first alarmed her friends and finally her doctor. On February 11, 1963, her doctor phoned to say that he was sending his nurse to check on her progress. Sylvia told him that she was feeling better.

When the nurse arrived, she found Sylvia sprawled on the floor with the gas oven taps fully turned on. The children were locked in an upstairs bedroom. Under their door several towels blocked off the gas, and tape tightly sealed the cracks. The windows in the bedroom were wide open, and bread and milk was on the table. The children were fine, but Sylvia Plath was gone.

The Collected Poems of Sylvia Plath was awarded the Pulitzer Prize for poetry in 1982. The posthumous award indicates a growing and enduring interest in Plath's work.

1935-1977

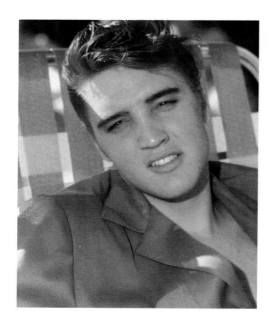

Elvis Presley first appeared in Las Vegas, where this photograph was taken, in April 1956. The gig was a disaster because the mostly adult audience did not dig Presley's music or his performance style.

Elvis Presley is one of the true folk heroes of the twentieth century. From humble beginnings he achieved the legendary stature of the King of Rock 'n' Roll. Elvis was born into poverty at the height of the Depression on January 8, 1935, in Tupelo, Mississippi. His twin brother, Jesse Garon, died at birth. Perhaps to compensate for her loss, Gladys Presley showered Elvis with attention. Neighbors recall her walking him to school every morning until he was in his teens. His father, Vernon, worked as a laborer and sharecropper, who spent time in prison for forging a check. One of Elvis's earliest memories was sitting in a truck Vernon drove for a wholesale grocer.

Elvis was first introduced to music at the Pentecostal First Assembly of God church. His family was religious and sang as a trio at camp meetings and revivals. The only kind of music Elvis knew when he was little was gospel music. He once told an interviewer that his family "borrowed the style of our psalm singing from the early Negroes. We used to go to these religious singings all the time. The preachers cut up all over the place, jumping on the piano, moving every which way. The audience liked them. I guess I learned from them."

The first person to recognize Elvis's musical talent was the principal of his grammar school. He encouraged a 10-year-old Elvis to perform in a contest at a local fair. Elvis sang a country-and-western ballad called "Old Shep," which was originally recorded by Red Foley. Elvis's rendition of the song about a boy and his dog was so moving to the judges that he placed fifth in the contest.

On his eleventh birthday, Elvis's parents presented him with a guitar. Elvis could soon be seen carrying the guitar around with him everywhere he went. He even took it to school. He later described his early guitar playing as sounding like "someone beating on a bucket lid." When Elvis was not playing his guitar, he could usually be found curled up next to the radio, listening to music programs. *Grand Ole Opry* was his favorite show, but Elvis occasionally tuned to a station that favored black blues performers, such as Big Bill Broonzy and Big Boy Crudup. If his parents overheard their son listening to the blues, they would tell him to turn it off. They insisted that Elvis listen to and imitate such pleasant-sounding white singers as Roy Acuff, Eddy Arnold, and Jimmie Rodgers.

Shortly after Elvis turned 13, Vernon moved the family to Memphis, where he hoped to find a better job. Shy and introverted, Elvis had trouble making friends at his new school. It was not until he entered a talent show, when he was in the eleventh grade, that Elvis was able to establish a rapport with his classmates. "Nobody knew I sang. I wasn't popular at school. I wasn't dating anybody," he recalled. "I came out and did my two songs and heard people kinda rumbling and whispering." The following day Elvis was besieged by fellow students who suddenly wanted to be his closest friend. "It was amazing how popular I was in school after that."

Hillbilly Cat and the Blue Moon Boys toured the South, stirring up their audiences with Elvis's wild performance style and Bill Blacks's crazy antics with his bass.

In 1956, when this photograph was taken, Elvis was as well known for his exaggerated ducktail haircut, outrageous clothes, and leer that expressed uninhibited sexuality as he was for his music.

Immediately following his graduation, Elvis found work as a driver for Crown Electric. People who knew him then believed that his interest in music would subside and that he would eventually ease into a modest life similar to his father's. Elvis had different ideas. That summer, he visited a recording service run by Sam Phillips, the founder of Sun records, where he cut a demo record. For a $4 fee, Elvis recorded two ballads, "My Happiness" and "That's When Your Heartaches Begin." Several months later, he returned and recorded two more ballads. Once again, he was charged $4. While he was at the recording studio, Elvis took it upon himself to meet with Sam Phillips in the hope of landing a contract. Phillips, who was too busy trying to establish the singers that he already had working under his label, gave Elvis a polite brush-off. By April Phillips had a change of heart. Acknowledging the young singer had potential, he contacted Elvis about cutting a demo, free of charge. Elvis recorded yet another ballad, "Without You," which met with little success.

Despite the record's poor showing, Phillips stood by his conviction that Elvis could succeed as a professional singer. All he lacked was polish. In an attempt to hone Elvis's talents, Phillips introduced him to Scotty Moore, a 21-year-old guitar player. Like Elvis, Moore was anxious to land a recording contract with Sun for his rockabilly band, Doug Poindexter's Starlight Wranglers. The trio went through dozens of songs and experimented with various styles, including country, ballad, and blues, in search of a sound that would best capitalize on Elvis's talents. Finally, Phillips suggested a song originally recorded by Arthur "Big Boy" Crudup called "That's

All Right." Marion Keisker, Phillips's secretary, recalled that this was an inspired choice on her boss's part. "Over and over, I remember Sam saying, 'If I could find a white man who had the Negro sound and the Negro feel, I could make a billion dollars.'"

Elvis recorded "That's All Right" on July 5, 1954. The following day he cut a second song, "Blue Moon of Kentucky," for the record's flip side. Phillips made sure that a preview copy of the single was delivered to Dewey Phillips, the host of a popular Memphis radio show. Dewey, who was no relation to Sam Phillips, was so impressed by Elvis's record that he played it 30 times in one evening. Several weeks later the single was released to record stores with a back order of 5,000 copies. It eventually sold 20,000 copies and enjoyed a brief run as Memphis's top-selling country-Western record. The success of "That's All Right" also led to several stage appearances for Elvis as well as a string of follow-up recordings.

Elvis's popularity was still only local. Setting his sights on national exposure, he hired a manager, Bob Neal, in January 1955. Neal secured an audition for Elvis with *Arthur Godfrey's Talent Scouts* in New York City. The young performer was disappointed to find that his audition had not made the cut. Rather than discouraging him, this setback only served to fuel Elvis's desire to succeed. "He talked not in terms of being a moderate success," explained Neal. From the beginning of his music career, Elvis wanted to be a very big star. But for the time being, he held on to his job as a truck driver for Crown Electric.

A year later Elvis's career quickly changed direction when Colonel Tom Parker entered the picture, succeeding Bob Neal as his manager. Parker, who had managed the careers of country singers Eddy Arnold and Hank Snow, decided that Elvis needed to sign with a major label. Through a series of shrewd negotiations, he was able to secure Elvis's release from Sun records and moved him over to RCA. On January 10, 1956, Elvis recorded "Heartbreak Hotel," his first song for RCA. By the spring it was the country's number-one record. "Hound Dog," which was released several weeks later, also skyrocketed to the number-one position. It was followed by a series of songs that also became hits: "Jailhouse Rock," "Love Me Tender," "Loving You," "Don't Be Cruel," and "All Shook Up."

Appearances on network television soon followed. Elvis appeared with Ed Sullivan, Steve Allen, and Milton Berle. In the span of four short months, Colonel Parker made Elvis a star. "When I first met Elvis," the Colonel once commented to a reporter, "he had a million dollars' worth of talent. Now, he has a million dollars."

The creator of the famous gold lamé suit, Nudie Cohen, poses with Elvis, who wore this legendary outfit during his 1957 national tour.

After Elvis returned to civilian life, he and his manager, Colonel Tom Parker, toned down his appearance to make him look like the leading man he was becoming in Hollywood.

Elvis held three press conferences after his discharge from the Army. First in West Germany, then at Fort Dix, New Jersey, and finally in Memphis, he fended off questions about Priscilla, who had been photographed waving good-bye in Wiesbaden.

In April 1956 Elvis flew to Hollywood, where he made a screen test for producer Hal Wallis at Paramount Studios. A veteran producer, Wallis figured that if people paid to hear Elvis on records, they also would want to see him in movies. Impressed by the screen test, Wallis offered Elvis a three-picture contract. A Western, *Love Me Tender,* was Elvis's first movie. It was released on November 16, 1956. The film was so well received that three weeks after it opened, the studio had already earned back its money. The following summer *Loving You,* Elvis's second feature film, was released. It was also a success.

In December 1957 Elvis received a letter that threatened to end his film and music careers. Elvis had been drafted. He was inducted into the Army on March 24, 1958, and he served for two years, spending most of his stint in West Germany. While Elvis was in the Army, Gladys died. Elvis was devastated by his mother's death and wept openly in front of reporters when he returned to Memphis for her funeral.

After he was discharged, Elvis returned to the United States a changed man. His music had shifted from a hard rock style to a softer pop sound. British rock groups, led by the Beatles and Rolling Stones, eventually eclipsed his popularity. The string of movies he released in the 1960s with such titles as *Girls! Girls! Girls!, Kissin' Cousins,* and *Viva Las Vegas* were only vehicles to showcase his singing, but they made Elvis the highest-paid actor in Hollywood.

While he was stationed in West Germany, Elvis fell in love with an Air Force captain's daughter. Her name was Priscilla Beaulieu. On May 1, 1967, they married in Las Vegas, Nevada. The following year Priscilla gave birth to a baby girl, Lisa Marie.

In 1968 Colonel Parker negotiated Elvis's first television special with NBC-TV. The show was a series of polished production numbers designed to capture the essence of Elvis's music. The special was the highest-rated program the week it aired in early December, and critics praised Elvis's perfor-

Elvis and Priscilla were married at the Aladdin Hotel in Las Vegas on May 1, 1967. After a breakfast reception, the couple honeymooned in Palm Springs.

mance. The magic that had been eclipsed by too many improbable movies reappeared. The King of Rock 'n' Roll had regained his throne, and Elvis had made his first gold record in three years: "If I Can Dream."

Elvis's career now entered a third phase that was dominated by live performances. His concerts, which were staged in such large settings as the Houston Astrodome and Madison Square Garden, consistently sold out, and he recorded many of his best-loved hit songs, including "Suspicious Minds," "Kentucky Rain," and "Don't Cry Daddy." Unfortunately, the stress of touring threw Elvis's personal life out of whack. In the early 1970s he and Priscilla divorced. Rumors circulated that he was abusing his body with food, drugs, and alcohol. Fans who traveled to Las Vegas to see him perform were shocked to find that Elvis was overweight. During some shows he could barely sing a complete song because he could not remember the lyrics. On August 16, 1977, Elvis Presley was discovered dead in his bathroom. He was 42 years old.

A moment in the documentary film *Elvis on Tour* captures the way Elvis felt about his life. He said, "When I was a boy I was the hero in comic books and movies. I grew up believing in that dream. Now, I've lived it out. That's all a man can ask for."

On December 3, 1968, Elvis appeared in a prime-time special that brought his magic and charisma to a large audience and launched the third phase of his career in which he became known as America's Greatest Entertainer.

1954-1977

Even though Freddie Prinze was from New York, he seemed to be a natural for the part of Chico, a young Chicano who lived in the barrio of East Los Angeles.

Comedian Freddie Prinze seemed to have everything going for him. He was the star of a hit network television series. Beautiful women were drawn to his good looks and natural charm. He was the father of a baby son. But there were plenty of other things Freddie Prinze had going against him: a failed marriage, a $2,000-a-week cocaine habit, and a morbid fascination with guns.

Prinze grew up in Washington Heights, a poor New York City neighborhood. His mother was Puerto Rican and his father was Jewish. When 16-year-old Prinze made his debut at the Improv, a Manhattan nightclub responsible for launching such talented comedians as Richard Pryor, David Brenner, and Robin Williams, he drew on his mixed heritage to make audiences laugh. Improv's owner Budd Friedman recalled that Freddie was an instant success. Television appearances with Johnny Carson and Jack Paar led to Prinze's being cast at age 19 in *Chico and the Man*, costarring Jack Albertson.

Freddie's rise to stardom was so quick that he often had difficulty accepting it. To ease his insecurities, he turned to cocaine. Prinze's apparent inability to sustain a healthy romantic relationship also created problems for him. Many women were eager to date him, but Prinze doubted their sincerity. He was briefly engaged to Kitty Bruce, the daughter of Freddie's idol, comedian Lenny Bruce. A short-lived marriage to Kathy Cochrane in 1976 produced a son, Freddie Jr.

On January 19, 1977, in the early morning hours, a distraught Prinze called several people, including his personal secretary and his psychiatrist. Marvin Snyder, Prinze's business agent, arrived at his apartment shortly after two in the morning, in response to a call he had received earlier in the evening. While Snyder was in the apartment, Prinze placed calls to his wife and parents. After hanging up, he pulled a pistol from beneath a couch cushion and fired into his right temple. The following afternoon, at UCLA medical center, Freddie Prinze was pronounced dead. Close friends, shocked by the news, speculated that Prinze had not intended to kill himself but was merely playing a prank.

Following his death, police investigators found a note in Prinze's apartment that foreshadowed his intentions. It read simply, "I can't go on."

Freddie Prinze stirs up a little breakfast while Jack Albertson looks on in this scene from their successful television series, *Chico and the Man*.

■ GILDA RADNER ■

Through her brilliant comedic work on *Saturday Night Live* in the 1970s, Gilda Radner became one of the greatest television comediennes of all time. For her manic inventiveness, she was often compared to Lucille Ball, and her characters, including Roseanne Roseanadanna, Lisa Loopner, Baba Wawa, and Emily Litella remain as vibrant today as they were when Gilda created them.

A self-characterized "Jewish girl from Detroit," Gilda was born on June 28, 1946. Her family was well-to-do and lived in one of the city's top suburbs. Gilda was overweight as a child, and she always felt that this influenced her desire to become a performer. "When I was ten I said to myself, 'You're not going to make it on looks,'" she later recalled.

Gilda was very close to her father, who often took her to see touring Broadway productions at Detroit's Riviera Theatre. He died of cancer when she was 14, but throughout her life, Gilda's dad continued to be important to her. When she reminisced about him, she would paint a wacky picture of life in the Radner household. "He loved to sing and could tap dance. He couldn't carry a tray of food to the table without tripping to make me and my brother laugh," she said. "If he could have lived another life, he would have been in show biz."

During the time Gilda attended an all-girls high school, she entertained thoughts of becoming a teacher and did volunteer work with emotionally disturbed children. But before she enrolled at the University of Michigan, she had become set on a career in theatre. Following a boyfriend to Toronto, Gilda dropped out of college and joined the cast of the Toronto production of the rock musical *Godspell*. Also in the cast were future stars Martin Short, Eugene Levy, and Paul Shaffer. Gilda later said that she was just a scared little kid when she left Michigan, but she felt that she had to get out on her own and do the things she wanted to do. After her stint in *Godspell*, Gilda joined the Toronto company of the Second City comedy-improv troupe. Other cast members were Gilda's future *Saturday Night Live* cohorts Dan Aykroyd and Bill Murray. A young television producer, Lorne Michaels, who would go on to create SNL, was a regular in the show's audience.

Gilda left Toronto for New York in 1973. She got a bit part as a chanting Buddhist in the movie *The Last Detail*. The following year she became a member of the cast of the syndicated *National Lampoon Radio Hour* and performed in *The National Lampoon Show*, an off-Broadway spinoff of the radio show, which also featured Bill Murray and John Belushi.

When Lorne Michaels was casting the Not Ready for Prime Time Players for the new NBC-TV show *Saturday Night Live*, Gilda was the first performer he hired. The show premiered on October 18, 1975, and was an immediate hit for its irreverent and adventurous brand of comedy. Among the other cast members were Gilda's friends Belushi and Aykroyd, as well as Chevy Chase, Laraine Newman, Jane Curtin, and Garrett Morris.

1946-1989

Gilda Radner was one of the funniest women ever to appear on television. Her sense of timing rivals Lucille Ball's and the large cast of her personal characters is as funny and touching as Lily Tomlin's.

Saturday Night Live made Gilda the sweetheart of thinking America. Her SNL characters were highly inventive, extremely funny, and yet ultimately sweet. Gilda's large cast of characters included an irreverent newscaster, Roseanne Roseanadanna; a hard-of-hearing, cranky high-school teacher, Emily Litella; a high school nerd, Lisa Loopner; and an excitable prepubescent girl, Judy Miller. Another favorite character is Gilda's Baba Wawa, a takeoff on Barbara Walters complete with the commentator's well-known lisp.

While Chevy Chase dominated the program's first season and John Belushi the next two, Gilda became SNL's best-loved cast member. All kinds of people found themselves using punch lines originally delivered by Gilda's characters as part of their day-to-day speech. Emily Litella's "never mind" and Roseanne Roseanadanna's world-weary "It's always somethin'!" continue to pepper our conversations. In 1978 Gilda received an Emmy for best supporting actress in recognition of her stellar work on *Saturday Night Live*.

During the late 1970s, Gilda also was involved with other television projects. She was the Jill of Hearts in a 1977 PBS rock musical, "Jack: A Flash Fantasy," and dubbed the title character's voice in a 1979 animated Halloween special, "Witch's Night Out." But the show other than *Saturday Night Live* that brought Gilda the most acclaim was her 1979 one-woman show, *Gilda Radner—Live from New York*. Appearing off Broadway, Gilda sang, danced, and reprised her popular characters from SNL. *New York Post* critic Clive Barnes said of the show: "From the moment Miss Radner bounces out on stage, beams a twenty-three-carat smile at the audience, and starts to sing the inspired and bawdy 'Let's Talk Dirty to the Animals,' this depraved nymph has won us all over." Warner Brothers released an album of the show, and a year later a filmed version was also issued.

Gilda's personal life was much less successful than her professional life. She always seemed to be searching unsuccessfully for the right man. She once joked that being on SNL for five years kept her from worrying about whether or not she would have a date on Saturday night. The show's producer Michaels remembers that "Gilda had two things that were equally important to her: comedy and having a boyfriend. Unfortunately, she rarely seemed able to do both at the same time." In April 1980 Gilda married guitarist G.E. Smith, who performed with the Hall and Oates band. That same year, after five years in the cast, she left SNL to concentrate on other projects.

Gilda's marriage to Smith was not long-lived. While she was working on the 1982 movie *Hanky Panky*, Gilda fell in love with one of the movie's stars, Gene Wilder. He was 11 years her senior. The nice Jewish girl from Detroit and the nice Jewish boy from Milwaukee immediately clicked, and

From her ditzy school teacher to her punk rocker, Gilda's characters shine with a sense of themselves that gives them a life of their own apart from their creator. (The man on the left with the upside down guitar is Gilda's first husband, G.E. Smith.)

Emily Litella, who was everyone's high school English teacher, did not hear very well, but what she thought she had heard often made her extremely upset.

During 1987 Gilda Radner and her husband, Gene Wilder, were able to smile for the camera while Gilda's cancer was in remission.

In a blonde wig and tailored clothes, Gilda became television interviewer Baba Wawa, who was always eager to uncover intimate details and embarrassing secrets.

Wilder wrote a part for Gilda in his next movie, *The Lady in Red*. Gilda once joked that almost as soon as she met Wilder she embarked on a three-year campaign "to get Gene to marry me." She married her prince charming in Paris in 1985.

After their wedding Gilda seemed content to become a Hollywood wife. She took up tennis, learned to like basketball, and happily subordinated her career to Gene's. "I've settled down and gotten off the treadmill," she said at the time. "I've learned that there's much more to life and that I don't have to do everything right away."

In 1986 Gilda began to experience fatigue while filming *Haunted Honeymoon* in Europe with Gene. She visited a slew of doctors when she returned home to Los Angeles and was initially diagnosed as having chronic fatigue syndrome. But Gilda knew it was more than that, and with a family history of cancer, she feared the worst. She began to try alternative forms of medicine, but when her stomach began to swell, she returned to traditional medicine. Her terrible fears were realized when a CAT scan showed she had ovarian cancer.

Shattered emotionally yet outwardly upbeat, Gilda began chemotherapy treatments, which made her even more tired. In 1987 she began to write a book about her battle against cancer, *It's Always Something*, which was published in 1989. For a while Gilda's cancer was in remission, and her book seemed to have a happy ending. By the autumn of 1988, the cancer had returned, and by spring she was down to 95 pounds. At the end of the year, Gilda was talking hopefully about doing a cable television series, but the progress of her cancer was relentless. She died on May 20, 1989, in her sleep at Cedars-Sinai Hospital in Los Angeles at the age of 42. America had lost one of its most beloved comediennes.

Otis Redding has the dubious distinction of being the first recording artist to score a number one hit after he was dead. A plane crash ended his career when it had only just begun, but his posthumous release, "(Sittin' on) the Dock of the Bay," shows what might have been. As his buddy and collaborator Steve Cropper said, "He was the king of soul. Had he lived he would have been the king of them all."

Otis was born on September 9, 1941, in Dawson, Georgia. Like many other rhythm-and-blues performers, Otis grew up singing in church. His dad was a Baptist minister. Throughout high school, Redding idolized Little Richard, who was also born in central Georgia. Otis got so good at imitating Little Richard that he sometimes performed at clubs, pretending that he was his idol.

Redding started his professional singing career recording with Johnny Jenkins and the Pinetoppers, a popular Macon band. In 1962 the combo traveled from Macon to Memphis to audition for Stax Records' boss Jim Stewart. After the band laid down several instrumental tracks, Redding took the mike and sang. He did a Little Richard song, but Stewart said there already was one Little Richard and asked him to try a ballad. Redding sang "These Arms of Mine." Stewart was not swept away, but he recorded the song anyway. It did very well in the South and went on to garner some national attention. Stewart quickly signed Redding to a contract and asked Steve Cropper, the force behind Booker T. and the M.G.'s, to show him the ropes.

Redding's career took off quickly. His 1965 hits "Mr. Pitiful" and "I've Been Loving You Too Long" made him a star and kept him off the "chitlin' circuit" of small clubs and run-down bars, where most rhythm-and-blues singers serve their apprenticeships. A concerted effort to get Otis on the pop charts paid off when his recording of the Rolling Stones hit "Satisfaction" made it to the top 40. Otis didn't know the song, and Cropper brought a copy of the single to the recording session for Otis to learn on the spot. Within a couple of hours, Otis had recorded another big hit, but he never liked the song.

If Redding's career was heating up in the United States, it was red hot in Europe. During 1966 and 1967, Otis played packed houses in Amsterdam and London, and toured the continent several times. Redding needed only a little momentum to take him over the top in the United States. That push came in the summer of 1967 at the Monterey International Pop Festival, which was a coming out party for two black musicians from the opposite ends of the musical spectrum: rock master Jimi Hendrix and soul king Otis Redding.

After Monterey Otis took some time off, relaxed in California, and then went home to Macon to write music. He very much wanted to record a smash single, and he succeeded. From the moment it was finished, Otis knew

1941-1967

Otis Redding had a masterly command of soul ballads, but he could also whip up a whirlwind of excitement with stomping upbeat material, such a "Respect," "Shake," and "Love Man."

Onstage, Redding always gave an energetic and emotional performance, dancing, dropping to his knees, running in place, and getting down with his band.

that "Dock of the Bay" was the monster hit he had been waiting for. On December 6, at the Stax studio, Redding and Cropper laid down the tracks. They added the horns the next day. Then Redding said goodbye and left the studio. He was getting ready to hit the road again, but he never returned.

Three days later, on his way to a concert in Madison, Wisconsin, his airplane tumbled from the sky into the icy waters of Lake Monona. Otis, four members of his back-up group, and the pilot were killed. Otis Redding was 26 years old.

George Reeves, who played Superman on television for six years, killed himself according to the police. But many of his close friends believed he was murdered. They felt that Reeves had everything to live for. He was engaged to marry Lenore Lemmon, a New York show girl, and the couple was planning a honeymoon in Europe. After a two-year dry stretch, Reeves's acting career was thriving again. Production had begun on a new season of *Superman* episodes, and Reeves, who had directed several episodes of the series, had formed his own production company and was planning to direct and star in a science-fiction movie. He was also scheduled to leave on a six-week tour of Australia that would have netted him $20,000. The day he died he was supposed to fight in an exhibition match with boxer Archie Moore. (Before pursuing a show-business career, Reeves considered boxing professionally.) Convinced her son was the victim of foul play, Reeves's mother, Helen Leacher Bessolo, hired criminal attorney Jerry Giesler to launch an independent investigation into George's death.

George Bessolo was born on April 6, 1914, in Ashland, Kentucky. When he was seven years old, his family moved to southern California. In high school George expressed an interest in acting and performed with several theater groups. After enrolling in Pasadena Junior College, he participated in a string of boxing matches, much to his mother's dismay. At six feet two inches and 195 pounds, George was a promising light heavyweight. He competed in the Golden Gloves in 1932-1933 but put boxing aside after his nose was broken for the seventh time. From then on, Bessolo focused exclusively on his acting career. While serving an apprenticeship at the Pasadena Playhouse, he caught the eye of casting director Max Arnow, who gave him a featured role as one of the Tarleton twins in *Gone With the Wind*. While Bessolo was working as a contract player at Warner Bros., he was renamed George Reeves. He appeared in several pictures, including *Lydia*, opposite Merle Oberon, and *So Proudly We Hail*, starring Claudette Colbert. His acting career was interrupted by a stint in the Army, where he served as an entertainer during World War II. After his discharge Reeves had difficulty landing any movie roles. In 1951 he was cast to play Superman in a low-budget feature. Production of the television series *The Adventures of Superman* began the same year. The role proved to be a mixed blessing: It gave him financial security, but he became so closely identified with the superhero that casting directors were reluctant to use him for other parts.

On June 16, 1959, at about 1:30 A.M., Reeves was awakened by friends visiting his fiance. Upset by their noisy socializing, Reeves demanded that they leave. He then returned to his upstairs bedroom. "Well, he's sulking now," Lemmon reportedly told her friends. "He'll probably go shoot himself." In the next instant, a gunshot was heard. Reeves's nude body was discovered in the bedroom. On the floor next to him was a .30-caliber Luger. When police arrived a short time later, they had difficulty getting a coherent account

1914-1959

In a dramatic moment, Superman, disguised as Clark Kent, receives a call for help that demands his immediate action.

Superman (George Reeves) and Lois Lane (Phyllis Coates) are worried by the doctor's report in this scene from the 1950s television series.

from Lemmon and her houseguests because everyone had been drinking heavily. Based on their preliminary findings, the police decided that Reeves had killed himself.

Giesler's investigation suggested that Reeves had been murdered. A private detective uncovered evidence that two shots were fired the night Reeves died. "Suicides very rarely have a chance to shoot twice," commented a skeptical Giesler. It was also revealed that several months before Reeves's death, he was the victim of a series of harassing phone calls. He confided to police that he believed the caller was a married woman with whom he had recently broken off. A police investigation determined that she was not making the calls. "Then who the hell is after me?" asked Reeves. The police were never able to provide him with an answer. As mysteriously as the calls began, they suddenly stopped. Despite the strange circumstances surrounding the death of George Reeves, the police refused to reopen their investigation.

▪ JESSICA SAVITCH ▪

In the early 1980s, network newscaster Jessica Savitch was skyrocketing toward the heights of her profession, but she also suffered several personal tragedies: a divorce from her first husband, the suicide of her second, and a miscarriage.

Savitch was born on February 1, 1947. Her father died suddenly when she was 12 years old. Jessica idolized her father and was hit hard by his death. She credited him with introducing her to television news. At mealtimes he encouraged his children to participate in lively discussions about world events. In high school Savitch first considered a career in broadcasting. She had a friend who worked part time as a radio disc jockey, and he helped her get a job spinning records. When Savitch decided to major in communications at Ithaca College in New York, her faculty advisor bluntly told her, "There's no place for broads in broadcasting." Savitch set her sights on proving him wrong.

After her graduation Savitch became a researcher for CBS-Radio. In 1971 she landed a job at KHOU-TV in Houston. Three months later, Savitch enjoyed the distinction of becoming the first woman in the South to anchor a newscast. Unfortunately, Savitch's drive came with a price. "From the beginning, from college on, she never had a personal life," her college roommate observed. In 1972 Savitch accepted an offer to anchor an evening newscast in Philadelphia. Within weeks the program jumped to first place in the ratings, and the networks came calling. In 1977 Savitch signed a contract with NBC to anchor their Sunday evening newscast. When NBC incorporated 60-second news updates into its prime-time programming, Savitch was tapped to anchor them.

Savitch's meteoric rise inspired resentment among her colleagues, who felt she hadn't paid her dues by first working as a network correspondent. Her intense desire for perfection did not help to ease their jealousy. On October 3, 1983, Savitch's antagonists finally found reason to celebrate. During a live update, Savitch appeared incoherent. Her speech was slurred. She deviated from the copy and ad-libbed her report. Later, Savitch explained that her monitor had malfunctioned. Inadvertently contradicting Savitch's alibi, her agent told the media she was on medication, following an accident when a sailboat boom struck her in the face several weeks earlier. Rumors spread through NBC that Savitch was using cocaine.

A short while later, Savitch's life seemed to get back on track. Her contract at NBC had been extended. Besides subbing for Chris Wallace on Sunday's evening newscast, *Today*'s producer, Steve Friedman, ranked her high on the list of replacements for Jane Pauley, who was scheduled to take a maternity leave. She was also promised a visible role in the network's upcoming election coverage. Savitch had begun dating Martin Fischbein, a *New York Post* executive. Her friends felt that he had a calming effect on her.

1947-1983

Jessica Savitch at work on a live report: Had she lived, she would have had major responsibilities for NBC's coverage of the 1984 elections.

Posed outside the Capitol, NBC correspondent Jessica Savitch reports on "The Spies Among Us" for a network news program.

On Sunday, October 23, 1983, Savitch did something completely out of character. She scheduled a full day for nothing but relaxation. That morning, she and Fischbein rented a car and drove to New Hope, Pennsylvania, where they leisurely shopped for antiques. At six-thirty they arrived at Chez Odette, a restaurant alongside the Delaware Canal. Their hopes for a long, romantic dinner were dashed by a sudden change in weather. A fierce rainstorm had set in. Anxious to return to New York, the couple completed their meal in 45 minutes. Fischbein drove, and Savitch settled in the backseat with Chewy, her Siberian husky. Weather conditions made driving difficult. Soon after leaving the restaurant, Fischbein apparently mistook a dirt road for an exit. In a matter of seconds, the car flipped and plunged into the canal. Approximately seven hours later, the bodies of Jessica Savitch and Martin Fischbein were pulled from the canal.

Del Shannon was a uniquely self-contained talent. He wrote, performed, and often produced his own material in a classic pop-rock style that was absolutely his own. His arrangements are an astounding combination of high-pitched keyboard music, rapid-fire rhythm, and Shannon's own assailing falsetto.

He was born on December 30, 1939, in Cooperville, Michigan, and named Charles Westover. As a teenager, he took the name Shannon from a local pro wrestler. The name Del comes from Cadillac Coupe de Ville. Unable to play a ukulele that he was given on his 13th birthday, Del traded it in for a used guitar. He taught himself to play and improved his style by watching guitarists at country-Western dance halls. Del Shannon really did learn to sing in the shower. His football coach even encouraged his in-the-shower shows and eventually convinced him to entertain at school assemblies.

After serving with an Army entertainment unit, Shannon returned to Michigan and took a part-time job selling carpet. He also organized his first band. Disc jockey Ollie McLaughlin was so impressed by Shannon's voice that he convinced a Detroit record company to take him on. His first recording session was a total bust. Shannon stumbled through a few ballads and the record company producers told him to go back to peddling carpets—which he did.

Still undeterred, McLaughlin instructed Shannon to concentrate on up-tempo material, and Del began to develop the quick chord changes that were to become his signature. After he wrote "Runaway," McLaughlin took the song to another record company, Big Top Records. In 1961, only three months after it was released, "Runaway" was a monster single, topping the charts for 12 weeks. Later that year, Del followed up his successful first record with a pair of hits, "Hats Off to Larry" and "So Long Baby."

On Shannon's first European tour in 1963, he encountered Beatlemania for the first time. Knowing a trend when he saw one, Del immediately recorded John Lennon and Paul McCartney's "From Me to You." Shannon's record was the first Beatles tune to hit the American charts.

By the mid 1960s, Del's records were no longer selling very well in the United States. But he was a popular star in Europe, especially in England, and his overseas record sales remained strong. In 1962 and 1963, Shannon was named the Most Popular Male Vocalist in England.

When his career had started to flag, Shannon hurt his cause by repeatedly suing Big Top Records and his own manager. In 1963 he attempted to launch his own label, but the company was a dud. Other labels were reluctant to take on a litigious artist, and in 1964 only Amy Records was willing to sign Shannon. That year he made the charts with his version of the Jimmy Jones's hits "Handy Man" and his own "Keep Searchin'."

1939-1990

In 1961 Del Shannon recorded "Runaway" with keyboardist Max Crook. The single stayed at the top of the chart for 17 weeks.

The 1980s saw Del rebound with *Drop Down and Get Me*. Rock critics loved the album, and fans were eager to see Del in concert.

Although Shannon would later consider a guitar essential to his performance, during the early part of his career he was often featured as a vocalist.

Shannon's refusal to take direction from his recording company eventually led to a break with Amy Records. Without a label Shannon found work producing for other musicians. In 1970 he produced Brian Hyland's "Gypsy Woman." British rocker Dave Edmunds attempted to rebuild Shannon's recording career in 1974, but he was not successful. Tom Petty had better luck as Del's producer in 1981, when he released the album *Drop Down and Get Me*. The single release "Sea of Love" put Shannon back on the United States pop charts for the first time in 15 years. When there were no further record deals and no concert bookings, Shannon realized that a comeback was not in the offing.

On February 8, 1990, Shannon's wife LeAnne returned to the couple's Santa Clarita, California, home and found her husband laying on the floor in their den. He had been fatally wounded by a gunshot. A .22-caliber rifle was lying next to Shannon's body. The official cause of his death was listed as suicide. Del Shannon was 50 years old.

From his earliest childhood, Ritchie Valens associated music with happy times. Whenever his family gathered, they played music. At the age of six, Ritchie learned to strum a guitar, sitting on the knee of a family friend. Although Ritchie only spoke English, his uncle taught him to sing "La Bamba," a Spanish folk song, in Spanish. Years later, teenagers all over America would dance to Ritchie's rock 'n' roll version of "La Bamba."

Ritchie Valens, who was born on May 13, 1941, grew up in the San Fernando Valley. When he was 11 years old, his father died suddenly. His widowed mother, Connie Valenzuela, struggled to provide for her young son and his two younger sisters. To help her pay the bills, Bob Morales, Connie's son from an earlier marriage, moved in with the family. Unfortunately, Bob had a drinking problem. Although Connie appreciated the additional money he brought in from his job as a garbage collector, she found his drinking difficult to accept and quarreled frequently with him. The tension Bob's presence created in their household made Ritchie uneasy. To escape from the fighting, he turned to his music.

When he was 17 years old, Ritchie met Bob Keene, a local record promoter. Keene agreed to listen to some of Richie's original songs. "That's My Little Suzie," which he based on a crippled girl he knew from his barrio, particularly impressed Keene. He also liked Ritchie's rock 'n' roll version of "La Bamba" and decided to manage his career. Within six months Los Angeles disc jockeys were spinning Ritchie's tunes. His first hit, "Come on, Let's Go," was released in September 1958. Ritchie got the title from an expression he and his mother used whenever they wanted to go somewhere. In fact, Connie had just used the expression minutes before she heard Ritchie's music on the radio for the first time. "I told his brother Bob, 'Come on, let's go to Saugus (a nearby community).'" While they were driving, "Come on, Let's Go" came over the radio in Connie's 1950 Oldsmobile. She pulled over to the side of the road and just sat there looking at Bob amazed.

Donna Ludwig, Ritchie's high school girlfriend, was the inspiration for his biggest hit, "Donna," which was released in November 1958. Shortly after writing the tune, Ritchie called Donna and said, "I wrote a song for you." The first time Donna heard the song was when Ritchie played it for her over the phone. He also promised to record it, but Donna doubted he would because she thought he only released "upbeat stuff." But a short time later, when Donna and some of her girlfriends were riding down the main drag in San Fernando in her convertible, they heard the song on the radio. She recognized "Donna" from the time Ritchie played it for her over the phone. Her girlfriends started screaming, and like Ritchie's mother, Donna pulled her convertible over to the side of the road. She and the girls sat in the car and cried because the song was so pretty.

1941-1959

Ritchie Valens had a big impact on rock music even though his death at age 17 cut short his promising career as a singer and composer.

Bob Keene, president of Del-Fi Records, discovered Ritchie while he was singing at a dance with his group, the Silhouettes.

To promote his single "Donna," with "La Bamba" as its flip side, Ritchie went on a nationwide tour as part of a rock 'n' roll show that also featured Buddy Holly and the Big Bopper. On February 3, 1959, en route to Fargo, North Dakota, their plane crashed in a cornfield in Clear Lake, Iowa. "It took them eight days to send Ritchie's body back from Iowa," his mother recalled. "They didn't send him to me by plane. Instead, they sent him on a train to San Fernando." The same morning Ritchie's body arrived at the mortuary, Keene showed up with a copy of Ritchie's first album. "It had been released in those eight days since his death," explained Connie. "I originally wasn't going to play the album because it was too painful. But I finally put on a brave front and said to myself, 'I'm going to play this before I bury him,' and I did."

Stevie Ray Vaughan was a unique musician who mixed Texas blues with guitar riffs inspired by Jimi Hendrix. While he was growing up, his parents often held dance parties at their house near Dallas. Bob Wills's band, the Texas Playboys, were frequent visitors. Sometimes the musicians would hold an impromptu jam session, mixing contemporary hillbilly, swing, and country tunes. Stevie's older brother Jimmie belonged to a band, and an enthusiastic Stevie sat in on their practice sessions. When it came to buying records, the brothers also shared similar tastes, preferring blues albums recorded by B.B. King, Buddy Guy, and Albert Collins.

Born on October 3, 1954, Stevie was 14 the first time he performed professionally. He was a member of several bands including Blackbird, the Chantones, the Epileptic Marshmallow, and Cracker Jack. For a brief period, he was also the bass player in Jimmie's band, Texas Storm. In 1973 Stevie started his own band, the Nightcrawlers, but he soon left it to join a rhythm-and-blues combo, the Cobras. In 1977 he joined Triple Threat, a band that boasted three lead singers, including Lou Ann Barton. In the late 1970s Vaughan and Barton formed a new band, Double Trouble, and by 1981 the band consisted of Vaughan, bassist Tommy Shannon, and drummer Chris "Whipper" Layton.

Record producer Jerry Wexler heard Vaughan performing in an Austin club and arranged for the band to perform at the 1982 Montreux Jazz Festival. Double Trouble was the first band to perform at the festival without a record. David Bowie was in the audience and later approached Vaughan about playing on his next album, *Let's Dance*. He played guitar on six of the album's tunes, exposing his talents to a completely new audience.

Vaughan's debut album, *Texas Flood*, was released in June 1983. In 1985 Vaughan received his first Grammy for his track on *Blues Explosion*. A year later, while performing in London, Vaughan collapsed on stage. He checked into a clinic to receive treatment for his drug and alcohol problem. Following his release from the clinic, a recovered Vaughan resumed performing. In 1990 Vaughan received his second Grammy for *In Step*.

On August 27, 1990, Vaughan performed with Eric Clapton at an outdoor concert in Wisconsin. Following the concert, Stevie Ray Vaughan boarded a helicopter to fly to Chicago. Clapton boarded a second helicopter. Shortly after taking off in a dense fog, Vaughan's helicopter crashed into a hill. There were no survivors.

1954-1990

Two-time Grammy winner, Texas blues man Stevie Ray Vaughan was on the brink of superstardom when his helicopter crashed into a Wisconsin hillside.

1904-1943

In the 1942 movie *Stormy Weather*, Fats Waller stole the show simply by the way he raised his eyebrows while he played the piano.

Fats Waller, who was born on May 21, 1904, began his musical career at the age of eight when he played reed organ for his father, Edward Waller, a Baptist lay preacher in Harlem. Fats also entertained his classmates banging on the piano in school. The elder Waller encouraged his son to practice his God-given gifts exclusively in the church. This became a constant source of friction in the Waller house. At age 15 Fats accepted a job as an organist at the Lincoln Theatre on 135th Street.

Unable to live with his disciplinarian father any longer, 16-year-old Fats moved in with pianist Russell Brooks and his family. He studied classical music with Leopold Godowsky and also enrolled in composition classes with Carl Bohm at the Juilliard School. Musician James P. Johnson helped the young man develop his skills as a pianist and got him work making piano rolls. In 1922, with Johnson's assistance, Fats sold his first song, "Got to Cool My Doggies Now." Encouraged by this success, Fats married Edith Hatchett, his childhood sweetheart. Soon, Edith gave birth to a baby boy.

That year, Fats made his recording debut as a soloist. His recordings became so popular that several blues singers, including Sara Martin, Alberta Hunter, and Maude Mills, hired Fats to accompany them as pianist on their own recordings. A year later, Fats established his reputation as a composer when he collaborated with Clarence Williams on "Wild Cat Blues." That same year, Fats also made his broadcasting debut for a Newark radio station and began making regular appearances on New York's WHN. By 1929 Fats had recorded several of his own creations, including "Honeysuckle Rose" and "Black and Blue." He also teamed with producer Andy Razaf to score music for the all-black musical *Keep Shufflin'*, which premiered on Broadway in 1928. They wrote two more shows in 1929, *Load of Coal* and *Hot Chocolates* with the show stopper "Ain't Misbehavin'."

Close friends of the gifted musician who witnessed firsthand his extravagant food binges understood how he earned the nickname Fats. He also drank too much. After Fats and Edith divorced, his failure to pay alimony regularly added legal problems to Fats's other worries. In 1926 Fats fell in love with a 16-year-old named Anita Rutherford. After a brief courtship, they married. A year later, Anita made Fats the father of a second son.

In 1929 Fats drew a prison term for failing to make alimony payments to his ex-wife Edith. While he was behind bars, his father died. When Fats was released from jail, Anita informed him she was pregnant again. Later that year, she gave birth to another son.

In 1935 Fats appeared in two Hollywood movies, *Hooray for Love!* and *King of Burlesque*. He also made his most successful record, "I'm Gonna Sit Right Down and Write Myself a Letter." His arrangement was so popular that people believed he had written the song.

By the early 1940s, Fats's drinking was ruining his health. He would down a case of scotch during a rehearsal with his band. His drinking was also

destroying his career. He skipped concert dates, claiming he had a bad cold, and he made poor choices of material. Jazz critics and fans alike felt he squandered his talent recording inferior songs.

In early 1943 Fats traveled by train from New York City to Los Angeles for a series of concert dates. On the trip back to New York, Fats suddenly took ill. As the train approached Kansas City, in the early morning hours of December 15, 1943, Fats Waller was discovered dead in his berth. While his train was delayed in Kansas, another train sat next to it on the tracks waiting for clearance to continue its journey. On board was Louis Armstrong who was overcome with emotion by the news of his friend and colleague's sudden death.

After recording "I'm Gonna Sit Right Down and Write Myself a Letter" in 1935, Waller became better known as a singer than he was as a jazz pianist.

1923-1953

Hank Williams wrote most of the songs that everyone associates with country music: "Move It On Over," "I Saw the Light," "Six More Miles," "Your Cheatin' Heart," and many more.

Hank Williams continues to be one of the major country music stars. His classic songs, including "Your Cheatin' Heart," "Hey, Good Lookin'," and "Jambalaya," remain country standards. His musical style and his dynamic personality have endured the test of time and left their mark on today's country stars, such as Randy Travis, Dwight Yoakam, and George Strait.

Hank's special genius captures an emotion in the lyrics of his songs and expresses it in a voice that was tailor-made for his often dark and troubled music. His vocal style is the essence of what used to be called hillbilly music. Hank's enduring songs and tragically dissipated personal life continue to fascinate new generations of fans.

Hank was born on September 17, 1923, in a small Alabama farming community about 70 miles south of the state capital of Montgomery. His father was a railroad engineer, who was a victim of shell shock in World War I and spent many years in veterans' hospitals. Hank's mother, who played the organ in church, began to teach her son gospel songs when he was just a little boy. By the time he was six, Hank was one of the youngest members of the church choir.

His parents bought him a guitar for his eighth birthday, and he taught himself to play by watching other guitarists, including a black street musician known as Tee-Tot. In his early teens, Hank was teaching himself to play and sing the country songs that he heard on the family's radio. He also started to sit in with other musicians. When he was 14 years old, Hank put together his own band, playing at hoedowns and other get-togethers. He also began to see such country stars as Roy Acuff whenever they passed through the southern part of Alabama for a live appearance.

Hank called his group the Drifting Cowboys, and they successfully auditioned for the manager of WSFA in Montgomery. He hired Hank and the band to perform regularly on the air. This association lasted for the next 10 years. Although Hank and the Drifting Cowboys were becoming well known regionally, it was only after he married his first wife, Audrey, that his reputation began to spread beyond his native Alabama. Hank and Audrey met at a traveling medicine show. In 1944 they were married at an Alabama gas station. Audrey was a strong-willed woman who was happy to take control of Hank's career. She became his booking agent, road manager, and best promoter, and the shy singer was more than happy to relinquish these responsibilities to his wife. Audrey immediately began to increase the number of gigs Hank and his band played and to book shows outside Alabama.

Hank Williams and his band, the Drifting Cowboys, played together for more than 10 years. The fiddler behind Hank is Jerry Rivers.

By 1946, when he and Audrey traveled to Nashville to secure a music publishing contract with the influential producer Fred Rose, Hank was already writing some of the songs that were to make him a country music superstar. Rose, who was the head of the Acuff-Rose publishing firm, listened to a nervous Hank Williams sing several of his original songs. As a test, Rose asked Hank to write a song on the spot. The result was "Mansion on the Hill," a song that not only got Hank a publishing contract with Acuff-Rose but later became an often-recorded country standard. Over the next few years, Hank became the firm's most successful songwriter.

In 1947 the skinny singer in his signature white cowboy hat had a banner year. MGM Records signed Hank to a recording contract, and he also became a regular on the *Louisiana Hayride* radio show on KWKH in Shreveport, Louisana. This country music program was second in prestige only to the *Grand Ole Opry* on Nashville's WSM. Their appearances on the *Hayride* helped Hank and his band achieve their first hit, "Move It On Over." In 1949 Audrey gave birth to Hank Jr. Adding to the successes of that year, Hank also was asked to join the Grand Ole Opry. He made his debut on the Opry stage at Ryman Auditorium on June 11, 1949. Giving Hank a taste of what was to come, the audience demanded an unprecedented six encores.

Hank soon became country music's top artist. Among his hits in 1949 and 1950 were "Lovesick Blues," "My Bucket's Got a Hole in It," "Moanin' the Blues," and "Why Don't You Love Me." In 1951 Hank kept his string of hits going with "Hey, Good Lookin'," "Cold, Cold Heart," and "I Can't Help It." One of the first signs that Hank was more than just another hillbilly singer was Tony Bennett's successful pop rendition of "Cold, Cold Heart."

Hank's unprecedented success rate continued in 1952 as he cemented his position as country music's number-one artist. Among those hits were "Honky Tonk Blues," "Jambalaya," and the prophetic "I'll Never Get Out of This World Alive." While he was scoring one smash hit after another, Hank's self-destructive tendencies were beginning to have an effect on his career. A heavy drinker since his teen years, Hank began to mix booze with pills. This combination began to give him a reputation as an undependable performer who often showed up drunk and drugged—if he showed up at all. One of his proteges told the *Rocky Mountain Musical Express*, "Up to a point, liquor and pills just made him sing better and better. Then, all of the sudden, he'd just cave in. Sometimes he'd get real mean. You never knew which way he was going to go."

Hank and Audrey began to fight on an almost daily basis, and Audrey divorced him in 1952. Williams's well-known song "Your Cheatin' Heart" was reportedly inspired by Audrey. His relationship with both close friends and his band began to sour as well. In a humiliating move, the Grand Ole Opry suspended him from appearing on the show.

In 1952 Hank married 19-year-old Billie Jean Jones, who was no more successful than Audrey had been in protecting Hank Williams from himself. Unable to put up with his violent mood swings and unpredictability, the

The signature Hank Williams look was a well-cut Western suit tailored by Nudie Cohen, a hand-painted tie, hand-tooled boots, and a top-of-the-line five-gallon Stetson hat.

Drifting Cowboys parted ways with Hank that year. Williams died in his sleep in the backseat of his Cadillac on January 1, 1953, while traveling through West Virginia on the way to a show in Canton, Ohio. Hank Williams was 29 years old.

After his death many of the people who had given up on Hank during the last years of his life began to lionize him. His funeral in Montgomery attracted 25,000 people, and he continued to have hits after his death as MGM Records began to repackage his music, often adding strings and backup singers to his rather spartan arrangements. Many critics felt that Hank Williams had not been aware of the true magnitude of his talent. He lived liked a nomad, traveling through the South with his band and then blowing into Nashville and staying just long enough to make a new record before hitting the road again. Like other country musicians in the 1940s and 1950s, Hank Williams was under constant physical and emotional stress trying to make a living from his music.

Even as the country music world watches Williams's son Hank Jr. become a country music star in his own right, often singing about the father he barely knew, everyone knows there is only one Hank Williams. Elected to the newly established Country Music Hall of Fame in 1961, his plaque is a fitting epitaph. It reads in part, "Performing artist, songwriter Hank Williams will live on in the memories of millions of Americans. The simple, beautiful melodies and straightforward, plaintive stories in his lyrics of life as he knew it will never die. His songs appealed not only to the country music field, but brought him great acclaim in the pop music world as well."

The signature Hank Williams look was a well-cut Western suits tailored by Nudie Cohen, hand-painted ties, hand-tooled boots, and a top-of-the-line five-gallon Stetson.

1944-1983

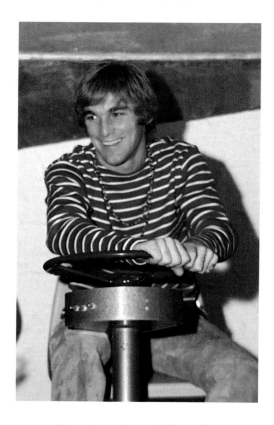

Dennis was the only Beach Boy
who was a surfer; it was a style
of life he never gave up.

Of the five original members of the Beach Boys, Dennis Wilson was the only one who knew how to surf. His brother Brian was afraid of the water. Dennis grew up in Hawthorne, California, a working-class suburb of Los Angeles. His father owned a machine shop and was a frustrated songwriter. His mother enjoyed singing and frequently organized family sing-alongs. Brian, the oldest son, was humming complete songs when he was just 11 months old. At three he was singing them. By sixteen, with the use of a small tape recorder, Brian created four-part harmonies. Carl, the youngest brother, taught himself to play the guitar when he was 11 years old. Cousin Mike Love was known for having perfect pitch. Dennis, who was born on December 4, 1944, was a maverick. He had no interest in music until he was in his teens, when he learned to play the drums.

In 1961 Brian came up with the idea for the band that would become the Beach Boys, but Dennis inspired their first hit. The original band had five members: the three Wilson brothers, Mike Love, and Al Jardine, who was in college with Brian. They wanted a recording contract with a major label and knew they would have to create a fresh sound. The band spent many afternoons brainstorming until Dennis came up the right idea. He thought they should record a song about surfing. By the next afternoon, Brian had written "Surfin'," which became a hit in Los Angeles and helped the Beach Boys secure a recording contract with Capitol records.

By 1966 Brian had become bored writing songs that celebrated sun worshiping. The Beach Boys released *Pet Sounds* in 1966. The theme album explores the emotions that people experience as they move toward maturity. In 1970 Dennis released a solo single: "Sound of Free" and "Lady," which he recorded with Daryl Dragon, who had been an auxiliary keyboardist for the Beach Boys. The following year, Dennis costarred in the movie *Two-Lane Blacktop*, which proved to be a box-office disaster.

For Dennis the late 1960s was a time of upheaval in his personal life. He divorced his wife Carol and soon found himself caught up in a lifestyle where drugs were readily available. He even hung out with convicted murderer Charles Manson. Together they wrote a song, "Never Learn Not to Love." It was included on the Beach Boys album *20/20*, released in early 1969. Dennis's friendship with Manson ended abruptly when Manson became incensed that he was not given a published credit for writing the song. Following the Tate/LaBianca murders, Dennis received threatening calls from Manson's cult warning him that he was next. He often awoke in the morning to find that the furniture in his home had been mysteriously rearranged during the night. Dennis relaxed after Manson was securely behind bars.

In the 1970s Dennis married his second wife, actress Karen Lamm. A short while later, they divorced, then remarried, and finally divorced again. He also fathered a child by the daughter of his cousin Mike Love. Dennis's battle to overcome a long-standing drinking problem influenced his decision

Malcolm X was born Malcolm Little in Omaha, Nebraska, on May 19, 1925. His father was a Baptist preacher who supported Marcus Garvey's Back to Africa movement. When Malcolm was four, the family moved to Lansing, Michigan, where Earl Little planned to run a store while continuing his preaching. A group of white supremacists, who called themselves the Black Legion, learned of Earl's efforts to organize Lansing's black community and became irate. Late one night, while the family slept, the Black Legion set fire to their home. Earl moved his family to East Lansing. When a city ordinance was passed forbidding blacks to leave their homes after sundown, the Littles relocated to a small farmhouse outside of town. Two years later, Earl Little was found dead on the trolley tracks in East Lansing. One side of his head had been crushed, and a streetcar had run over him, severing his body in half. Despite the police department's claim that Earl's death was an accident, Malcolm believed his father was murdered by white supremacists.

Following Earl's death, Louise Little tried unsuccessfully to support her eight children. Unable to find steady work, she applied for general assistance. Malcolm started stealing candy and fruit from neighborhood stores. He was caught several times, and finally, the court decided that Louise was unable to control Malcolm and had him removed from her charge. A couple who knew Malcolm volunteered to take him into their home. Two years later, Louise was committed to a state mental institution, where she remained for 26 years.

After eighth grade Malcolm dropped out of school and traveled to Boston, where his older sister Ella lived. Later, he worked his way to New York City and dramatically changed his appearance. He wore zoot suits and dyed his straightened hair red, earning himself the nickname Detroit Red. To support his growing drug habit, Malcolm sold marijuana, ran numbers, and pimped for prostitutes. After his life was threatened, he was forced to leave New York and return to Boston, where he organized a burglary ring,

1925-1965

This picture of Malcolm X was taken in 1964 around the time when he broke with Elijah Muhammad and the Black Muslims to form his own mosque.

In September 1963 Malcolm X addressed a rally in Harlem. Converting all African Americans to the Muslim movement was his stated ambition.

which the police eventually uncovered. In 1946 Malcolm was sentenced to a 10-year prison term.

Life in prison had an unusual effect on Malcolm X. He used the time to educate himself, spending many hours in the prison library, where he studied history, learned the fundamentals of grammar, and increased his vocabulary. He was also introduced to a new religion, the Nation of Islam. Malcolm's younger brother Reginald, who was already a member, told Malcolm about Allah. Much of what he had to say confused Malcolm, but two phrases took root in his mind: "The white man is the devil," and "the black man is brainwashed."

After talking with his brother, Malcolm reviewed his life. He remembered how his family had been terrorized by white supremacists, the intrusive white social workers who helped commit his mother to a mental institution, his exploitation at the hands of white employers, the harassment he received from white police officers, and the stiff jail sentence passed down by a white judge. Malcolm learned that if he wanted to join the Nation of Islam, he would have to accept its theology and submit completely to the authority of its leader, Elijah Muhammad. Inspired by the new direction his life was taking, Malcolm wrote Elijah Muhammad a heartfelt letter. Elijah Muhammad wrote back, welcoming Malcolm to the faith. He instructed Malcolm to drop his Christian surname, which his ancestors inherited from a white slave owner, and to replace it with the letter X, which symbolized that his true African name had been lost.

In 1952 Malcolm was paroled from prison after serving six years. Rather than returning to crime, Malcolm committed himself to learning more about his new religion. In 1958 he married a Muslim sister named Betty Shabazz. Together they had four children: Daughter Attilah, Daughter Quiblah, Daughter Ilyassah, and Daughter Amilah. Over the next several years, Malcolm developed into one of the Nation of Islam's most powerful speakers, attracting thousands of African Americans to the fold. Malcolm's charismatic personality also attracted the attention of the white media. Unlike Dr. Martin Luther King Jr., who believed in nonviolent tactics to achieve equal rights for blacks, Malcolm favored the use of arms and proposed a revolutionary program that would create a separate society for blacks. Malcolm's relationship with the media displeased Elijah Muhammad. He felt the Nation of Islam's message was being overshadowed by Malcolm's newfound celebrity.

Malcolm was alarmed by reports that paternity suits were being filed against Elijah Muhammad by two women who had previously worked as his secretaries. Anxious to get to the root of the rumors, Malcolm met with the two women. They confirmed that Elijah had fathered their children. They

At a 1963 rally Malcolm X holds up a current copy of the Black Muslim newspaper *Muhammad Speaks.*

On March 26, 1964, during the Senate filibuster against the civil rights bill, Malcolm X and Dr. Martin Luther King Jr. shook hands, following King's press conference in the Capitol.

also warned Malcolm to be cautious in his dealings with Elijah Muhammad because he had predicted that Malcolm would one day turn against him. In a private meeting with Malcolm, Elijah Muhammad did not deny the accusations. Instead, he justified his behavior by comparing himself with such biblical figures as David and Noah, who also suffered moral lapses. Elijah's response left Malcolm dissatisfied and contributed to his growing disenchantment with the Nation of Islam.

In November 1963 Malcolm's candidness with reporters provided Elijah with an excuse to sideline him. Referring to President Kennedy's assassination, Malcolm called the murder a case of "the chickens coming home to roost." The public was outraged by Malcolm's comments, prompting Elijah Muhammad to relieve him of his duties for 90 days. Feeling betrayed by the Nation of Islam, Malcolm decided not to return. He announced plans to organize his own movement to be called Muslim Mosque, Incorporated. It was based in New York City and had about fifty charter members. Malcolm told the media that the organization's goals were to "eliminate the political oppression, the economic exploitation, and the social degradation suffered daily by 22 million Afro-Americans." He invited blacks everywhere to join him in his new crusade. In response to Malcolm's announcement, Elijah Muhammad wrote in his biweekly newspaper, "Only those who wish to be led to hell, or to their doom, will follow Malcolm." In the next few months, several attempts were made on Malcolm's life. This did not surprise him: "No one can get out without trouble. This thing with me will be resolved by death and violence."

In April 1964 Malcolm made a pilgrimage to Mecca, the Islamic holy city. The trip had a profound effect on him. He was greeted warmly by Muslims of all nationalities, including white Eurasians. Malcolm realized that true brotherhood included "people of all races, colors, from all over the world coming together as one. It has proved to me the power of One God." In an open letter to the press describing his pilgrimage, Malcolm wrote that he was "spellbound by the graciousness I see displayed all around me by people of all colors." In the future Malcolm would judge people by their words and actions, not by the pigment of their skin.

On Sunday, February 21, 1965, at 2:00 P.M., Malcolm arrived at the Audubon Ballroom in Harlem, where he held weekly meetings. Four hundred people were already seated, waiting to hear his address. Facing his audience, Malcolm uttered a traditional Muslim greeting, "Asaikum, brothers and sisters!" Suddenly, a disturbance broke out several rows back. "Get your hands out of my pockets!" a man shouted. "Don't be messing with my pockets!" Meanwhile, a man stood up in the front row. He lifted a sawed-off shotgun and fired a shot into Malcolm's chest. At that same moment, two other armed men appeared in the aisle and also fired shots at him.

While the assailants fled, several aides rushed to Malcolm's side. He was taken to a hospital, but Malcolm X was already dead. Outside the ballroom one of the gunmen, Talmadge Hayer, was apprehended by police. Although the Nation of Islam was suspected of being behind Malcolm's murder, Hayer denied having any involvement with the organization. He also claimed not to know the other two gunmen, who were also convicted of the murder.

A week before he was murdered, Malcolm X returned to New York from Great Britain, where he and a BBC news team had visited the town of Smethwick, which at that time barred blacks.

LD   KAREN CARPENTER   HARRY CHAPIN

ERTO CLEMENTE   PATSY CLINE   EDDIE CO

LTRANE   SAM COOKE   JIM CROCE   BOB

DOMINIQUE DUNNE   CASS ELLIOT   PERRY

ER WERNER FASSBINDER   F. SCOTT FITZGER

LOWELL GEORGE   JIMI HENDRIX   JIM HENS

BRIAN JONES   JANIS JOPLIN   JOHN KENN

RTIN LUTHER KING JR.   ERNIE KOVACS   BF

RD   JAYNE MANSFIELD   ROBERT MAPPLET

A MCAULIFFE   GLENN MILLER   SAL MIN

KEITH MOON   JIM MORRISON   THURMA

PHIL OCHS   CHRISTINA ONASSIS   CHARL

LVIS PRESLEY   FREDDIE PRINZE   GILDA R

TCH   DEL SHANNON   RITCHIE VALENS

ATS WALLER   HANK WILLIAMS